LA VIOL

ROBERT MERLE

Fortune de France V

La Violente amour

ÉDITIONS DE FALLOIS

« La violente amour que je porte à mes sujets. »

HENRI IV

CHAPITRE PREMIER

Tout passe : notre siècle, notre terre et nous-même, et fort heureusement, l'avenir reste clos et celé à nos yeux, lequel, s'il nous était connu, fanerait nos joies dans l'instant de leur conception. Ainsi en eût-il été pour moi de l'exaltant moment où tomba le Guise — sa mort soulageant le roi, et nous tous qui l'aimions, d'un poids insufférable — soulagement qui eût fait place pourtant tout de gob à un irrémédiable désespoir, si nous avions pu prévoir la male fortune qui, moins d'une année plus tard, accabla notre pauvre maître.

J'aimerais, comme un peintre sur un tableau, immobiliser ce moment où le duc de Guise, percé de coups et gisant, géantin et sanglant, au pied du lit royal, le roi, sur le seuil de son cabinet neuf, et en croyant à peine ses yeux de la mort de son ennemi, me dit de l'examiner. Et sur mon examen (à vrai dire inutile) apprenant de ma bouche que le prince lorrain avait rendu son âme à qui que ce fût qui l'était venu prendre, redressa sa haute taille et le regard calme et assuré, sans hausser le ton, mais avec une majesté que nous ne lui avions pas vue en son regard et sa contenance depuis notre fuite hors Paris révolté, prononça ces paroles :

— Le roi de Paris est mort. Je suis maintenant le roi de France, et non plus captif et esclave comme je le fus depuis les barricades.

Et me donnant alors une bague que Beaulieu

venait d'enlever du doigt de Guise, laquelle avait dans son chaton un cœur de diamant, le roi me commanda de l'apporter à Navarre, avec qui se voulant réconcilier, il désirait unir ses forces pour lutter contre la prétendue Sainte Ligue, se doutant bien que la fin du Guisard n'était point la fin de la Ligue, bien le rebours.

Je fus à quelque peine de saillir hors du château en la ville de Blois, toutes les portes ayant été closes, remparées et gardées dès l'arrivée au conseil de Guise et du cardinal, afin que la nasse se refermât sur eux et les retînt. Et encore que Laugnac de Montpezat, le capitaine des *quarante-cinq*, me donnât pour escorte La Bastide et Montseris, lesquels se bouchaient fort étroitement dans leurs manteaux pour qu'on ne vît point leur pourpoint éclaboussé du sang guisard, il ne fallut pas moins que l'intervention du seigneur de Bellegarde pour me faire ouvrir une petite poterne donnant sur l'arrière du château. De là nous passâmes en ville laquelle, sous une pluie battante et un ciel lourd et noir, s'éveillait à peine, ignorant encore l'exécution du prince lorrain, mais pour fort peu de temps, car nous vîmes, cheminant en sens inverse de notre trio, et gagnant le château, une forte troupe d'archers y conduisant, les piques basses, une demi-douzaine de prisonniers ligueux, parmi lesquels je reconnus le président de Neuilly, La Chapelle-Marteau et le comte de Brissac, desquels je fus bien aise de n'être pas reconnu, ayant, comme j'ai dit, les cheveux et la barbe teints en noir et la toque des *quarante-cinq* fort enfoncée sur les yeux. J'observai que La Chapelle-Marteau, plus jaune que jamais, trémulait comme feuille de peuplier au vent; que le président de Neuilly larmoyait (mais ni plus ni moins qu'à l'accoutumée, ayant le pleur facile et le cœur dur) et que seul faisait bonne contenance le comte de Brissac, se peut parce qu'il avait, comme dit Chicot, plus d'un tour dans ledit sac, et ne désespérait pas de la clémence du roi. Il marchait, la crête haute, l'épaule roide et de sa physionomie (mais c'était là son ordinaire) l'œil louche et la bouche tordue, et à ce que j'imaginais, tournant déjà en sa retorse cervelle quelque belle phrase d'excusation à Sa Majesté pour la part qu'il avait prise aux barricades de Paris.

Je laissai ces archiligueux à leur fortune et combien que j'appète peu au sang, la leur souhaitant la plus male possible, tant ils avaient fait d'écornes au nom de la Ligue à mon pauvre bien-aimé souverain. Et les dalles de l'*Auberge des deux pigeons* à la parfin sous mon pied fatigué, sourd aux questions de mon Miroul, me jetai sur mon lit et sans même me débotter, m'endormis, n'ayant pour ainsi dire pas fermé l'œil depuis deux jours, ma nuit avec Du Halde dans la garde-robe du roi n'ayant été qu'une longue veille devant le feu, tant Du Halde avait craint de passer l'heure à laquelle le roi lui avait commandé de l'éveiller.

J'eus le sentiment de ne m'être ensommeillé que cinq petitimes minutes quand deux mains me saisissant au col et me secouant, je les contresaisis et les serrant au poignet dans l'étau de mes doigts, huchai d'une voix terrible :

— Mordedienne ! Qu'est-cela ? Que me veut-on ? Qui ose m'affronter céans ?

— Hé ! Monsieur ! Lâchez-moi ! Ce n'est que je ! Je, Margot, votre chambrière ! Plaise à vous de me dépoigner ! Je ne vous veux point de mal et suis sans arme !

— Sans arme, Margot ! dis-je, mon œil charmé se déclosant sur elle tout à plein.

— Sans arme, Monsieur.

— Vramy, Margot ! répétai-je en riant, et l'attirant à moi des deux mains je la couchai sur moi contre ma poitrine et poutounai son cou mollet. Sans arme, dis-tu ? Et cela que je baise ne vaut-il pas épieu et dague sur mon tant faible cœur ? Ne sais-tu pas, Mignonne, que quelqu'une qui est belle, ainsi passe fer et feu ?

— Voire mais ! dit Margot, la voix aiguë et l'œil sourcillant, plaise à vous, Monsieur, de me lâcher ! Je ne suis point de ces dévergognées ribaudes que M. de Montpezat baille le lundi à ses Gascons.

— Quoi! Margot! dis-je, serais-tu donc pucelle?

— Oui-da, Monsieur, et le veux rester! Que m'oyent la Benoîte Vierge et tous les saints!

— Que donc ils te protègent! dis-je en la lâchant. Margot, point de rancune! Accepte ces deux sols pour aiser ta conscience de ces baisers volés, lesquels n'étaient que demi-jeu en mon demi-sommeil. Et la grand merci à toi pour avoir offert à mon réveil ta face fraîchelette! Un renard prend plaisir à voir passer poulette, même s'il ne peut l'attraper.

— Monsieur, dit-elle, rosissant et l'œil suspicionneux, deux sols, c'est prou! Et plus que ce que je gagne à labourer céans tout le jour. Deux sols pour deux minutes en vos bras! Monsieur, attendez-vous de me tenter?

— Nenni, nenni, gentille mignote! dis-je en riant, d'ores en avant je serai avec toi manchot. Seuls mes yeux, qui sont irréfrénables, te diront mon appétit.

— Voire mais! dit-elle, cramoisie et se tortillant sur un pied, les deux mains dans les plis de son vertugadin. Votre œil, c'est quasiment une main, tant il me caresse et me flatte.

— Qu'y peux-je, Margot? Ensauve-toi!

— C'est que j'ai message pour vous. Sans cela, vous aurais-je désommeillé? Un gentilhomme dans la salle commune requiert de vous voir, lequel a le chapeau sur l'œil et le menton dans son manteau. Il se dit des amis de Monsieur votre père.

— Comment est-il?

— Homme de bon lieu. Beau assez. A peine trente ans, à ce que je cuide.

— L'œil?

— Bleu. Le nez droit et bien fait, la pommette large. Epée et dague, et pistolet, à ce que je gage, sous la cape. Quelque hautesse en la mine et l'air à ne pas se laisser morguer, mais franc comme écu non rogné, et comme vous, Monsieur, sans chicheté ni méchantise.

— Voilà qui est gentiment dit! Si je ne me voulais manchot, je te donnerais une forte brassée! Va, Margot, et m'amène céans le gautier!

Ce qu'elle fit en un battement de cil et mon visiteur, dedans ma chambre, referma l'huis sur nous, l'œil en fleur et la lèvre amicale.

— Monsieur, dit le baron de Rosny [1] en s'ôtant son chapeau de dessus l'œil, et découvrant un grand front où, en dépit de ses vertes années, le cheveu blond devenait rare, je connais mieux le baron de Mespech que votre personne. Mais sachant que vous servez le roi tant fidèlement que moi-même le roi de Navarre — j'aurai quelque affaire à vous, si vous consentez à m'ouïr.

A quoi je lui dis courtoisement de s'asseoir et s'aiser, que je savais par mon père ses immenses mérites et que mon maître et souverain le roi Henri Troisième le tenait, bien qu'il fût à Navarre, pour grandement affectionné au bien de l'Etat.

Je lui fis part de tout ceci dans la langue du Louvre qui veut qu'on dise à longueur ce qui se peut dire en bref, et cependant que je parlais, l'envisageai fort curieusement, ne l'ayant qu'entr'aperçu jusque-là, et trouvai que Margot avait dit vrai et qu'il y avait quelque hautesse en sa contenance. Mais à la différence du duc d'Epernon, de qui elle était d'autant insufférable qu'elle s'accompagnait du déprisement de tout le genre humain, celle de M. de Rosny faisait bon ménage avec une sorte de bénignité virile et bon enfant. Ni son bel œil bleu, ni son ample front, ni ses pommettes fortes et rieuses n'y contredisaient, non plus que sa lèvre friande. C'était là à ce qu'on m'avait dit, un huguenot de beaucoup d'esprit, propre à donner de bons coups d'épée au combat et aussi à mener des négociations délicates en les brouilleries de nos affaires. J'observais qu'il lapait comme chat mes compliments de cour, ayant de lui-même une tant haute idée qu'aucune hyperbole ne lui semblait imméritée. Mais quand je le connus mieux, j'entendis qu'à la différence d'Epernon, qui, notre bon maître mort, ne voulut plus qu'avancer soi et asseoir sa fortune sur la ruine et le

1. Plus tard créé par Henri IV duc de Sully. (Note de l'auteur.)

démembrement de l'Etat, Rosny, lui, ne s'était jamais donné pour but que la conservation du royaume, la réunion des Français et l'universelle paix.

— Monsieur, dit-il, quand j'eus mon discours conclu, j'ai pu, grâce à M. de Rambouillet, parler au roi, lequel me témoigna de se vouloir réconcilier secrètement à Navarre, la Ligue le pressant, et me commanda d'aller lui faire entendre son intention, mais sans cependant me vouloir bailler passeport, de peur que le duc de Nevers ne le sût, Nevers étant royaliste fidèle, mais tant papiste de cœur qu'il ne voudrait pas d'une alliance d'Henri Troisième avec un hérétique et excommunié. Raison pour quoi, commandant les armées du roi, il ne se ferait pas faute de m'arrêter, ou pis peut-être, s'il me trouvait à Blois, ou m'encontrait sur le chemin.

— Ha ! Monsieur ! dis-je, entendant à la parfin où tendait ce discours, n'est-ce pas pitié que le roi se doive méfier d'un serviteur fidèle, le pape mettant toujours le doigt entre ses sujets et lui ?

— C'est pitié, dit M. de Rosny et se tut, m'interrogeant de son œil bleu tant incisif qu'attentif. Ce qui me donna à penser qu'il savait jà — se peut par M. de Rambouillet — que le roi me dépêchait à Navarre, porteur de la bague du Guise et d'une proposition de paix.

— Monsieur de Rosny, dis-je avec un sourire, je vous entends et je puis bien vous dire ce que, le roi y consentant, vous désirez ouïr de moi : A savoir que si mon maître m'envoie à Navarre, et s'il est connivent que je vous prenne avec moi, mon passeport vous tiendra lieu de celui qu'il ne peut, à cause de Nevers, vous bailler. La seule condition que je mettrai, quant à moi, à cet arrangement, c'est que je sois partie à votre entretien avec le roi de Navarre, votre ambassade doublant la mienne, mais ne la pouvant supprimer.

A cela je vis bien qu'en son for, Rosny tordait quelque peu le nez, aspirant sans doute à porter seul la gloire du raccommodement de Navarre avec le roi de France.

— Monsieur, repris-je, le voyant dans ce sentiment, je n'ignore pas que depuis deux ans vous avez plus qu'aucun autre labouré à la réconciliation des deux rois et que vous avez traversé maints périls pour passer d'un camp à l'autre, afin d'entretenir mon maître des bonnes dispositions du vôtre, alors même que la guerre entre eux était attisée, sous le couvert de la religion, par le Guise, la Ligue et les barricadeux de Paris. Aussi n'ai-je pas le propos de vous disputer le moindrement du monde la palme qui vous doit légitimement échoir du succès de vos entreprises. Pour moi, combien que je sois de dix ans votre aîné, je ne suis qu'un cadet du Périgord que le roi a eu la bonté de faire baron en raison des quelques petits services que je lui ai rendus dans sa lutte secrète contre les brouilleries de la Ligue. Et en cette présente mission, je voudrais, Monsieur, qu'il soit clair que je me considère comme votre sauvegarde sur le chemin et votre garant auprès de Navarre de l'amitié de mon maître. Rien de plus. Si une trêve ou une paix doit être arrêtée entre les deux rois, les termes en seront discutés par votre truchement. Et l'honneur, comme il en est légitime, en reviendra à vous seul.

— Ha! Baron! s'écria Rosny en se levant avec pétulance et marchant à moi les bras tendus, vous avez parlé franc et clair, à la soldate. Je croyais ouïr Monsieur votre père, lequel j'aime et j'estime au-delà de tous les serviteurs de mon roi.

Sur quoi, il me serra les deux mains dans les siennes, mais sans me donner la forte brassée que j'attendais, les huguenots de Navarre étant plus économes dans leurs embrassements que nos bons muguets de Cour. Et moi, atendrézi assez qu'il eût parlé de mon père en termes si affectionnés, j'osais alors lui en demander des nouvelles.

— Ha! dit-il, le baron de Mespech est un miracle de la nature! Les travaux et les jours passent sur lui sans émousser sa vitalité infinie. Il est le premier à l'assaut et, le combat fini, le second à courre le cotillon.

— Et quel est le premier?

— Navarre, hélas!

— Hélas? dis-je en riant. Monsieur de Rosny, voudriez-vous voir votre roi escouillé?

— Nenni, dit Rosny gravement, mais je crains le débours. Nos finances sont bien petites.

Tout mon Rosny était là déjà, à ce que je me suis souvent apensé depuis. Homme fait d'un excellent alliage de plusieurs métaux différents: Prudent et fort ménager des deniers de l'Etat, alors même qu'il aimait pour lui-même le luxe et l'ostentation; montrant tout ensemble dans les occasions la sagacité d'un vieillard et la fougue d'un jeune homme; soldat intrépide et patient diplomate. Et qu'il eût besoin pour lors de sa plus longue patience, c'est bien ce qu'il apparut tout au long de ces longues tractations entre mon maître et le sien pour ce que de décembre, elles durèrent jusqu'au mois d'avril. Et combien que je n'aie pas appétit à y entrer par le menu, puisque aussi bien on en connaît l'heureuse issue, j'aimerais, lecteur, t'en montrer du moins les inoubliables pointes, telles qu'elles émergent, à ce jour toujours vives, en ma remembrance.

Ni la trêve ni la paix n'avaient été encore proclamées entre les deux rois, et Navarre apprenant que l'armée royaliste était occupée à repousser les ligueux qui menaçaient Henri à Blois, en avait tiré profit pour occuper le Poitou et assiéger Châtellerault. Or, par une bien curieuse et ironique coïncidence, Rosny et moi-même advînmes à son camp lui porter les paroles de paix de son suzerain, le jour même où il prit la ville au roi de France, dont il était tout ensemble l'héritier et le vassal.

Pour moi qui n'avais vu Navarre depuis l'ambassade d'Epernon en Guyenne, il ne me parut pas fort changé, sauf que sa barbe et ses cheveux, comme il disait en moquant, avaient *grisé*. C'était toujours dans une longue face le même nez long et courbe, un menton qui attentait de rejoindre le nez, le cuir du visage couleur caramel, tant le soleil et le vent l'avaient cuit, le front ample, l'œil vif, la lèvre gaussante, le geste prompt de l'homme rompu au combat et à toutes les athlétiques exercitations. Il n'était point fort grand, et ses jambes paraissaient trop brèves pour son tronc, mais elles le portaient indéfatigablement pour la marche, la danse, la paume et tous les jeux, et à la bataille, le vissaient douze heures d'affilée sur un cheval, crevant, et le cheval, et les gentilshommes de sa suite. Après quoi, au débotté, il dansait comme fol, courait le lièvre, ou paillardait avec quelqu'une sur le revers d'un talus, mangeant d'un croûton frotté d'ail, buvant à la régalade, dormant peu et les manières tant grossières que son esprit l'était peu. Car à mon sentiment, pour la subtilesse politique, il en eût remontré même à mon maître.

Quand Rosny et moi nous fûmes admis en sa présence, il était à sa repue sous sa tente, n'étant pas entré encore en Châtellerault dont ses officiers négociaient alors la reddition avec les royalistes. Et encore qu'il y eût une escabelle devant sa table, il ne s'y asseyait point, mais mâchellait debout (comme les chevaux dont il avait la longue face) portant les chairs au bec avec ses doigts, l'usance de la fourchette — si chère à mon bien-aimé maître — lui étant tout à plein déconnue. Et à dire le vrai, il buvait à si franches lippées et mangeait à si grosses goulées que se pouvaient reconnaître sur sa barbe et son pourpoint les vins et les viandes qu'il avait consommés.

Non que ce fût grande pitié pour le pourpoint, lequel était grisâtre, passé et fort usé aux épaules et aux coudes, usure que Navarre devait à la cuirasse, l'ayant tant portée toutes ces années écoulées. Et de reste, que ce fût là à la guerre son unique pourpoint, je n'en jurerais pas, l'ayant vu le lendemain jouer à la paume avec une chemise déchirée, tant Henri était insoucieux de sa vêture, du moins en ses campagnes.

— Ha! Sire! dit Rosny (qui dans les dents de son économie huguenote, inclinait à la magnificence et pour lui-même, et pour son roi), comme vous voilà fait! Votre pourpoint montre la trame!

— Le Béarnais est pauvre, dit Navarre, la bouche pleine et l'accent rocailleux, mais il est de bonne maison...

Quoi dit, et jetant un œil gaussant à Rosny, incapable qu'il était de demeurer en la place, il allait et venait qui-cy qui-là en la tente, dévorant à belles et grosses dents un chapon, l'œil fiché quand et quand sur les murs de Châtellerault où se voyait encore la grosse brèche qu'y avaient faite ses canons, dont il usait plus habilement qu'aucun général en ce siècle.

— Rosny, dit-il, qu'en est-il de ce passage sur la rivière de Loire que j'ai requis au roi pour mes sûretés, si je le dois un jour proche encontrer, un traité avec lui ayant été conclu ?

— Le roi tient la chose pour agréable, dit Rosny, et quant à moi, ayant pris langue avec M. de Brigneux, gouverneur de Beaugency, laquelle est sur Loire petite mais bonne ville, il m'a assuré que si la nécessité le voulait jeter ès mains de la Ligue, pour lui il n'en serait jamais, mais mettrait incontinent dedans sa ville quiconque il vous plairait de lui envoyer.

— Voilà qui va bien, dit Navarre.

Et ayant posé sur son écuelle d'étain la carcasse du chapon, et s'étant essuyé les mains à une serviette qu'un page lui tendait, il but une grande goulée de son vin, et revenant se camper, les gambes écartées, et un poing sur la hanche, devant l'aperture de sa tente, il considéra Châtellerault en se grattant la tête.

— Estimez-vous, reprit-il en tournant vers nous son nez busqué et ses yeux perçants, et envisageant tout ensemble Rosny et moi-même, comme si sa question se fût adressée à nous deux : Estimez-vous que le roi ait bonne intention à mon égard et qu'il veuille traiter de bonne foi avec moi ?

— Oui, pour le présent, dites-vous bien, Sire, dit Rosny, et n'en devez nullement douter, car la nécessité de ses affaires l'y contraint, n'ayant d'autre remède à ses dangers que votre assistance.

Après quoi, comme je m'accoisais toujours,

Navarre attacha sur moi son œil fin, et me dit de ce ton de cordialité bon enfant, par quoi il s'était fait autant d'amis des gentilshommes qui le servaient :

— Et vous, Monsieur de Siorac, qu'en êtes-vous apensé ?

— Sire, dis-je tout de gob, il n'y a pas que la nécessité. Le roi vous aime, et vous aima toujours, soyez-en bien assuré. Je vous le dis comme son serviteur. Je vous le dis à vous, Sire, en toute déférence et loyauté comme à son dauphin désigné, et je le dis aussi en tant que huguenot qui va *à contrainte*...

A cette expression qui voulait dire que j'oyais la messe du bout de l'oreille, Navarre s'esbouffa à rire, non point comme mon bien-aimé maître, déclosant à peine le bec, les doigts devant sa bouche, mais la gueule large ouverte, les mains aux hanches et les tripes secouées.

— As-tu ouï, Roquelaure ? dit Navarre en s'adressant à un grand et gros gentilhomme à trogne cramoisie, lequel était fort dévotieux à son service, quoique catholique (mais d'une espèce tant tiède qu'on l'eût pu dire froidureuse).

— Sire, dit Roquelaure, qui était réputé amuser Navarre par ses saillies, il y a beau temps que je vous ai dit que cette contrainte-là, vous eussiez dû la subir pour l'union et la paix du peuple de France...

— Auquel il est bien vrai que je porte une violente amour, dit le roi de Navarre avec gravité et jetant un œil à Rosny, lequel avait fort sourcillé quand Roquelaure, à sa franche et fruste façon, avait soulevé le point de la conversion du roi.

Sur quoi, Navarre, reprenant incontinent ses gaussantes manières, sourit, se tourna derechef vers Roquelaure, et se tapant de la dextre sur le ventre, dit :

— Roquelaure, comment expliques-tu que j'ai un appétit d'ogre, depuis que le pape m'a excommunié ?

— Pour ce que, Sire, dit Roquelaure, vous mangez comme un diable !

A quoi le roi de Navarre, et tous ceux qui étaient là rirent à ventre déboutonné, combien que cette saillie ils l'eussent ouïe, à ce que j'appris, plus de cent fois, Navarre, qui en était raffolé, la faisant répéter quand et quand à Roquelaure, qui lui était ce que le fol Chicot était à mon maître. Et voyant dans l'œil de Navarre, tandis qu'il s'esbouffait, je ne sais quelle malicieuse lueur, je m'avisais que, bien trop sage politique pour prononcer jamais paroles offensantes contre le pape (avec lequel il comptait bien se réconcilier un jour) Navarre était bien aise, en son for, que ce fût un catholique comme Roquelaure qui se chargeât de l'irrespect public, et soulignât *urbi et orbi* le peu d'effet qu'avait produit sur un souverain huguenot « le foudre de l'excommunication ».

Laquelle hyperbolique expression, si le lecteur me permet de l'en ramentevoir, était de l'oncle de Navarre, le cardinal de Bourbon — le Gros Sottard, comme disait Chicot — lequel en sa folie, et combien qu'il fût de la branche cadette des Bourbons, aspirait à la succession d'Henri III, pour la seule raison qu'il était catholique, et son neveu, hérétique. Prétention risible même pour les ligueux qui la soutenaient, et d'autant que le vieil homme, qui avait à peine de cervelle assez pour cuire un œuf, se trouvait ès mains de mon maître à Tours, ayant été par lui saisi et serré en geôle dorée après l'exécution du Guise et de son frère. Or, pour la male heure de mon pauvre bien-aimé souverain, ce frère — qui pis même que le Guisard, ne rêvait que sang et ne ronflait que massacre — était hélas ! cardinal, raison pour quoi le pape, après son exécution, menaçait d'excommunier tout de gob le roi de France. Ce que celui-ci qui était, comme on sait, fort dévot, ressentait comme une âpre et profonde navrure.

Je le dis à Navarre lequel hocha la tête, haussa les épaules et dit :

— Ha bah ! Il n'y a qu'à bien battre la Ligue et être les plus forts ! Et vous verrez ce qu'il en sera de ces excommunications ! Mais, reprit-il, Monsieur de Siorac, dites-vous bien que le roi m'aime ? Le fait est-il constant ? En êtes-vous bien assuré ?

— Ha! Sire! A n'en pas douter! Tout ce qui fut fait contre vous par la Cour le fut à l'instigation et sous la pression de la Ligue et du Guise, et le plus mollement du monde. Vous l'avez bien vu vous-même, Sire : le roi n'a jamais voulu conduire une armée contre votre personne.

— Aussi n'y ai-je pas moi-même consenti, dit Navarre. Même après ma victoire de Coutras. Quant à moi, ajouta-t-il, je suis content que le roi m'aime. Si lui suis-je aussi très affectionné. C'est un bon prince. C'est le siècle qui est mauvais.

Quoi dit, il fit quelques pas derechef dans la tente et revint se planter devant son aperture, l'œil fiché sur les murs de Châtellerault et la mine songearde.

— Je ne sais pourtant, dit-il. Vais-je aller à la Cour du roi? Et si j'y vais, quelle forme de vivre y tiendrai-je? Et quelle confiance aurai-je lieu d'y nourrir, y ayant là tant d'ennemis de moi et de ma foi? Messieurs, qu'en êtes-vous apensé?

Chacun alors des officiers qui étaient là dans la tente royale en dit sa râtelée, les uns pour, les autres contre, lesquels le roi de Navarre écouta fort attentivement, son œil vif allant de l'un à l'autre et se fichant à la fin sur Rosny qui branlait du chef durant ces discours, mais sans ouvrir le bec.

— Hé bien, Monsieur de Rosny! dit Navarre, que vous en semble? Vous ne dites mot!

— Sire, il me semble que quelques précautions que vous puissiez prendre, le roi sera toujours le plus fort à la Cour, comme il l'a bien montré à Blois. Adonc, qui craint que l'on ait sur lui quelque dessein n'y doit pas aller!

— Ce serait à craindre, dit Navarre, les hommes étant ce qu'ils sont.

— Mais de toutes manières, Sire, reprit Rosny, en un cas semblable à celui-ci, il faut jeter beaucoup de choses au hasard. Sans cela, rien ne se ferait jamais.

— C'est raison, dit Navarre. Allons! N'en parlons plus! La résolution est prise!

Ayant dit, il revint se planter devant l'aperture de la tente, l'œil fiché sur les murs de Châtellerault. Et se grattant derechef la tête, comme il avait déjà fait, il dit sur le ton goguenard et gaussant qu'il affectionnait :

— Si le roi traite de bonne foi avec moi, je ne veux plus lui prendre ses villes. Celle-ci sera donc la dernière.

A quoi nous rîmes, tant c'était prononcé avec bonne grâce et bonhomie et quelque petite malice aussi saupoudrant cette viande.

— Siorac, dit M. de Rosny, quand Navarre nous ayant présenté la main, nous eûmes pris congé de lui, mon page va vous mener à votre tente où je gage que vous serez bien aise de prendre quelque repos, ayant la fesse lasse de notre grande chevauchée.

Là-dessus, il me quitta avec un petit brillement amical de l'œil, mais sans brassée ni poutoune, n'étant pas l'homme des discours et des mignonneries, et me laissant, de reste, désappointé assez, n'ayant pas eu le temps de quérir de lui si mon père se trouvait dedans l'une des innumérables tentes que je voyais là. Cependant, le page filant devant moi comme carreau d'arbalète, je craignis de le perdre dans la grande cohue des soldats cheminant et courant en tous sens, tant hommes d'armes que de Suisses, lansquenets ou gentilshommes en cuirasse. Et en conséquence, j'emboîtai le pas du drolissou dans les tours et détours du camp sans mot piper.

— C'est céans, Monseigneur, dit le galapian, comme je le rattrapais à la parfin, hors de vent et d'haleine, et ce disant, il disparut comme diable en trappe ou muscade en gobelet.

J'ouvris le pan de la tente devant laquelle il m'avait planté et dans l'ombre y pénétrant, ne vis goutte. Mais en revanche, sentis deux bras robustes qui tout soudain m'étreignirent, et une roide barbe se frotter à ma joue.

— Ventre Saint-Antoine ! criai-je, qu'est-cela ?

— Hé quoi, Monsieur mon fils ! dit une voix périgordine que bien je connaissais, vous ne savez qu'est-cela ? Où donc est la voix du sang ?

— Ha! mon père! mon père! criai-je.

Je ne pus en dire plus, les larmes me jaillissant des yeux et le nœud de ma gorge se nouant. Ha! pensai-je, le gentil Rosny qui m'a fait cette surprise-là! Et comme il a le cœur assis en bon lieu pour avoir si bien deviné le mien! Cependant, mon œil se faisant à la pénombre de la tente, je vis avec joie, me déprenant des bras de mon père, que les cinq années écoulées depuis l'ambassade d'Epernon en Guyenne n'avaient guère changé le baron de Mespech, et qu'il était toujours le même rustique et vert gentilhomme, et bien mieux, qu'il avait en lui plus d'allant et de jeunesse encore, malgré son poil grison, depuis que quittant sa châtellenie à son aîné François, il avait lié son sort à l'aventureuse fortune de Navarre, le suivant en ses sièges, ses chevauchées et ses combats. Voyant quoi, je me pris à rire au milieu de mes larmes et derechef donnant à mon père une forte brassée, je fis je ne sais combien de poutounes à sa rude barbe, et autant de toquements de mes deux mains à ses épaules et son dos, ne sachant que répéter comme un babillant perroquet :

— Ha mon père! Ha mon père!

— Cornedebœuf! dit Jean de Siorac qui, Sauveterre mort, avait repris ce juron par piété fraternelle, avez-vous, Monsieur mon fils, perdu langue à vivre au sein des jaseurs de la Cour, ou, foi de huguenot! êtes-vous devenu muet à force d'ouïr la messe ?

— Espérez un peu, Monsieur mon père! dis-je d'une voix entrecoupée et riant et pleurant. Dès que les mots me reviendront, le diable lui-même ne pourra arrêter mon discours!

Mais avant qu'ils revinssent, il me fallut être quasiment étouffé par les embrassements du géantin Fröhlich, lequel me gardait une gratitude infinie de l'avoir tiré de la nasse de la Saint-Barthélemy, et depuis, servait le baron de Mespech, ayant avec délices retrouvé à ses côtés, depuis que mon père suivait Henri en ses campagnes, cette livrée mi-jaune mi-rouge des Suisses du roi (jaune pour Béarn et rouge pour Navarre), laquelle il avait pleurée en ôtant dix-sept ans plus tôt pour se mettre à la fuite avec Giacomi, Miroul et moi, les massacreurs du 24 août hurlant à nos chausses en Paris.

Lequel Miroul que je viens de nommer, tandis que Fröhlich quasiment m'étranglait de ses bras musculeux, j'aperçus du coin de l'œil dans un coin de la tente affairé quiètement à défaire mes bagues sur un petit lit de camp.

— Eh quoi, Monsieur mon secrétaire! dis-je, ma parole coulant derechef sous l'effet de mon ire, est-ce ainsi que tu m'as attendu au saillir de la tente du roi, comme je te l'avais ordonné?

— C'est que, Moussu lou Baron, dit Miroul, son œil marron s'égayant tandis que son œil bleu restait froid, M. de Rosny m'avait mis dans le secret de la présence de Monsieur votre père en ce camp, et contrecommandé de l'aller incontinent prévenir que vous étiez céans advenu.

— Baron, Monsieur mon fils? dit Mespech en levant le sourcil, le roi de France vous a-t-il fait baron?

— Oui-da! dis-je, la crête haute, car pour personne au monde, sauf mon Angelina, ce titre ne me faisait plus plaisir à porter que pour mon père, et repris-je, si je ne vous en ai pas écrit par la poste, c'est que j'ai attendu d'en recevoir confirmation par les lettres du roi. C'est fait, à ce jour, et vous le peux-je donc annoncer : je suis baron de Siorac.

A quoi je vis mon père rougir, lui qui était Mespech, tant lui plaisait que ce nom roturier de Siorac que son père, apothicaire à Rouen, lui avait transmis honorablement, fût élevé à cette dignité en la personne de son cadet.

— Çà, Fröhlich! dit mon père, coupe-moi sans chicheté des tranches de pain et de jambon (lesquels pain et jambon étaient pendus au mât de la tente pour les préserver des rats) et toi, Miroul, débouche-moi deux flacons. Cornedebœuf! Il nous faut carouser, et ce titre, et ce retour! Mais Monsieur mon fils, avant que de me dire vos exploits au service du roi, dites-moi, au débotté, dites-moi, je vous prie, ce qu'il en est de votre frère Samson, de Catherine, de Gertrude, de votre Angelina, de Quéribus, de Giacomi, de Fogacer, de tous enfin, et jusqu'au dernier valet en Montfort l'Amaury !...

Ce que je fis, Fröhlich ayant dressé au centre de la tente une petite table basse, et mon père et moi, assis de part et d'autre sur des escabelles, nos genoux se touchant, et nous envisageant bec à bec, lesquels becs mâchellaient gaillardement nos viandes et le mien, de surcroît, entre deux goulées, disant ma râtelée des affaires de mon domestique, mes paroles coulant de flot, irrassasiablement, pour l'ouïe de mon père ! Ha ! lecteur ! Comme je me ramentois cette repue-là, qui ne fut pas seulement de mets et de viandes, mais de la grande amour qui me liait à mon père, et lui à moi ! Je n'ai qu'à clore l'œil pour revoir le tout de ce moment, et de l'immense camp retentissant autour de nous, de ses noises et de ses vacarmes, le va-et-vient des bottes et des sabots, le moutonnement des tentes grises, les voix des Suisses s'interpellant en allemand, celles des nôtres en français, les Gascons en oc, les hennissements des chevaux, les braiments des mules, le tohu-vabohu incessant, et çà et là, visibles par l'aperture de la tente, des marmites mijotant sur tripodes au-dessus de feux de bois dont les fumées, se répétant à l'infini, obscurcissaient gaiement le clair soleil de cet avril.

Mon père qui était assis là, à ma face, et dont les yeux se collaient aux miens dans leur avidité à me voir et ouïr, avait été en mes maillots et enfances mon insurpassable héros ; en mes vertes années, mon exemple et mon modèle ; en mes années plus mûres, le miroir dans lequel je désirais inscrire l'image de ma future vieillesse. Il m'aimait au-dessus de ses quatre enfants, pour ce que j'étais si semblable à lui. Je l'aimais pour le don qu'il m'avait baillé de m'avoir fait à sa semblance. Il était moi, et j'étais lui, et qui mieux est, lui trente ans plus jeune. Assurément, j'avais vénéré l'oncle Sauveterre pour ses grandes qualités et l'eusse aimé davantage, si elles n'étaient montées si haut. Mais, chez l'oncle, pour qui toute femme était piperie et perdition, j'avais trouvé je ne sais quelle sécheresse à bannir de son amitié la moitié du genre humain. Mespech avait, de ce côté que je dis, de rassurantes imperfections qui me le rendaient plus proche. Il ne pouvait envisager la beauté sans en avoir appétit, et encore qu'étant huguenot, le remords le poignait, ce remords venait après la tentation, trop tard pour l'avoir prévenue, trop faible pour l'en retirer. Tant est que considérant mon père tout ensemble comme le parangon des plus fortes vertus et des plus aimables faiblesses, je n'avais qu'un reproche à lui faire, mais celui-ci fort âpre : c'est qu'il mourrait selon l'ordre de la nature avant moi, me laissant seul en un monde désolé.

Pour dire tout le vrai, ce pensant, je ne parlais pas seul : si rapide que voulût être le flux de mon discours, il n'allait pas vite assez pour l'avidité à apprendre de mon père, si bien qu'il me ralentissait par ses questions en me voulant presser.

— Et votre gentil frère Samson ? Vous ne mentionnez pas Samson ? N'êtes-vous pas autant affectionné à lui que vous le fûtes ?

— Que nenni !

— Comment va-t-il ? Est-il toujours en ses bocaux ? Ménage-t-il bien son apothicairerie ? Comment se portent Gertrude et ses enfantelets ? Cornedebœuf ! Le pendard n'écrit jamais ! Et Gertrude pas davantage !

— Mais bien savez-vous, Monsieur mon père, qu'il mélange ses médecines mieux qu'il n'aligne les mots. Et que de reste...

— Et Zara ? Est-elle toujours tant belle que charmante ? Qu'en est-il de sa querelle avec Gertrude ?

— Cette rupture-là est rhabillée et les deux...

— Zara va-t-elle sous peu s'accoucher ? Et votre belle-sœur Larissa ? Est-elle toujours, pauvrette, sans enflure du ventre ? N'est-ce pas étrange que votre Angelina soit si féconde, et sa sœur plus stérile que le figuier de l'Ecriture ? Et Catherine ? N'aimez-vous plus votre petite sœur Catherine ? Que ne m'en parlez-vous ! Cornedebœuf ! M'est avis que vous êtes plus raffolé de son mari que d'elle ! Un muguet de cour ! Un coquet coquardeau !

— Ha ! mon père ! Quéribus a le cœur bien assis ! Et quant à ma petite sœur Catherine...

— Et le maître en fait d'armes Giacomi ? Comment se porte *le maestro* ? Comment prend-il l'aridité de Larissa ? Pourquoi n'est-il pas avec vous ? Je serais plus content, en les troubles du temps, que cette fine lame ne quittât pas vos côtés !

— Monsieur mon père ! dis-je à la parfin en riant, à laquelle de cette pluie de questions dois-je d'abord répondre ?

— Mais à la première, Monsieur ! dit Jean de Siorac, en contrefeignant de sourciller à mon impertinence. Et n'oubliez pas Fogacer ! Bien je me ramentois à ce jour que mon pauvre Sauveterre l'estimait prou de ce que Fogacer avait préféré demeurer le quinze novembre en la librairie de Mespech avec lui plutôt que d'aller baller avec les dames à la fête de Puymartin.

— Il est de fait, dis-je sans battre un cil, que Fogacer est fort austère quand il s'agit du cotillon.

— Et, mon fils, dit Mespech avec un petit brillement de l'œil, qu'en est-il de votre grande amie Alizon ? Votre petite mouche d'enfer, comme vous la nommez, laquelle vous fut de si grande aide lors des barricades de Paris.

— Je ne l'ai pas vue de longtemps, dis-je avec embarras, ayant rejoint le roi en sa fuite, le pavé de Paris me brûlant les semelles, après que j'eus été reconnu, malgré ma déguisure, par la Montpensier. Mais Monsieur mon père, vais-je de prime vous parler de Samson, comme vous m'en avez de prime requis ?

Ce que, avec son agrément, je fis, Jean de Siorac m'oyant de ses oreilles, et me dévorant de ses yeux, tant il est vrai que quand on a comme lui un cœur immense, on vit plus d'une vie, celle des êtres à qui nous sommes de si près affectionnés multipliant la nôtre.

Rosny me laissa m'ébattre, tout ce jour que je dis, en mes joies domestiques, mais dès le lendemain, il m'envoya son page me désommeiller et me quérir. Le petit galapian, lequel était blond comme blé et fluet comme libellule, et pas plus de poil au menton que dans le creux de ma main, devait avoir, comme Hermès, des ailes à ses sandales, car à peine eussé-je sailli de la tente paternelle qu'il s'envola si prestement que, n'eût été la livrée rouge et jaune dont il était revêtu, je l'eusse incontinent perdu de vue. Tant est que je dus courir comme fol après le bel insecte qui voletait de tente en tente dans le clair matin, jusqu'à ce que, enfin, il se posât sur celle de M. de Rosny.

A l'entrant, je trouvai à celui-ci la mine songearde, la lippe ambigueuse, l'œil fort questionnant et il m'apparut vite, à le voir avancer précautionneusement la patte en notre entretien, qu'il me voulait demander service qu'il doutait que je consentisse à lui rendre.

— Baron, dit-il, asseyez-vous là, à ce bout, sur cette escabelle, et plaise à vous de vous régaler avec moi de cette tranche de gigot et de ce pain, lequel, la merci Dieu, n'est point d'avoine et d'orge, comme en ont mangé, dit-on, les assiégés de Châtellerault mais de beau et blanc froment. Page! Un flacon de mon vin de Bordeaux! Vite! sur cette table! pour arroser nos viandes! Monsieur de Siorac, vous n'ignorez point que d'aucuns à la Cour voient d'un œil fort mauvais le traité de mon maître avec le vôtre, Nevers, bien que loyal royaliste, y étant fort hostile et le légat Morosini tâchant même à le rompre et labourant à rapprocher le roi du duc de Mayenne, à quoi bien évidemment il échoue, le gros pourceau, comme dit Chicot, convoitant pour lui-même le trône, son frère guisard à peine péri. Mais vous savez tout cela, Monsieur de Siorac, et bien d'autres choses encore, qui expliquent qu'il y a quelque traverse dans le choix de cette place que Navarre quiert du roi sur la Loire comme passage pour asseoir ses sûretés.

— Quoi? dis-je, levant un sourcil, mais je croyais bien au rebours, que c'était résolu, et que M. de Brigneux, de son chef, était prêt à livrer Beaugency à votre maître.

— C'est qu'à la réflexion, dit Rosny, un léger nuage d'embarras passant sur sa franche et belle face, Navarre opine que Beaugency est bien trop proche d'Orléans, où les ligueux se sont mis comme le ver dans le fruit. Tant est que Mayenne, fort de leur appui, n'aurait qu'à faire un saut de puce pour surprendre nos armées.

— Donc, dis-je, fort étonné, et ne sachant à quoi Navarre voulait en venir, le voyant comme chat, avancer le museau sur une ville de Loire, se reculer, y revenir, et n'en plus vouloir derechef, donc, Monsieur de Rosny, repris-je, plus de Beaugency?

— Et d'autant, dit Rosny, que le roi propose à Navarre de lui donner les Ponts de Cé, lequel est petit bourg sur Loire à deux milles d'Angers.

— Voilà donc qui va bien.

— Voilà donc qui va mal. Les Ponts de Cé est chétive bourgade, fortifiée, si j'ose dire, d'un très faible château. En outre, bien trop proche d'Angers. A dire le vrai, je ne doute pas que les ennemis de Navarre à la Cour aient conseillé ce mauvais choix.

— Que donc Navarre doit refuser.

— Que donc Navarre ne peut qu'il n'accepte, dit Rosny vivement. Sans cela ses ennemis à la Cour diront qu'il est comme Guise, qu'il exige toujours plus que ce qu'on veut lui bailler.

Après quoi, un silence chut, que je laissais à plat, sans le relever tout de gob, sentant bien, connaissant l'homme, que le fin mot m'allait être dit à ma première question. Ce que très bien comprit Rosny qui tout soudain sourit d'un sourire qui, arrondissant ses larges pommettes, me parut l'ouvrir tout à plein.

— Siorac, dit-il, vous ai-je bien ouï? Avez-vous quis de moi ce que veut Navarre à la fin?

— Vous m'avez bien ouï, dis-je en riant. Et que veut-il?

— Saumur, dit Rosny sans battre un cil.

— Ho! Ho! criai-je, c'est gros morcel! Et dont se déferait peu volontiers le roi, réduit qu'il est à ne tenir au centre que Tours, Blois et Beaugency. Matignon par ailleurs ayant ramené Bordeaux, d'Ornano le Dauphiné et d'Epernon occupant Angoulême : Tristes débris épars d'un grand royaume. Tout le reste étant gagné à la Ligue.

— Ce qui importe, dit Rosny gravement, en le périlleux prédicament où s'encontre le roi de France, ce n'est pas le nombre de villes qu'il tient encore, c'est la force avec laquelle il les tient face à Mayenne. Or, si Navarre occupait Saumur, laquelle est ville bien remparée sur Loire, il serait à dix-sept lieues de Tours où se trouve le roi, c'est-à-dire que son armée lui pourrait porter prompt secours.

— C'est bien pensé, dis-je, après m'être un petit sur moi-même réfléchi, et j'en tombe d'accord. Vous voulez donc que j'aille supplier le roi de bailler Saumur à Navarre.

— Ha! que nenni! Que nenni! s'écria Rosny en élevant les bras au ciel. Ce serait jouer ès mains de nos ennemis de Cour et émoudre de prime la méfiance du roi, lequel est fort suspicionneux du fait des écornes qu'il a subies.

— Que faire donc?

— User d'adresse, dit Rosny.

Et sans tant languir, il m'exposa le plan de Navarre, lequel, belle lectrice, pour bien entendre, il faut que vous sachiez qu'en ces temps de désordre, les grands de ce royaume étaient accoutumés, quand le roi leur redemandait une place qu'il leur avait confiée, d'exiger de lui pécunes contre sa restitution : abus que la bonté du roi et sa trop grande libéralité avaient de prime permis, et que la faiblesse de ses armes avait ensuite perpétués; tant est que le roi se trouvait quasiment contraint de racheter son bien, pour en disposer derechef.

Sachant cela, Navarre dépêcha trois émissaires; le premier au roi pour lui dire qu'il acceptait les Ponts de Cé en toute gratitude et soumission; le second à

Cossein, lequel commandait les Ponts de Cé pour lui suggérer d'en demander un prix très élevé au roi, celui-ci se trouvant dans une position trop critique pour le lui pouvoir refuser. Le troisième — et celui-là nul autre que moi-même — à Lessart, qui commandait à Saumur, pour lui conseiller de ne quérir d'Henri III que de fort modestes clicailles, les caisses royales étant vides, et Navarre lui remettant tout de gob quatre mille écus pour graisser sa conscience.

Ce plan machiavélien réussit à merveille : Cossein, qui était l'homme le plus chiche-face de la Création, exigea pour les Ponts de Cé cent mille écus du roi, lequel ne les put donner, ne les ayant pas, et se désolait de ne pouvoir satisfaire Navarre, quand lui parvint une lettre missive de Lessart lui offrant de lui rendre Saumur pour six mille écus. Proposition si modérée qu'Henri III l'accepta tout de gob.

Le pleure-pain Cossein resta sans un sol avec ses chétifs Ponts de Cé. Lessart toucha de dextre et de senestre. Le roi fut aise de s'en tirer à si peu de débours. Et Navarre eut Saumur.

Et vous, belle lectrice, qui, lisant ceci, vous étonnez en votre for que les hommes disent coutumièrement de votre gentil sexe qu'il est rusé, double face, fécond en chatonies, alors même que, dans les occasions comme celle-ci, le nôtre vous donne de si grands exemples de ses renarderies, se peut que vous soyez aussi quelque peu surprise, me sachant à mon roi si dévotieux, que j'aie pour ma part consenti au plan si adroit de Navarre. Oui-da, belle lectrice, j'y fus tout à plein connivent, et de tout cœur, et dans l'intérêt même de mon bien-aimé maître. Son armée n'étant pas tant vaillante et bien commandée que celle de Navarre, celle-ci, comme avait dit Rosny, pourrait voler en un battement de cil de Saumur à Tours au secours d'Henri, si Mayenne attentait de se saisir de sa royale personne et de venger son frère, ce que je cuidais qu'il aurait appétit à faire, la ligueuse Orléans étant si proche — ce qu'il fit, en effet.

Le 30 avril de cette année 1589, le traité conclu entre les deux rois, et Navarre cherchant le contact avec Mayenne, et se trouvant alors proche de Tours, il reçut un message du roi lui disant que paix et traité ne sauraient suffire, s'ils ne se voyaient pas pour accorder leurs plans, et qu'il le priait de se rendre au Pont de la Motte sur la rivière de Loire pour y encontrer le maréchal d'Aumont, qui lui dirait où le venir joindre.

Navarre advint donc audit pont, à une heure de l'après-midi, pour s'ouïr dire par le maréchal que Sa Majesté et toute sa Cour l'attendraient à Plessis-les-Tours, et qu'il avait amené des bateaux de Tours pour permettre à la noblesse de Navarre et à ses gardes de traverser l'eau, le gros de ses troupes devant rester sur la rive droite. Ayant dit, d'Aumont qui était un vrai vieux soldat à l'ancienne mode, homme tout d'exécution et de peu de paroles, salua Navarre jusqu'à terre et s'en alla, le laissant fort perplexe, et d'aucuns de sa suite fort suspicionneux, pour ce qu'en effet le château de Plessis-les-Tours ne se pouvait de la rive droite gagner que par embarcation, étant sis dans une sorte d'île dedans le confluent de la Loire et du Cher qui font là un angle fort aigu, sommet d'un triangle dont la base est coupée au surplus par le ruisseau Saint-Anne, lequel joint les deux rivières à l'ouest de la ville. Il y avait bien, à dire le vrai, un pont sur le ruisseau Saint-Anne [1] mais pour l'aller prendre, il eût fallu remonter la rive droite de la Loire jusqu'au faubourg Saint-Symphorien et l'ayant traversée, cheminer par la ville de Tours jusqu'au faubourg de La Riche; ce que le roi, d'évidence, n'avait point voulu, de crainte d'émouvoir à sédition les manants et habitants, desquels bon nombre étaient ligueux.

A deux lieues des bateaux que d'Aumont nous avait promis, Navarre, le front barré d'une soucieuse ride, mit pied à terre dans un petit pré où s'élevait

---

1. On ne voit pas trace aujourd'hui de ce ruisseau. (Note de l'auteur.)

un moulin, et nous appelant, Rosny et moi, nous demanda ce que nous pensions de cette nasse où nous allions nous fourrer à Plessis-les-Tours, séparés que nous serions du gros de notre troupe par la Loire, le Cher et le ruisseau Saint-Anne et dans cette sorte d'île, pouvant être accablés tout soudain par une force supérieure qui nous eût attendus en embûche.

— Ha! Sire! dis-je, à Dieu ne plaise que le roi vous veuille faire cette traîtrise! Entre la Ligue et lui, il y a, d'ores en avant, le sang des guisards et une haine irréconciliable! Vous êtes, Sire, son seul ami et son unique appui!

A quoi Navarre hocha la tête, attachant sur moi son œil incisif, et assez content, je cuide, de l'absolue certaineté qu'il lisait dans le mien. Puis se tournant vers Rosny, lequel s'accoisait d'un air d'immense et réservée sagesse, aimant, à ce que j'avais déjà observé, se faire prier par son maître pour lui bailler ses avis, Navarre dit, l'œil toujours fort épiant, mais d'une voix plus enjouée et le front déplissé :

— Eh bien, Monsieur de Rosny, qu'opinez-vous?

— Sire, dit Rosny, j'ai déjà dit que dans ces sortes d'affaires, il faut jeter beaucoup de choses au hasard. Cependant...

— Cependant? dit Navarre qui connaissait son Rosny sur le bout des doigts, et le priait, puisqu'il le voulait être.

— Sire, c'est tout ce que je dirais, dit Rosny. Sauf...

— Sauf? dit Navarre avec la patience d'un saint.

— Sauf que si Votre Majesté est en quelque doutance encore, elle pourrait faire de prime passer la Loire à sa noblesse qui pourrait inspecter le site, et les bateaux revenant à Elle, passer Elle-même avec ses gardes.

— C'est bien pensé, Monsieur de Rosny, dit Navarre. Et si ferai-je.

Mais ayant dit, il ne fit pas tout à fait ainsi. Ordonnant au capitaine de Vignelles de passer avec partie des gardes et partie de la noblesse, et après avoir laissé lesdits gardes à proximité du château et du Pont Saint-Anne, de lui revenir dire comment les choses se présentaient, lui-même passant alors avec le reste. Encore que les mariniers fussent fort dextres à ce que je vis, cette navette prit du temps, durant lequel Navarre marcha sur la berge qui-cy qui-là sans piper, se rongeant les ongles quand et quand, et l'œil fiché sur l'autre berge.

Enfin Vignelles nous revint dire qu'ayant trouvé le château vide, il l'avait occupé, que le Pont Saint-Anne n'étant pas gardé, il y avait mis ses gardes, et qu'enfin il avait appris que le roi et sa noblesse étaient à faire leurs dévotions à l'autre bout du parc au couvent des Minimes, et qu'enfin ne se voyait nulle part la queue ni la trogne d'un archer royal. A quoi Navarre, je gage, immensément soulagé en son for, mais sans sourire, ni dire mot ni miette, embarqua.

A jeter l'œil, comme je le fis dans la suite de Navarre, au château de Plessis-les-Tours, j'entendis de prime pourquoi le roi Louis XI, qui était fort suspicionneux et craignait les surprises, y logeait volontiers : le château est sis, comme j'ai dit, dans une sorte d'île, et comme si la Loire, le Cher et le ruisseau Saint-Anne qui l'entourent ne suffisaient pas à sa défense, il est, au surplus, circonstruit de douves sur les quatre côtés. Il est vrai que les murs ne sont pas une grosse affaire, étant faits rustiquement de briques avec un appareillage de pierres blanches autour des ouvertures, mais pour les contrebattre que malaisé serait de faire traverser l'eau à des pièces d'artillerie ! Lesquelles n'étaient point, de reste, du temps de Louis XI, tant puissantes qu'elles le sont, depuis, devenues.

Encore qu'à mon sentiment le logis ne soit point si bien situé que Mespech, lequel a de charmantes vues sur les pechs et les combes du Périgord, il ne laisse pas que d'être une fort plaisante demeure campagnarde, entourée d'un grand parc que je m'apense giboyeux et de beaux jardins fort bien complantés de fruitiers, et j'entends bien qu'un roi, *humble en paroles et en habits* comme l'était Louis XI, aimât ce séjour agreste, d'autant que la lumière de Loire y est douce, et le climat, à ce qu'on me dit, sans méchantise.

Mais quant à mon bien-aimé maître, qui est lui, fort amoureux des villes (et en particulier de son ingrate Paris), il avait préféré se loger ès Tours dans un fort bel hôtel qui lui apportait ses coutumières commodités.

Le capitaine de Vignelles à qui Navarre avait donné l'ordre de *reconnaître* le château, l'ayant trouvé vacant à l'exception d'un unique majordome tout chenu et cassé (le roi habitant ès ville, comme j'ai dit) n'y était pas allé que d'une fesse et l'avait tout de gob occupé, s'étant saisi : *primo*, au nord, du châtelet d'entrée lequel comportait un pont-levis défendu par deux petites tours ; *secundo*, à l'ouest, d'une grande tour pentagonale (doublée d'une échauguette) qui menait par des degrés à la chambre qu'occupait jadis Louis XI ; *tertio*, il avait déployé ses Suisses dans la cour d'honneur, laquelle faisait face à l'ouest, le logis royal étant flanqué à dextre et à senestre de deux ailes en retour d'équerre.

— Ventre Saint-Gris, Vignelles, mon ami ! dit Navarre d'un air enjoué au capitaine qui, suivi du majordome que j'ai dit, accourait se mettre à ses ordres, te crois-tu en pays ennemi que tu occupes tout de gob le château du roi ?

— Sire, dit Vignelles, lequel était un bel et rufe officier, borné et de bon vouloir, dont l'œil bleu était franc et naïf, la face cuite quasi carrée, et le corps aussi rigide que celui d'un soldat de bois, Sire, j'ai pourvu à vos sûretés.

— Et tu as bien fait, Vignelles, dit Navarre à basse voix. Même, ajouta-t-il à voix haute, et l'aguignant du coin de l'œil, si le roi sourcillant à tes dispositions, je te commande de les défaire.

— Oui-da, Sire, dit Vignelles, plus heureux de cette petite complicité avec son maître que fâché de la perspective d'être publiquement désavoué.

— Est-ce toi le majordome du Plessis ? poursuivit Navarre en se tournant vers le vieil homme qui, hors vent et haleine, avait suivi Vignelles en claudiquant.

— Oui-da, Monseigneur, dit le gautier.

— Quoi ? dit Vignelles indigné, Monseigneur ? Vilain, sais-tu bien que c'est au roi de Navarre que tu t'adresses ?

— Oui-da, Sire ! dit le majordome en ouvrant de grands yeux et en se signant d'un air épouvanté.

— Pourquoi te signes-tu, bonhomme ? dit Navarre.

— Sire, avec tout mon respect, c'est que vous êtes excommunié par Notre Saint Père le Pape.

— Ton maître l'est aussi, dit Navarre, ou va l'être.

— Assurément, dit le majordome, mais mon maître Henri Troisième, lui, est catholique !

— As-tu ouï cela, Roquelaure ? dit Navarre en gaussant, un catholique excommunié ne tient pas tant du diable qu'un huguenot excommunié.

— Sire, dit Roquelaure, il y a des degrés dans l'Enfer.

A quoi Navarre rit à gueule bec.

— Bonhomme, reprit-il, mène-moi à la chambre du roi Louis XI.

— Oui-da, Sire, dit le majordome en se signant.

— Vilain ! dit Vignelles, fort sourcillant, si tu te signes derechef en parlant à mon maître, je te fends le crâne en deux.

— Paix-là, Vignelles ! dit Navarre avec bonne humeur, un signe de croix n'a jamais fait de mal à personne.

L'accès à ladite chambre qui était au premier étage, passant par le viret de la tour pentagonale, Navarre s'y engagea, suivi de Vignelles, Rosny, Roquelaure, moi-même et bon nombre de sa noblesse.

— Que larges sont ces degrés ! dit Navarre. On y pourrait faire passer un cheval ! Vignelles, explique-moi pourquoi la pierre d'aucuns de ces degrés est usée et incurvée au centre, et non pas d'autres.

— Je ne sais, Sire, dit Vignelles.

— Je sais, moi, dit Rosny.

— *Diga me*, dit Navarre en oč.

— Sire, les degrés usés sont à l'aplomb des fenêtres pour la raison que les archers en faction dans le viret se tenaient là pour observer les allées et venues dans la cour d'honneur.

— Le crois-tu, Vignelles ? dit Navarre.

— Nenni, dit Vignelles, quelque peu piqué, d'aucuns de ces degrés usés n'étant pas à l'aplomb des fenêtres. Pour moi les archers se frottaient les pieds sur la pierre pour se les réchauffer par la froidure des hivers.

— Voilà qui est bien vu, et de M. de Rosny et de toi, Vignelles, dit Navarre. J'aime que mes capitaines aient l'œil émoulu à l'observation des choses, la guerre étant un art où un détail, un seul, peut gagner ou perdre un combat.

Pour gagner la chambre de Louis XI, Navarre passa par une grande salle garnie d'une longue table où l'on pouvait imaginer que le roi défunt tenait son conseil. Au fond, et à senestre, se voyait une porte qui s'ouvrait sur une chambre carrelée laquelle était pannellée de bois jusqu'à mi-hauteur et comptait une grande cheminée, trois beaux coffres, un grand lit d'angle à baldaquin, et ce qui en faisait, à mon sens, l'agrément, trois grandes et belles fenêtres, l'une au levant et les deux autres au couchant.

— Voilà une salle très ensoleillée, dit Navarre, et où je m'apense qu'il faisait bon vivre.

— Louis XI y est mort, Sire, dit le majordome.

— Dans ce lit ?

— Nenni, Sire. Dans un fauteuil à la senestre de la cheminée.

— Il vaut mieux mourir assis que couché, dit Navarre (Parole dont, bien plus tard, je me ramentus en la sinistre occasion que l'on sait), et là-dessus, tournant abruptement les talons comme si l'idée de la mort lui était restée dans la gorge, et allongeant ses fortes et courtes jambes, il sortit de la pièce de son pas de montagnard.

— Roquelaure, dit-il par-dessus son épaule en

descendant vivement le viret de la tour, combien d'années Louis XI a serré le cardinal Balue en geôle?

— Onze ans, Sire.

— Le pape d'alors a-t-il excommunié le roi?

— Pas que je me ramentoive.

— Belle leçon, Roquelaure! dit Navarre. Le pape est faible, quand le royaume de France est fort.

Comme Navarre quittait le châtelet d'entrée, il fut accueilli, le pont-levis franchi, de l'autre côté des douves, par le Grand Prieur de France, suivi de quelques gentilshommes qui étaient au roi; lequel Grand Prieur lui dit qu'il lui était dépêché par son maître pour l'accompagner jusqu'à lui, le roi saillant à'steure du couvent des Minimes et traversant le parc par le Paille Maille pour gagner le château et l'encontrer.

Le Grand Prieur — qui n'avait rien de religieux ni par ses origines, ni dans ses fonctions, ni dans ses habitudes — était le produit du commerce adultérin de Charles IX avec Marie Touchet, et resplendissait alors de tout l'éclat de sa verte jeunesse, étant, à seize ans à peine, beau, bien fait, bien membré, comme souvent les enfants illégitimes, lesquels doivent tout à l'amour et rien à la raison d'Etat. En outre, prince de beaucoup d'esprit, intrépide dans les occasions, brillant à la guerre, l'abord fort aimable, la parole de miel, il eût fait un grand roi, n'eût été sa bâtardise, et un fort parfait gentilhomme, s'il avait jamais pu se défaire, sa vie durant, de l'humeur d'escroqueur que le ciel lui avait pour la male heure donnée. Car il robait, volait, dupait et grivelait aussi naturellement qu'un pommier porte ses pommes. Cela ne l'empêcha point, étant né si haut, d'être fait plus tard comte d'Auvergne, puis en 1619, duc d'Angoulême. Mais son infortunée disposition fit qu'il ne pouvait nulle part apparaître, sans que tout un chacun aussitôt gardât l'œil sur son cheval, son escarcelle ou ses bijoux, si charmant qu'il fût, et si charmant que le monde entier le tînt. Au reste, il ne larcenait pas pour thésauriser, mais pour semer clicailles à tous vents, étant avec ses amis et avec ses garces follement donnant et libéral.

Le Grand Prieur s'avançant vers Navarre, un sourire éclairant sa belle face, fit mine de se vouloir génuflexer devant lui, mais Navarre, l'en retenant, lui donna une forte brassée, deux claquants poutounes sur ses joues blanches et roses (à côté desquelles les siennes paraissaient aussi brunes et patinées que le bois d'un vieux coffre de chêne) et lui dit :

— Mon neveu, après toutes ces années où je fus retiré loin de la Cour, je suis bien aise de vous voir, et de vous pouvoir nommer ainsi, votre illustre père ayant été bon assez, de son vivant, pour m'appeler son frère.

Saluant alors les gentilshommes du roi, parmi lesquels je reconnus Sourdis, Liancourt et, comble de joie, mon délicieux Quéribus (tous trois portant sur la poitrine le collier de l'Ordre du Saint-Esprit), Navarre prit le Grand Prieur par le bras, et plutôt que de se laisser guider par lui, l'entraîna très promptement en avant, en homme qui ne pouvait tenir plus d'une seconde en place, étant animé d'un irrassasiable appétit à agir, sa parole même — brève, substantifique et décisoire — étant jà le début d'une action.

Mon cœur me cognait fort, je le dois confesser, et ma gorge se nouait non d'angoisse, mais de trémulent espoir, à l'idée que ces deux princes que j'aimais l'un et l'autre et qui s'étaient, depuis treize ans, impiteusement combattus sur la question de la religion, mais l'un et l'autre de force forcée, et contre leur penchant naturel, lequel les inclinait davantage à la paix, à la réciproque tolérance et à l'amitié qu'à des guerres fratricides, allaient enfin se réconcilier et en finir de concert avec le zèle aveugle des furieux et l'intervention de l'Etranger en ce royaume. Et assurément, je n'étais pas le seul à sentir ainsi cette encontre et qu'un grand acte, pour le bien de tous, s'allait faire qui ne se pourrait plus défaire. Car dès que le bruit se fut répandu en la ville que le roi et Navarre se devaient réunir et conjoindre, tout ce que la ville comptait de bonnes et honnêtes gens — à l'exception des ligueux — accourut, déborda débonnairement les Suisses de Vignelles au Pont Saint-Anne, et se rua partout sur le parcours des souverains, et jusque sur les arbres centenaires du parc qui se mirent à porter quasiment autant de badauds qu'ils avaient de feuilles en cette fin d'avril. Ce concours de peuple qui, outre les noblesses des deux bords, était non moins avide de voir de près et d'ouïr les deux princes en leur historique entrevue, fut tel et si grand, et si prodigieux, que les deux rois apparaissant enfin, chacun au bout d'une allée (dont les chênes portaient les grappes que j'ai dites) ils furent un long quart d'heure à se tendre les bras, sans se pouvoir encontrer et sans que les archers parvinssent à fendre l'inouïe cohue où grouillaient tant les manants de Tours que les gentilshommes et les archers, lesquels n'avaient même pas de place assez pour mettre les hallebardes à l'horizontale et repousser la marée sans cesse croissante des curieux.

Enfin, le maréchal d'Aumont donna de la voix, et ce que les hallebardes n'avaient pu faire, sa voix stentorienne le fit, tant est grande l'autorité d'une voix forte sur la moutonnière multitude. La presse se fendit alors miraculeusement, comme les flots de la mer se retirèrent pour laisser passer Moïse, et dans cette sorte d'étroit canal, les deux rois furent œil à œil et face à face, l'air grave tout ensemble et souriant, Navarre se mettant à genoux alors, et le roi incontinent le relevant, l'embrassant et l'appelant « mon frère ».

De ce que dit à cet instant Navarre, que pour ma part je ne pus ouïr, courent deux versions, l'une longue et fleurie, l'autre brève. Pour l'une, Navarre assura le roi qu'il regardait ce jour comme le plus heureux de sa vie, puisque Dieu lui avait fait la faveur de voir la face de son maître et de le pouvoir assurer de sa soumission et de ses services, et qu'il mourrait désormais content, puisqu'il avait trouvé grâce aux yeux de son roi. Pour la seconde, Navarre aurait dit : « Je peux maintenant mourir content : j'ai vu mon roi. »

Lecteur, je ne sais laquelle de ces deux versions te contentera davantage, mais pour moi, je préfère la seconde, comme davantage accordée à la parladure du Béarnais qui préféra toujours le mot au discours. En quoi il différait prou de mon maître bien-aimé, comme de lui déjà il différait par la corporelle enveloppe et la vêture, ce dont tous furent frappés alors, les voyant ensemble, et côte à côte, pour la première fois depuis treize ans. Le roi portait sur le chef son coutumier coffion décoré d'une aigrette, les cheveux qu'il laissait passer à dextre et à senestre disposés en rouleaux ondulés, deux pendentifs, l'un de perle et l'autre de diamant à chaque oreille, la barbe courte et fort bien coupée encadrant son fin visage frotté d'onguent, le corps vêtu entièrement de velours violet, les crevés de son pourpoint emperlé étant de violet plus pâle, les mains gantées et sur chacun de ces gants deux bagues ; la taille grande, l'allure majestueuse, le pas lent, le port immobile, la parole abondante et ornée.

Navarre, lui, paraissait toujours en branle, même quand il attentait de rester immobile, ses gambes courtes et musculeuses le jetant sans cesse d'un pied sur l'autre, l'œil vif, épiant, gaussant, porté de tous les côtés à la fois, la face brunie, tannée, craquelée par sa vie de soldat, la parole toute en saillies, le pourpoint (le même que je lui avais vu dans son camp à Châtellerault) usé aux épaules et aux coudes par la cuirasse, et étant grisâtre, plus gris encore de la poussière du chemin (qu'il n'avait songé à faire brosser), en outre mangé aux aisselles par la sueur, les chausses de velours feuille morte, et là-dessus — seule recherche de cette attifure — un grand manteau écarlate, et sur le chef un chapeau gris à large bord, surmonté d'un panache blanc, ou plutôt gris-blanc, pour la poussière que j'ai dite.

Les plus proches ouïrent ce qui se dit alors, mais il suffit qu'on vît s'embrasser le roi et Navarre pour que tout soudain éclatât dans cet immense peuple la liesse la plus folle dont je fus jamais témoin, avec des rires, des cris, des acclamations, des « Vive le Roi ! Vive Navarre ! » et même « Vivent les rois ! » et une presse qui à chaque minute grossissait davantage. Tant est que les deux princes qui eussent voulu deviser en se promenant dans le parc — le soleil de ce trente avril étant fort brillant — ne pouvant faire un pas, durent rentrer au château pour tenir conseil, seules pouvant alors passer le pont-levis les noblesses des deux camps, lesquelles, réunies dans la cour d'honneur, incontinent se mêlèrent.

Or, parmi ces gentilshommes dont la plupart, depuis le début de nos guerres civiles, s'étaient depuis vingt ans âprement combattus, il n'en était aucun qui n'eût dans l'autre camp un frère, un père, un cousin, un ami, et tous alors se cherchant, s'appelant, s'encontrant, se saluaient, se prenaient les mains, s'entrevisageaient œil à œil, détestaient leur passé fratricide, et voulant oublier qu'ils avaient les uns par les autres tant pâti, se promettaient une éternelle amour, se ramentevaient à la fin le beau nom de Français qui leur était commun, et du bon du cœur, vouaient aux gémonies ces haines anciennes, ces inimitiés partisanes, ces impiteux massacres — tous s'étonnant d'y avoir consenti, et tous se disant l'un à l'autre : *Nous avons assez fait et souffert de mal ! Nous avons été, ces vingt années passées, ivres, insensés, furieux ! N'est-ce pas assez ?*

Mon père, ayant reconnu un capitaine aux côtés de qui il avait combattu trente et un ans plus tôt pour reprendre Calais aux Anglais — Sansac, je crois, à moins que ce ne fût Senarpont —, l'appela par son nom, et l'autre se retournant, le sourcil levé, et à la parfin retrouvant la face de mon père dans les brumes de sa remembrance, se jeta dans ses bras, le toquant des deux mains aux épaules, les larmes lui tombant des yeux, grosses comme des pois, et ne sachant que dire d'une voix entrecoupée :

— Ha! Siorac! Siorac! Te voilà! Et dire qu'hier encore à la seule vue de ton écharpe blanche de huguenot, je t'eusse occis au hasard d'un combat! Ha! mon ami! Mon ami! Dieu veut-il vraiment qu'en son nom les Français naturels s'entre-tuent?

— Je ne le cuide pas, dit Mespech, lui-même fort troublé.

Pour moi, étant médecin du roi, et comme on sait aussi, son agent en maintes entreprises secrètes, huguenot *calant la voile* à la cour d'Henri III et allant *à contrainte*, j'appartenais pour ainsi parler aux deux camps, ayant labouré en ma très humble place — comme les plus fidèles amis du roi — à la réconciliation des royalistes et des huguenots de Navarre. Tant est que séparé des miens non point par vingt années, mais par les quatre mois de mon ambassade auprès du Béarnais, nos retrouvailles furent toutes de liesse, sans être mêlées de l'âpre regret du sang. Or, comme si un aimant m'eût attiré à eux et eux à moi, en cette bigarrée cohue au coude à coude des gentilshommes des deux rois, et sans qu'eux ou moi nous eussions crié nos noms, tout soudain, en un coin de la grande cour d'honneur, j'aperçus, le cœur me bondissant, ceux que j'aimais d'une intime et immutable amour : le maître en fait d'armes Giacomi; Quéribus, mon beau muguet de cour; Du Halde, le valet de chambre du roi, et Chicot, son bouffon, lesquels assurément me cherchaient aussi.

Or, comme je me dirigeais vers eux, l'œil quasi sorti de l'orbite dans mon avidité à les voir, je me sentis saisir par-derrière au bras par une forte pogne. Et me retournant, me trouvai bec à bec avec Vignelles, dont la face cuite et carrée et l'œil bleu naïf étincelaient de bonheur.

— Ha! Baron! Baron! me dit-il, d'une oreille à l'autre riant, Navarre m'a gourmandé comme il ne le fit jamais! Tudieu! Quelle volée de bois vert!

— Et pourquoi? dis-je, étonné que le tabustement de son maître le rendît tant joyeux.

— Pour ce que, dit-il, le roi ayant fort sourcillé, à

l'entrant du château, à voir mes Suisses partout déployés, Navarre m'appela et me dit, faisant la grosse voix :

— Eh quoi, Vignelles ! Qu'est-ceci ! Vous croyez-vous en pays conquis que vous occupez le château du roi ? Ventre Saint-Gris, Vignelles, retirez vos Suisses incontinent et présentez à votre roi, qui est aussi le mien, vos plus humbles excuses.

— Sire, dis-je alors en mettant un genou à terre devant Henri Troisième, je vous prie humblement de me pardonner. J'ai cru bien faire en pourvoyant aux sûretés de mon maître, et aussi aux vôtres, puisque vous voilà alliés.

A quoi le roi sourit et dit :

— Vous avez bien fait, Monsieur de Vignelles, à Dieu plaise que j'aie toujours d'aussi bons serviteurs que vous.

Et là-dessus il me présenta la main.

— Vous avez ouï, Baron ! dit Vignelles en me serrant le bras à me faire mal, le roi de France m'a présenté la main ! Laquelle main, dégantée, me parut si douce et si suave que c'est à peine si j'osais la gâter en y posant mes lèvres !

Ayant dit, il me dépoigna le bras et s'en fut, avide, à ce que je m'apensai, d'aller conter à d'autres l'honneur qu'on lui avait fait, tant est que je pus rejoindre les miens et me livrer avec eux à notre petit délire d'amitié au mitan du délire général.

Lecteur, je passe ici nos brassées, nos poutounes, nos décousus, rieurs et véhéments propos, Giacomi m'apprenant tout de gob que sa Larissa...

— Mais mon Pierre, dit-il en s'interrompant, sais-tu que ma maison de Paris m'a été confisquée par les *Seize* ?

— Ta maison confisquée ? Ha ! Giacomi ! *Che peccato !*

— *Ma anche la tua, carissimo amico !* dit Giacomi avec un sourire.

— *Ma anche la mia !* [1] dit mon Quéribus de sa voix de fausset.

---

1. — Quel dommage !
— Mais aussi la tienne, très cher ami !
— Mais aussi la mienne !

A quoi, nous entrevisageant tous trois, nous nous esbouffâmes à gueule déployée. Cornedebœuf! m'apensai-je cependant, me voilà bel et bien de retour à la Cour de France, puisque nous parlons italien...

— Voilà d'étranges gentilshommes! dit Chicot. Ces pendards de *Seize* leur robent leurs maisons de ville et ils rient!

— C'est que la raison de la roberie est honorable, dit Giacomi, levant au ciel son long bras d'escrimeur, vu qu'en raison de notre fidélité au seul légitime souverain, les *Seize* nous tiennent pour les suppôts d'Enfer d'un roi excommunié.

— Et qui sont ces *Seize* crottés, au demeurant? dit mon beau muguet de cour en mettant les mains aux hanches et en tordant le torse pour faire valoir sa taille de guêpe : des huissiers, des procureurs, des sergents à verge et autres barricadeux de basse extraction : trublions rebelles et maillotiniers, poussés sur le pavé de Paris comme champignons sur le fumier, hommes de peu de conscience et d'encore moins de consistance, tourneboulés par les prêchereaux, serviles au pape et vendus à l'Espagne.

— Toutefois, dit Du Halde qui sans rire le moindrement du monde, tournait vers nous sa longue et austère face, étant, bien que catholique, plus sévère en ses mœurs et plus sérieux en son pensement que le plus rigoureux huguenot, ces *Seize*, que vous déprisez, sont de présent les petits rois de Paris, épurent le Parlement, imposent les fortunes, déchoient le roi, nomment Mayenne lieutenant-général, pendent les royalistes, lèvent des armées, et tiennent, par le moyen de la soi-disant Sainte Ligue, plus de la moitié du royaume, et toutes les grandes villes, hors Bordeaux.

— Du Halde, dis-je, tu parles d'or. L'union du roi et de Navarre ne doit pas nous celer que la réconciliation des Français n'est pas faite, que le royaume est coupé en deux, et que nous avons contre nous d'immenses forces. Cependant, Navarre est un grand capitaine...

— Mayenne aussi, dit Du Halde.

— Ho! Ho! Du Halte! cria le bouffon Chicot (il appelait Du Halde « *Du Halte* », depuis que le valet de chambre lui avait un jour interdit le seuil de la chambre royale). Mayenne n'est point si habile qu'il puisse péter plus haut que son cul. Mayenne mange comme quatre et dort comme quarante. Il est goutteux et bedondainant. A trente-cinq ans, paraît le double. C'est un gros pourceau qui s'apparesse sur sa putain. Il n'y a plus moyen de l'en bouger, quand il s'y est mis. Au lit comme au champ de bataille c'est un tardif, un délayant. Il ne battra jamais Navarre qui s'enconne en garce et s'en déconne avec la rapidité de l'éclair.

A quoi nous rîmes, hors Du Halde qui trouvait les propos de Chicot malséants, sauf quand, faisant rire le roi, ils le tiraient de sa malenconie.

— Mais, dis-je, mon Giacomi, tu me parlais de Larissa.

— J'y reviens, mon Pierre. Du fait que ces scélérats m'ont robé ma maison de Paris, Larissa s'est ensauvée avec mes gens et loge avec Angelina en ta seigneurie de Montfort l'Amaury.

— Ma Catherine aussi, dit mon beau Quéribus, et pour la même raison.

— Et les voilà, dit Giacomi, pleurant toutes trois nos absences.

— Vous vous paonnez, prou, Messieurs, dit Chicot, *plors de femna et pleja d'estiu fan pas bel riu* [1].

A quoi les trois beaux-frères, moi-même compris, contrefeignant d'être piqués, entreprirent de dauber sur la prétendue impotence de Chicot, légende qu'il avait lui-même imaginée pour égayer le roi.

— Au cas des femmes, Chicot préfère le bilboquet...

1. Pleurs de femme et pluie d'été ne font pas un gros ruisseau. (Oc.)

— Le bois étant roide par nature....

— Et la saillie se pouvant répéter...

— Saillie, bonnes gens ? La seule goutte qui saille de Chicot, c'est celle qui lui pend au nez.

— Chicot, que sais-tu des pleurs des femmes, toi qui ne les peux mouiller ?

— Chicot, parlons sans ambages : au fond et à la forme, que connais-tu des dames ?

— Tout, dit Chicot. J'ai aimé une garce jadis. Je l'ai même un peu mariée, je cuide.

A quoi on rit, et d'autant sans méchantise que Chicot, encore qu'il jouât le fol à merveille, n'était ni petit, ni laid, ni contrefait, mais un gentilhomme gascon, grand coureur de chambrières et fort vaillant l'épée à la main, comme il le devait prouver au siège de Rouen, où il laissa la vie.

— Messieurs ! cria tout soudain, dominant la noise et la vacarme de la cour d'honneur, la voix stentorienne du maréchal d'Aumont, Messieurs, voici le roi !

Quoi dit, il ajouta, un octave plus bas :

— Et voici le roi de Navarre.

Quand le roi et Navarre, le conseil terminé, saillirent de Plessis, ils se boutèrent en selle et Navarre accompagna le roi jusqu'au Pont Saint-Anne que, pour regagner Tours, le roi franchit, ainsi que toute sa noblesse, laquelle je me préparais à suivre, quand mon père, accouru, me vint dire d'un air fort content que le Béarnais me voulait retenir encore quelques jours et que je devais donc, au lieu de suivre mon maître, réembarquer avec lui pour repasser la rivière de Loire. Ce que je fis, assez étonné, quand on eut posé pied sur terre, et retrouvé le gros de l'armée huguenote, de voir Navarre, avec sa noblesse et ses gardes, remonter la rive droite du fleuve en amont, et gagner Saint-Symphorien, qui est un faubourg au nord de Tours séparé de la ville par un pont fort long et fort beau.

Navarre se logea en une maison qui faisait face audit pont et me fit dire par Roquelaure d'avoir à dormir en cette même maison, partageant la couche d'ycelui — ce qui ne fut pas sans me déconforter, mon compagnon de lit étant si gros et si ronflant — et d'avoir à me désommeiller à cinq heures du matin. J'avais acheté à Blois — ville fameuse pour son habile façonnement — un réveille-matin, et mon Miroul l'ayant tiré de mes bagues, je le mis à l'heure, mais comme Du Halde, au château de Blois, la veille de l'exécution du Guise, je ne pus lui accorder de fiance assez pour dormir tout mon saoul et me relevai, plus las qu'à mon coucher, l'œil embouffi, la bouche collée et l'humeur mal'engroin.

En cette rechignante disposition, les gambes et le cul au surplus fort dolents de ma longue chevauchée de la veille, mon Miroul, qui combien que je l'eusse fait mon secrétaire, se voulait encore mon valet, achevait de m'habiller, quand on toqua à l'huis — ce qui ne réveilla pas Roquelaure qui ronflait comme soufflet de forge. Et mon Miroul désemparant la porte, apparut ce même page-libellule en livrée rouge et jaune qui m'avait, à Châtellerault conduit à la tente de mon père. Navarre, je gage, devait l'aimer pour son aérienne promptitude, car il ne marchait point : il volait. Et son parler était aussi preste et léger que son pied.

Il me bailla, se décoiffant, une bonnetade en arabesque si rapide autour de son torse fluet que je crus voir six bonnets au bout de son bras dextre.

— Monsieur, dit-il, mon maître vous veut à cheval à l'entrée du Pont de Tours à six heures.

— Seul ?

— Seul.

Ayant dit, il escampa si vite que je doutai l'avoir vu et ouï.

— Moussu, dit aigrement Miroul, son œil marron attristé et son œil bleu froid comme glace, qu'aviez-vous besoin de quérir de ce moustique si vous deviez y aller seul ? Si vous n'aviez rien requis, je vous eusse accompagné !

— Ha! mon Miroul! dis-je, prends patience! Tu n'es pas à'steure à la cour de France, mais à celle de Navarre, où tout se fait à la soldate, avec une rigueur huguenote, chacun étant au commandement du Béarnais, corps et biens, tripes et boyaux.

— Lesquels boyaux me tordent de mon désappointement, dit Miroul, la crête basse. Au moins, Moussu, me conterez-vous bien le tout de l'affaire, quand reviendrez?

— Tant promis, tant tenu.

J'arrivai le premier à l'entrée du Pont de Tours où les archers, à ma vue, prenant garde d'ôter les chaînes, allèrent de prime quérir leur officier, qui se trouva être nul autre que Gerzé, lequel, sortant du corps de garde, s'écria :

— Tudieu, Siorac! Que fais-tu à'steure à cheval? Et vers où diriges-tu ses sabots?

— Je ne sais, le roi de Navarre m'a donné jour céans.

— Quiert-il l'entrant à Tours?

— Je ne sais.

— Le beau mystère que voilà! dit Gerzé en riant. Allez-vous prendre la ville à vous deux? Et en pourpoint? Par la sang Dieu, voilà qui est plaisant!

Ce joyeux Gerzé, qui avait servi sous les ordres de Larchant à Blois, était maintenant maître de camp, capitaine d'une vaillance éprouvée et fidèle comme diamant à son roi, beau et grand gaillard de six pieds de haut, qui se tenait là, à l'aube de ce premier mai, si heureux de vivre, ses longues gambes écartées, boutonnant son pourpoint, le cheveu brun ébouriffé, riant de sa blanche et solide denture. Si on l'avait peint tel que je le vis à cet instant sur fond d'aurore rosissante, il eût pu bien passer pour l'image même de la santé et de la force. Hélas, pauvre Gerzé! Peu se doutait-il dans la tiédeur de ce mai nouvelet, la nature mettant partout ses feuilles et ses fleurs, que huit jours plus tard — nenni, pas même huit jours, sept! — on le coucherait, froid et sanglant, dans sa tombe.

Comme il achevait ses propos gaussants, Navarre

apparut, monté sur sa grande jument blanche, suivi — nous n'en crûmes pas nos yeux — d'aucune suite de gentilshommes ni de gardes à l'exception du seul fluet petit page, lequel était monté sur un petit cheval arabe si vif et si fringant en ses allures que je me demandai s'il n'allait pas, comme Pégase, s'envoler. Et d'autant que le page ne devait pas peser à son dos plus qu'une puce. Un roi suivi d'un seul page et d'un unique gentilhomme, je crus que mon bon Gerzé s'allait pâmer de stupéfaction à voir ce train.

— Sire, dit-il se génuflexant, quérez-vous l'entrant?

— Oui-da, mon fils, dit Navarre d'un ton de bonne humeur.

— Plaise à vous, Sire, dit Gerzé, de me permettre de vous accompagner jusqu'à l'autre bout du pont.

— Seulement si tu le tiens pour agréable. Fils, quel est ton nom?

— Gerzé, Sire. Je suis maître de camp.

Navarre s'accoisa le temps que prirent les archers à ôter les chaînes, et s'engageant le premier sur le pont, Gerzé marchant à pied à son côté, moi et le page chevauchant derrière dans l'aube déjà levée, il dit:

— Gerzé, combien êtes-vous de maîtres de camp à Tours?

— Trois, Sire. Crillon, Rubempré et moi.

— C'est peu. Et j'ai vu peu de troupes à Saint-Symphorien pour couvrir la ville au nord.

— Nous avons là, Sire, douze cents hommes de gens de pié et quelque cinquante chevau-légers.

— Est-ce tout?

— Le régiment des Suisses occupe le faubourg de Saint-Pierre-des-Corps et couvre la ville à l'est.

— Est-ce là toute l'armée du roi de France? dit Navarre.

— Nenni, Sire. Le roi a donné une armée au comte de Soissons pour en découdre avec le duc de Mercœur en Bretagne. Et une autre au duc d'Epernon qui tient l'Angoumois. Et baillé à Beaugency et Blois de grosses garnisons.

A cela Navarre ne dit ni mot ni miette, mais pour moi qui commençais à le bien connaître, j'opinai en mon for que la disposition des forces royales allait très au rebours de son estomac.

— Je vois peu d'eau couler, dit-il jetant un œil par-dessus la parapète. Peut-on passer à gué du faubourg de Saint-Symphorien à la grande île que j'aperçois dans le mitan de la rivière ?

— Oui-da, Sire, pour le présent, mais point quand fondront les neiges d'Auvergne. La rivière alors grossira prou.

— Mais pour l'instant elle est guéable, dit Navarre d'un ton qui ne me parut point trop content. A-t-on mis des troupes dans l'île et l'a-t-on remparée ?

— Non, Sire.

— Il me semble, pourtant, dit Navarre, que si Mayenne, qui est à Vendôme, tentait un coup de main par le nord et s'emparait du faubourg Saint-Symphorien, lequel est si faiblement tenu, la possession de cette île lui serait d'un immense avantage pour faire le siège de Tours.

— En effet, Sire, dit Gerzé, la crête rabattue assez.

Observant quoi, Navarre reprenant son ton de bonhomie lui posa des questions enjouées sur sa province et sa parentèle et ne laissa Gerzé à l'autre bout du pont qu'il ne l'eût par sa bonne grâce tout à plein conforté.

— Siorac, me dit Navarre, comme nous chevauchions au botte à botte dans les rues à'steure désertes de Tours, le fluet page nous suivant, le roi est-il tant lève-tôt qu'on le dit ?

— Assurément, Sire. Il ne s'acagnarde jamais au lit. Dès cinq heures, il abandonne sa coite, au grand dol de la reine.

— Que ne l'y retient-elle ? dit Navarre avec l'ombre d'un petit sourire. Et qu'opines-tu, poursuivit-il, de la manière dont Tours est défendue ?

— Sire, dis-je, non sans quelque prudence, encore que je n'aie pas appris la guerre, il me semble que vous ne la trouvez pas fort bonne.

— C'est peu dire.

— En ce cas, dis-je, comme il s'accoisait, pourquoi ne pas le laisser entendre à Sa Majesté, puisqu'il m'apparaît que c'est chez Elle que nous nous rendons.

— C'est que j'ai autre chose à lui dire, et de plus grande conséquence, sur la conduite de la guerre. En outre, Siorac, ajouta-t-il avec un fin sourire, ton maître et moi, nous ne sommes alliés que d'hier et je ne sache pas qu'il soit adroit d'y aller d'une main trop lourde : mieux vaut laisser son enfant morveux que lui arracher le nez.

Voilà, m'apensai-je, mon Béarnais craché : le parler peuplacier et la pensée subtile.

Nous n'eûmes aucun mal à trouver l'hôtel où logeait le roi, tant les rues avoisinantes étaient remparées de gardes, Navarre me priant de chevaucher au-devant de lui pour me faire reconnaître et ouvrir le chemin. Ce qui se fit à l'aise, sauf devant l'huis où je trouvai le brave Crillon, lieutenant-colonel de l'infanterie française, lequel, homme vif et de primesaut et à son roi fidèle, avait, comme le lecteur, se peut, s'en ramentoit, enfoncé son chapeau sur la tête plutôt que de saluer le Guise, quand celui-ci, en arrogante désobéissance d'Henri et contre son plus formel et répété commandement, avait osé apparaître en Paris, déclenchant de par là, comme il y comptait bien, la rébellion des Parisiens.

— Par la sang Dieu! cria Crillon, c'est toi, Baron, à'steure! Et demandes-tu l'entrant chez le roi, à la pique du jour? Et cuides-tu, mordieu, le pouvoir obtenir de moi, tout médecin du roi qu'on te dise, toi qui manies épée mieux que lancette.

— Ce n'est pas je qui le quiers, dis-je en riant, mais le roi de Navarre qui me suit (lequel, en effet, s'était arrêté à quelques toises de nous, son petitime page derrière lui).

— Gausses-tu, Siorac? dit Crillon *sotto voce*, est-ce là le roi de Navarre, suivi de ce seul petit pou de page, monté sur ce petit arabe encore trop gros pour ses petites pattes et précédé d'un unique gentilhomme qui n'est même pas à lui?

— Foi de Périgordin, c'est lui!

— Foi de Provençal, dit Crillon, à peu que je n'en tombe sur le cul, tant me voilà béant. Ha! Brave, brave Navarre! poursuivit-il à voix basse; s'aller fourrer tout seul ès mains de Sa Majesté, lui donnant toute sa fiance d'un coup, Elle qui, hier, le combattait encore! Bagasse, Siorac! Que vaillant! Que noble! Que généreux! Par la sang Dieu, je sens que je vais adorer cet homme!

Qu'il y eût là vaillance, comme le voulait Crillon, je n'en doute point, mais aussi politique subtilesse, Navarre voulant, à mon sentiment, se rattraper d'avoir la veille occupé le château de Plessis avant d'encontrer le roi. Et je vis bien que le roi, à la façon dont il l'accueillit, entendit fort bien et la bravoure et la finesse, pour ce qu'il bailla à Navarre, de prime une forte et grande brassée, ne l'en aima que davantage à partir de ce jour et lui rendant fiance pour fiance, renvoya ses gens, hors Du Halde et moi-même et commença incontinent à l'entretenir des affaires du royaume sur le ton du plus complet abandon. Quant à ma personne, assise modestement avec Du Halde sur un coffre, dans un coin retiré de la chambre royale, avec quel frémissement de joie, retrouvant mon bien-aimé maître après quatre mois d'absence, je l'envisageais de tous mes yeux et l'oyais de toutes mes oreilles, tandis qu'il discourait en son « parler exquis », assis sur sa chaire d'apparat en sa majestueuse immobilité, vêtu, non de velours cette fois, mais de satin violet, ce 1er mai étant si tiède, et ce violet-là portant le deuil de Catherine de Médicis — la reine-mère, ayant peu de temps après le Guise, mais plus naturellement que lui, quitté ce monde d'intrigues, auquel elle avait, étant vive, apporté plus qu'aucune autre sa part de brouilleries.

Cependant, ce satin violet qui tant allait à sa peau mate, le roi l'avait relevé de toutes les perles dont il raffolait, et lui-même, à le voir du premier coup d'œil, paraissait, comme j'ai dit déjà, comme la pensée m'en frappa de nouveau avec force, profondément différent en sa langue, ses mœurs, sa vêture, ses habitudes, ses croyances, ses mystiques inquiétudes du rude, rufe et fruste visiteur qui le confrontait en son pourpoint gris râpé, si impatient de rester assis que je voyais quasiment ses muscles se raidir en la violence qu'il se faisait pour demeurer sur son escabelle ; au surplus, sentant le soldat de cap à pié, et le sentant même littéralement, suant prou et se lavant peu, pour ce qu'il n'en trouvait jamais le temps, sauf quand ses garces l'en pressaient. Et toutefois, malgré ces dissemblances — mon maître étant si raffiné, si italien — on ne pouvait que percevoir, pourtant, entre eux une profonde connivence, fondée sur la grande amour qu'ils portaient l'un et l'autre à la paix et à leur peuple, fondée aussi sur la grandissime estime que chacun nourrissait pour la finesse de l'autre et leur commune fermeté à défendre le principe de la succession monarchique contre la Ligue et l'Etranger.

Laquelle Ligue, pourtant, et lequel Etranger, le second nourrissant la première en écus et soldats pour entretenir la rébellion, le roi paraissait redouter beaucoup moins, malgré l'excessive urgence du péril, que l'excommunication dont le pape le menaçait.

— N'est-ce pas, s'écria-t-il d'emblée avec véhémence, comme s'il voulait exprimer à la pique du jour le pensement qui l'avait tourmenté la nuit, un scandaleux abus que cette confusion du temporel et du spirituel, laquelle mutine les vassaux et sujets contre leur souverain naturel, et renverse les fondements de l'ordre politique ? Si l'on accepte le droit que s'arroge le pape d'excommunier qui bon lui semble, voilà le pape maître de toutes les couronnes sur toute l'étendue de la chrétienté, et libre de les ôter à qui les doit porter, à qui les porte même...

J'abrège ce discours qui fut couché, bien qu'improvisé, en élégant français et que Navarre (quoi qu'il en pensât) ouït en refrénant sa naturelle impatience, et auquel il fit une réponse des plus brèves (que je connaissais déjà) mais si solide, substantifique et pertinente en sa claire vision des réalités de ce monde que le roi lui-même en fut frappé et tout de gob, s'en apazima :

— Ha! Sire! dit Navarre de sa voix occitane, rocailleuse et bon enfant, le seul remède à cette excommunication dont vous êtes menacé est de vaincre et bien battre la Ligue. Car dès lors que vous l'aurez vaincue et battue, n'en doutez pas, Sire, vous serez incontinent absous et désexcommunié. C'est toute l'affaire.

— Eh bien, dit le roi, puisqu'il s'agit de découdre la Ligue, qu'opinez-vous des chances que nous y avons ?

— Fort mauvaises, dit Navarre, de présent. Fort bonnes, si nous le voulons. Avec la même farine, on ne fait pas le même gâteau.

A quoi le roi sourit et leva le sourcil, et je vis bien que sans vouloir quérir Navarre de s'expliquer plus avant, sa mine le lui permettait.

— Ha! Sire! s'écria Navarre, je puis, je pense, vous bailler conseil plus hardiment que personne. Car étant votre héritier, que vous avez hautement avoué et soutenu contre vents et marées, et au péril même de votre trône, nul n'a tant d'intérêt à votre grandeur et conservation que moi, et nul ne peut vous aimer tant que moi, qui n'aurais que mon droit tout nu, si vous ne m'aviez pas proclamé votre successeur — à la grande ire des Guisards — après la mort du duc d'Alençon.

— Mon frère, dit Henri qui voyait à ce début que Navarre n'avançait si prudemment la patte que parce qu'il craignait de le piquer, plaise à vous de parler en toute liberté. Je vous ois.

— Sire, dit Navarre quand en notre dernière guerre, j'étais contraint, à mon très grand regret, de vous combattre, si j'avais ouï que vous rassembliez vos forces pour ne faire qu'une seule armée, je me serais estimé — selon le monde — ruiné. Au lieu de cela, oyant que vous donniez une armée à Guise, une autre à Joyeuse et une autre à vous-même, je me disais : « Dieu soit loué ! Me voilà hors danger d'avoir mal ! »

— Je vous entends, dit le roi, mais peux-je laisser en le présent prédicament les villes et provinces que je tiens encore sans soldat ?

— Sans soldat, non, Sire, mais sans armée, oui, pour ce que leur rôle doit être défensif, et rien de plus. Et quant à vous, Sire, rassemblant de tous côtés le surplus de ces armées diverses et dispersées, et vous fortifiant d'autant, vous pourrez assaillir la Ligue à l'avantage, au lieu d'attendre d'être par elle attaqué avec les faibles forces que vous avez céans.

C'était bien dit, et sans nommer le comte de Soissons, ni le duc d'Epernon en faveur desquels le roi s'était si imprudemment démuni, alors même que la conservation de la Bretagne et de l'Angoumois n'était point de si grande conséquence que sa victoire ou sa défaite. Henri, cependant, envisageait Navarre d'un air pensif, et encore qu'il répugnât, de par l'immense bénignité de son cœur, à enlever à Soissons et d'Epernon les troupes qu'il leur avait données, je vis bien que la raisonnableté des propos de Navarre l'en avait persuadé, et qu'il y viendrait, si du moins Mayenne lui en laissait le temps.

— Assaillir la Ligue, dit-il à la parfin, mais où ?

— A Paris, Sire, dit Navarre sans broncher. Les membres ne sont rien, quand on n'a pas la tête.

— Mais mon frère, dit le roi d'un air fort troublé, assiéger Paris est une tâche immense !

— Il y faudra bien venir, cependant, dit Navarre. Et le plus tôt possible. Pour moi, Sire, poursuivit-il, ressaisi par sa coutumière impatience, et se levant à demi de son escabelle, je compte, avec votre permission, départir dès demain pour Chinon afin de ramener céans le reste de mon infanterie. Et remparer d'autant vos troupes de Tours.

Lecteur, après les si grands intérêts qui furent en cet entretien débattus, j'ai quelque vergogne à dire que ma très humble fortune y fut aussi en quelques mots décidée. Alors que Navarre déjà se levait pour prendre son congé, et que le roi, le saisissant par le bras sans lui permettre de se génuflexer, le reconduisait...

— Siorac, mon fils, dit tout soudain le roi, en s'arrêtant et se tournant vers moi, tu m'as dans le passé si bien servi que je te veux laisser libre de choisir le champ, ou la capacité, où d'ores en avant tu me serviras.

— Sire, dis-je, quand votre diplomatie, de par la nécessité de *caler la voile*, était double, je fus votre instrument en celle des deux qui demeurait secrète, ce que désormais je ne saurais être, puisque de présent votre dessein véritable est celui que vous proclamez. Je serais donc infiniment obligé à Votre Majesté, puisqu'il est question d'assaillir la Ligue, que vous me permettiez d'apprendre la guerre sous l'un de vos capitaines.

— En ce cas, dit le roi, en souriant, cela ne peut être qu'avec le roi de Navarre, puisqu'il est le plus grand capitaine du royaume, et avec le baron de Mespech qui servit si bien mon grand-père à Cerisoles, et mon père à Calais.

Cette phrase scella mon sort, mais point, cependant, tout à plein, car si le roi me donna à Navarre, celui-ci ne me donna pas à mon père, mais à M. de Rosny. Et si j'appris sous M. de Rosny le métier des armes, vint un temps, comme on verra, où je fus remis derechef, en de quasi incrédibles circonstances, aux secrètes et périlleuses entreprises que je croyais à jamais révolues.

CHAPITRE II

En départant pour rameuter son infanterie de Chinon et la ramener au roi, Navarre laissa M. de Rosny à Tours — et moi-même par conséquent — afin d'y donner avis et conseils à ceux qui commandaient les forces du roi en la ville.

La tâche n'en fut pas aisée, Crillon, Gerzé et Rubempré — les trois maîtres de camp — étant hommes à espincher de travers un nouveau venant, au surplus huguenot, qui leur voulait bailler leçons. Et il faut dire aussi que lesdites leçons tombaient sur eux d'assez haut, Rosny se paonnant prou de l'expérience qu'il avait gagnée sous Navarre depuis dix ans, et comme on a vu déjà, bien que fort bon et bénin en son cœur, il montrait telle roideur et hauteur en son abord qu'elles pouvaient bien, par contrecoup, escarper autrui contre lui. Navarre lui-même eût pâti de cette disposition d'esprit de Rosny, s'il n'y avait opposé le souple enjouement de son humeur gaussante — arme qui lui était propre et qu'il maniait bien plus souvent, et à meilleur effet, que la froidure ou le rebèquement.

Deux jours après le département de Navarre, M. de Rosny, suivi de son écuyer (lequel s'appelait La Vergne), de moi-même, et du fluet petit page que Navarre lui avait donné, lequel, à ne pas y croire, s'appelait Moineau, alla reconnaître les défenses du bourg de Saint-Symphorien, opinant que Charles de Mayenne, qui occupait Vendôme, ne pourrait attaquer Tours que par le nord, pour la raison que s'il voulait l'attaquer à l'est et à l'ouest, il devrait traverser la Loire et se trouver fort incommodément entre Loire et Cher, cette position au confluent des deux rivières le fourrant dans une nasse dont la retraite ne serait pas facile.

Or, Saint-Symphorien, comme j'ai dit, est un faubourg sur la rive droite de Loire, au nord de Tours, dont il est séparé par ce grand pont que Navarre, Gerzé, le page Moineau et moi-même franchîmes à l'aube du premier mai pour visiter le roi. Il est sis au bas d'un coteau et n'est d'aucun côté fermé par un obstacle naturel, tant est que l'ennemi y peut pénétrer de tous les côtés à la fois, à moins qu'on ne rempare et qu'on ne fortifie les routes, rues et allées qui y donnent accès. Et M. de Rosny, les reconnaissant une à une et les trouvant fort mal défendues, le dit tout de gob aux maîtres de camp.

— Mais nous y avons dressé des barricades, dit Gerzé.

— Lesquelles ne valent rien, dit Rosny d'un ton abrupt.

— Monsieur, dit Crillon d'un air piqué, plaise à vous de nous apprendre la guerre, puisque vous la savez mieux que nous.

— Je n'y prétends pas, Monsieur, dit Rosny, mais quand on a peu de monde, comme c'est le cas céans, et pas de canons du tout, ceux-là étant à Tours, il y faut de l'obstacle, et pour ceux que je vois céans, je n'en donnerais pas un carolus.

Ceci n'était pas pour les maîtres de camp fort plaisant à ouïr, car le carolus, forgé par Charles VIII, et décrié par Louis XII, ne valait pas plus que dix deniers.

— Et qu'y eût-il fallu, Monsieur ? dit non sans quelque ironie M. de Rubempré, lequel était un fort beau jeune homme, l'œil bleu et le cheveu blond.

— Les faire plus hautes et plus larges, Monsieur. Les flanquer à l'avant d'un fossé profond qui ne ménageât qu'un étroit passage pour les chariots et les cavaliers ; et ce passage lui-même coupé de chicanes pour prévenir les surprises. Et enfin, garantir votre barricade à dextre et à senestre pour l'empêcher d'être enfilée par les arquebusades.

— Cela est bel et bon, mais il y faudrait un siècle ! dit Crillon avec un sourire gaussant et en donnant le clin d'œil à Gerzé et à Rubempré comme pour se gausser de la prétention de Rosny à légiférer sur eux.

— Avec vos mille hommes, dit Rosny, il y faudrait deux jours.

— Mordedienne ! dit Gerzé non sans quelque dédain, tant remuer de terre, c'est travail de laboureur, point de soldat !

— Pour arrêter une balle d'arquebuse, mieux vaut terre que poitrine, dit Rosny.

— Pour moi, dit Rubempré non sans quelque impatience, j'opine que nos barricades sont bonnes assez.

A quoi Gerzé et Crillon hochèrent la tête en signe d'assentiment, encore qu'ils me parussent plus piqués par les façons de Rosny que décroyant ses raisons.

— Messieurs, dit Rosny haussant haut le sourcil, je vois que mes avis sont déprisés. Je vous salue bien, et suis, Messieurs, humblement dévoué à votre service (cet « humblement » étant prononcé avec une incrédible hautesse). La Vergne, poursuivit-il en se tournant vers son écuyer, allez incontinent à ma maison de Saint-Symphorien, sellez mes chevaux, chargez mes bagues et menez le tout dedans la ville et m'y trouvez à loger.

— Par la sang Dieu ! dit Gerzé en riant, Monsieur de Rosny, avez-vous peur ?

— Je n'ai plus peur pour mon bien, Messieurs, puisque le voilà en sûreté. Quant à moi, quand M. de Mayenne fondra sur vous, avec votre permission, je viendrai mourir à vos côtés sur ces chétives barricades.

En quoi il fut mauvais prophète, car, plus heureux que les trois maîtres de camp, il réchappa du combat sans une égratignure. Le beau Rubempré fut blessé aux deux gambes et boita le reste de sa vie. Crillon eut le corps traversé d'une arquebusade dont miraculeusement il guérit. Le pauvre Gerzé fut tué roide. Sa poitrine arrêta une balle d'arquebuse moins bien que cette terre qu'il n'avait voulu remuer.

Mais j'anticipe. Et puisque j'anticipe, lecteur, plaise à toi de me permettre de le faire plus avant. On sut quatre mois plus tard, en août, à l'occasion d'un procès qu'on fit à Tours à quelques ligueux qu'on pendit, que ce parti, fort puissant en la ville, avait au jour le jour informé Mayenne par le menu de tout ce qui s'y passait : de l'arrivée de Navarre, de sa réconciliation avec le roi, de son départ pour Chinon ; du faible nombre et de la disposition des troupes royales, partie au faubourg de Saint-Symphorien au nord, partie au faubourg de Saint-Pierre-des-Corps à l'est ; des chétives défenses de Saint-

Symphorien; de l'habitude qu'avait le roi de s'aller chaque matin promener à cheval, et franchissant le Pont de Tours, de traverser Saint-Symphorien et de gagner la Membrolle, site où il se plaisait à galoper.

Ces intelligences amenèrent Mayenne — lequel avait ce genre de finesse qu'on s'étonne d'encontrer chez les bedondainants — à concevoir deux plans, le second venant à la rescousse du premier, si celui-ci venait à faillir. Cheminant toute la nuit son armée du Vendômois à Tours, et atteignant le lundi 8 mai au matin les alentours de Saint-Symphorien, il devait mettre une embuscade à la Membrolle au lieu où le roi était accoutumé à faire son galop et le capturer. S'il faillait à le surprendre et le saisir, son armée, qui était bien supérieure à celle dont le roi disposait à Tours, attaquerait Saint-Symphorien sur trois côtés, mais par escarmouches et lentement, afin que le roi eût le temps de faire passer ses Suisses de Saint-Pierre-des-Corps à Saint-Symphorien en renfort des assaillis. Tours se trouvant alors dégarnie de forces royales, les ligueux *intra muros* sonneraient le tocsin, prendraient les armes, saisiraient le roi et se rendraient maîtres de la ville, tandis que lâchant à la parfin les chiens, Mayenne, à Saint-Symphorien, accablerait les royaux sous le nombre.

Ces deux plans de Mayenne, l'un commandant l'autre, témoignaient d'une assez émerveillable adresse : si le premier tournait à bonne heure, Mayenne capturait le roi. Si le second triomphait, la ville le lui livrait et se donnait à lui. Dans les deux cas, la face de l'Histoire en eût été changée, notre alliance avec Navarre tuée dans l'œuf, le parti des politiques annihilé et Sa Majesté elle-même sacrifiée ignominieusement en Paris aux mânes du Guise.

Peu se doutait le roi, tout au bonheur et à l'espoir nouvelet que lui donnait son accommodement avec Navarre, de ces toiles où la Ligue le voulait engluer, quand au matin du 8, le ciel étant fort beau en la douce lumière des pays de Loire — lumière à mon sentiment semblable à aucune autre qu'ailleurs je vis jamais — il décida, comme à l'accoutumée, de s'aller promener au-delà du Pont de Tours et de Saint-Symphorien jusqu'à la Membrolle, suivi de François d'O, du maréchal d'Aumont, de Bellegarde, de Rosny, de moi-même et d'une dizaine d'autres seigneurs, tous, comme leur souverain en pourpoint, et n'ayant d'autres armes que leurs épées.

Or à peine avions-nous monté le chemin qui menait à la Membrolle et passé la dernière barricade qui défendait l'entrant de Saint-Symphorien, à l'endroit où le chemin tout soudain se creuse, que nous encontrâmes un vieil homme qui s'en revenait au faubourg tout courbé sous un grand sac d'herbe qu'il avait, se peut, coupée pour ses lapins en quelques communaux qui sont du côté de delà. A sa vue, mon bien-aimé maître en sa bénignité brida son cheval et fouillant en son escarcelle, lui jeta une piécette. Le manant, surpris, la ramassa et levant la tête pour mercier, reconnut le roi et cria :

— Ha ! Sire, est-ce bien vous ? Par la Benoîte Vierge, Sire, ensauvez-vous ! J'ai vu au bois de la Membrolle d'aucuns cavaliers en cuirasse qui m'ont paru être de la Ligue, vu que je connais bien les nôtres, étant logé en deçà de la barricade.

— D'Aumont, dit le roi au maréchal en haussant le sourcil, avez-vous avancé un peloton de soldats à la Membrolle ?

— Nenni, Sire.

— Alors, dit Henri sans battre un cil, le bonhomme a raison.

Et tournant bride, il prit le galop et nous à sa suite, tandis qu'à cent pas de nous, dans le creux du chemin, apparut, jaillissant d'un bois, un fort parti de cavaliers en corselet et morion qui nous coururent sus, mais ne nous purent atteindre, eux à nous montant, et nous descendant jusqu'à Saint-Symphorien où, la barricade passée, le corps de garde, alerté par nos cris, la ferma derrière nous, se mit aux créneaux et les poursuivants déchargeant sur eux leurs pistolets, les arquebusa si bien que, laissant mort sur la poussière du chemin leur capitaine, ils se retirèrent.

Mais à en juger par la vacarme qui de partout s'oyait, ce n'était là que l'embûche et le gros de l'ennemi allait fondre sur nous, tant est que le roi, ayant repassé la Loire et s'étant mis en sûreté dans les murs de Tours, d'Aumont, Rosny et moi-même quérîmes de Sa Majesté la permission de nous en retourner à Saint-Symphorien d'où venait pour lors une forte noise de mousqueterie.

— Quoi ? dit le roi. Messieurs, en pourpoint ?

— Sire, dit Rosny, il faut bien que votre noblesse apparaisse à la mêlée : vos soldats en seront confortés.

Le roi défendit le congé à d'Aumont qu'il voulait garder à lui, mais à nous deux le permit, fort touché, à ce que je vis, que Rosny, tout huguenot qu'il fût, eût dit *votre* noblesse en parlant de soi.

Et regalopant le pont, et au faubourg rentrant, Rosny, suivi du seul La Vergne et moi-même de Miroul, nous retrouvâmes le pauvre Gerzé, lequel à une barricade se battait comme lion, et à nous envisager, ne dit rien d'autre que :

— Hé quoi, Messieurs ? En pourpoint ?

Et sourit. On nous bailla des arquebuses et toute la matinée, nous demeurâmes aux escarmouches à défendre quatre ou cinq maisons du faubourg en haut de la colline, lesquelles, fort branlantes et misérables, ne valaient certes pas le sang qui fut répandu pour elles et qui était des deux côtés français — le nôtre, à en croire les prêchereaux de la Montpensier, tenant du Diable, et le leur, des anges. Quoi qu'il en soit, tout le matin, ces chétives bicoques furent à'steure perdues, à'steure regagnées, et à la parfin par nous quittées, quand Mayenne amena du canon dont on vit bien qu'il les allait pulvériser.

— Tudieu, Messieurs ! dit le pauvre Gerzé, tandis que nous nous retirions, tiraillant toujours, vous en avez fait assez ! Allez de grâce vous mettre en cuirasse. Si l'on en vient au chamaillis du corps à corps, ces pourpoints seront votre mort.

Et combien étrange que les derniers mots que j'ouïs de sa bouche fussent ceux-là, qui résonnent encore sous ma plume comme son propre glas! Nous quittâmes Gerzé, fort noirs de poudre, suivis de La Vergne et de Miroul, l'un et l'autre s'entendant fort bien. Mais nous eûmes quelque difficulté, ayant franchi le pont, à rentrer en la ville, le roi ayant sagement commandé à d'Aumont de ne laisser personne aller hors ni dedans. Cependant, le maréchal, nous ayant reconnus, nous bailla l'entrant et nous pûmes gagner la maison de ville où nous logions.

— Ventre Saint-Gris, Siorac! dit Rosny qui avait emprunté ce bénin juron à son maître, la cuirasse du dehors n'y suffit pas! Il nous faut cuirasser aussi le dedans! Manger à tas et boire à pichet, avant que de retourner au chamaillis!

Ce que nous fîmes, étant possédés d'une faim canine et d'une soif à boire la Loire. Et que je trouve surprenant que cette modeste repue de jambon, de pain et de vin (que je retire, comme j'écris ceci, de la gibecière de ma mémoire) me soit demeurée, tous ces ans écoulés, une si précieuse et savoureuse remembrance, comme si l'appréhension du retour au combat et de la mort si proche lui eût donné plus de prix!

Après quoi on s'aida tous quatre — La Vergne et Miroul ayant avec nous mangé, puisqu'ils avaient avec nous combattu — à s'entrecuirasser, M. de Rosny me disant:

— Siorac, qu'est-cela? Vous ceignez votre épée coutumière? Rien n'en vaut! Il vous faut un estoc de combat pour frapper de pointe et fausser les joints des armures. En voici deux.

— Deux, Baron! dis-je en riant.

— Pour ce que vous ne faillirez pas au combat à briser l'un des deux. Et ces pistolets que je vous vois sont néant. En voici deux, à long canon, chargés par La Vergne de carreaux d'acier. Voilà qui va bien! Et tenez-vous à ma dextre au chamaillis. Et Miroul à votre dextre aussi. Et si votre monture s'abat, éperonnez-la. Sauf quand il est blessé aux gambes, un cheval, même navré et saignant, se relève toujours, pour ce que la course est son instinct.

Je fis à M. de Rosny un grand merci de se faire ainsi mon mentor et m'apprendre la guerre, mais ce jour-là je n'eus pas l'usance de ses avisés conseils, comme je vais dire. A peine, en effet, avions-nous sailli du logis, que nous vîmes partout en la ville, cantonnés en les avenues et places, les Suisses en armes que le roi avait retirés du faubourg de Saint-Pierre-des-Corps pour les mettre dedans Tours. Et comme nous cheminions vers le pont, nous ouïmes des crieurs aller de rue en rue commandant aux manants et habitants de se claquemurer chacun en sa chacunière, volets clos et huis remparé, et de ne point mettre le nez ès rues ou aux fenêtres sous peine de vie. A la porte du Pont de Tours, nous trouvâmes le roi entouré de ses officiers qui nous voyant de loin demander le passage, nous manda à lui et dit à mon compagnon :

— Ne sortez pas, Monsieur de Rosny. J'ai plus à faire de mes bons serviteurs dedans la ville que dehors. Aussi bien vous n'empêcherez pas la prise de Saint-Symphorien.

— Et pourtant, Sire, dit M. de Rosny, il me semble que Mayenne n'y va que d'une fesse.

— Mais c'est là ruse de guerre, dit le roi avec un petit brillement de son œil italien. Mon cousin Mayenne, qui est un grand capitaine, alentit exprès l'escarmouche pour m'amener à engager mes Suisses à Saint-Symphorien. Ce qu'à Dieu ne plaise que je fasse, les voulant garder en deçà du pont, l'ennemi n'étant pas que dehors. J'ai envoyé de prime cette matine au duc d'Epernon à Blois et au roi de Navarre à Chinon, et il n'est que d'attendre les renforts.

Preuve, comme je m'en avisais plus tard, quand se connut le dessous des cartes, que mon bien-aimé maître avait éventé le piège à lui tendu par le Gros Pourceau, et restait dans ses murs plutôt que d'aller donner dans la nasse, ses Suisses et ses crieurs faisant si bien en la ville qu'aucun ligueux n'osât mettre le museau dehors, ni du tout branler ni broncher.

Pour nous, voyant la couleur des choses et que notre présence n'était d'aucune usance, le passage étant clos, nous montâmes aux Jacobins d'où on avait de bonnes vues, et sur Saint-Symphorien, et sur le pont, et là vers les cinq heures de l'après-midi, nous vîmes Mayenne lancer à trois endroits différents du faubourg trois fortes colonnes qui submergèrent les nôtres, les barricades étant si chétives et l'assaut si furieux. Tant est qu'en un tournemain, tout céda et quitta, le gros des royaux refluant vers la ville en une telle presse et confusion sur le pont que si l'ennemi avait alors avancé deux canons pour tirer à l'enfilade sur celui-ci, il n'en serait pas réchappé un.

Par la bonne heure, il n'en fit rien, soit que Mayenne, comme je me l'apensai plus tard, espérait toujours attirer les Suisses du roi, soit que ses soldats se fussent mis déjà à la pillerie et au forcement des femmes, le faubourg étant à eux. Les nôtres purent donc rentrer à la file par la porte qui défendait le pont, laquelle porte fut incontinent terrassée par de gros blocs de pierre, ainsi que celle à l'autre bout du pont, et toutes dispositions prises pour faire sauter les arches dudit pont, si l'ennemi venait à s'y engager.

Nous descendîmes des Jacobins vers sept heures, l'escarmouche étant si alentie qu'on n'entendait plus qu'une intermittente mousqueterie et regagnant la porte du pont, pour nous mettre aux ordres du roi, nous l'atteignîmes en même temps que M. de Châtillon qui arrivait, à l'instant, avec les arquebusiers de Navarre, précédant son maître, dit-il, de trois heures. Jamais je ne vis catholiques royaux plus réjouis de voir des huguenots, ni tant les louer de s'être tant hâtés d'accourir, louanges qui volaient de bouche à bouche, ces mêmes bouches qui plus tard, quand Navarre se fut converti, trouvaient nos réformés indignes des charges de la Cour ou de recevoir l'Ordre du Saint-Esprit, que M. de Rosny, pour ne citer que lui, n'eut jamais, même quand il fut créé duc et pair.

De tout le temps où j'avais été avec Navarre, je n'avais — je ne sais par quel hasard — encontré M. de Châtillon et sa mélancolique face, et à la voir de prime en cette soirée du huit mai, tant me frappa sa ressemblance avec l'amiral de Coligny que lorsque Rosny me présenta à lui, j'en restai sans voix. Tant est que M. de Châtillon, observant mon trouble, mais gardant imperscrutable, à ouïr mon nom, son clair et beau visage, ne me dit alors ni mot ni miette, pour ce que nous étions si proches du roi qu'il ne pouvait, sans offenser Sa Majesté, évoquer la tragique circonstance où j'avais connu son père. En outre, le temps pressait, la nuit était proche, l'heure ne convenait point aux remembrances. Il fallait aviser de la meilleure défense qu'on pourrait faire, si Mayenne, maître de Saint-Symphorien, attaquait la ville.

Je ne fus pas partie à cette délibération et Rosny non plus (lequel me parut nourrir quelque pique à l'égard de M. de Châtillon, combien qu'ils eussent le même maître) mais j'appris par les effets de ce conseil ce qu'on y avait résolu. Car sitôt que le débat entre le roi, d'Aumont et Châtillon cessa, les arquebusiers de Châtillon passèrent dans les deux îles du milieu de la Loire, qui à gué, qui par bateau plat, et commencèrent incontinent à les fortifier. Je me ramentus alors ce que Navarre avait dit le premier mai à Gerzé en traversant le pont pour aller visiter le roi à la pique du jour : qu'il eût fallu de longtemps occuper et remparer ces îles pour l'immense avantage qu'ils auraient donné à l'ennemi dans le siège de Tours, s'il s'en était saisi.

Me trouvant à la nuit tombante avec Rosny dans la plus grande de ces îles, laquelle était aussi la plus proche de Saint-Symphorien, et Rosny en ayant reçu la charge, je fus béant d'admiration à observer l'art, l'expérience, et la considérable peine auxquels se mirent incontinent, et mon mentor, et ceux qu'il commandait (lesquels avaient, pourtant, galopé tout le jour depuis Chinon) pour rendre imprenable la position qu'ils occupaient, creusant des tranchées courbes pour éviter qu'un tir d'arquebuse les enfilât et disposant devant des blocs de pierre. Ceux-ci, ils trouvèrent quasi sur place, protégeant du courant les arches du pont et les enlevant d'où elles étaient, les disposèrent d'une façon très adroitement calculée sur le remblai des tranchées, ménageant çà et là des créneaux, mais des créneaux non point perpendiculaires à l'ennemi, mais obliques par rapport à lui, tant est que tirant sur lui, ils ne pouvaient être de lui atteints par un contre-tir, même si celui-ci visait la meurtrière. J'ajoute, lecteur, que l'oblique de chaque créneau était à l'inverse de l'oblique du créneau précédent, afin que tout le champ devant nous pût être couvert. C'est la première fois que je vis cette émerveillable disposition, qui me donna une fort haute idée des qualités guerrières de mes huguenots, lesquels, contraints de se battre à deux contre dix depuis quasi un demi-siècle, avaient appris qu'ingéniosité et travail pouvaient suppléer au poids du nombre.

La lune, en cette nuit du 8 au 9 mai, était pleine et lumineuse, le ciel tout à plein sans nuages, la nuit tiède, et il y avait pour moi quelque chose d'incrédible à envisager ce labeur de fourmi sur cette île qui n'avait ni arbre ni maison et ne servait coutumièrement à rien d'autre, je gage, qu'à abriter, à la belle saison, les amours sans toit.

La clarté était telle qu'on eût pu lire un livre et que se voyaient fort distinctement Saint-Symphorien et les sentinelles ennemies de la rive droite, lesquelles n'étaient guère plus éloignées de nous que par un jet de pierre et nous envisageraient à nos labours, mais sans nous tirer sus, n'ayant pas d'ordres. De fait, le seul tir, fort intermittent, qu'on oyait, venait du faubourg même, où quelque malheureux manant ou prisonnier payait de sa vie le zèle d'un capitaine ligueux ou l'avarice d'un soldat qui le voulait dépouiller. Non que la noise et vacarme manquassent : toquements sourds d'une porte enfoncée à coups de hache pour la picorée, chants hurlés par bribes par les soldats enivrés, hurlements d'agonie d'un gautier qu'on daguait, ou cris d'épouvante des femmes que l'on forçait.

Vers les deux heures du matin, M. de Châtillon nous vint voir sur un bateau plat, de l'autre île, parla aux arquebusiers et se dit fort content de leurs fortifications. Comme il allait s'embarquer, il m'avisa à la senestre de M. de Rosny, tête nue et le saluant. Aussitôt, me prenant par le bras, il me tira à part et dit d'une voix grave et quelque peu trémulente :

— Monsieur, encore que je n'aie jamais jeté l'œil sur vous avant ce soir, bien sais-je, à votre nom seul, qui vous êtes et que vous avez, avec Ambroise Paré, soigné mon père, quand il tomba dans cette lâche embûche qui précéda de si peu la Saint-Barthélemy.

— Ha ! Monsieur de Châtillon, dis-je envisageant à la clarté de la lune sa belle face malenconique, cela m'est à grand honneur d'avoir pansé l'amiral de Coligny, qui fut et restera pour moi le plus noble exemple de vaillance et de fidélité à sa foi qui fût jamais.

— Monsieur, dit Châtillon à voix fort basse, d'aucuns s'étonnent que j'aie quant à moi poussé de toutes mes forces pour que Navarre s'accommode au roi, lequel, quand il était duc d'Anjou, eut, dit-on, quelque responsabilité et dans l'attentement contre mon père, et dans la Saint-Barthélemy.

— Ha ! dis-je avec feu, on le dit, mais pour moi, je le décrois tout à plein, pour ce que je connais bien de mon maître la coutumière bénignité de cœur et sa répugnance à sang verser. Par surcroît, il n'était point alors le roi de France et Charles IX, seul, doit porter devant Dieu le poids de ces ignominies.

— Ha ! Monsieur ! dit Châtillon en poussant un soupir, comme je suis aise de vous ouïr parler ainsi, vous qui connaissez bien le roi ! Je le confesse à vous, ma conscience me poigne quand et quand d'embrasser mes ennemis d'hier, craignant que la noble âme de l'amiral, du haut de son paradis, ne m'en puisse blâmer. Et pourtant Navarre ne poursuit-il pas, ce jour d'hui, le même but que mon père, quand l'amiral voulait unir contre Philippe II les catholiques et les huguenots de ce royaume ? Et n'est-ce pas mon devoir, comme mon père lui-même à ma place l'eût entendu, que de bannir toutes ces fâcheuses et barbares passions d'aigreur, de querelle et de vengeance, quand la paix du royaume est en jeu ?

Et moi, le voyant encore très troublé en sa conscience de huguenot de se vouloir infidèle à son personnel ressentiment par fidélité à la nation, j'entrepris de le conforter et consoler en le sacrifice qu'il en faisait, lui assurant que son père n'avait pas, en effet, agi autrement en se réconciliant avec Charles IX après les persécutions dont lui-même et les siens avaient été les malheureux objets.

Sur ces mots, je fus interrompu par des cris et interpellations que faisaient aux nôtres les sentinelles de Mayenne lesquelles, comme j'ai dit, se trouvaient sur la rive droite de la rivière de Loire à un jet de pierre de nous et bien visibles, la lune étant si claire.

— Arquebusiers, cria l'un de ceux-là, je vous reconnais à vos écharpes blanches ! Vous êtes les huguenots de Châtillon !

— Oui-da ! cria en réponse l'un de nos soldats avec un rocailleux accent gascon. Oui-da ! répéta-t-il en gaussant, et pour vous servir, Messieurs !

— Echarpes blanches ! hucha un autre de ces ligueux, retirez-vous de là ! Nous n'avons pas affaire à vous, mais à ce bougre et traître de roi, couard, assassin et suppôt d'enfer !

— L'insulte, cria le Gascon, ne sied qu'aux femmes qui ont la bouche humide et le con sec ! *Cap de Diou !* Nous verrons demain si vous êtes aussi vaillants que médisants !

— Quérez donc de M. de Châtillon, cria alors l'un des capitaines de Mayenne qui, pendant cet échange, s'était rapproché de la berge, s'il est content de servir les meurtriers de son père !

— Monsieur, dit Châtillon en avançant et en montant sur le remblai de la tranchée pour être des interpellants bien visible. C'est je, Châtillon, qui vous parle, et je vous voudrais dire ceci : Quand il s'agit du service de l'Etat et du roi — ce roi qui est le mien comme il est le vôtre — je mets sous les pieds toute idée de vengement ou d'intérêt particulier, et j'en ferai autant avec vous, Monsieur, quand vous serez rentré dans votre devoir !

— Monsieur de Châtillon, ôtez-vous de là, dit le Gascon en lui prenant familièrement le bras et en le tirant dans la tranchée, ces pendards vont vous tirer sus ! Il n'y a pas à se fier à ces Guiseux qui font cette nuit les chattemites et nous voudront massacrer demain. Un ligueux loyal est bête plus rare que putain qui file, ou curé qui laboure !

Saillie qui fit rire nos gens à gueule bec, comme bien on pense, et les remit du bon du cœur à l'ouvrage et d'autant qu'il était devenu bien visible par l'échange des propos avec l'autre bord que les ligueux n'étaient pas si ravis à la pensée d'avoir à se frotter à eux au matin.

Les nôtres continuèrent à se remparer encore deux grosses heures après le départ de M. de Châtillon, et Rosny, s'estimant à la parfin satisfait, posta des sentinelles. Et dans la tranchée qu'ils avaient creusée, sans retirer morion ni corselet, les arquebusiers s'écroulèrent dans le sommeil, tant ils étaient las d'avoir galopé tout le jour et peiné la moitié de la nuit, d'aucuns se plaignant d'avoir soif et faim, mais sans aigreur aucune, en gens habitués à ne se remplir le ventre qu'au hasard des occasions, bonnes ou mauvaises, qui se pouvaient encontrer.

Pour moi, je ne m'ensommeillais pas, tant m'agitait l'émeuvement de mon premier combat, car je ne comptais pour rien les embûches, duels et périls où j'avais été jusque-là en mon aventureuse vie. La mort, de ce jour, devenait quotidienne, et celle à laquelle j'avais réchappé ce matin me pouvait atteindre demain. Cependant, si navrant que fût pour moi le pensement d'abandonner ce monde que tant j'aimais, cette vie dont j'étais raffolé, ces êtres qui tenaient si fort à mon cœur, je voyais une si pressante, urgente et contraignante nécessité à battre la Ligue pour établir la paix et la liberté des consciences, que j'acceptai la possibilité de ma personnelle annihilation comme prix à payer pour cet incommensurable bienfait. En ces dispositions si résolues et si fortes, et m'étant en elles recueilli, j'adressai une ardente prière au Seigneur pour qu'Il permît que ce but fût atteint, et cependant, la vie des miens préservée, et la mienne, s'il lui plaisait. La pensée, tandis que j'achevai mes oraisons, me frappa que les meilleurs des ligueux — ceux qui ne se ruaient pas pour lors à la picorée ni au forcement des filles — étaient se peut, à'steure, occupés, eux aussi, à réciter leur chapelet. Hélas, c'était le même Dieu, mais non pas la même prière, car en leur farouche et fanatique zèle ces malheureux demandaient au Seigneur l'extirpation par le fer et le feu des hérétiques, tandis que nous voulions, nous, que les Français naturels pussent vivre côte à côte, qui allant à messe, et qui au culte, et sans qu'aucun fût molesté.

Cependant, je dus m'assoupir, car me désommeilla Miroul à la pique du jour, me cornant à l'oreille en me secouant :

— Le roi! Voici le roi!

Pourtant, ce cri, que d'aucuns des sergents et des sentinelles çà et là répétèrent, eût failli à ébranler les arquebusiers de leur profond endormissement, si une voix gasconne que je commençais à bien connaître n'avait dit :

— *Cap de Diou*, il apporte pain et vin !

Ces mots « *pain* » et « *vin* » frappèrent les ouïes ensommeillées plus fort que n'avait fait le mot « roi », et cornedebœuf ! quel tohu-vabohu ce fut dans les tranchées — corselets et cuirasses se toquant et s'entrechoquant comme enclumes dans le remue-ménage qui s'y fit — quand nos ventres-creux se levèrent, et joyeusement s'ébrouèrent, la salive jà en bouche !

Le roi, dès qu'il eut mis pied dans l'île, ordonna que l'on déchargeât de l'embarcation qui l'y avait mené les subsistances que j'ai dites et qu'elles fussent tout de gob équitablement distribuées aux cinq cents arquebusiers qui se trouvaient là. Pendant ce temps, nous ayant gracieusement présenté la main à Rosny et à moi, Sa Majesté voulut voir les remparements que les écharpes blanches avaient construits, et fit le tour de l'île avec Rosny et moi-même, se faisant expliquer la raison des créneaux obliques et des tranchées courbes, et ne celant pas son émerveillement devant un tel ouvrage.

— Hé quoi, Monsieur de Rosny! dit-il, travaillez-vous toujours ainsi? L'ennemi ne saurait surprendre une troupe ainsi fortifiée!

A cela Rosny fit un profond salut, mais tant ému de ce beau compliment (qu'il consigna plus tard en ses Mémoires) que sa gorge se nouant, il ne put articuler mot ni miette. Je ne sais comment, de reste — car le roi avant parlé sur le ton de la conversation la plus ordinaire — son hommage au labour huguenot, à peine prononcé, vola de bouche à oreille parmi nos soldats, tant est que le roi, départi pour aller visiter l'autre île où se trouvait Châtillon, tous les nôtres connurent l'éloge qu'il avait fait d'eux, lequel s'amplifia excessivement de proche en proche, et leur mit la crête fort haute, d'autant qu'au même moment le vin de Loire coulait dans les gorges sèches et les dents aiguës mâchellaient le beau pain blanc doré de Tours.

— *Cap de Diou!* dit mon Gascon, j'aime ce prince, et je décrois qu'il soit couard : sans cela serait-il monté en première ligne pour nous envitailler, tout roi qu'il est!

— Oui-da, Pissebœuf! dit son compère, la bouche qu'il avait fort large emplie à craquer.

Ce compère se nommait Poussevent, et que ces noms de Pissebœuf et Poussevent fussent des noms ou surnoms, je ne le sus jamais, si longtemps que je les connusse, car je fus avec eux à la bataille d'Ivry et au siège de Paris, et prêtais souvent l'ouïe à leurs gaussants propos. J'eusse dû dire à *ses* gaussants propos, car Pissebœuf, long et maigre, comme un échassier déplumé, était le seul des deux qui parlât, le gros Poussevent opinant « se peut » ou « oui-da » ou « c'est raison parler », et au-delà, rien qui valut.

— Se dit, reprit Pissebœuf *sotto voce*, que cet Henricus-là n'est point comme notre Henricus à nous, et qu'il ne court pas le cotillon.

— Se dit, répéta Poussevent.

— Se peut, dit Pissebœuf, qu'il y perde prou. Car œuf d'une heure, pain d'un jour et fille de quinze ans sont des morceaux friands.

— Oui-da, dit Poussevent.

— Et pour deux culs qui font connaissance, c'est cent ans de reconnaissance.

— Cent ans, c'est prou, dit Poussevent.

— C'est pour la rime, sottard, dit Pissebœuf. Je poursuis. Adonc cet Henricus que je dis, ne faisant aucun cas des garces, préfère le braquemart à la meurtrière.

— J'entends bien.

— Adonc, étant hérétique en gaillardies comme le Béarnais l'est en religion, il ne peut qu'il ne soit notre allié.

— Qu'y redire ? dit Poussevent.

— Je poursuis. Qui mieux est, cet Henricus de France, le voilà brave et couillard assez pour monter en ligne afin que de nous régaler.

— Adonc ? dit Poussevent.

— Bougre se peut, mais bon bougre.

— Voilà, dit Poussevent, qui est chié chanté.

— Mais que vois-je, *cap de Diou* ! dit Pissebœuf en montant sur le remblai de la tranchée, la bouche pleine du beau froment doré de Touraine, que vois-je en ce Saint-Symphorien de merde ? Les sentinelles ligueuses disparues ! Quel tour nous mijote le Carolus ?

— Carolus ? dit Poussevent qui se rinçait la bouche d'une bonne goulée de vin.

— Charles, duc de Mayenne. Et ramentois, Poussevent, que je fus clerc et servis la messe, avant que de lire dans le Saint Livre, de ces yeux que voilà, la vérité de Dieu. Monsieur le Capitaine ! Monsieur le Capitaine ! cria-t-il après M. de Rosny, et comme

M. de Rosny à quelques toises de là ne l'oyait point, il se mit à courre après lui en longues gambées d'échassier, poursuivi par le gros et poussif Poussevent qui huchait : « Voire mais ! Ton morion, Pissebœuf ! M. de Rosny va te tancer s'il te voit sans ta salade ! »

Ce que M. de Rosny fit, en effet, puis le mercia et le loua de sa vigilance, et dépêcha un arquebusier à l'île de Châtillon, lequel arquebusier posa ses armes, se décuirassa, se dévêtit et entra dans la rivière de Loire en jurant que : « Cette bougresse d'eau était dix mille fois plus froide que dix mille garces ligueuses mises à tas. » Ce qui, répété, fit rire cinq cents arquebusiers pour ce que l'humeur gasconne — la fatigue de la veille envolée — était ce matin à l'enjouement, tant les avait ragaillardis, et d'être envitaillés, et de l'être par le roi en personne.

— Je raque ce morion, grommela le long Pissebœuf à nous revenant tout en bouclant ledit morion sur son chef, je le raque, je lui chie sus, et je le contrepisse. Qui plus est, Poussevent, je le voue à l'enfer papiste pour qu'il y soit pilé en mortier comme l'âme du Carolus.

Il achevait quand le bruit courut que la barque plate revenait de l'île de Châtillon avec le roi dessus, et à ses côtés Navarre, lequel était juste advenu. Auquel nom de Navarre, un tel trémulent frémissement de fiance et d'amour courut parmi nos gens qu'ils se seraient bien pêle-mêle précipités sur l'autre bord de notre île pour le voir, si Rosny et les sergents, donnant de la gueule, ne les avaient commandés de se mettre tous aux tranchées, le morion attaché, le corselet sanglé, et le mousquet en main à vérifier la pierre du rouet. Ce qu'ils firent, l'œil irrassasié, mais la voix active, quoique fort basse.

— Voilà nos deux Henricus, dit Pissebœuf en glissant un œil par-dessus son épaule. L'un grand, l'autre petit. L'un cerf ou biche, l'autre bouc.

— Qui est le bouc ? dit Poussevent.

— Le nôtre : tu le connais à l'odeur. Et aussi à ses

esteufs, car plus couillard que Navarre jamais ne fut. Poussevent, la journée est à nous! Le bouc béarnais va besogner la chèvre Carolus!

— M'est avis que la chèvre prend les pattes à son cou, dit Poussevent placidement, pour ce qu'au même moment, distinct et fort en son nasillant trompettement, on entendit, des hauteurs de Saint-Symphorien, sonner le boute-selle.

— Ventre Saint-Gris, le boute-selle! cria Navarre en devançant tout soudain le roi en quelques pas de ses courtes, maigres et musculeuses gambes et en sautant sur le haut du remblai. *Ha! mio cozin Mayenne*, ajouta-t-il en oc, *que cagada* [1]!

Sur quoi, l'avis unanime des arquebusiers, quoique prononcé à voix basse, et en oc, pour ne point offenser le roi et son armée, fut que le Mayenne s'était par peur des seules écharpes blanches ensauvé au diable de Vauvert et que ledit diable le bouille à jamais en ses marmites, Amen!

Navarre dépêcha quelques éclaireurs pour reconnaître le faubourg, lesquels revinrent confirmer que Mayenne avait fait retraite, laissant derrière lui d'aucuns traînards, éclopés, ou navrés qui, capturés, confirmèrent le département de l'armée ligueuse, se retirant aussi vite qu'elle s'en était advenue. A se voir par nous interrogés, les pauvres croquants trémulaient comme feuilles de peuplier, leurs dents et genoux s'entrechoquant, croyant qu'on les allait pendre — d'autant, à ce que les émissaires avaient rapporté, que le chevalier d'Aumale (cousin de Mayenne) avait fait à Saint-Symphorien mille méchantises, daguant hommes et forçant femmes — mais Sa Majesté, en vrai bon roi chrétien qu'Elle était, les envoya à l'hôpital de Tours avec nos propres blessés pour y être comme eux pansés, arguant que, le combat fini, il ne voulait point faire de différence entre les Français naturels.

J'envoyai Miroul quérir ma trousse de médecin à

1. — Ha! mon cousin Mayenne, quelle chiure d'insecte! (Quel travail mal fait!)

Tours, et demandai à M. de Rosny d'être de ceux qui iraient au secours des nôtres en Saint-Symphorien, dont voulurent être aussi Miroul, le page Moineau, et à mon grand étonnement, Pissebœuf, « pour pourvoir, dit-il, à mes sûretés », mais, partie aussi, à ce que je pense, parce qu'il voulait voir de ses yeux la *cagada* de Mayenne en ce faubourg, étant plus curieux qu'écureuil dont il avait d'ailleurs, emmanché sur un long cou maigre, la tête petite, l'œil vif et noir, l'oreille immense.

Il y avait là, en effet, par la male heure, prou à voir et du plus horrible en cette belle aube de mai : maisons brûlées et demi brûlées que les nôtres labouraient à éteindre, verrières brisées, huis éventrés pour la picorée, hardes et meubles sur le pavé jetés, puantissimes chevaux morts et jonchant les rues çà et là, des cadavres par centaines, les leurs, les nôtres — le chamaillis du corps à corps par les rues et ruelles ayant été, à ce que je vis, des plus meurtriers.

Ni son ni noise en tout cela, tant est que la cité paraissait morte, sauf qu'en passant devant l'église, une sourde, longue et lugubre plainte dans le silence général tant me frappa que je décidai d'entrer et, l'huis franchi, risquai un œil et vis de prime, massées et accroupies au pied de la chaire, une bonne trentaine de garces échevelées, lesquelles se balançant d'avant en arrière, pleuraient, priaient et gémissaient à cœur fendre. Et moi me voulant assurer du dol qui les poignait ainsi, avançai alors, suivi de mes deux arquebusiers, à la vue de qui et de moi, les femmes tout soudain se mirent à hucher des cris d'épouvante si déchirants que j'en fus comme transi, et cloué sur place, béant d'être ainsi reçu. Cependant, mon immobilité peu à peu les rassurant, elles s'accoisèrent, et saillit alors de derrière la chaire où sans doute il se cachait, un prêtre chenu qui, appuyé sur une canne, s'approcha en clopinant et dit :

— Monsieur, êtes-vous à M. de Mayenne ou au chevalier d'Aumale ?

— Ni l'un ni l'autre, la Dieu merci ! Je suis au roi !

— Ha ! la Dieu merci, en effet ! dit le vieux prêtre. Nous sommes saufs !

— Oui-da! Mayenne a fui! le faubourg est à nous! N'avez-vous pas ouï le boute-selle?

— La Dieu merci, dit le vieux prêtre en levant la main au ciel, ce calvaire est fini! Du moins pour moi, ajouta-t-il à voix basse et en me prenant par le bras pour m'éloigner des garces qui, quelque peu rassurées par ce qui s'était dit entre lui et moi, continuaient néanmoins leurs lugubres plaintes sans branler de leur position accroupie. Mais pour elles, Monsieur, il ne fait que commencer, poursuivit le vieux prêtre. Ces malheureuses que vous envisagez céans se sont réfugiées, le faubourg pris par M. de Mayenne, en mon église, croyant que les ligueux qui se disent si fervents défenseurs de notre foi, respecteraient le saint lieu. Hélas il n'en fut rien! Car à peine le chevalier d'Aumale, à mettre le nez dans la nef, eut-il aperçu ces femmes, qu'il les livra à ses soldats, jurant les blessures de Dieu que puisqu'elles tenaient le parti du roi, c'était gibier d'hérésie et qu'il les fallait traiter comme putains au bordeau. Ha! Monsieur! A peu que je n'ose dire ce qui se passa ensuite, ici même, sur les dalles que voilà. D'aucunes de ces infortunées qui voulurent s'opposer à ces bêtes brutes, furent traînées par les cheveux jusqu'au pied de l'autel et battues à pieds et poings jusqu'à pâmoison. L'une, la plus opiniâtre à la résistance, fut tout de gob daguée par un de ces démons pour lui apprendre, dit-il, à *se tenir coite et faire sa volonté*. Après quoi, il besogna son corps expirant. Moi-même, de prime transi à ces horreurs, mais reprenant cœur en mon indignation, et tâchant d'assouager la férocité de ces méchants par mes remontrances et le respect qu'ils devaient à la maison du Seigneur, l'un d'eux, fatigué de m'ouïr, me saisit par le bras, me posa le cotel sur la gorge et menaça de me dépêcher, si je présumais de l'importuner plus avant par mes prêchailleries. Sur quoi un autre, ce me semble un sergent, ou un quelconque gautier qui était en autorité parmi eux, ajouta qu'il n'était rien qui ne leur fût permis par la Sainte Eglise, puisque, combattant pour une bonne cause, avec l'aveu du pape, et pour ainsi parler, sous sa bannière, tous leurs péchés, voire les plus grands, et jusqu'au parricide, ne pouvaient qu'ils ne leur fussent remis : privilège infini où il comptait bien, pour sa part, se ventrouiller tout son saoul...

— Ha! Monsieur! poursuivit le prêtre. N'est-ce pas inique que se réclamant de l'Eglise, ils la considèrent si peu! L'un de ces vilains, violant le tabernacle, et coupant la chaîne qui attachait mes deux ciboires, jeta sur les dalles avec déprisement celui d'étain, disant en gaussant qu'il voyait bien qu'il était en métal vil, donc royal et hérétique, mais en revanche, empocha le second, celui-là, dit-il, ne pouvant être que de la Sainte Ligue, étant d'argent.

« Un autre, dévêtant une garce, et la trouvant trop vieille, même pour son appétit, et toutes autres étant ès poings de ses compères, se vengea de sa déconvenue en lui fourrant de force en les parties un de ces pétards dont les assiégeants font sauter les poternes des villes, y mit le feu et fit exploser la malheureuse. De quoi il fut gourmandé par le sergent, non pour l'inhumanité de son acte, mais pour avoir mésusé de ses munitions de poudre, là où une dague aurait suffi.

« Ce sacquement infâme dura jusqu'à l'aube, où tout soudain, ils se retirèrent, non sans avoir souillé et profané l'autel d'une manière que je répugne à dire : sacrilège qui s'accommodait bien à la roberie, la meurtrerie, la torture, le forcement et les autres vilenies auxquels ils avaient couru.

L'émeuvement me serra le nœud de la gorge à ouïr ce lamentable conte, et je vis bien que Pissebœuf et Poussevent, dont la conscience, se peut, n'était pas elle-même sans reproche — ces exploits n'étant que trop habituels aux soldats des deux camps — trouvaient cependant à ceux-ci une excessive crudélité. Quant au petit page Moineau dont le cœur en ses tant vertes années était tendre comme celui d'une fille, il ne pouvait retenir ses larmes, et tout pleurant allait de l'une à l'autre de ces pauvres garces gémissantes, et à sa manière simplette et gentillette, attentait de les conforter. Pour moi, je leur dis que j'étais un des médecins du roi et que je les exhortais à ne point céder à la désespérance, et chacune se retirant en sa chacunière, de se laver incontinent des souillures qu'elles avaient subies.

— Ha! souillées, assurément, nous le sommes! dit une grande et forte brune qui par ce qui restait de sa vêture en lambeaux, paraissait être de bon lieu — car il n'est aucune d'entre nous qui n'ait été plus de trente ou quarante fois forcée, mais la plus griève navrure tient à la honte et vergogne où nous sommes d'avoir à reparaître, en notre présente condition, devant un fils, un frère, ou un mari, salies et engrossées par ces monstres, et montrées du doigt par tous, en notre rue, en notre maison même. Ha! révérend docteur médecin, si Notre Seigneur n'avait point défendu à l'homme de porter la main sur sa propre vie, de quel élan j'irais, après ceci, me noyer en la rivière de Loire!

— Hé! ma fille! dit le vieux prêtre en branlant son chef chenu, ce serait péché, et capital.

— Mais n'est-ce pas péché aussi de porter se peut en mon sein le fruit de ces méchants, fruit si vil et abhorré, et de moi et de mon mari, que je le voudrais, dès sa naissance, détruire.

— Hélas, ma fille, dit le curé, ce serait péché encore, et en outre, crime odieux contre les lois de ce royaume et pour lequel vous ne sauriez faillir d'être pendue.

Combien que le bonhomme eût dit vrai, j'eusse mieux voulu qu'il n'eût rien dit, tant ses paroles achevèrent de désespérer les malheureuses, les convainquant que la mortelle offense faite à leur faible chair ne serait pas que le pâtiment d'un moment, mais le calvaire de toute une vie, la roideur des lois prenant contre elles, pour ainsi parler, le relais des soudards.

Cependant, mes pressantes objurgations et celles du bon curé les persuadant, d'aucunes de ces pauvrettes se levèrent, quoique avec de grands pleurs et des gémissements et une fois debout, aidèrent les autres à se mettre sur pied et toutes alors s'en furent, la tête basse et la face fort triste, resserrant sur leur corps souffrant du mieux qu'elles pouvaient les loques de leurs habits.

Tant est que ne demeura à la parfin, étendue et pâmée au pied de la chaire, qu'une fillette d'une douzaine d'années, nue en sa natureté, qu'une garce plus âgée, vêtue comme une chambrière, attentait de ranimer, tandis que le page Moineau, lui prenant la main et la trouvant glacée, à ce que je pense, tâchait de la réchauffer entre les siennes, lesquelles étaient si petites qu'elles la couvraient à peine.

— Celle-ci, me dit le vieux prêtre à voix très basse en me prenant par le bras, et en me tirant à l'écart, est une demoiselle noble de Tours, laquelle, étant par malheur en visite chez sa tante au faubourg de Saint-Symphorien, devint, sa tante occise, la proie particulière du chevalier d'Aumale, lequel la jeta sur une coite, lui mit le couteau sur la gorge, à peine de lui désobéir, et lui ayant arraché sa vêture, la força deux fois, l'une par les voies de nature, l'autre par les voies dénaturées, la déchirant à chaque coup.

« Sa chambrière, qui du fond d'un placard où elle s'était dissimulée, avait été le témoin de ces ignominies, en saillit dès que le chevalier d'Aumale fut départi. Et la pauvre déflorée, huchante et hors d'elle-même, ne parlant que de s'aller jeter en Loire pour éteindre, disait-elle, le feu de l'enfer que ce grand diable avait mis dans son corps, ladite chambrière l'amena ou plutôt la porta en mon église, afin d'y trouver le secours de la religion.

Ce récit nous laissa béants, tant nous parut proprement incrédible qu'un gentilhomme de bonne et ancienne noblesse comme le chevalier d'Aumale [1], lequel était cousin des princes lorrains, fût descendu à ces bassesses, l'âge de la pauvrette nous paraissant multiplier la crudélité de son acte, ainsi que l'observa à sa manière naïve Pissebœuf, que j'ouïs fort

---

1. Le chevalier d'Aumale, abbé du Bec, était le troisième fils du duc d'Aumale. (Note de l'auteur.)

bien — encore qu'il eût parlé bas — dire à son compère Poussevent : « Quinze ans, passe ! Mais douze ! C'est par trop meurtrir la chair nouvelette ! »

Quand la pauvrette, à la parfin, se dépâma, je lui donnai un grain d'opium pour l'assouager quelque peu, puis je fus deux grosses heures à la laver, à la recoudre, à la panser. Ces curations finies, je lui donnai derechef un grain d'opium, et quand enfin elle s'ensommeilla tout à plein, demandant le secret absolu au bon vieux prêtre, j'allai avec la chambrière visiter son père à Tours, et exigeant de l'encontrer bec à bec, lui dis le tout de l'affaire, en l'avisant de ne pas l'ébruiter, afin que Mlle de R. ne fût pas, dans la suite de son âge, rejetée par le monde et quasiment contrainte à s'enfouir en un couvent.

M. de R. était veuf, et n'ayant d'autre enfant que celle-ci, tous les autres étant morts en bas âge, il était tendrement raffolé de son Ariette, et encore qu'il brûlât de se revancher, étant gentilhomme de bon lieu, sur le chevalier d'Aumale, il convint avec moi que le silence valait mieux qu'un cartel, en la circonstance impuissant. Et comme Mlle de R. se trouvait tout à plein déconnue des malheureuses de Saint-Symphorien avec qui elle avait été mêlée, cette ignorance, la prudence du père, la discrétion du curé, de la chambrière, pour ne point parler de la mienne, tout concourut à dissimuler aux yeux de tous le cruel outrage que Mlle de R. avait subi. Dissimulation qui, même si elle ne supprima pas sa navrure, lui épargna du moins l'opprobre qui en fut l'inique conséquence pour ses infortunées compagnes.

Belle lectrice, dont le cœur tendre s'intéresse à Mlle de R. et voudrait sur elle en savoir davantage, sachez donc que de son être physique, c'était une brunette bouclée aux yeux noirs, profonds et pensifs ; que sa charnure, fort puérile en ses douze ans, dessinait à peine la femme qu'elle allait être ; et qu'enfin elle était, de son humeur, naïve, douce, confiante, et en outre, si affectionnée que l'ayant

visitée quatre jours à peine à Tours pour lui continuer mes soins, elle pleura à chaudes larmes à mon
départir et me fit promettre de lui écrire. Ce que je
fis. En bref, c'était la plus mignonne angelette qui
fût du haut des cieux sur terre descendue. Et encore
que notre correspondance se discontinuât — pour
ce qu'elle écrivait fort peu et fort mal — j'ai ouï dire
qu'elle s'était, sur ses seize ans, heureusement
mariée à un gentilhomme de Blois, lequel ayant
appris la vérité des lèvres de son futur beau-père, la
voulut aussitôt rejeter dans la gibecière de son oubli
et d'autant que le chevalier d'Aumale, ayant été
entre-temps tué, et je dirai pourquoi et par qui, on
ne pouvait que s'en remettre à Dieu de son châti-
ment.

Après la retraite et département de Mayenne, le
9 mai au matin, il fut débattu entre le roi et Navarre
s'il fallait incontinent courre sur le Gros Pourceau
avec les deux armées conjointes. Je n'assistai point à
ce conseil, mais j'en sus la substance par Rosny qui
en fut, et me dit que la poursuite de Mayenne par les
deux Henri n'était pas apparue comme un moyen
fort sûr, Charles ou Carolus, comme on aimait aussi
à dire, ayant sur eux trop d'avance pour qu'ils
pussent espérer gagner sur lui, et en outre, y ayant
trop de bonnes villes ligueuses où, refusant le
combat, il eût pu s'enfermer. A cette occasion, me
rapporta Rosny en riant, mon pauvre bien-aimé souverain fit un de ces *giochi di parole* dont il était raffolé, disant qu'il ne fallait pas hasarder deux *Henricus* contre un seul *Carolus*, faisant allusion au fait
que l'écu d'or, frappé par son père Henri II, valait
encore soixante sols, alors que le *Carolus*, fort
décrié, ne valait plus que dix deniers.

A la vérité, je ne puis me ramentevoir si c'est à ce
conseil ou à un de ceux qui suivirent qu'il fut décidé
par les deux rois d'aller mettre le siège devant Paris.
Mais le projet, néanmoins, planait quelque peu dans

l'air déjà, puisqu'il fut résolu ce jour que Châtillon et Rosny iraient capturer incontinent Chartres, laquelle ville, comme on sait, est le grenier de la capitale, tant est que quiconque la tient, tient et retient l'envitaillement de la bonne ville en blé et froment de la Beauce.

Cette attaque contre Chartres devant être menée dans le secret et la célérité fut la raison pour quoi Navarre confia à Châtillon trois cents chevaux et cinq cents arquebusiers à cheval, à l'exclusion de tous gens de pié, mais avec des échelles, un pont volant pour passer les murailles, et des pétards pour faire sauter les portes ; le départ fixé fort tôt à l'aube pour n'alerter point les espions ligueux de Tours ; point de boute-selle, mais un département sans noise et si je puis dire, à sabot de velours ; le secret bien gardé sur notre destination que seuls Châtillon et Rosny connaissaient ; et enfin de Tours à Bonneval, une seule grande traite sans démonter et prenant, le cul sur selle, nos deux repues, à la fortune du pouce et le vin à la régalade.

Comme on approchait de Bonneval, on tomba sur une petite troupe ligueuse commandée par M. de Recrainville, laquelle ne comptait pas plus de vingt-cinq chevaux. Elle s'ensauva à notre vue, mais nos coureurs en avant-garde lui tapèrent fort sur la queue, sans la pouvoir anéantir, mais en faisant quelques prisonniers : Ce qui fut fort heureux, car on apprit par eux qu'il y avait dans le voisinage trois ou quatre cents chevaux ennemis en campagne. Ne les voulant pas avoir dans le dos en notre chevauchée sur Chartres et doutant bien que ceux de Recrainville qui avaient réchappé leur allaient dire où nous étions, on décida de les affronter et de marcher à eux. Par une décision qui m'étonna, Châtillon envoya ses arquebusiers par le chemin de Chartres, comme s'il estimait sa cavalerie à cheval bien suffisante pour détruire celle de l'ennemi. Tant est que ce fut à égalité de nombre que le combat se fit.

Il se fit fort à l'improviste, car escaladant une petite colline abrupte, pour gagner des vues sur les alentours, parvenu au sommet, on vit tout soudain l'ennemi qui montait la pente de l'autre côté vers nous, séparé par deux cents pas à peine. Il s'ensuivit un affrontement d'une épouvantable violence. Les deux gros s'entretoquèrent si fortement par la lance et l'épée qu'en un clin d'œil il se fit un monceau à terre de plus de quarante chevaux et d'hommes pêle-mêle, les uns sur les autres gisant. Grâce au ciel, je ne tombai point, évitant une lance et donnant de l'épée comme je pus sous le heaume de mon assaillant. Mon estoc se cassa net à la poignée, laquelle je jetai tant violemment à la tête de mon ennemi qu'il en vida les étriers, je pense, car j'eus le temps de dégager de mon arçon mon deuxième estoc avant d'être de nouveau assailli, mon Miroul pendant ce temps lançant le cotel, à dextre et à senestre, aux valets ou autres goujats qui couraient entre nos chevaux pour leur donner dans les tripes. Le mauvais de ces mêlées, c'est que lance ou épée se brisant, on se trouve tout soudain sans arme devant un nouvel assaut, à moins que de tirer le pistolet, ce qu'on ne fait qu'en dernier ressort, et qu'une fois. Et ce que fit Rosny, quand le petit page Moineau, accourant sur son petit cheval arabe pour lui apporter un nouvel estoc (deux s'étant jà rompus) un des cavaliers ligueux, foulant au pied les lois de la chevalerie qui voulait qu'on épargnât les pages, transperça le pauvret de sa lance : Crime qu'il paya incontinent de sa vie, les carreaux d'acier de Rosny lui déchiquetant corselet et poitrine.

Au long de cet encharné combat, M. de Rosny, tout affairé qu'il fût et donnant de son estoc, comme disait Jeanne d'Arc, *de bonnes buffes et bons torchons*, me gardait à l'œil néanmoins, comme étant novice à ce combat, et me voyant poursuivre l'ennemi qui tournait jaquette, me cria de n'en rien faire. Et moi obéissant et à lui me remettant au botte à botte, il me dit que ce n'était pas là vraie retraite, comme je cuidais en mon innocence, mais que les ligueux ne se décrochaient de nous que pour se rallier, et furieusement nous recharger. Ce qu'ils firent, et ce qu'ils firent tant qu'ils furent dix ensemble : bravoure qui m'émerveilla.

Au bout de deux grosses heures qui me durèrent un siècle, le combat s'alentit et à la parfin, les ligueux se retirèrent, laissant deux cents d'entre eux sur le terrain, lesquels nous enterrâmes à côté des nôtres, joints dans la mort comme ils eussent dû l'être dans la vie, étant des Français naturels et sujets du même roi. M. de Rosny, chancelant sur son cheval — lequel, ayant reçu un coup de lance tout au travers du nez qui lui traversait la mâchoire, tenait encore debout —, versa des larmes grosses comme des pois, quand on mit dans la terre à ses pieds le pauvre page Moineau, duquel il avait coutume de dire qu'il était trop fluet pour qu'une balle l'atteignît jamais.

A peine avait-on porté tous ces pauvres gens en la froidure et obscurité de la glèbe, que le ciel noircit comme démon. Et creva alors sur nous la plus violente pluie qui fût jamais, laquelle nous traversa et transperça, n'ayant sur nous que nos cuirasses, tant est que tout suants que nous étions de la chaleur du chamaillis, nous devînmes tout ruisselants, et dehors et dedans, de ce déluge. Cette incommodité porta à son comble la mésaise, tristesse et fatigue où nous étions et redoubla notre appétit à nous loger, à nous repaître, à nous remettre. Mais comme nous cherchions bourg ou village où nous rafraîchir, parvint à M. de Châtillon un avis très certain que Mayenne, ayant su notre présence par ceux qui avaient réchappé du combat, suivait nos traces avec douze cents cavaliers. Je gage que Châtillon, à cette nouvelle, dut âprement regretter les cinq cents arquebusiers à cheval qu'il avait dépêchés sur Chartres. Mais de toute guise, nous ne pouvions rêver d'affronter Mayenne, recrus que nous étions et quasiment sans estoc, ni poudre pour nos pistolets, et les chevaux si las que c'est à peine s'ils pouvaient mettre un sabot devant l'autre. Toutefois, sur la décision que nous prîmes de chevaucher toute la nuit sans démonter pour gagner Beaugency qui était au roi, les pauvres et vaillantes bêtes nous portèrent encore jusque-là, chancelantes et trébuchantes.

A la parfin, Beaugency nous ouvrit ses portes à la pique du jour, et qui mieux est, les referma et reverrouilla derrière nous. Au gîte que l'on nous donna, M. de Rosny et moi parvînmes si affamés, si altérés et la paupière si lourde que nous ne savions lequel de ces besoins nous devions de prime satisfaire. Cependant, Rosny, ayant commandé à son écuyer La Vergne de nous quérir viandes et vin, s'affala sur l'unique coite, où je le rejoignis incontinent, tous deux sur le ventre, le cul nous brûlant et ardant d'une trotte sans démonter ni discontinuer d'un jour et de deux nuits. A peine jetés là, nous ronflâmes à tels poings fermés que La Vergne et Miroul n'ayant pas failli, en leur adresse, à nous quérir la collation commandée, faillirent tout à plein à nous désommeiller pour la manger, tant est qu'ils l'avalèrent eux-mêmes à belles dents, avant que de s'écrouler sur le plancher, endormis à leur tour comme plomb et sans même s'ôter de dessus le corps corselet et morion.

Le roi de Navarre était à Beaugency et sur le midi du lendemain, nous ayant fait quérir, La Vergne et Miroul nous tirèrent à la parfin de notre endormissou et gagnant le logis du roi, titubant encore de lassitude, nous trouvâmes Navarre qui conversait amicalement avec Châtillon, le bras passé dessous son bras, lequel bras, à la vue de Rosny lâchant, il lui bailla tout de gob une forte brassée, et à moi aussi, me laissant tout béant de cet honneur, d'autant qu'il ajouta de sa voix gasconne et enjouée :

— J'ai bien ouï de vous, Monsieur de Siorac, et en honneur, en ce combat de Bonneval ! A père vaillant, fils intrépide !

— Trop, dit Rosny avec un sourire. Il lui faudrait passer la bride.

— Je m'émerveille ! C'est vous qui dites cela,

Rosny, mon ami ? dit Navarre. Vous qui êtes toujours le premier à la mêlée et le dernier à la quitter !

— C'est que je vous imite, Sire, dit Rosny, reprenant un débatement qui était coutumier, comme je l'appris plus tard, entre le roi et lui, chacun gourmandant l'autre de se hasarder trop au combat.

— Or, laissons cela ! dit Navarre. Et que tout soit liesse, ce jour ! Pour ce que je viens d'apprendre, mon Rosny, que le brave La Noue, commandant une armée du roi, a défait sous Senlis une forte armée de la Ligue.

— Défait, Sire ? s'écria Rosny, ivre de joie.

— Défait et mis à vauderoute ! Le duc d'Aumale et Balagny blessés !

— Voilà qui est bien, dit Rosny, mais j'eusse préféré que le chevalier d'Aumale fût navré, plutôt que le duc, lequel, à tout prendre, vaut mieux que son fils.

— Mais qu'ois-je ? dit Roquelaure, un large sourire fendant sa rubiconde face. Souhaiter mort et navrure au petit d'Aumale ! Un si bon catholique ! Un chevalier de Malte ! Et qui mieux est, abbé du Bec et général des galères de la religion ! Raison pour quoi il a si bien dit sa messe en l'église de Saint-Symphorien !

A quoi Navarre rit, aimant fort que le catholique Roquelaure fît tout haut les réflexions qu'il ne faisait lui-même que tout bas, étant, comme je l'ai dit déjà, si ménager, et de l'Eglise romaine, et de ses dignitaires, et du pape, son grand dessein étant d'accommoder un jour les deux religions pour asseoir la paix en son royaume.

— Cependant, dit Châtillon, dont la belle, austère et malenconique face ne s'était point égayée au persiflage de Roquelaure, il est, parmi les ligueux, des gens d'une autre farine que le chevalier d'Aumale : j'ai ouï dire, Sire, que Maineville s'était fait, sous Senlis, fort vaillamment tuer.

— C'est vrai, dit Navarre.

Là-dessus, observant qu'au nom de Maineville, j'avais levé haut le sourcil, Navarre tourna vers moi son nez en bec d'aigle et ses yeux perçants, et dit :

— Le connaissiez-vous, Monsieur de Siorac?

— De sa personne, peu. De son action, prou. Car Maineville figurait dans tous les rapports que me fit Nicolas Poulain avant la journée des Barricades et que je communiquai au roi. Maineville animait grandement les ligueux de Paris, en leur apportant les consignes, les commandements et les encouragements du duc de Guise. Tant est que Sa Majesté, qui la tenait pour un ligueux encharné et zélé, l'avait surnommé « Maineligue ».

— Voilà bien, dit Navarre en souriant, l'esprit de mon beau cousin, dont le petit doigt a plus de finesse que les cervelles mises à tas de tous ses conseillers. Rosny, n'avez-vous point ouï conter partout que le roi est par eux poussé à aller reconquérir la Bretagne contre le duc de Mercœur?

— Je l'ai ouï, Sire, dit Rosny.

— Ha! J'enrage! dit Navarre en marchant de long en large dans la pièce de son pas de montagnard, ses gambes courtes et musclées comme avides d'escalader les monts de son Béarn, j'enrage, Rosny! C'est folie! C'est folie toute pure! Le roi usera ses forces à nulle usance en ce pays! Pour regagner son royaume il lui faut rien de moins que passer sur les ponts de Paris, et, Ventre Saint-Gris! Après Bonneval, après Senlis, nos armes partout victorieuses, le moment en est venu! Il est là! Il le faut saisir! La Bretagne, Ventre Saint-Gris! C'est tourner le dos à la victoire que de s'y aller fourvoyer! Si le roi fait diligence, comme j'espère il fera bientôt, mes amis, bientôt, nous reverrons les clochers de Notre-Dame de Paris!

Ce bouillant propos me jeta quasiment hors mes gonds par l'enthousiasme qu'il me bailla, et observant qu'il produisait le même effet sur tous ceux qui étaient là, je m'apensai en cette occasion comme en mille autres qui suivirent, que Navarre était avec ses gentilshommes comme le levain dans la pâte : il les faisait lever par la seule vertu de sa langue gasconne, si prompte, si parleresse, si frétillarde, et trouvant, sans jamais faillir, les mots qu'il fallait aux moments opportuns. Les mots, et non comme mon bien-aimé souverain, les discours, car la rhétorique du Béarnais était toute en saillies, boutades et dictons, sans apprêt aucun, rustique mais forte, et tant entraînante que s'il galopait, fort en avant de nous, l'épée au poing — ce qu'il ne manquait jamais à faire, au reste, en ses combats.

Nous ne restâmes que la journée à Beaugency, pour ce que Navarre voulut gagner Châteaudun, où nos cinq cents arquebusiers à cheval, n'ayant pu prendre Chartres, s'étaient mis. Et là, attendant que le roi se décidât à marcher avec Navarre sur Paris (comme Navarre, par ses lettres, l'en avisait tous les jours) nous séjournâmes en la bonne ville huit à dix jours en très grande liesse, et quant à moi, comme plus loin je dirai, fort bien et plaisamment logé. Cependant, désappointé assez de ce que mon père, Giacomi et Quéribus se trouvassent alors avec l'armée du roi qui avait vaincu les ligueux à Senlis. Armée que commandait en nom le duc de Longueville, mais en effet, et sur la prière du duc lui-même, le brave La Noue, lequel, tout huguenot qu'il fût, était si respecté de tous pour ses hautes vertus que les catholiques royaux le surnommaient « le Bayard protestant ».

Pour le logis où je fus si bien accommodé, je ne m'y trouvai pas de prime, mon Miroul, fureteur comme rat en paille, ayant d'abord arraisonné pour moi un hôtel de la noblesse (dont le maître s'était mis à la fuite, étant ligueux) mais Rosny, me visitant, et le trouvant plus beau et spacieux que le sien, je vis bien qu'il allait en concevoir quelque dépit, se jugeant, maugré son âge, fort au-dessus de moi, étant mon mentor en la guerre. Tant est que, connaissant sa hautesse et naturelle gloriole (laquelle était pour le moins aussi immense que ses talents) je le priai vivement d'échanger nos logis, le mien convenant mieux, dis-je, à sa nombreuse suite, et pour moi qui n'avais que le seul Miroul, sa plus simple maison me suffisant. Il refusa courtoisement, mais de l'air de quelqu'un qui désire qu'on fasse son siège avant que de céder : ce que je fis, avec tant d'instances, de bonne grâce et de bonnes raisons qu'à la fin il voulut bien consentir à me dépouiller. Cependant, il ne m'en aima que davantage d'ores en avant, et n'étant pas ingrat, et ayant quelque tendance à l'hyperbole, il se fit à la cour de Navarre le trompette de mes vertus, lesquelles, d'ailleurs, ne tardèrent pas, en mon logis nouveau, à être récompensées de la façon que je dirai plus loin.

Rosny fut assez bon pour me venir en remerciement visiter le lendemain de son installation, à laquelle il laboura avec le soin et la méthode qu'il mettait à tout, alors même qu'il savait fort bien qu'il n'était point pour demeurer à Châteaudun au-delà d'une semaine.

— Ha ! Siorac, mon ami, me dit-il à l'entrant — calquant sa bonhomie sur celle de Navarre, et me donnant pour la première fois une forte brassée —, vous n'êtes point si mal céans, à ce que je me suis avisé, n'ayant pour suite que votre seul Miroul, et l'hôtesse étant si accorte. Voire mais, puisque je suis sur ce sujet, comment se fait, mon ami, que votre escorte soit si chétive ? Vous n'êtes point pauvre, ce me semble, ayant belle seigneurie en Montfort l'Amaury et le roi, d'après ce que j'ai ouï, s'étant montré fort libéral avec vous de ses clicailles.

— C'est là, dis-je, vérité d'Evangile et j'avoue que pour un cadet, je me trouve étoffé assez. Mais employé jusque-là à de secrètes missions, et contrefaisant le marchand en mes déguisures, je ne pouvais me faire suivre que du seul Miroul, ycelui figurant mon commis.

— Voilà qui est bel et bon, dit Rosny, mais maintenant que vous vous battez, à visage découvert, aux armées, il vous faut tenir votre rang et avoir du monde derrière vous, faute de quoi vos mérites seront mesurés à l'aune de votre chicheté, laquelle est vertu chez un marchand, et vice chez un gentilhomme. Je vous le dis, moi qui suis fort bon ménager de mon bien, et tiens mes comptes quotidiennement. Etant cadet comme moi, Siorac mon ami, et sans héritage en avant de vous, vous avez dû comme moi vous attacher à un prince. Moi à Navarre, vous au roi de France. En ce service, vous avez, comme moi, prospéré, vous par vos missions, moi par la picorée et pillerie des combats, tant est que vous avez, comme on dit, *fait maison*, et sans attendre un siècle.

— Que fait donc là ce siècle ? dis-je en riant.

— Façon de dire de Monsieur mon père qui allait répétant à ses cadets :

> *Faites en cent ans civière !*
> *Faites en cent ans bannière !*

Ce qui devait dire que ses fils cadets ne devaient mourir qu'à cent ans, et au bout de ce siècle, *faire maison* et se retrouver seigneur.

— Si avez-vous fait, dis-je, et moi aussi.

— Si ai-je commencé à faire, dit Rosny en levant haut la crête, et ne suis encore que dans le bas du chemin, ma baronnie ne me contentant point, n'étant que petit marchepied pour les grandeurs auxquelles j'ai appétit, servant Dieu, l'Etat et moi-même au mieux de mes suffisances.

— Lesquelles grandeurs de tout cœur vous souhaite, Monsieur de Rosny, dis-je avec un salut.

— Lesquelles pour vous je n'appète pas moins, dit Rosny en inclinant la tête, mais du ton dont il prononça cela, je vis bien qu'il doutait que mes grandeurs atteignissent jamais à la demi-cime des siennes. En attendant, poursuivit-il avec enjouement, vous m'obligeriez, Monsieur de Siorac, puisque aussi bien vous êtes de mes gentilshommes, à grossir grandement votre suite, augmentant d'autant la mienne.

— Ha ! certes, dis-je, je le ferai, s'il y va de votre gloire autant que de la mienne. Mais donnez-moi avis, de grâce ; jusqu'où dois-je aller en cet effort ?

— Beaucoup plus loin que vous n'êtes et beaucoup moins loin que moi, qui suis au-dessus de vous, le roi de Navarre vous ayant à moi donné.

Tant est que vous devez être mon reflet, sans toutefois égaler mon éclat.

— Monsieur de Rosny, dis-je avec un nouveau salut, je vous ois.

— Eh bien, partons de mon exemple et de mon train de guerre. J'ai attaché à ma personne un médecin, La Brosse. Un masseur, un fol, un cuisinier, un diseur de bonne aventure, un comédien qui me lit les poètes, deux secrétaires, MM. Choisy-Morelli et La Fond, deux écuyers, M. La Vergne, que vous connaissez, et M. Maignan qui me doit rejoindre céans, deux valets d'armes et quatre pages :

— Quatre pages ?

— *Primo*, un page de la chambre qui me sert en mon domestique, m'apporte pantoufles et bougeoir, dispose ma coite, me sert à table, et qui m'est, en bref, une sorte de chambrière, sans cependant descendre à ces basses usances, lesquelles Calvin condamne, mais hélas ! ne sont point rares en campagne, même chez des seigneurs qui de leur naturel ne s'adonnent point à la bougrerie. *Secundo*, un page d'écurie, qui panse et cure mes chevaux. *Tertio*, un page de mission que j'envoie par pays porter lettres missives, ou mot de vive bouche. *Quarto*, un page de combat qui porte mon arquebuse et me fournit en estoc quand le mien vient à briser. C'était là la charge du pauvre Moineau et vous savez ce qu'il est advenu du discourtois vilain qui l'a occis à Bonneval.

— Comptant les pages, dis-je comme effrayé, cela fait seize bouches à nourrir et seize corps à vêtir ! C'est prou !

— Touchant votre personne, dit Rosny, vous pourriez vous contenter du tiers. Si m'en croyez, Siorac mon ami, ayez deux pages. L'un pour votre domestique, l'autre pour le combat. Un écuyer qui soit de bonne maison, qui charge vos pistolets, vous épaule au chamaillis et vous fasse honneur à la Cour. Deux valets d'armes et d'écurie. Et enfin votre Miroul qui sera tout ensemble votre secrétaire et le gouverneur des pages et les fouettera, à l'occasion, et l'occasion s'en présentera, ces coquelets, à peine sortis de leurs coquilles, étant hardis et turbulents. Qui aime bien châtie bien.

— Je les aimerai bien, Monsieur le Baron, dit Miroul, l'œil bleu froid comme glace et l'œil marron fort marri, car le pensement qu'il ne serait plus le seul à régner sur mon domestique le prenait très à rebours de son estomac.

— Ha! dis-je, voilà qui est bien, mais comment donner pain à tout ce monde?

— Mais par la picorée, dit Rosny en levant le sourcil. La guerre nourrit fort bien son homme, quand elle ne le tue pas. En 1580, après la prise de Cahors, mes gens, diligentés par moi à trouver provende dans le sac de la ville, me dénichèrent une cassette de fer, laquelle, à l'ouverture, découvrit quatre mille beaux écus. Et pour tout dire, il n'y a eu, depuis, combat victorieux qui ne m'ait rapporté clicailles, sans compter les prisonniers nobles que j'ai faits et qui m'ont dû verser rançon. Raison pour quoi, Siorac, votre suite vous aidant à faire votre fortune, il vous faut choisir vos gens, non point seulement pour leur vaillance, mais pour leur adresse, leur œil vif et leur main prompte. Qu'ils soient même un peu fripons ne serait pas à regretter, pour peu qu'ils vous soient fidèles.

Ayant dit, et le cœur content d'avoir réglementé les affaires de mon domestique, et aidé à ma gloire, à mes prospérités et partant, en quelque mesure, aux siennes, Rosny s'en alla, me laissant avec Miroul, lequel, l'huis à peine reclos, me dit, ses yeux vairons lançant des flammes :

— Moussu, pour le coup, cela est insufférable! Passe encore de vous suivre à la guerre et d'être séparé si longtemps de ma Florine, mais vivre en votre suite en ce tohu-vabohu de six personnes, c'est trop! Je quitte votre service! J'ai du bien, comme vous savez, lequel j'ai confié à un honnête juif de Bordeaux pour lui donner du ventre. Je vais m'acheter terre et m'établir, comme j'ai dit toujours que ferai.

— Ha! mon Miroul! dis-je, contrefeignant des alarmes que je n'éprouvais point, cette démission étant pour le moins la centième, que ferais-je sans toi? Ne pouvant que je ne me soumette à Rosny et privé de ta fraternelle présence, quand plus elle me fait besoin, et non point seulement cette fois comme ami et secrétaire, mais comme gouverneur de mes pages et majordome de mes valets, lesquels pages et valets, j'eusse voulu aussi que tu recrutes, puisqu'ils seront sous toi.

— Moussu, dit Miroul avec gravité, si vous subordonnez à moi les pages et les valets, voilà qui change quelque peu la physionomie de la chose. Mais quid de cet écuyer de merde? Voudra-t-il, étant noble, me commander?

— Que nenni, dis-je, il n'aura pas affaire à toi, mais à moi seul.

— Mais, dit Miroul, son œil bleu douteur encore, et désolé, ce gentillâtre étant noble, ne voudra-t-il point me morguer et prendre ma place en votre confidence et intime amitié?

— Nenni, Miroul! criai-je en lui donnant une forte brassée, et en couvrant ses joues de chaleureux poutounes, vingt et un ans se sont écoulés depuis que je t'ai surpris à rober un jambon dans la souillarde de Mespech, pauvre gueux orphelin réduit par la male faim à ribauderie armée! Vingt et un ans que je t'ai arraché à la hart et que tu ne m'as pas quitté, me sauvant à ton tour tant de fois la vie que j'en ai perdu le compte et te trouvant plus quotidiennement mon compagnon que même mon Angelina; si fortement uni et conjoint à mon être qu'à peu que je te sente différent de moi-même! Partant, irais-je donc de moi te disjoindre, te perdre et me diminuer pour un nouveau-venant! Fi donc! Suis-je un homme d'étoffe si changeante! M'as-tu trouvé tel avant ce jour? Tu m'offenserais, Miroul, à tenir ce pensement davantage!

— Ha! Moussu! s'écria Miroul, point d'offense! Vous m'assouagez tout à plein par votre affectionnée condescension. J'accepte votre parole et formelle promesse de me garder en bonne amitié et si vous me l'ordonnez, je vous trouverai moi-même ce petit gentillasse de merde.

— Voire mais, mon Miroul, dis-je en riant, si tu le dois toi-même recruter, il ne convient pas que tu le merdoies plus avant.

On toqua à l'huis, et avant que j'eusse donné l'entrant, apparut, la porte s'entrebâillant, la fort amène face de mon hôtesse, laquelle me quit si elle pouvait entrer. Et moi acquiesçant et le fluet, agile et élégant Miroul s'ensauvant, non sans quelque vif brillement de son œil bleu, je me levai et dis avec un petit salut :

— Madame, outre que vous êtes céans chez vous, je suis charmé que vous me veniez voir.

— Ha ! Monsieur le Baron, c'est trop de bonté de vous ! dit ma visiteuse, laquelle, je gage, se trouvait immensément caressée de ce que je l'eusse « mada-mée » au lieu de l'appeler « ma commère », comme Rosny avait fait devant moi, lui voulant par là marquer sa place — bien au-dessous de lui par la naissance —, la belle étant, d'après ce que nous avions ouï, une chambrière que son maître avait, en quatrièmes noces épousée, ses trois précédentes garces étant mortes en couches.

Ledit gautier était un drapier qui, se trouvant fort étoffé par ses bargouins et à ce que je crois, par ses usances, avait à la parfin, rendu à la présente dame, le double service de la marier, étant vif, et de l'enrichir, mort. Il est vrai qu'à en juger par ce qui restait de beauté à mon hôtesse et qui était considérable, la dame avait dû être, en son premier bourgeon, un fort friand morcel. Qui plus est, se trouvant haussée de chambrière à bourgeoise, elle avait si bien pris le ton, les manières, la vêture et la parladure qui convenaient à son état, que vous eussiez cru, à l'ouïr et la voir, qu'elle était demoiselle de bon lieu. D'autant que prenant de soi soin de son éducation, elle s'était appris à lire, à écrire et compter — sciences où nos hautes dames n'excellent pas toujours —, avait l'œil au ménagement de sa boutique et ses commis, et commandait tout à baguette.

De son apparence, le mieux que je puisse en dire, c'est qu'elle était fort savoureuse, comme se dit d'un fruit, auquel elle ressemblait tant par sa resplendissante et se peut, finissante maturité. A vrai dire, de son âge, je ne sais s'il était plus proche de trente ou de quarante, tant elle avait le bec cousu sur les dates, feignant même de n'avoir jamais ouï parler de la Saint-Barthélemy que par les contes de son père. Ce dont fort je doutais, car je voyais bien, à l'examiner plus outre (ce que je faisais fort volontiers, la dame étant si accorte) que l'âge la griffait çà et là, et dans les endroits où la beauté de nos pauvrettes se défend toujours mal; aux yeux, au menton et au cou. Mais le corps tenait encore fort vaillamment sa partie en cet ensemble, le parpal rondi, mais non défaillant, le dos droit, les gambes musclées, la fesse ferme, et par-dessus le tout, une grande force et souplesse à se mouvoir qui était très plaisante à envisager.

Mais pour en revenir à son visage, le plus beau en était l'œil, le plus immense que je vis jamais, et jusqu'à occuper quasi le tiers de la face, avec une ouverture incrédible en hauteur et largeur, éclairant tout comme un phare, l'iris chaud et mordoré, le regard prenant et cependant suave, vous baignant, à se tourner sur vous, de ses rayons de lune; la bouche, grande aussi, rouge, charnue, et qui mieux est, sans cesse en un branle délicieux, les lèvres s'ouvrant sur de belles dents en un jeu de souris, de demi-souris, de mines et de moues d'une mignardise infinie. Tant est qu'à l'entretenir, comme je faisais en ce matin d'été en ma chambre, mon œil allait sans cesse du sien à sa bouche, et de sa bouche derechef à son œil, et ainsi de suite en continuelle navette, comme si j'eusse été aussi prisonnier de par son bec et sa prunelle qu'un souriceau de par les pattes d'un chat.

Quant à sa vêture, qui était celle d'une dame de qualité, elle portait vertugadin de satin bleu pâle, et corps de cotte de même étoffe, avec un col de dentelle au point de Venise, le cheveu en bouclettes très bien testonné, le front lavé d'eau claire, fort peu de pimplochement, sauf à l'œil, le tout propret et parfumé.

— Monsieur le Baron, dit-elle, quand à ma prière elle se fut assise, j'aimerais quérir de vous ce que vous appétez à manger pour votre repue de onze heures.

— Ha! Madame! dis-je (son bel œil cillant au plaisir toujours neuf que ce « Madame » dans ma bouche lui baillait), je suis soldat et j'aimerais ce que vous aimerez. Car j'espère bien que vous ne me priverez pas à table de votre tant belle face, me laissant mâcheller seul mes viandes, comme Suisse ou chanoine.

— Ha! Monsieur! dit-elle en battant du cil, je connais mon rang. Et je n'oserais m'asseoir à dîner avec le baron de Siorac, tant charmant que je présume de le trouver.

Cette franche attaque me laissa si béant que je lui fis un petit salut pour me donner le temps de me reprendre.

— Madame, dis-je à la parfin, je suis ravi que vous vouliez bien trouver du charme à un barbon de trente-huit années.

— Monsieur, dit-elle, il est vrai que je suis plus jeunette que vous (à quoi je souris en mon for) mais il y a en vous, Monsieur, si j'ai l'audace de parler ainsi, un je-ne-sais-quoi de bien trempé comme une bonne lame que je me permets de trouver infiniment confortant.

— Madame, vous ne sauriez croire comme je suis atendrézi par ce joli compliment, et n'était le fait que je vous dois quitter dans huit jours, et me mettre, comme il sied à mon présent état, au hasard de ma vie, j'eusse conçu pour vous une extraordinaire amitié.

— Ha! Monsieur! dit-elle avec un soupir, ses beaux yeux mordorés m'inondant d'une lueur suave, c'est trop présumer de notre humaine condition que d'appéter à un lien éternel. A trop prétendre, on ne prend rien. Pour moi qui ai l'infortune d'être veuve, je ne vois point de grâce aux hommes de ma condition, les trouvant rufes, discourtois, paonnants et piaffeurs. Leur donnerais-je un doigt qu'ils voudraient la main, et la main, la maison. Fi donc! Je me veux, de moi et de ma fortune, maîtresse, délicate en mes choix et décidée à ce que ceux-ci ne m'engagent point au-delà du temps de ma fantaisie.

C'était bien dit, et sans la moindre ténébrosité, et mon regard allant de sa bouche à sa prunelle, et de sa prunelle à sa bouche, plus je méditais sur ce que je venais d'ouïr, plus je trouvais ce discours étonnant.

— Si bien je vous entends, Madame, dis-je à la fin en lui prenant la main, le charme que vous voulez bien trouver au soldat que je suis est de ne point vous devoir oppresser par une présence continuelle, mais de vous laisser avant que vous soyez lassée.

— Monsieur, dit-elle avec un air de confusion si joliment chattemite que les bras me démangèrent de la serrer incontinent contre moi, il me semble que vous vous mettez trop bas en cette occasion : votre charme n'est pas que de passer. Sans parler de votre claire face et de votre membrature sèche et musculeuse, vous portez un air de raffinement qui ne se prend qu'à la Cour. En outre, votre appétit n'est point brutal, mais tendre et délicat. Avec mes chambrières même, comme je l'ai observé, vous n'y allez point à la soldate, vous êtes poli et cajolant, tant est que l'une, ou l'autre, se rendrait bientôt à merci, si je n'y mettais ordre. Et j'y mets ordre en votre intérêt même, Monsieur le Baron, puisque vous pouvez prétendre à plus. Qui aimerait se contenter du pot, quand le rôt lui est assuré?

A ce discours tant candide, où toutes choses étaient si bien mises à plat qu'un aveugle y aurait vu le jour, je restai sans voix, cette occasion étant bien la première où toute la mousqueterie de la persuasion était tirée du bord féminin, et non du mien. Et n'ayant pour une fois délicieusement rien à dire, je m'accoisai, et me mettant à son genou, je lui baisai la main, fort surpris et ravi qu'on fît mon siège, sans que j'eusse à monter moi-même à l'échelle ni sauter la muraille.

— Monsieur, poursuivit-elle avec une rougeur fort docile à son commandement, je ne voudrais pas non plus que vous me trouviez trop facile. Ayant quelque vertu et quelque apparence aussi à sauvegarder, en cela aussi je vous trouve infiniment rassurant. A Châteaudun, vous ne connaissez, la Dieu merci, que moi, et étant de votre qualité, vous n'irez point clabauder, et de toutes guises, vous n'en aurez point le temps, ni même le désir, pour ce que la conquête de la veuve d'un drapier ne vous serait pas à honneur.

— Madame, dis-je avec feu, je voudrais que vous soyez assurée qu'elle me serait, si elle se fait, autant à honneur que celle d'une duchesse. Cependant, je tiens que cet honneur n'est point de ceux dont on se doit piaffer et paonner, trouvant, comme mon ami Michel de Montaigne, je ne sais quelle bassesse en l'usage des hommes de notre temps, lesquels osent en public indiscrètement pétrir et fourrager les tendres et mignardes douceurs dont on les a dans le privé nourris.

— Ha! Monsieur! dit-elle en battant du cil, le parpal houleux, c'est parler là en homme de cœur! Je vous sais un gré infini de vos bonnes dispositions, et pour dire le vrai, je suis au comble du ravissement de me pouvoir abandonner avec vous à l'inclination que j'ai conçue, sans du tout craindre pour ma réputation. En outre, poursuivit-elle avec un soupir, le lien que voici ne se devant nouer que pour huit petits jours, je n'aurais même pas à l'avouer à mon confesseur, étant bien assurée que ce n'est point pécher que de pécher si passagèrement.

A ces mots ma conscience huguenote se rebroussa quelque peu, mais emporté que j'étais déjà dans le feu du moment, je pris le parti de la faire taire en m'accoisant moi-même et de l'étouffer, pour ainsi dire, par mon silence, mes lèvres ne se voulant occuper qu'à couvrir les mains de la belle drapière de mes enflammés baisers.

— Monsieur, dit-elle en parlant d'une voix étouffée, comme si le vent et haleine s'en allaient d'elle, Monsieur, dit-elle en se levant, c'est assez... Cette porte se pourrait déclore. Je m'ensauve, et vais, sous quelque prétexte, envoyer mes chambrières à ma maison des champs. Dès qu'elles seront hors, la maison est à nous. J'aurai l'honneur de cuire moi-même votre rôt et de vous le servir en votre chambre. Monsieur, j'y vais vaquer. Ayant si peu à attendre du temps, l'heure me paraîtra année que serai de vous absente.

CHAPITRE III

Je me ramentois avoir ouï mon père dire un jour à mon oncle Sauveterre — qui le tabustait sur ses gaillardies — qu'on pouvait, certes, ne pas être raffolé du tout des femmes, mais qu'on ne pouvait les aimer sans les aimer excessivement. J'entends bien que c'est là parole dévotieuse et qu'on la peut débattre, mais que si on la veut tenir pour vraie, il convient alors d'ajouter qu'à moins d'être difforme et décrépit, on ne peut les aimer sans être à son tour aimé d'elles, tant est contagieux l'appétit qu'a notre sexe du leur, et le leur, du nôtre.

Je ne dis point ceci pour me disculper le moindre, avouant, et mes faiblesses et mes subséquents remords, lesquels, pourtant, comme j'ai dit déjà, ne sont, à mon sentiment, qu'une sorte de baume dont on oint sa conscience, lequel baume, l'endormant, vous baille en tapinois une chattemitesse permission de ne point discontinuer les péchés qui nous furent si chers. Mais je voudrais, toutefois, faire entendre par le présent propos, combien est difficultueuse pour des hommes de ma chaleureuse composition la soumission aux lois de Dieu, alors que les sollicitent si vivement les lois de la Nature.

Le Gascon Cabusse, qui fut avec la frérèche soldat

dans la légion de Normandie, avant que de devenir à Mespech leur domestique, disait, en se plaignant que Sauveterre fût si roide à interdire à nos gens la plus petitime familiarité avec les chambrières : *Cornedebœuf! c'est par trop brider la pauvre bête!* Phrase qui me résonna étrangement en cervelle, quand je rompis à Châteaudun trois mois de bien aigre et âpre abstinence, laquelle m'était d'autant plus au rebours de mon estomac, que le péril où j'étais quotidiennement de ma vie me donnait à penser que je mourrais peut-être sans m'en être délivré. Comme chacun sait, il n'est rien d'aussi puissant que le pensement de la mort pour accroître l'urgence de la volupté.

Cependant, cette belle drapière dont j'avais tant admiré la vaillance à monter la première à l'assaut, et qui ménageait si bien tout ensemble sa boutique, sa réputation et ses prudents plaisirs, ne put pas commander aussi bien au temps qui les circonscrivait. Car deux jours avant le terme de la petite semaine qu'elle avait vouée à nos conniventes délices, M. de Rosny y mit fin en me venant dire un matin, l'air grave et le trait tiré, qu'il avait ouï que sa femme se mourait en son château de Rosny, qu'il allait y courir et puisque aussi bien j'avais complété ma petite suite, qu'il me voulait dans son escorte — d'autant que j'avais d'excellents chevaux dont la célérité lui serait fort utile pour échapper aux ligueux, lesquels tenaient tout le pays à l'entour.

Au départir, mon hôtesse et moi conçûmes dépit et déplaisir à nous déprendre l'un de l'autre plus tôt que nous n'avions pensé, tant est qu'elle jeta des pleurs, à mon considérable étonnement, pour ce que je m'apensais qu'elle était bonne ménagère de tout, y compris de ses larmes. Mais d'évidence, il n'en était rien, car mouillant mon col de ses refrénés sanglots elle me dit d'une voix que le nœud de la gorge étouffait qu'elle vivait ce départir comme un arrachement, si fort s'encontrait le lien que nos étreintes avaient en si peu de jours forgé, à telle enseigne qu'il ne lui était besoin, même sans me voir, que d'ouïr ma voix en le logis pour sentir incontinent une douleur tout ensemble insufférable et délicieuse parcourir son ventre.

Je fus excessivement touché de ce propos et d'autres semblables, si naïfs et si francs, d'autant que persuadé de prime que la belle drapière voulait vivre ce commerce comme une parenthèse dans sa vie, et m'étant mis dans des dispositions à prendre la chose avec une légèreté en moi inhabituelle, je découvrais avec un trouble extrême qu'elle me parlait un langage où l'amour prenait le relais de l'appétit. Ce qui m'émut. Et combien que je fusse excessivement chagrin de quitter les délices où elle m'avait nourri, j'éprouvai en même temps quelque soulagement à l'idée que la guerre m'arrachait à elle, tant, même la navrure, ou la mort, me paraissait préférable à la crainte qui tout soudain me poignit que j'eusse pu moi aussi, infecté par son intempérie, me mettre à l'aimer, infidèle non pas seulement par le corps, mais par l'âme aussi, à mon Angelina.

Tandis que je m'ébattais de la façon que j'ai dite, mon Miroul, fort avide de se bailler de prime sur eux cet avantage, recrutait les membres de ma suite, se donnant auprès d'eux comme mon ambassadeur. Ce fut moins malaisé qu'on ne l'aurait pensé, le combat de Bonneval, quoique victorieux, ayant creusé des vides dans les rangs de nos gentilshommes tant est que bon nombre de pages et d'écuyers se trouvaient orphelins d'un maître, errant dans Châteaudun sans toit, sans coite, ni personne pour les nourrir. De ces dévouements inoccupés, Miroul fit un tri judicieux, interrogeant longuement et d'assez haut un chacun, même les écuyers (à qui j'appris par la suite qu'il s'était donné, sans le dire expressément, comme un fils bâtard de mon père, et donc mon demi-frère, ce qui, en sa pensée, lui devait donner le pas sur un petit gentillâtre).

Quand je quittai Châteaudun, je m'étais donc enrichi (ou appauvri) de deux pages : Guilleris et Nicolas ; de deux valets d'armes et d'écurie, Pissebœuf et Poussevent qui consentirent à l'emploi, mais sans en prendre le nom, aimant mieux se dire mes arquebusiers ; et enfin, je le cite en dernier, bien qu'il ne fût pas le moindre, d'un écuyer : M. de Saint-Ange, lequel portait bien mieux ce nom que le château de Rome qu'on nomme ainsi et qui est, entre autres choses, une sorte de Bastille, le pape y serrant ses captifs.

Saint-Ange avait le cheveu paille, l'œil bleu azur, une courte barbe blonde, la taille mince et élancée, le pied léger, et un air ineffable de n'être pas de ce monde : air trompeur, pour ce qu'il jouait fort bien de l'estoc, tirait et chargeait fort bien les pistolets, toutefois se signant à chaque ennemi qu'il dépêchait, en disant avec un soupir : « Dieu me pardonne, mon frère, d'avoir été contraint de t'occire. »

Portant ce beau nom qui était le sien, il eût dû être doublement catholique. Or il avait ardemment épousé la foi huguenote, laquelle ne reconnaît, comme on sait, ni les saints ni les anges, tant est qu'il s'offusqua, au dévêtir, à me voir porter sur la poitrine la médaille de la Benoîte Vierge, et ne s'assouagea que je ne lui en eusse expliqué le qu'est-ce, le quand et le pourquoi. Néanmoins, me blâma en son for *d'aller à contrainte*, quand je retournai au service de mon roi.

Saint-Ange n'avait pas vingt ans d'âge, la face hâlée d'une suave couleur abricot, et tant de grâces en sa personne que si j'étais advenu avec lui en le logis de la drapière, c'est contre lui, assurément, qu'elle eût tourné ses batteries, mais l'ardente dame eût battu cette muraille-là en vain ; elle n'y eût pas fait brèche. Saint-Ange closait son bel œil, dès qu'une femme l'approchait et, dès qu'elle le voulait entretenir, lui tournait la froidureuse épaule. Je me suis souvent apensé combien Sauveterre eût été félice d'avoir un tel fils, si du moins Sauveterre avait pu prendre sur soi d'approcher nos beaux *vases d'iniquité* d'assez près pour les ensemencer.

Quant à Guilleris et Nicolas, qui n'avaient pas vingt-huit ans à eux deux, c'étaient de prime deux insufférables marmousets, hardis, effrontés, piaffeurs, picoreurs et menteurs, que Miroul, la Dieu merci, aima et gouverna d'un fouet ferme et dont il fit deux pages serviciables assez, malgré leur enragée turbulence et fort affectionnés à ma personne, et plus encore à Miroul, lequel entendait bien les galapians de leur trempe, ayant en son temps pratiqué leurs farces et leurs frasques.

Guilleris était blond et Nicolas brun, tous deux bouclés, chantant ou sifflant du matin au soir, et jà en leurs années si vertes, très cajolés des garces, lesquelles les mignonnaient comme folles pour ce qu'ils étaient au déduit indéfatigablement sur le qui-vive, et à leur service du soir au matin, comme on dit que font les rossignols en leur saison des amours.

Leur défunt maître leur avait fait des livrées d'une étoffe où fleurs blanches et rameaux verts s'entrelaçaient, lesquelles je consentis qu'ils gardassent, non point par économie huguenote que parce que ces diablotins ressemblaient ainsi à de printanières prairies, et aussi qu'on les voyait de loin, quand ils étaient tardifs au boute-selle. Miroul leur apprit l'escalade des murs à pic, le lancer du cotel, et mille autres tours où il était maître, comme de passer prestement la gambe à un quidam pour le faire choir. Mais encore que l'un et l'autre s'aimassent fort, ils étaient continuellement à se battre, à se mordiller, à se donner buffes et torchons, comme deux chiots, raison pour quoi Miroul ne leur voulut bailler dague et épée qu'au combat, car sur un mot un peu vif, ils se seraient occis.

Encore que nous fussions, en cette chevauchée de Châteaudun à Rosny près d'une centaine — les gentilshommes, qui étaient comme moi à M. de Rosny, amenant chacun leur suite avec eux, et tous fort bien armés en estocs, arquebuses, pistolets et pistoles, y ayant même avec nous un petit canon sur une charrette, notre propos n'étant point le combat, mais le but à atteindre — on tâcha à prendre les petits chemins afin d'éviter les encontres avec les ligueux, ce qu'on ne faillit de faire qu'une fois où une troupe plus forte que la nôtre menaçant à l'improviste de nous fondre sus, M. de Rosny lui dépêcha à la hâte une trompette pour dire à leur capitaine qu'il ne cherchait pas le chamaillis, mais seulement le passage, sa femme se mourant en son château et qu'il la voulait assister en ses derniers moments. La trompette revint avec un billet du chef ligueux exigeant un péage de mille écus pour nous laisser passer sans nous molester, ce qu'accepta M. de Rosny sans un battement de cil, ne voulant mettre la vie d'aucun d'entre nous au hasard d'un combat, s'agissant d'une entreprise qui ne regardait que lui-même, et non pas le bien du royaume.

Pendant toute cette longue trotte, M. de Rosny garda la face fort triste et ne dit mot, déportement bien le rebours de son naturel, qui était dru, enjoué et gaillard. Or, pour renfort de douleur, à peine fut-on arrivé au terme du périlleux périple, et le château de Rosny à portée de main qu'on vit le pont-levis du château se hausser et nous laisser hors. A quoi M. de Rosny, arrêtant sa monture et apercevant la tête du portier au fenestrou du châtelet d'entrée, s'écria, fort encoléré :

— Vilain, qu'est-ceci ? Ne me connais-tu pas ? Ne sais-tu pas que je suis ici chez moi ? Oses-tu bien me braver ? Et te mettre en péril de ton col ?

— Ha, Monsieur de Rosny ! dit le portier, je serais bien davantage au péril de mon col, si je n'obéissais à Monsieur votre frère.

— Quoi ! s'écria Rosny, est-il céans ?

— Oui-da ! Et remparé de deux douzaines de gens de pié !

— Mande-le-moi, vilain ! hucha Rosny au comble de la rage.

Mais le portier n'eut pas à chercher loin, ledit frère apparaissant à sa place au fenestrou, barbu comme Jupiter, et comme ycelui en ses images, le front serein.

— Monsieur mon frère cadet, dit-il d'une voix unie, je vous souhaite le bonjour.

A cette chattemitesse salutation M. de Rosny rougit de rage, mais se brida et dit :

— Monsieur mon frère aîné, je suis votre serviteur. Plaise à vous d'abaisser le pont-levis et de me bailler l'entrant.

— Hélas ! dit l'aîné des Rosny avec un soupir, je le voudrais, et d'autant que j'entends bien que vous avez appétit à visiter Madame votre épouse en son intempérie.

— Outre que vous êtes mon frère, dit Rosny, c'est là, en effet, raison de plus pour me déclore l'huis.

— Hélas ! Si ne peux-je, dit l'aîné des Rosny.

— Vous ne le pouvez, Monsieur mon frère ? dit Rosny d'une voix que son ire faisait trémuler. Vous ne pouvez ouvrir à votre frère qui vient rendre ses devoirs à sa mourante épouse ?

— Je ne le peux, hélas ! dit l'aîné, caressant sa barbe noire bouclée. Car la Ligue, oyant par un coureur de M. de Recrainville qui vous a rançonné avant-hier que vous étiez pour occuper Rosny avec une centaine de vos gens, m'y a dépêché sur l'heure et je me suis à elle obligé de parole et d'honneur de ne pas vous laisser l'entrant.

— Monsieur mon frère, dit Rosny, je n'ignore point que vous êtes, et papiste, et ligueux. Mais on peut être l'un et l'autre sans manquer à la chrétienne compassion. Monsieur, ma femme se meurt. Je vous demande de rompre votre intempestif serment et de me laisser l'entrant. Je vous le requiers au nom de l'humanité.

— Hélas, Monsieur, dit l'aîné, je vous le dois refuser au nom de la parole donnée.

— Est-ce là, dit Rosny, votre dernier mot ?

— L'ultime.

— Alors, Monsieur mon frère, dit Rosny d'une voix tonnante, gardez vos hélas et vos soupirs : vous épargnerez le vent et haleine dont vous aurez besoin. Je vais sur l'heure avoir l'honneur de prendre d'assaut le château paternel ou de mourir.

— Monsieur ! Monsieur ! cria le frère aîné en donnant quelque signe d'émeuvement, serez-vous le Caïn de l'Histoire Sainte ?

— Non, Monsieur ! cria Rosny, nous prendrons à

rebours ladite Histoire. Je serai l'Abel justicier du Caïn barbare et turc que je vois chattemitement soupirer au fenestrou que voilà. Messieurs! poursuivit-il en se tournant vers sa suite, serez-vous avec moi en ce chamaillis?

A quoi, en notre ire, tant l'esprit partisan de l'aîné des Rosny nous avait indignés, nous poussâmes une hurlade tant forte et sauvage qu'elle vous eût débouché un sourd. Et M. de Rosny, nous ayant déployés, fit mettre incontinent son petit canon en batterie, et ordonna à une douzaine d'arquebusiers d'aller quérir des échelles au village de Rosny, lequel était fort proche. En même temps, ayant démonté et confié les chevaux aux pages et nous-mêmes nous étant reculés, nos écuyers allumèrent les mèches de nos arquebuses, afin qu'elles fussent prêtes à la mousqueterie, si le commandement nous en était baillé.

Cependant, ces préparations et la résolution de M. de Rosny firent quelque effet sur le sire du lieu, lequel apparaissant derechef au fenestrou dit, se frottant le chef, et d'une voix qui n'était plus tant quiète et sereine:

— Monsieur mon cadet, c'est folie! Allez-vous mettre à sac le château de nos pères?

— Nenni, dit Rosny d'une voix forte, je le prendrai et ne toucherai pas un cheveu à vos gens de pié. Je les renverrai hors, dès que je serai dedans. Quant à vous, Monsieur mon frère aîné...

— Quant à moi? dit l'aîné relevant la crête, comme s'il s'attendait à quelque braverie...

— Je respecterai, quoique j'en aie, votre droit d'aisnage et me ramentevant des liens que vous oubliez, je vous renverrai à votre conscience.

Il chut alors entre les deux Rosny un long silence, durant lequel j'admirais la considérable habileté du huguenot, qui offrait tout ensemble à son frère papiste la guerre et la clémence.

— Monsieur, dit l'aîné des Rosny, je n'aurais garde d'oublier les liens dont vous parlez et serais bien marri que les circonstances de nos civiles luttes soient telles que je me verrais obligé à les rompre.

Le monde verra-t-il le désolant tableau de deux Rosny, nés de mêmes père et mère, s'entregorgeant à Rosny ?

— Le monde, dit incontinent le huguenot, verra-t-il le désolant spectacle de l'aîné des Rosny interdisant à son frère cadet l'entrant du logis où son épouse se meurt ?

A quoi, nous (j'entends la suite de Rosny) crûmes bon, pour appuyer ce propos, de gronder comme dogues à l'attache, de serrer les poings, de jeter rageusement nos chapeaux à terre et de faire telles furieuses mimiques qui ne laissent aucun doute sur notre résolution d'en découdre avec ce barbare.

— Monsieur, dit à la parfin l'aîné des Rosny, si je vous baille l'entrant, comme mon cœur n'a cessé de m'en aviser depuis que j'ai jeté l'œil sur vous, promettez-vous, une fois dedans, de ne point molester mes gens, de me rendre tel respect que vous devez à mon droit d'aisnage et de me remettre ès poings le château de nos pères au lieu de le tenir pour Navarre et de vous y remparer.

— Tel n'est pas mon propos, Monsieur, dit Rosny. Dès que j'aurai rendu mes devoirs à mon épouse, j'irai rejoindre le roi de France et le roi de Navarre en leur victorieux combat contre les rebelles.

L'aîné des Rosny, qui était précisément un de ces rebelles, avala tout ensemble, et la promesse, et la couleuvre, comme si elles eussent été l'une et l'autre petits pains de même farine.

— Monsieur mon cadet, dit-il contrefeignant le plus serein contentement, vous me donnez là toute satisfaction : votre parole me suffit et de la mienne me dégage. Portier, abaisse incontinent le pont-levis, lève la herse et déclos l'huis. Monsieur mon frère, vous êtes ici chez vous.

Ce qui, certes, était vrai, mais qui avait demandé, pour être reconnu comme tel, un canon, des échelles et des arquebuses allumées. Bel exemple de cette cruelle division que le zèle strident des ligueux avait introduite en toute ville, tout quartier, toute rue, et même toute famille, tant est que père et fils, frère et frère, oncle et neveu, parfois au sein du même logis, s'entredéchiraient impiteusement, et chacun au nom de l'Evangile, et du Dieu d'amour et de pardon.

Le pauvre Rosny trouva Madame son épouse en tel état qu'elle mourut quelques jours plus tard, à quelle triste mort il conçut un déplaisir tel et si grand que de tout un mois nous le vîmes, la face éteinte, et la paupière baissée, ni sourire ni parler. Cependant, la nouvelle que Navarre avait persuadé le roi de marcher sur Paris et le bruit qui courut partout tout aussitôt des succès que leurs forces conjointes remportaient en ce mois de juillet, prenant Pithiviers et Etampes, et les rendant maîtres, pour ainsi parler, des avenues de la capitale, réveilla Rosny de son pâtiment et lui redonna force et vigueur assez pour sonner le boute-selle et rejoindre les deux rois, lesquels, fin juillet, comme on avait ouï, s'allaient camper, qui à Saint-Cloud, qui à Meudon.

Nous les y trouvâmes, en effet, leurs armées fort déployées. Navarre occupant les villages de Vanves, Issy et Vaugirard, tandis que le roi logeait à Saint-Cloud, dans la maison de Jérôme de Gondi (lequel avait été écuyer de sa mère), ses troupes, quant à elles, se trouvant cantonnées d'Argenteuil jusqu'à Villepreux et de Villepreux à Vaugirard.

Dès que nous fûmes parvenus au joli bourg de Villepreux, et tout péril à chevaucher isolément étant ôté puisque notre parti tenait tout le pays à l'alentour, je quis de M. de Rosny de me donner mon congé, pour ce que je voulais visiter mon bien-aimé maître et souverain à Saint-Cloud et demeurer quelques jours avec lui : ce à quoi Rosny voulut bien consentir, quoique assez au rebours de son estomac, n'aimant point voir diminuer sa suite, même de six personnes et rechignant aussi en son for qu'un huguenot de cœur comme moi eût plus de hâte à retrouver Henri Troisième que le roi de Navarre.

Mais le lecteur n'ignore point la dévotieuse affection que je nourrissais pour mon prince, avec quelle ardeur sans limites je l'avais servi en Boulogne et à Paris sous la déguisure d'un marchand bonnetier et de quels immenses bienfaits il avait récompensé mon zèle.

L'austère Du Halde qui ne pouvait m'envisager sans se ramentevoir la nuit blanche que nous avions passée à Blois dans la garde-robe du roi, à espérer quatre heures du matin — Du Halde n'ayant pas fiance en son réveille-matin qu'il avait acheté en la ville — me bailla, à m'apercevoir, une forte et longue brassée, et encore que la porte du logis de Gondi fût assiégée par une cohue de seigneurs, me fit passer outre dans une petite antichambre, mais seul — au grand dol de mon Miroul qui dut rester avec ma suite, puisque, hors l'écuyer, il la gouvernait. Et incontinent l'huis se déclosant, et Sa Majesté me voyant, elle me commanda d'entrer, me présenta la main, et me dit :

— Ha ! Siorac, mon fils, que je suis aise de voir votre tant claire et franche face ! J'ai ouï dire que vous avez vaillamment combattu à Tours et à Bonneval !

— Sire, dis-je, il y a, dans votre noblesse, tant catholique que huguenote, des centaines de gentilshommes qui n'appètent qu'à mourir pour vous.

— Cela est vrai maintenant, dit le roi, envisageant d'un air entendu les assistants de ses beaux yeux italiens. Cela n'était pas vrai hier. Tant il est constant que le succès attire le succès, comme l'aimant la limaille. Il y a trois mois, comme bien tu sais, Siorac, mes affaires étaient en tel triste prédicament qu'on eût pu les dire tout à plein désespérées. Je perdais des villes tous les jours. Les défections autour de moi se comptaient par dizaines. Et il n'était point joueur si intrépide qui eût gagé alors un sol sur ma victoire. La Dieu merci ! L'alliance avec mon cousin et bien-aimé frère le roi de Navarre a tout rhabillé. A Tours, Senlis, Bonneval, Pithiviers, Etampes, nos conjointes troupes ont vaincu les rebelles à mon trône. Ici même, à peine à Saint-Cloud rendu, j'ai saisi en un tournemain avec quelques canons le pont sur la rivière de Seine que les ligueux occupaient. Le bon Sancy m'a amené dix mille Suisses et à la revue que j'ai passée à Poissy, mes armées se sont trouvées fortes de trente mille hommes, frais, sains et bien armés. Qui plus est, la bonne noblesse de toutes parts afflue, n'y ayant pas un fils de bonne mère en France qui ne veuille être à la parfin présent à la prise de Paris.

Le roi, tandis qu'il discourait ainsi, articulant soigneusement chaque mot, comme à son accoutumée, et rythmant sa phrase comme un orateur fait de sa harangue, mais sans rien d'apprêté cependant, cette élégance de langage lui étant comme naturelle et coulant de source, marchait de long en large dans la chambre royale non pas du petit pas sec, nerveux et musculeux de Navarre, mais à longues et majestueuses enjambées, la crête haute, et à ce que je vis, fort aminci et roboré par la vie active et guerrière qu'il menait, ayant eu plus souvent ces trois mois écoulés la fesse sur un cheval que sur sa chaire d'apparat. Et pour moi qui l'envisageais avec l'œil du médecin, il me parut en meilleur point que je ne l'avais vu de longtemps, sans bedondaine aucune, le dos redressé, la mine allante, l'œil allègre, la face ni grise ni chiffonnée, et fraîche la main qu'il m'avait présentée.

Il avait alors trente-huit ans — âge dont j'avais de bonnes raisons de me ramentevoir puisqu'il était le mien — et pour la première fois depuis que j'avais jeté l'œil en soixante-quatorze sur Sa Majesté, je la trouvai plus jeune et verte que son âge, son bel œil comme lustré d'espoir et brillant de l'absolue certaineté de rentrer bientôt, triomphant, dans cette *ingrate Paris* qu'il avait, disait-il, *aimée plus que sa propre femme* et qui, quatorze mois plus tôt, l'avait chassé hors ses murs.

— Ha! dit le maréchal de Biron — vrai vieux Français fidèle à sa patrie et à son roi, même aux pires heures de Blois, comme l'avaient été ceux qui étaient là, Du Halde, Revol, François d'O, d'Entragues, Larchant, Rambouillet et Bellegarde — ceux-là mêmes qui avaient été dans le secret de Sa Majesté au cours de ces sombres et pluvieuses journées de Blois où fut décidée l'exécution du duc de Guise — Ha! Sire! dit le maréchal de Biron, de sa voix rude et sonore, si vous le voulez ainsi, je donne l'assaut demain, et la bonne ville est à vous!

— Mon père, dit le roi, qui par une marque d'extrême condescension et amitié était accoutumé à appeler ainsi le vieux maréchal, vous fûtes le premier qui m'ayez montré le métier des armes et je ne doute pas que vous fassiez brèche en la plus forte muraille. Mais j'y voudrais des moyens plus doux, afin que d'éviter le sac, le sang, le stupre, toutes choses que j'abhorre. Comme vous savez, j'ai reçu quelque secrète promesse d'aucuns habitants *intra-muros*, touchant l'ouverture des portes de Paris du côté des faubourgs Saint-Germain et Saint-Jacques. Attendons-en l'effet. Laissons les choses mûrir. Déjà j'ai ouï dire par des prisonniers que nous avons faits auxdits faubourgs que la peur s'était tellement rendue maîtresse du cœur des gens de guerre et manants de la ville que beaucoup se dérobaient pour sortir de Paris et que les rues étaient pleines de gémissements et de larmes.

— Sire, dit François d'O avec un fin sourire, l'attente a encore d'autres fruits pour vous, et qui ne vous sont pas moins chers. Car j'ai ouï dire que d'aucuns des grands seigneurs huguenots, jadis les plus encharnés à vous faire la guerre, inclinaient à quitter par amour de vous leur religion et leur parti.

— C'est assez chucheté là-dessus, dit Henri avec un petit geste de la main, mais d'un air fort heureux. Mon bien-aimé cousin et frère, le roi de Navarre, prendrait se peut quelque pique, s'il apprenait que MM. de Châtillon, Clermont d'Amboise et le vidame de Chartres, sont de ceux-là et qu'ils inclinent à *caler la voile* et *aller à contrainte*, comme fit en son temps le baron de Siorac.

A quoi François d'O, après m'avoir envisagé en riant, dit :

— Siorac a bien fait, et fera bien aussi de l'imiter, quand il sera votre dauphin en votre Louvre, le roi de Navarre, lequel est bien trop avisé pour rêver qu'un souverain protestant puisse jamais régner sur un pays catholique.

— Ha ! Ne l'y poussons pas trop cependant ! dit le roi en levant la main : la dignité d'une conscience doit être ménagée. La foi ne se doit bailler que par la persuasion, et non par la contrainte et le couteau. C'est là, si vous m'en croyez, poursuivit-il gravement, en scrutant de son bel œil noir les faces des gens qui se trouvaient là, la grande leçon que Dieu nous avise de tirer d'un demi-siècle de guerres civiles.

Là-dessus, Du Halde lui venant murmurer à l'oreille un message, il nous pria courtoisement de nous retirer, l'ambassadeur de la reine Elizabeth le devant visiter, et pour moi, la tête étrangement résonnante de la belle et noble sentence qu'il venait de prononcer, j'allais suivre le flot de ceux qui s'en allaient, quand tout soudain il me sourit et dit :

— Siorac mon fils, Quéribus n'étant point céans, j'entends que vous logiez chez mon neveu le Grand Prieur.

Marque tant grandissime de sa faveur royale — le Grand Prieur, quoique bâtard, étant un Enfant de France — que balbutiant mes grâces et mercis, je fus un moment à ne pouvoir branler d'où j'étais, regardant le roi de mes yeux étonnés, et au-delà des mots, lui voulant témoigner par mon regard l'infini de mon affection. Ce qu'il entendit fort bien, car il sourit derechef d'un sourire tant plein de bénignité et d'humaine tendresse qu'il s'imprima en ma cervelle en une telle ineffaçable guise qu'à l'heure où j'écris ceci, je n'ai qu'à clore la paupière pour le retrouver. A cet instant, Henri avait, à sa façon accoutumée, la main dextre posée à plat sur le mantel de la cheminée, la senestre sur sa hanche, la taille redressée, portant haut sur le chef son coffion à aigrette, vêtu du pourpoint de satin violet qu'il n'avait quitté depuis la mort de sa mère, les murs mêmes de sa chambre étant en signe de deuil tendus aussi de toile violette. Et combien que cet appareil eût quelque chose de funèbre, Henri paraissait, en sa royale immobilité, si serein, si joyeux, si fort, et si confiant en son proche triomphe, que mon cœur me cogna tout soudain les côtes de l'inouï bonheur qui allait être le sien, après les déquiétantes et sinistres heures de sa proscription, quand il rentrerait demain en Paris et regagnerait son Louvre. Hélas! Mon pauvre maître! Quelques heures plus tard il était mort.

Ha lecteur! Il ne me serait du tout possible de poursuivre ce récit, si tu ne sentais pas derrière chaque lettre tracée de mon encre tremblante toutes les larmes qu'il m'a coûtées.

J'étais pourtant, ce soir-là, comme tout un chacun à Saint-Cloud allègre et bondissant. Et quittant le logis de Gondi, je descendis une rue assez pentue (le village de Saint-Cloud étant bâti sur une colline qui domine la rivière de Seine) pour gagner celui du Grand Prieur, où me reçut de prime son maître d'hôtel, un fort bénin et bedondainant personnage, homme par la vêture, femme par la voix et le déportement, lequel dit s'appeler Guimbagnette et qu'ayant reçu par un laquais le commandement du roi à mon sujet, il me logerait, moi, ma suite et mes chevaux à mon entière satisfaction; que son maître le Grand Prieur était à son souper avec quarante personnes des plus qualifiées de l'armée et que ledit maître me baillait le choix, ou me joindre à eux incontinent, ou si j'étais las, recevoir à souper dans ma chambre. Et sur ma réponse que je préférais ce dernier parti après ma longue chevauchée de Châteaudun à Saint-Cloud, je laissai mes chevaux aux mains de mes pages et mes arquebusiers (Pissebœuf et Poussevent ne voulant pas, comme on sait, qu'on les nommât mes valets d'écurie) et suivi de Saint-Ange et Miroul (lequel à ma suite se donnait beaucoup de mal avec ses fluettes gambes pour se maintenir sur la même ligne que l'écuyer, ne voulant en rien être devancé par lui) je gagnai mes appartements, conduit par Guimbagnette qui de tout le temps qu'il me guida, clabauda comme dix mille commères, se paonnant, me sembla-t-il, excessivement de servir le fils de Charles IX et de Marie Touchet.

— Monsieur le Baron, dit-il avec des afféteries et des grâces du coude et de la main qui prêtaient quelque peu à sourire, ne vous étonnez-vous point que nous ne mangions point ce soir avec le roi ? (par ce *nous*, il entendait, je suppose, son maître).

— Dois-je m'en étonner ? dis-je en haussant le sourcil.

— Oui-da, Monsieur le Baron, dit Guimbagnette avec un sourire poli où se pouvait deviner cependant l'ombre d'une condescendance. En tant qu'Enfant de France, quoique naturel, nous avons cet honneur et ce privilège de souper le soir avec Sa Majesté.

— Ce soir, dis-je complaisamment (ayant toujours trouvé plaisir et profit à ouïr avec patience ce qu'on me voulait apprendre), ce soir est donc une exception ?

— Nenni, Monsieur le Baron, dit Guimbagnette d'un air mignard et minaudant, sa voix montant fort dans l'aigu sur le « nenni ». Le roi en a décidé ainsi, depuis qu'il s'est mis en campagne.

— Ha ! dis-je, feignant intérêt et surprise à ce point d'étiquette, n'est-ce pas étrange et inaccoutumé ?

— Ce serait étrange et inaccoutumé, Monsieur le Baron, dit Guimbagnette (qui m'aimait chaque minute davantage de ce que je l'écoutais si attentivement), si on en ignorait la raison.

— Que vous savez, je gage, Monsieur, dis-je avec un petit salut de la tête.

— Que je sais, dit Guimbagnette avec un air

d'immense conséquence et poussant en avant avec un soupir d'aise, tandis qu'il marchait à mes côtés, son énorme bedondaine. Appétez-vous, Monsieur le Baron, à l'ouïr?

— Assurément.

— C'est que Sa Majesté soupe le soir avec le maréchal de Biron qu'il appelle « mon père », et à qui il répète tous les jours qu'il a été le premier à lui apprendre le métier de la guerre.

— Je croyais, dis-je en levant le sourcil, que ce fut le maréchal de Tavannes, le premier mentor de Sa Majesté.

— Vous n'errez pas, Monsieur le Baron, dit Guimbagnette, le regard luisant de gausserie et les lèvres comprimées comme s'il s'empêchait de s'esbouffer. Ce fut, en effet, Tavannes le premier maître ès guerre du roi, quand il n'était encore que le duc d'Anjou. Mais, ajouta-t-il en levant le petit doigt de sa main senestre, et m'envisageant de côté d'un air mutin, mais, Monsieur le Baron... Mais, reprit-il avec une nouvelle œillade et un battement de cil, Monsieur le maréchal de Tavannes est mort, et Monsieur le maréchal de Biron est vif. C'est là l'affaire...

Après quoi, il éclata d'un rire tant aigu, fusant et féminin que vous eussiez cru ouïr dans sa voix tout un couvent de folles nonnettes.

Dès que j'eus soupé en ma chambre (Miroul, se mettant prestement à ma dextre à table pour ne laisser à Saint-Ange que mon côté senestre, ce dont l'écuyer ne s'aperçut même pas, étant comme à son ordinaire, sauf au combat, fort rêveux et songeard), je descendis aux communs m'acertainer que mes gens pansaient bien mes montures. Et à peine eus-je mis le pied en l'écurie, laquelle en sa longueur était de droite à gauche à mi-hauteur partitionnée, pour que les chevaux puissent s'envisager l'un l'autre, mais sans se pouvoir mordre ni botter, j'ouïs, caressant ma jument, sans même les voir, et sans qu'ils me vissent, que Poussevent et Pissebœuf labouraient fort, et de l'étrille et de la brosse, et Pissebœuf, en outre, de la langue, étant fort bien fendu de gueule, comme on a vu.

— Poussevent, dit-il, tâche à ne pas jouer aux dés ce soir, ni à la prime : que tu dois t'ensommeiller comme poule en poulailler et tes forces refaire drues pour demain.

— Qu'est-cela ? dit Poussevent. Et pourquoi donc ?

— Pour ce que demain, niquedouille, nous rentrons en Paris sans coup férir, ni bailler estoc, ni tirer mousquet. Je le tiens d'un sergent : D'aucuns guillaumes qui sont dedans vont nous déclore l'huis de la porte de Bucci tant est que nous allons pénétrer dans la bonne ville aussi doucement qu'oiseau dans l'air, anguille dans l'eau, ou homme dans femme...

— Voilà qui va bien, dit Poussevent pour qui toute parole de Pissebœuf était d'Evangile, ne se trouvant pas même loin de s'apenser que si Pissebœuf l'appelait « niquedouille » ou « sottard », c'est qu'il y avait ses raisons.

— J'ai ouï dire, poursuivit Pissebœuf, que les Parisiens, à envisager du haut de leurs murailles notre tant formidable armée, chient dans leurs chausses, la puanteur étant telle, et si grande, que leurs dames les chassent du logis et mettent des draps blancs aux lits pour nous y accueillir.

— Voilà qui est bien aimable, dit Poussevent d'un ton quelque peu déçu, mais où est la conquête alors ? Deux ou trois petits forcements plairaient mieux à mon appétit.

— Ha çà, Poussevent ! dit Pissebœuf, avec une neuve vertu, es-tu chrétien, ou turc ? En outre, si le roi ne veut pas de sac, il n'a rien dit quant à la picorée. Et j'ai quelque pensement qu'en leur mettant le cotel sur la bedondaine, les marchands du Pont Saint-Michel nous vendront la soie et le velours au même prix que la toile.

— Plutôt que la marchandise, dit Poussevent, c'est la marchande qu'il me faudrait, si elle se trouve accorte.

116

— Fi donc! Une marchande! dit Pissebœuf, une marchande! C'est viser bien bas pour l'arquebusier d'un baron! Pour moi, *cap de Diou*, je le dis tout net! C'est la Montpensier qu'il me faut!

— Quoi, une duchesse! dit Poussevent. La sœur du Guise!

— Elle-même! Je ne dégainerai pas à moins!

Cependant, l'irraisonnableté de cette ambition aiguillonnant quelque peu Poussevent, il dit d'un air mal'engroin :

— On dit qu'elle cloche d'une gambe.

— Ha bah! dit Pissebœuf superbement, quand les deux pattes sont en l'air, qui en a cure?

— Elle te rebéquera.

— Nenni, mon Poussevent. Il y a la manière. Je n'irai pas à l'affaire chattemitement à la jésuite, mais tout de gob, à la béarnaise. Madame, lui dirai-je, le roi de France a dit qu'il vous jetterait au feu pour prix de vos menteries et de vos artifices, et pour avoir fait la reine à Paris, et rameuter la populace contre lui. Eh bien, Madame, adonc choisissez : le feu ou mon braquemart (lequel est de bonne maison) en votre princière entrefesse.

— Voilà qui est chié chanté! dit Poussevent, la brosse en l'air et d'admiration béat.

— C'est qu'il y a la guise pour une Guise, dit Pissebœuf qui aimait tout autant les *giochi di parole* qu'Henri Troisième. Ayant appris le latin quand j'étais clerc, poursuivit-il d'un air de mystère, j'ai lu les bons auteurs et je sais.

— Que sais-tu? dit Poussevent, étonné.

— Qu'il te faudra prendre garde en Paris, Poussevent, dit Pissebœuf avec gravité.

— Et de quoi?

— De mule qui rit et de femme qui te fait signe : pour ce que mule qui rit de ses sabots te férit, et femme qui te fait signe, de ses ongles t'esgraffigne.

— *Cap de Diou!* A qui se fier en cette vilaine Paris? dit Poussevent, fort rabattu.

— Conforte-toi, galapian, dit Pissebœuf. Les Parisiennes, quant à elles, n'esgraffignent point. Elles mordent.

A peine achevait-il que précédé d'un coloré essaim de cinq ou six pages portant la livrée du Grand Prieur, et voletant devant lui, Guimbagnette apparut en se dandinant, comme s'il eût marché sur des œufs, et m'espinchant au milieu des chevaux, agita en l'air ses doigts courts au bout de ses petits bras, lesquels étaient quasi empêchés de se rejoindre par la rotondité de sa bedondaine.

— Hé quoi! dit-il de sa voix flûtée, Monsieur le Baron, vous céans! En ce bren! En cette odeur! Avec ces valets d'écurie!

— J'en demande pardon à votre personne, *major-domo*, dit Pissebœuf avec hauteur, nous ne sommes pas les valets d'écurie de Monsieur le Baron. Nous sommes ses arquebusiers.

A quoi Guimbagnette eut un air aussi prodigieusement étonné que si un vermisseau, levant le nez de sa crotte, eût présumé de lui adresser la parole.

— Monsieur le Baron, dit-il, Monsieur le Grand Prieur requiert votre présence, son souper touchant à sa fin. Plaise à vous de me suivre et de vous retirer de cette excrémentielle odeur.

— Laquelle, dit Pissebœuf *sotto voce*, vaut bien celle de la poudre, que d'aucunes narines, en leur délicatesse, n'ont jamais respirée...

Sur cette flèche du Parthe qui piqua le gras de son dos sans qu'il tressaillît le moindre, Guimbagnette me remonta de l'étage roturier à l'étage noble où je me trouvai dans une antichambre tendue d'or et de pourpre, dont l'huis à demi déclos laissait voir une grande table où quarante seigneurs des plus brillants étaient assis, festoyant et carousant, le Grand Prieur au milieu d'eux, siégeant sur une sorte de trône, tout lys et roses en la fleur de ses seize ans.

— Monsieur Guimbagnette, dis-je en m'asseyant sur une escabelle recouverte de velours rouge qu'il me désigna dans l'antichambre, il faut que M. le Grand Prieur soit fort étoffé pour traiter quarante personnes à la fois.

— Hélas, Monsieur le Baron, hélas! dit Guimbagnette en élevant dans les airs ses doigts courts, il n'en est rien. M. le Grand Prieur n'a pour vivre que ses dettes. Il est excessivement dépenseur. Je crains qu'il n'ait croqué ce soir en une nuit la pension que le roi, en sa libéralité, lui accorde pour le mois, et si je n'avais au passage prélevé quelques petits écus, je me trouverais, à cette minute, d'un an en arriérage sur mon petit préciput (par quel mot élégant, il désignait, je gage, ses gages. Et puisque je suis à parenthéser, peux-je ajouter que je faisais fiance pleinement à Guimbagnette, puisqu'il ménageait les pécunes du Grand Prieur, pour ne pas laisser couler devant lui ce pactole sans en dériver ruisselet à ses fins).

Etant appelé à cet instant par un laquais en rutilante livrée, Guimbagnette sortit, précédé de ses pages voletants et chatoyants dont je ne voyais pas l'usance, sinon à donner à ses entrées et sorties le faste qui convenait au *majordomo* d'un Enfant de France. Et pour moi, laissé seul en cette antichambre, je ne pus que je n'ouïsse par la porte entrebâillée, les bruyants discours des dîneurs, lesquels, quoique couchés en langage de Cour, ne me parurent guère différents de ceux que j'avais écoutés deux étages plus bas, en l'écurie, de la bouche de Pissebœuf. Car il n'y était question que de la prise de Paris que l'on se promettait pour le lendemain, et des délectables plaisirs qui s'y encontreraient, et dont les dames et les biens des ligueux feraient les frais, les unes séduites et les autres pillés. Et pour les dames plus précisément, que l'on ne craignait pas de nommer, chacun pour ainsi parler se réservant telle ou telle par avance et comme j'ai dit, nommément, sans aller jusqu'à l'éloquence de Pissebœuf, exaltant « le braquemart en la princière entrefesse » — j'observais que l'anticipation desdits seigneurs ne répugnait pas à des gaillardies qui eussent fait rougir mes lectrices. La seule différence que j'observais entre ces propos et ceux de mon valet d'écurie, c'est que d'aucuns des soupeurs, un octave plus bas, débattaient à mots prudents et chattemites des nominations qui seraient faites par le roi, dès qu'il aurait réassis son pouvoir en la capitale, à telle ou telle place ou office, ou gouvernorat, par le moyen desquels je voyais bien que certaines fidélités étaient fort impatientes d'être récompensées. Ha! m'apensai-je en mon for, Pissebœuf! Poussevent! Gentille piétaille! Vous ne barguignez pas, vous, votre fidélité à votre roi, une fois que vous l'avez baillée, troquant, contre un maigre pain quotidien, votre vaillance, vos navrures et, se peut, votre mort.

A ma considérable béance, Guimbagnette revint, mais point seul, précédant le capitaine Larchant, le maréchal de Biron, les sieurs de Clermont et d'Entragues, et qui d'autre, qui d'autre? sinon le roi! A la vue de qui, me levant, je fis un profond salut.

— Hé, quoi, Siorac, mon fils! dit Henri avec sa coutumière bénignité, vous n'êtes pas du souper?

— Non, Sire, dis-je.

— Monsieur le baron de Siorac, dit Guimbagnette, craignant d'être blâmé, a préféré, étant las, le prendre dans sa chambre.

— Mais combien sont donc ces soupeurs à faire tant de noise? dit le roi, et mettant le gros Guimbagnette devant lui pour non pas être vu, il jeta un coup d'œil par la porte entrebâillée. Une trentaine, à ce que je crois.

— Quarante, Sire, dit Guimbagnette.

— Voyez, mon père, dit le roi au maréchal de Biron, le Grand Prieur mange mon bien, mais il ne le mange pas seul...

A quoi le maréchal, Larchant et Clermont et d'Entragues rirent aussi, ce que je me permis de trouver un peu malheureux, les Suisses de Sancy n'étant pas payés.

— Guimbagnette, dit Henri au *majordomo*, lequel rougit d'orgueil que le roi se ramentût son nom, dès que le souper sera fini, mais pas avant, dites à mon beau neveu de me venir retrouver au jardin et d'y venir seul. J'entends avec M. de Siorac, reprit-il en m'adressant un sourire, puisqu'il est son hôte. Mais attendez, Guimbagnette, attendez que mon neveu

120

ait achevé son souper, avant que de lui dire que je l'attends. Je ne voudrais pas écourter ses viandes. On dévore à cet âge.

— Ha! Sire! dit Guimbagnette en se génuflexant, faire attendre Sa Majesté, est-ce là Dieu possible?

— Sa Majesté n'en sera pas à plaindre, dit Henri avec un sourire des plus charmants, puisqu'il aura la compagnie de M. le Maréchal et de ces Messieurs.

Là-dessus, le roi passa dans le jardin, comme il avait dit, lequel était fort beau, ayant appartenu à un chanoine qui y consacrait plus de temps qu'à ses prières, à ce que m'apprit Guimbagnette, que je vis fort décidé à me bailler sa compagnie, laquelle, à dire le vrai, m'agréa d'autant plus qu'il ne cessa tant qu'il fut avec moi, de chanter le los et louange de mon roi.

— Ha! Monsieur le Baron! dit-il, sa voix montant en fausset dans les notes aiguës et ses doigts courts voltigeant dans l'air, que le Seigneur tienne en sa Sainte garde le roi Henri Troisième et pour le royaume de France, et pour ses serviteurs, car je vous le dis et déclare, comme la vérité de Dieu : jamais prince ne fut mieux voulu des siens que celui-là pour son exquise bénignité, laquelle, si vous ne la connaissiez déjà, vous avez ce soir touchée du doigt. *Primo*, moi qui suis grand, assurément, dans la maison du Grand Prieur, mais petit vermisseau dans la sienne, il a daigné se ramentevoir mon nom. *Secundo*, surprenant le Grand Prieur à dissiper sa pension, il a préféré louer en gaussant sa libéralité que blâmer ses débours. *Tertio*, il m'a commandé de ne révéler sa royale présence à son neveu qu'une fois sa repue finie. *Quarto*, il s'est inquiété de votre souper, et vous plaignant quelque peu d'attendre (ce dont lui-même ne se plaignait point) il vous a donné en compensation la compagnie de son neveu pour après le souper et, par contrecoup, la sienne. *Cinquo*, condescendant à attendre lui-même dans le jardin le bon plaisir du Grand Prieur, qui est pourtant bien au-dessous de lui dans l'Etat, il a eu un mot des plus aimables pour le maréchal et les seigneurs qui le suivaient. Monsieur le Baron, pouvez-vous imaginer en si peu de minutes une telle pluie et rosée de bienveillantes gentillesses sur les gens qui se trouvaient là, lesquelles grâces ne saillent, si promptes et si naturelles, de Sa Majesté que parce qu'elles lui viennent de son immense cœur et du souci qu'Elle a des autres...

A ouïr ces propos, lesquels me ravirent, tant je les trouvai aptes et clairvoyants, je sentis disparaître le ridicule que je voyais en Guimbagnette et croître mon estime pour lui, m'apensant qu'il ne pouvait y avoir de bassesse en un guillaume qui louait son prochain, fût-il un prince, à si bon escient et sans rien rapetisser ni rabattre. Tant est que je me sentis plus indulgent pour les quelques petits écus que Guimbagnette sauvait au passage du gouffre afin d'assurer, comme il disait son petit *préciput*.

Le pourvoyeur dudit gouffre entra à ce même moment dans l'antichambre, fort jeune et fort beau en un splendide pourpoint de satin bleu pâle garni de deux rangées de perles, son teint clair, fort animé par ses viandes et ses vins, le cheveu exquisement testonné en bouclettes noires, l'œil en fleur et la lèvre vermillonne. Guimbagnette de lui s'approchant avec un profond salut où il mettait toutefois une sorte d'affectionnée familiarité, lui dit qui j'étais et que le roi l'attendait au jardin. Quoi oyant, le Grand Prieur, dont l'abord était fort aimable et les manières très cajolantes, me retint de me génuflexer, me prit la main et la retenant dans les siennes, me dit qu'il avait ouï les signalés services que j'avais rendus à son bien-aimé oncle et souverain, et dans les temps avant les barricades, et dans ceux de la présente guerre, et qu'il tenait à grand honneur d'être mon hôte, comme Henri le lui avait commandé.

Ayant dit et moi le suivant, il passa alors au jardin, lequel je n'avais qu'entr'aperçu quand le roi y avait pénétré, et qui se trouvait, en effet, fort beau, à le voir mieux, étant couvert des fleurs de la saison dont d'aucunes fort odorantes, lesquelles çà et là des lanternes éclairaient en mystérieuse féerie, pour ce que la nuit de cette fin juillet était lors tombée, le sentier que nous suivions menant par une pente insensible à un grand balcon au-delà duquel il n'y avait que le vide, et d'où se voyait une boucle de la Seine (qu'on ne devinait qu'aux barques à voiles éclairées qui couraient dessus) et plus loin, les lumières de Paris, et les murailles qui la défendaient, au pied desquelles les assiégés entretenaient de grands feux pour tâcher de prévenir les attaques nocturnes.

Le roi était accoudé à la rambarde du balcon à s'entretenir avec le maréchal de Biron du bon ordre qu'il voulait que ses armées tinssent en entrant dedans Paris, sans qu'aucun des manants et habitants fût molesté ou navré, le soldat ne devant rien prendre qu'il ne payât; les garces, qui filles qui femmes, respectées; aucune injure, menace, vanterie, parole sale et fâcheuse tolérée à l'adresse desdits manants, même ligueux, ou espagnols. Et qu'enfin s'il fallait sévir contre une poignée de méchants qui avaient fait tout le mal, que ce fût plutôt par le bannissement que par la hart.

A entendre ceci qui était à la façon d'Henri très bien articulé, le Grand Prieur, craignant d'être indiscret s'il en oyait davantage, arrêta sa marche et vint se joindre aux sieurs de Clermont et d'Entragues (celui-ci, comme on sait, devait devenir plus tard son beau-père) et leur dit :

— Quoi ? Henri pardonnerait même à la Montpensier dont il a dit qu'il la jetterait au feu ?

— Vous connaissez le mot de Chicot, dit d'Entragues, faisant allusion aux gaillardies de la duchesse : « Sire, il est inutile de la brûler. Elle crame déjà par le milieu. »

A quoi nous rîmes, et le roi, oyant nos rires, se retourna et appela à lui le Grand Prieur, lequel avec la pétulance et la grâce de son jeune âge, alla se génuflexer à lui et lui baiser la main avec un élan et une amour qui n'étaient pas feints. Ce qui toucha fort le roi, lequel était raffolé de son neveu, combien qu'il ne le fût que de la main gauche, et n'ayant pas d'enfant de son mariage avec la reine Louise, le tenait quasiment pour son fils.

— Mon père, dit-il en se tournant vers le vieux maréchal, vous avez été le premier à me montrer le métier de la guerre : Je vous prie d'en faire autant pour mon neveu, car je désire qu'il devienne comme un pont entre mes ennemis et moi.

Parole dont la dernière partie me parut si obscure que la chose m'étant restée en cervelle, j'en demandai le sens, une année plus tard, au Grand Prieur.

— Ha! je ne sais! dit-il, ses yeux à évoquer ce moment jetant des larmes qui sur ses fraîches joues coulaient. Se peut qu'Henri voulait dire que je devais tout ensemble le défendre contre ses ennemis — comme est l'usance d'un pont à la guerre — et lui permettre à l'occasion, par ce même pont, de les rejoindre et s'accommoder à eux. Ce qui est bien assuré, c'est que ses paroles me recommandant au vieux maréchal, furent tant obligeantes pour moi, que je ne peux me les ramentevoir sans un extrême pâtiment...

Pour en revenir au roi, encore que la nuit fût si tendre et le jardin si beau, il ne s'y attarda pas, mais donnant son congé au maréchal de Biron et commandant au Grand Prieur et à moi-même de le suivre, il remonta au logis de Gondi par la rue pentue que j'ai dite, et là en sa chambre advenu, après avoir quelque temps allégrement devisé avec ceux qui se trouvaient là, il dit que de longtemps il ne s'était senti si heureux, Paris étant si proche et se devant sous peu à lui déclore, comme il en avait l'assurance, ce qui voulait dire que toutes les autres villes rebelles du royaume allaient, une à une, lui revenir et la paix refleurir au royaume lui-même, pour le grand soulagement de son pauvre peuple qui avait été tant foulé par la guerre.

Ayant dit et s'étant un petit sur soi réfléchi, sa belle tête sur son épaule inclinée, il dit que cette soirée était pour lui si félice qu'il ne voulait pas l'écourter, ni jà s'aller coucher, mais se divertir à écouter la musique, et commandant au Grand Prieur d'aller quérir Dupont, La Clavelle, La Fontaine et le Baillif (qui étaient tous quatre de sa musique) en tels lieux où il croyait qu'ils se trouvaient; que quant à moi (me présentant la main) il me donnait mon congé, s'avisant que je devais être fort las de ma longue chevauchée de Châteaudun à Saint-Cloud.

Je départis donc de la maison de Gondi avec le Grand Prieur, et comme nous traversions la cour dudit logis, la nuit étant douce, étoilée et lunaire, le Grand Prieur fut accosté par un religieux jacobin, lequel était petit, avec une barbe foncée très courte, une couronne de cheveux comme en portent ceux de son ordre, et de très grands yeux noirs, brillants et fixes. Ledit moine, au Grand Prieur s'adressant, non sans une brusquerie qui m'étonna, lui demanda de le faire parler au roi d'une chose urgente et importante, laquelle il ne pouvait dire qu'à sa personne, ayant échappé de Paris et venant de la part du comte de Brienne, prisonnier au Louvre, et du président du Parlement Du Harlay, lequel la Ligue avait embastillé en raison de sa fidélité au roi.

A quoi, le Grand Prieur, béant d'être adressé avec si peu de formes, dit d'un ton roide assez que le roi, étant retiré en sa chambre pour la nuit, personne ne le pouvait plus voir, et ayant dit, tourna le dos au moine, celui-ci le suivant quelques pas, marmonnant des paroles, semble-t-il, encolérées dont on ne saisit pas le sens.

— Voilà, dis-je, quand nous fûmes du logis saillis, un jacobin bien mal maniéré. Croyez-vous, Monseigneur, que le roi le recevra?

— Assurément, dit le Grand Prieur : Le roi que la Ligue accuse *urbi et orbi* d'hérésie et que le pape a excommunié, ne voudra pas qu'il soit dit qu'il a rebuté un religieux. En outre, Henri est raffolé des moines. Je lui ai souvent entendu dire que leur vue produisait le même effet sur son âme que le chatouillement le plus délicat sur le corps.

— Voilà, dis-je après m'être accoisé un petit, une étrange bizarreté chez un Grand Prince.

— C'est qu'Henri, dit le Grand Prieur avec un sourire, est plus prieur que je suis supposé l'être. Comme vous savez, il aime les retraites, les cellules, la bure, les macérations. Tant est qu'à force de hanter les couvents et y avoir trouvé la paix, il se peut qu'il se sente extrêmement conforté, étant à demi moine lui-même, par la vue d'un de ses frères.

Avant que d'écrire les pages qu'on va lire, j'ai été à quelque peine et labour d'acertainer la vérité sur cet étrange moine, du moins autant que la chose se peut, car ayant été tout soudain mis en pièces dans la confusion et la colère qui suivirent son lâche attentat sur la personne sacrée de mon maître bien-aimé, son procès ne fut fait qu'à son cadavre, lequel ne put avouer les influences et les connivences qui l'avaient poussé jusque-là, tant il paraît hors de doute que la Ligue et les Guise aient mis la main à ce forfait qui tout ensemble les vengeait de l'exécution de leur chef et portait un terrible coup à la cause royale.

Ce Jacques Clément puisqu'il faut l'appeler par son nom, lequel nom était singulièrement impropre à ses funestes desseins, avait fait profession au couvent des jacobins de Sens un an plus tôt et s'en était venu au collège de la rue Saint-Jacques à Paris pour étudier la théologie. Sans qu'il fût sot, il y avait en lui je ne sais quelle simplesse qui lui fit gober sans les mâcheller le moindre les furieuses prêcheries parisiennes contre le « tyran » Henri de Valois, voué quotidiennement du haut des chaires sacrées à l'exécration des catholiques pour avoir fait tuer le duc de Guise par ses *quarante-cinq* et forgé une alliance « impie » avec Navarre, « hérétique et relaps ». Se trouvant ainsi continuellement exagité et travaillé par une sainte fureur, Jacques Clément se mit à tenir en son couvent des propos frénétiques devant les autres moines, disant que le tyran devait mourir, qu'il ne périrait d'autre main que de la sienne, qu'il y était bien résolu, tant est que ses frères, se riant de lui, qui était si petit et souffreteux, et faisant de sa sanguinaire vanterie un sujet de dérision, l'appelaient le « capitaine Clément ».

Or, parmi ces religieux, il en était un qui, venu comme Clément du couvent de Sens, s'appelait Chantebien, et n'était pas tant innocent que son nom le pouvait faire paraître, pour ce qu'ayant observé que son condisciple priait à l'accoutumée derrière le grand autel de la chapelle, il lui fit ouïr artificieusement par le moyen d'une sarbacane des voix *surnaturelles* qui lui commandaient de se préparer à la couronne de martyre, le seigneur l'ayant désigné comme celui qui devait dépêcher par le glaive le tyran de France.

Ces voix, d'ores en avant, Clément les entendit en sa cellule dans ses nuits sans sommeil où, disait-il, il y avait un je-ne-sais-quoi qui le piquait, le poussait continuellement, disant et répétant : *Frère Jacques, marche faire ce coup !*

Mais ayant quelques scrupules quant à la légitimité du meurtre qui lui était ainsi commandé, Clément s'en ouvrit par deux fois au prieur Emile Bourgoing, lequel lui donna successivement deux avis fort différents, le second étant aussi encourageant que le premier l'était peu.

Par une petite chatonie dont les moines sont coutumiers, Clément dit au prieur qu'il avait ouï en confession un quidam qui nourrissait le projet d'exterminer Henri de Valois, mais ne le voulait faire sans le conseil et l'avis de l'Eglise.

A quoi Bourgoing répondit d'abord :

— Mon fils, ce quidam se moque. Que s'il avait envie de faire ce que vous dites, il ne le dirait pas.

Cependant quelque temps plus tard, Clément revenant à la charge, et toujours au nom de son prétendu pénitent, le prieur lui tint un langage tout à l'opposé du premier et de nature, bien au rebours, à le roborer grandement dans sa résolution :

— Mon fils, dit-il, assurez votre pénitent au nom de Dieu que moyennant qu'il n'exécute cette chose en intention de se venger pour son particulier et privé intérêt, mais pour le seul zèle qu'il porte à l'honneur de Dieu, à sa religion, au bien et au repos de la patrie, tant s'en faut qu'il doive craindre de blesser sa conscience; qu'au contraire il méritera beaucoup. Et il n'y a nul doute que s'il meurt là-dessus, il ne soit sauvé et bienheureux.

Le prieur Bourgoing rejoignit ici le moine Chantebien, puisque, non content de donner à Clément la caution de l'Eglise et de Dieu, il ne craignait pas de lui promettre, comme ses voix *surnaturelles*, la couronne de martyre, au cas où il mettrait à exécution son rêve sanguinaire.

Le chattemitique encouragement de Bourgoing n'est point pour étonner quand on connaissait l'homme. Docteur en théologie, et ancien provincial de son ordre, il était aussi un zélé et encharné ligueux qui, en novembre 1589, Navarre attaquant de nouveau Paris, ne craignit pas de quitter sa bure pour endosser corselet et morion, et faire le coup d'arquebuse aux tranchées — où de reste il fut pris par les royaux, reconnu, mené à Tours, traduit devant le Parlement, condamné à mort pour complicité avec Jacques Clément, et tiré à quatre chevaux.

Mais ce furieux était aussi un homme de beaucoup d'esprit. Et il est à croire qu'entre la première confession de Jacques Clément et la seconde, il se soit tout soudain apensé que ce frère estéquit et malingre que tout le couvent tenait pour un fol et un illuminé pouvait être de quelque utilité à la Ligue pour aboutir au grand dessein dont pas un prêchereau dans la capitale n'omettait à messe d'appeler de ses vœux l'accomplissement: la mort d'Henri de Valois.

Or, quelques jours plus tard, la meurtrerie exécutée à la parfin par ce providentiel outil forgé dans le secret des couvents, quand un quidam annonça l'exécution de mon bien-aimé maître à la Montpensier, celle-ci en sa rage et folie lui sauta au col, le baisa à gueule bec et hucha à gorge déployée:

— Ha! mon ami! sois le bienvenu! Mais est-il vrai

au moins? Ce méchant, ce perfide, ce tyran, est-il mort? Dieu! Que vous me faites aise! *Je ne suis marrie que d'une chose : c'est qu'il n'a su, devant que de mourir, que c'est moi qui l'avais fait faire!*

Lecteur, c'est là le dernier maillon de la chaîne des connivences qui circonvinrent le malheureux et le menèrent de son couvent de la rue Saint-Jacques à Paris au logis de Gondi à Saint-Cloud. Le moine Chantebien, qui pensait si mal, mais agissait avec tant d'à-propos et, de reste, n'ignorait pas, pour avoir connu à Sens Jacques Clément, sa simplesse et son exagitation, lui inspira par un bas subterfuge la première idée de sa mission. Cette mission s'étant tournée à l'obsession dans un esprit intempéré, le prieur Bourgoing qui devait, quelques mois plus tard, administrer la preuve que pour lui l'arquebuse prolongeait la prière, s'avisa de l'usance qu'on pouvait faire de cette sanguinaire marotte, en avertit la Montpensier et aquiéta la déquiétée conscience du « missionnaire » par la promesse des félicités éternelles. La Montpensier, qui clochait d'une gambe, comme avait dit Poussevent, mais ne clochait pas de la cervelle, étant plus machiavellante que Machiavel, imagina les voies et les moyens pour faire saillir Jacques Clément de Paris assiégée, lui faire traverser les avant-postes royaux et lui donner accès auprès du roi.

À la différence du frère Clément, aspirant en son rêve furieux à la couronne de martyre, macéré en ses dévotions, jeûnant, priant, se donnant le fouet dans sa cellule, et ignorant tout du monde, la Montpensier, elle, n'en ignorait rien. Étant fort haute dame, et de Cour, proche de la reine Louise, haïssant, mais connaissant fort bien mon bien-aimé maître, et sa bizarre et particulière amour pour les religieux, elle savait que quiconque portait la bure était assuré, à toute heure, en tout lieu, de parler au prince : qu'il y fallait seulement un plausible prétexte, lequel elle trouva en introduisant Clément à la Bastille — où elle seule avait le pouvoir de le faire entrer — pour le faire prendre langue avec les royalistes parisiens que les *Seize*, dès le commencement du siège de Paris, y avaient emprisonnés, et nommément les plus marquants et connus d'entre eux, le président Du Harlay, et Paul, l'aîné d'Antoine Portail, chirurgien du roi. Après quoi Clément rendit visite à Mme Portail (que les *Seize* n'avaient pas cru bon de serrer en geôle) pour lui porter charitablement des nouvelles de son fils. Dans la réalité des faits, ces entrevues avaient pour fin de fournir à Clément, au cas où on le questionnerait à Saint-Cloud, des réponses véridiques et crédibles sur ces personnes.

Le premier président Du Harlay, connu à Paris comme un royaliste resté adamantinement fidèle au roi dans les dents d'une impiteuse persécution des ligueux et des *Seize*, était pour cette raison tenu à grand compte par le roi. Son nom, à lui seul, pouvait déclore les portes ; une lettre de lui, faciliter l'entrant dans la chambre royale. Clément n'ayant rien dit au président Du Harlay que de très banal en sa visite à la Bastille, cette missive, comme le lecteur s'en est bien apensé, n'existait point. Mais la Montpensier, dont l'hôtel était devenu depuis un lustre une sorte de manufacture où se fabriquaient les faux papiers et les fausses nouvelles dont elle inondait Paris, la fit forger par ses secrétaires en écriture italienne, laquelle, imitant les caractères imprimés, était aisée à contrefaire. Le modèle en fut un papier de la main du premier Président et saisi sur lui, quand on l'avait serré en geôle.

Le procureur de La Guesle, qui a lu le billet prétendument adressé au roi par Du Harlay, me l'a récité de mémoire. Le voici :

Sire, ce présent porteur vous fera entendre l'état de vos serviteurs et la façon de laquelle ils sont traités, qui ne leur ôte néanmoins la volonté et le moyen de vous faire très humble service, et sont en plus grand nombre peut-être que Votre Majesté n'estime. Il se présente une belle occasion, sur laquelle il vous plaira faire entendre votre volonté, suppliant très humble-

ment Votre Majesté croire le présent porteur en tout ce qu'il dira.

Ce faux était fort habile, et destiné à éveiller au plus haut point l'intérêt de mon maître, la Montpensier n'ignorant point que le roi nourrissait l'espoir de se faire ouvrir une des portes de la capitale par les royalistes parisiens, raison pour quoi ceux-ci avaient été embastillés en grand nombre dès le début du siège.

Cependant, la ville étant circuite par les armées des deux rois, il fallait, d'autre part, pour Jacques Clément, traverser les avant-postes royaux sans être ni repoussé ni capturé. La Montpensier s'avisa alors de dépêcher Clément au comte de Brienne, lequel étant royaliste, mais mol et nonchalant, avait reçu la faveur d'être non point serré en Bastille, mais consigné en une chambre au Louvre, entouré de ses serviteurs, de son chapelain et de son secrétaire.

Le petit jacobin, bien chapitré par la Montpensier, s'en alla donc trouver ceux-ci et quit d'eux un passeport du comte de Brienne pour se rendre à Orléans, où l'appelaient, disait-il, les intérêts de son ordre. Le secrétaire lui eût refusé le papier, mais le chapelain insista pour qu'il l'écrivît, arguant que, s'agissant d'un religieux, Monsieur n'en ferait pas difficulté. Et en effet, le passeport écrit, Frère Jacques fut introduit au comte de Brienne, lequel achevait de dîner et mangeait du fruit, et qui, incontinent, sans poser de questions, signa le document, tant l'état et la qualité du moine lui donnaient fiance en sa véracité.

Un fol zélé, une robe de bure, une fausse lettre du président Du Harlay, un vrai passeport délivré par un étourdi, tels furent les parties et ingrédients dont la sœur du Guise composa son régicide. Les voies du démon, comme celles de Dieu, sont simples, surtout quand s'y ajoute la simplesse de son outil. Qui se fût défié de ce petit moine chétif, humble, génuflexant, allant les yeux à terre, et les mains dans ses grandes manches — en lesquelles, toutefois, il avait dissimulé un cotel?

Jacques de La Guesle, conseiller du roi et son Procureur général au Parlement, était un de ces royalistes loyaux qui ayant suivi le roi à Tours après qu'il eut été chassé de Paris par la journée des barricades, et liant indéfectiblement sa fortune à la sienne, dans la male et bonne heure, s'en était à la parfin advenu à Saint-Cloud avec les armées de Sa Majesté. Or, M. de La Guesle, qui était parisien (et dont la Ligue avait pillé le logis de ville à son départir, comme elle avait fait pour le mien), possédait une maison des champs sise près le village de Vanves au sud de la capitale, et ayant obtenu son congé du roi le 30 juillet pour l'aller voir afin de s'assurer qu'elle n'avait pas été, elle aussi, ravagée, soit par les ligueux, soit encore par les soldats huguenots qui depuis peu occupaient les lieux, eut la joie de constater que la bienvoulance de ses voisins lui avait préservé et ménagé sa campagne — la maison et le verger grâce à eux se trouvant intouchés, les foins rentrés, les moissons faites, les bêtes saines. M. de La Guesle qu'accompagnait son frère Alexandre, après avoir dormi avec délices en sa demeure retrouvée, et fait mille grâces et merciements au matin à ses bons voisins, lesquels il recommanda à belle langue à l'officier huguenot qui était en autorité en ce cantonnement, monta à cheval, son frère se mettant au botte à botte avec lui, et de Vanves rejoignit la route qui mène à Saint-Cloud, laquelle passe, comme on sait, par Issy et Vaugirard.

Je ne connaissais pas alors M. de La Guesle, mais je le connus intimement assez deux ans plus tard, le conseiller s'étant pris de quelque amitié pour moi, pour ce que je lui avais bonnement confié, dans le courant de la parladure, que mon grand-père était apothicaire, que la noblesse de ma famille, de ce côtel, ne venait que de mon père, lequel l'avait gagnée sur les champs de bataille, et que moi-même, j'étais un impécunieux cadet, plus riche en médecine qu'en clicailles, avant que le roi, pour quelques services que je lui avais rendus, m'élevât à la baronnie.

Ce conte plut à M. de La Guesle, pour ce que son grand-père, n'étant que drapier, avait amassé des écus assez pour acheter une charge à son père, lequel s'y étant enrichi, lui avait à sa mort permis d'acheter celle où il s'encontrait, celle-ci lui conférant une noblesse de robe dont il se paonnait fort, et dont il espérait que son fils ferait un marchepied pour gravir l'échelon où je me trouvais jà. Car M. de La Guesle tout ensemble déprisait en son for la noblesse d'épée, pour ce qu'il la trouvait ignare et oisive, et cependant l'enviait et y voulait voir entrer sa descendance, comme étant un Ordre au-dessus du sien dans l'Etat, et plus proche du roi. Pour cette même raison, dès lors qu'il sut que j'étais comme lui issu de la même laborieuse roture, il s'autorisa à m'admirer deux fois, et comme médecin, et comme baron.

Au physique, M. de La Guesle était un homme grave, de mine prudente, de verbe circonspect et lent en sa mouvance, portant une grande barbe noire, et arborant, en sautoir, au-dessous de son austère petite fraise, une montre-horloge en argent qu'il consultait souvent. Il fut longtemps sans me vouloir parler de son encontre du 31 juillet avec Jacques Clément, pour ce que le rongeait le poignant remords d'avoir été l'innocent instrument qui rapprocha le criminel de sa proie, mais lorsque enfin je parvins à percer ses défenses, il m'en entretint à loisir, et par le menu, comme s'il eût trouvé quelque soulas, une fois de plus, à justifier l'incrédible enchaînement des effets et des causes par lequel il procura sa mort au roi, alors qu'il l'aimait et le servait avec une fidélité qui était allée, après les barricades, jusqu'au dol et détriment de ses propres intérêts.

— Mon ami, me dit M. de La Guesle, en me toquant du doigt le genou comme il était assis en face de moi devant son feu, c'est manifestement le démon qui plaça sur mon chemin cette créature issue de son Enfer, et vêtue pour mieux me tromper, de la robe d'un serviteur de Dieu. Et c'est (nouveau toquement) le démon encore qui usa diaboliquement de mes vertus mêmes et de mon zèle à servir le roi pour en venir à ses funestes fins. Que si on observe comment les choses se passèrent, et se déroulèrent, il n'est personne, personne, mon ami, qui ne peuve ni ne veuille aboutir à cette conclusion. Oyez-moi bien. Je revenais avec mon frère Alexandre de Vanves, très conforté d'avoir trouvé mon bien de campagne intouché, quand pour regagner Saint-Cloud, en passant par Vaugirard, à une demi-lieue dudit village, entre quatre heures et cinq heures du soir (quoi disant, M. de La Guesle, qui devait avoir de grandes habitudes de ponctualité, porta la dextre à la montre-horloge qu'il portait en sautoir et caressa son boîtier d'argent), je rattrapai sur le chemin, étant à cheval et eux à pied, un religieux jacobin qu'emmenaient deux soldats. Ce jacobin, je ne me propose pas de vous le décrire, puisque vous l'avez vous-même encontré.

— Mais, dis-je, furtivement, et seulement à la clarté de la lune.

— Eh bien, dit M. de La Guesle avec un flagrant déplaisir à devoir évoquer le régicide, il était petit, chétif, une courte barbe noire, les cheveux à la forme de ceux de son ordre, et de grands yeux.

— Noirs, brillants et fixes ? dis-je.

— Noirs, assurément, dit M. de La Guesle, et grands, ou paraissant tels dans une face maigre. Mais point ne me ramentois-je les avoir trouvés brillants et fixes. Il est de fait, poursuivit-il, que ce Clément les tenait le plus souvent baissés. Vous savez quelle chattemitesse humilité affectent ces jacobins.

— Et pour sa mine ? repris-je, peu satisfait de cette description et voulant pousser le conseiller à la préciser davantage.

— Je ne saurais en jaser plus outre, dit M. de La Guesle qui paraissait perplexe assez de mon insistance. Je dirais de sa face qu'elle était ingrate. *Facies despicabilis* [1], reprit-il en latin. Et à l'ouïr, je le trou-

1. Une face méprisable.

vai non point sot, mais simplet, à tous les coups inoffensif. Ha ! mon ami ! mon ami ! reprit-il avec un long soupir, c'est bien là où le diable m'a trompé. Mais je poursuis. J'eusse pu, quand j'encontrai ce religieux avec ces deux soldats, continuer mon chemin sans m'en occuper, et plût au ciel que je l'eusse fait ! Mais étant Procureur général du roi en son Parlement, et porté de par la conscience que je mets à la décharge de mes fonctions à m'enquérir curieusement des faits et gestes des sujets de Sa Majesté, partout où je le peux, je dis aux deux soldats qui j'étais, et quis d'eux ce qu'ils faisaient avec ce jacobin. A quoi l'un d'eux me répondit qu'ils étaient du régiment de Coublans, que ce religieux s'était présenté aux avant-postes et avait déclaré qu'il avait sailli de Paris pour venir trouver le roi et lui faire entendre quelque nouvelle concernant son service, que de reste il avait présenté un passeport en règle signé du comte de Brienne, et qu'à son vu, leur officier leur avait commandé de l'accompagner à Saint-Cloud, ce dont, en ce qui les concernait, ils étaient bien marris, pour ce que la route était longue et qu'ils allaient à pied, et devraient encore faire à rebours ledit chemin pour regagner à la nuit leur cantonnement. Oyant quoi, et le petit moine me paraissant las, lui aussi, de sa longue trotte, je proposai aux soldats tant de par mon respect pour la robe dudit religieux que par ma naturelle bénignité (dont le démon une fois encore se servit, étant accoutumé à courber à ses propres sanguinaires fins, les vertus d'un honnête homme, comme les vices d'un coupe-jarret) de prendre le jacobin en croupe et de le mener moi-même à Saint-Cloud. Ce que, les soldats acquiesçant avec mille merciements — ce que, reprit M. de La Guesle, sa gorge paraissant se nouer à cette remembrance, ce que je fis, hélas...

— Monsieur, dis-je, voyant bien qu'après tant de temps écoulé M. de La Guesle se tourmentait encore grandement en son âme d'avoir été celui par qui le malheur était arrivé, le monde entier pense que si même Jacques Clément n'avait pas été pris sous votre charge, de toutes manières, il aurait eu accès à Sa Majesté, le roi étant si raffolé des moines.

— Je le crois aussi, dit M. de La Guesle, mais n'est-ce pas pour moi un sentiment excessivement piquant, poignant et aggravant que l'ayant amené en mon logis à Saint-Cloud, je l'aie, en cette soirée du 31 juillet, interrogé en conscience et dans le dernier menu, sans trouver la moindre faille en son conte, sans déceler ni deviner son projet meurtrier.

— Ha! Monsieur! dis-je, qu'apprend-on en un couvent sinon à bien dissimuler, étant à chaque instant épié par l'œil des autres moines et l'inquisition du prieur?

— Cela est vrai, dit M. de La Guesle quelque peu aquiété et conforté par mon propos, mais être à ce point emberlicoqué, moi Procureur général du roi en son Parlement, et par un petit moine sans esprit, voilà où le bât encore me blesse!

— Vous le trouvâtes donc sans esprit?

— Point sot, mais simplet. Tellement que l'on pouvait penser que les royalistes qui l'envoyaient avaient été contraints de se servir de lui, n'en pouvant trouver d'autre. Et comment aurais-je pu imaginer qu'il ne nous était pas envoyé par le président Du Harlay serré en sa Bastille, alors même qu'il me donna à lire ce billet de lui dont je reconnus l'écriture? Et encore ne me suis-je pas contenté de ce billet. J'ai en mon logis tourné et retourné Clément sur le gril, le cuisant au feu doux et prolongé de mes interrogations, mais il avait réponse à tout! Et quand, mon frère, lui dis-je, avez-vous vu le premier Président?

« — Avant-hier. Et j'ai vu aussi en Bastille M. René le Rouillet, chanoine de la Sainte-Chapelle, conseiller au Parlement. Et aussi Paul Portail, le fils d'Antoine Portail, chirurgien du roi.

« — Et comment avez-vous eu accès en Bastille?

« — Par Mme Portail qui m'y a envoyé porter de ses nouvelles à son fils, n'y pouvant entrer elle-même, étant suspecte.

« A quoi, poursuivit M. de La Guesle, appelant Antoine Portail, je lui dis :

« — Monsieur, voici un religieux qui peut vous donner des nouvelles de votre famille en Paris.

« — Ha ! s'écria le chirurgien, vramy, mon frère, avez-vous vu ma femme ?

« — A deux ou trois diverses reprises, dit Clément, lui portant mots et messages de votre fils Paul, l'ayant vu en Bastille, lequel va aussi bien que se peut. Quant à Madame votre épouse, elle est grandement affligée et tourmentée. Et en outre, elle a été contrainte de payer cinq cents écus à un de vos métayers, lequel quitte la ferme qu'il avait prise pour vous près de Paris.

— Détail vrai, mon ami, reprit La Guesle, détail vérissime que Portail confirma aussitôt et qui emporta ma conviction que Clément n'était ni un imposteur ni un espion, et qu'on pouvait donc faire fiance à ses dires, tout simplet qu'il fût. Or, ce qu'il avait à dire au roi, parlant à sa personne, me parut de la plus grande conséquence. Le président Du Harlay prétendument mandant à Sa Majesté que les royalistes du dedans de Paris étaient prêts à se saisir d'une porte, et de leur donner l'entrant dans la ville. Au roi, et au roi seul, et sans témoin, Clément nommerait la porte, le jour et l'heure. De cela il ne voulut branler.

— Ha ! mon ami, mon ami, dit M. de La Guesle, levant tout soudain vers moi ses yeux où se voyaient les larmes, où était le devoir ? Qu'eussiez-vous fait à ma place ?

— Mais précisément ce que vous fîtes, Monsieur, dis-je, sachant comme vous que le roi avait eu vent d'une conspiration royaliste en Paris pour lui livrer une porte, et en attendait fiévreusement des nouvelles.

— A neuf heures, dit M. de La Guesle, lequel portant comme à son accoutumée sa dextre à sa montre-horloge mais sans l'envisager, poursuivit : A neuf heures du soir, quand j'allai trouver Sa Majesté à son souper, je lui contai l'affaire. Elle me dit qu'elle recevrait Clément, mais point ce même soir, pour ce qu'Elle avait dans le propos, sa repue finie, de visiter le Grand Prieur et de se divertir à ouïr de la musique ; mais que le lendemain, j'eusse à le lui amener à huit heures, et qu'il le verrait de prime avant toutes autres affaires.

Ayant dit, M. de La Guesle s'accoisa, la face calme et composée, mais fort triste et les yeux fixés sur le feu. Et comme de mon côtel, je m'accoisais aussi, attendant qu'il continuât, il ne faillit pas à sentir mon attente, m'envisagea, et me dit d'un ton roide assez, encore que courtois :

— Il n'est besoin que je vous dise le reste, puisque vous l'avez su par M. de Bellegarde qui fut présent à la meurtrerie, tout comme je le fus moi-même.

Que si le lecteur a présent en cervelle ce que je lui ai conté des événements de Blois, bien il se ramentoit M. de Bellegarde, grand écuyer de Sa Majesté que pour cette raison on appelait M. le Grand, très beau seigneur courant fort le cotillon, ou plutôt fort couru par lui, d'une disposition toutefois sérieuse et silencieuse, et pour infidèle qu'il fût à ses belles, d'une fidélité éprouvée à son roi. En bref, gentilhomme en tous points parfait, s'il n'avait pas pâti, comme le bouffon Chicot, dans les mois d'hiver, d'une goutte au nez, laquelle menaçait perpétuellement son pourpoint, infirmité qui était cause que le roi, que cela agaçait excessivement, le gourmandait sans cesse, tout en l'aimant prou et en l'estimant fort.

J'encontrai Bellegarde dans l'antichambre du roi, quelques minutes après la meurtrerie, alors que les chirurgiens du roi, Portail et Pigret, assistés du médecin Le Febre examinaient dans la chambre la navrure que le cotel de Clément avait faite au roi. L'entrant de la chambre royale me venait d'être refusé par six des *quarante-cinq* qui farouchement gardaient l'huis, et certes, me connaissaient, mais ne me connaissaient point comme médecin de Sa Majesté, car à Blois, où j'étais mêlé à eux, j'avais joué, comme j'ai conté ailleurs, un tout autre rollet.

Et moi me réfléchissant que je ne serais de reste d'aucune usance à l'examen qui se faisait en la chambre, n'étant point chirurgien, je ne pressai pas ma demande plus avant et me vins mettre en l'encoignure d'une verrière qui donnait sur le jardin et y encontrant Bellegarde, qui pleurait à chaudes et amères larmes, je lui passai le bras autour du col et quoique moi-même fort oppressé, entrepris de le conforter. Et lui, cessant au bout d'un moment ses tumultueux sanglots, et se ramentevant tout soudain que j'étais médecin, quit de moi d'une voix rauque et basse si un homme pouvait être curé d'un coup de cotel dans le bas-ventre.

A quoi je tressaillis excessivement en mon for pour ce que je n'avais pu apprendre jusque-là où le roi avait été navré, n'ayant trouvé sur mon passage que des gens qui avaient perdu toute voix, sauf pour pleurer, gémir ou jurer. Mais quel que fût à cette funeste nouvelle que m'apprenait Bellegarde mon intime sentiment, voyant avec quelle anxiété M. Le Grand m'envisageait et ne voulant pas le désespoir plus outre, je dis :

— Oui-da, on en peut guérir à condition que le couteau n'ait pas percé le boyau.

— Dieu soit loué ! s'écria alors Bellegarde dont le beau visage s'éclaira maugré les larmes qui le chaffourraient, Henri sera donc sauf ! Car dès le moment de sa meurtrerie, je l'ai vu, de ces yeux que voilà, mettre à plusieurs reprises les doigts dans sa plaie et déclarer que son intestin n'était point touché. De reste, il ne pâtit point et je l'ai ouï dire au Grand Prieur, dès l'advenue de ce dernier : « Ces méchants m'ont voulu tuer, mais Dieu m'a préservé de leur malice : Ceci ne sera rien. »

Et moi voyant Bellegarde quiet et sa voix étant revenue (que les sanglots jusque-là étouffaient) je lui demandai comment la chose avait pu se faire, Henri vivant environné de ses *quarante-cinq*, quelques-uns même couchant dans la galerie qui donnait sur sa chambre, et Du Halde couchant à côté de sa couche royale sur un petit lit.

— Ha! dit Bellegarde, la faute en est uniquement à la coutumière bénignité et facilité d'Henri. C'est sa bonté qui l'a tué! Ou du moins blessé, reprit-il en pâlissant, comme s'il était fâché contre soi d'avoir employé un mot de mal augure dans le mitan de son renaissant espoir.

« Comme vous savez, Siorac, poursuivit-il en levant la crête, c'est moi qui dois le soir fermer le rideau du roi sur sa couche, et moi encore, et moi seul, qui dois le matin le tirer. Du Halde n'aurait garde de le faire, tout premier valet de chambre qu'il soit, sachant bien que cet office est mon privilège. Et le roi m'ayant commandé hier soir, quand il donna congé à ses musiciens, de le venir trouver à sept heures, ce matin, premier août, à sept heures précises à ma montre-horloge, j'entrai dans sa chambre et marchant vers sa couche, allai en tirer le rideau, quand Du Halde, se levant de son petit lit, me chucheta de n'en rien faire, que le roi dormait encore profondément et qu'il m'appellerait dès qu'il serait désommeillé.

« Je saillis alors de la chambre et le ciel étant fort pur et le soleil déjà levé, j'allai respirer au jardin la fraîcheur du jour et y trouvai La Guesle se promenant avec ce monstre de moine, lequel, à vrai dire, sur l'instant, ne me parut pas monstrueux le moindre, étant si petit et chétif, et causant avec le laquais du seigneur de Bonrepaus qui se trouvait là, mangeant avec lui des noisilles dont ils faisaient craquer la coque entre deux pierres. Et La Guesle me disant à l'oreille qui il était, d'où il venait et qu'il voulait voir le roi, je l'envisageai plus curieusement et ne vis rien en lui de remarquable, sinon ses yeux, lesquels étaient grands, noirs, et brillants. Car pour le reste, il était si malingre, maigrelet, estéquit et malfaçonné que personne n'eût pu imaginer que ce rebut de la race des hommes pût jamais ébranler le trône d'un grand royaume, mais la Dieu merci, ceci ne sera rien et Henri montera dans dix jours à cheval, son intestin n'étant point touché.

— Dieu vous entende, Bellegarde! dis-je, l'œil baissé.

— Ha, dit Bellegarde, que ne peux-je, sachant ce que je sais, revenir en arrière dans le temps et me retrouver en ce jardin avec La Guesle et ce suppôt d'enfer que j'eusse alors, perçant ses desseins de mon œil clairvoyant, incontinent dagué. Mais j'étais alors aveugle comme tout un chacun, et Du Halde me venant dire que Sa Majesté était désommeillée, je partis avec lui d'un pas alerte et ouvrant lentement et largement le rideau, non sans quelque pompe et décorum dû à ce geste, puisque par lui débute la journée de mon roi, je quis comme chaque matin de Sa Majesté comment elle se portait. A quoi elle répondit joyeusement, tant la pensée de retrouver son Paris et son Louvre la ravissait, qu'Elle allait à merveille. Et à Du Halde qui lui posait, après moi (car ainsi le veut l'étiquette) la même question, elle répondit en gaussant, tant son humeur était joueuse : « Bien, Du Halde, bien ! Et mieux encore, quand tu m'auras fait apporter ma chaise percée. »

« Ce que Du Halde commanda à deux laquais de faire, mais le roi s'y asseyant nu, pour ce qu'il dormait ainsi par les chaleureux étés, Du Halde lui mit sur les épaules une robe de chambre et lui apporta les *Essais* de Michel de Montaigne dont le roi était accoutumé à lire à son lever, sur sa chaise, quelques pages, celles-ci le devant mettre en goût de raison et de bon langage pour le reste de sa journée. Du Halde, dit-il, quiers-moi ce moine que La Guesle m'amène. J'ai promis de le voir de prime.

« Du Halde les ayant en le jardin cherchés, revint avec La Guesle et ledit moine, et les fit d'abord asseoir avec les *quarante-cinq* dans la galerie qui dominait la chambre royale, ne voulant pas interrompre la lecture d'Henri. Mais celui-ci, les ayant aperçus en levant le nez, donna le livre à Du Halde et lui commanda de donner l'entrant au visiteur.

« Cependant, à peine passé le seuil, le Procureur La Guesle arrêta le jacobin d'un signe de la main, afin qu'il n'approchât pas plus outre du roi, lui prit des mains le passeport du comte de Brienne et la lettre du président Du Harlay et alla, de sa personne, remettre ledit papier au roi, lequel les lit fort curieusement, relisant, deux fois à ce que je vis, le billet du premier Président.

« — La Guesle, dit Sa Majesté, faites approcher ce jacobin.

« Ce que fit La Guesle, mais toutefois en se plaçant entre le moine et le roi. Et quant à moi, je me tenais debout du côté opposite de La Guesle, j'entends à la dextre d'Henri, ce qui était ma place ordinaire pendant les audiences, du moins quand je me trouvais être là.

« — Eh bien, mon ami, dit le roi, qu'avez-vous à me dire ?

« — Sire, dit le moine d'une voix ferme et basse, que M. le premier Président se porte bien et vous baise les mains. Ensuite que je voudrais répéter seul à Sa Majesté, parlant à sa seule oreille, le message dont il m'a chargé.

« — Qu'est-cela ? s'écria alors La Guesle comme indigné, parlez haut, mon ami ! Il n'y a personne céans en qui Sa Majesté n'ait confiance !

« Mais ces paroles n'ébranlèrent pas le jacobin d'un pouce, lequel, secouant la tête de dextre à senestre, dit d'un ton humble et les yeux baissés, que c'étaient là les instructions qu'il avait reçues, qu'il n'y faillirait pas, qu'il parlerait à l'oreille de Sa Majesté, ou point du tout.

« Oyant quoi, et voyant bien qu'il était tout à plein résolu à ne point céder, le roi, avec sa coutumière bénignité (Dois-je encore le répéter ?) dit « qu'on fasse donc comme ce religieux désire ». Et de la main, assis qu'il était toujours sur sa chaise, nu et sa robe de chambre posée sur ses épaules, il me fit signe de me reculer. Et autant à La Guesle, lequel recula comme je le fis moi-même, mais quelque peu comme moi à contrecœur et sans nous éloigner de plus d'un pas, trouvant offensante pour nous la bizarrerie de ce moine.

« Le jacobin vint alors prendre ma place à la dextre de Sa Majesté, laquelle fit le geste de tendre l'oreille vers lui et le moine se baissant, le roi étant assis pour approcher sa bouche de ladite oreille, j'entendis le roi demander à ce monstre s'il avait d'autres lettres pour lui qu'il n'eût pas voulu montrer de prime. Je n'ouïs pas la réponse du moine, mais le voyant fouiller de sa main dextre en sa manche senestre, je m'apensai qu'il les avait cachées là et qu'il allait les y prendre et les montrer au roi. Mais là-dessus je le vis faire un mouvement fort brusque en direction du roi, et le roi criant « Ha ! mon Dieu ! » se dressa de dessus sa chaise. Je vis alors le manche noir d'un couteau dans le bas-ventre du roi, duquel le sang jaillissait à flots et le roi debout, hagard, regardant le moine avec stupeur et huchant « Ha méchant ! Tu m'as tué ! » Et tout de gob arrachant le cotel de son bas-ventre, le sang en jaillissant de nouveau, il en frappa le jacobin à la face et à la poitrine.

« Pour moi me tirant alors de l'espèce de transe où m'avaient jeté la soudaineté et la brutalité de cet acte inouï, je me ruai sur ce monstre, le saisis au collet et La Guesle, saquant sur lui l'épée au poing, nous le jetâmes dans la ruelle entre le lit d'Henri et celui de Du Halde, le roi debout, tenant ses boyaux qui sortaient du ventre, et la face comme pétrifiée par l'horreur criant « Ha méchant ! Que t'avais-je fait ? »

« Ha Siorac, mon ami, ce n'était partout que cris, gémissements, pleurs et confusion, ceux des *quarante-cinq* qui se trouvaient dans la galerie accourant comme dogues déchaînés, massacrant à coups d'épée le moine et le défenestrant, M. de Bonrepaus courant çà et là en hurlant « Hé mon Dieu ! Qui a amené ce misérable ! » Et le pauvre La Guesle criant comme fol « C'est je ! C'est je ! Je n'y survivrai pas ! Je veux qu'on me tue aussi ! »

« Ha mon ami, mon ami ! poursuivit Bellegarde, en posant sa tête contre la mienne, comme si elle eût été trop lourde de son immense chagrin pour qu'il la pût seul porter, tant de bonheur hier encore ! Henri en telle liesse de retrouver Paris et son Louvre ! et ce jour d'hui tant de désolation !

— Bellegarde, dis-je, confortez-vous de grâce. Qui peut dire que la navrure sera fatale, les médecins ne s'étant pas prononcés.

— Ha ! dit Bellegarde, c'est raison parler. Il n'est que d'attendre la diagnostique.

Il n'eut pas à attendre prou, l'huis de la chambre royale s'ouvrant et Antoine Portail, suivi de Pigret et de Le Febre apparaissant, la face imperscrutable.

— Ha ! révérend docteur ! s'écria Bellegarde se jetant à lui, les yeux comme collés aux siens, et le saisissant aux épaules, qu'en est-il de la navrure du roi ?

— Je l'ai sondée, dit Antoine Portail qui était un grand et gros homme fort, les sourcils noirs très épais et le regard perçant, et ajouta-t-il sans battre un cil, je l'ai recousue. M. Le Grand, il importe que le roi repose maintenant en paix, sans être exagité par les cris, les pleurs et le désespoir des siens. Tenez-vous-le, je vous en prie, en cervelle, et pour l'amour de Dieu, dites-le à M. Du Halde.

— Mais qu'en est-il de sa vie ? s'écria Bellegarde.

— Sans danger, si l'infection ne s'y met, dit Portail en jetant un regard de côté à Pigret. J'ai dit au roi qu'il monterait à cheval dans dix jours.

— Dieu soit loué ! dit Bellegarde, et laissant le chirurgien aussi brusquement qu'il l'avait accolé, il se rua vers la chambre de son maître.

— Monsieur Portail, dis-je *sotto voce* en m'approchant de lui, je suis, comme vous savez, médecin du roi : me celerez-vous à moi aussi la vérité ?

— Nenni, dit Portail et ayant jeté un coup d'œil à l'alentour, il me dit à voix très basse, et en latin : « L'intestin est percé en deux endroits. Je ne vois pas qu'on puisse sauver le patient. »

CHAPITRE IV

Le lecteur assurément se ramentoit qu'une année après la meurtrerie de mon bien-aimé maître, je quis du Grand Prieur de m'éclaircir sur une parole obscure que Sa Majesté avait dite à son sujet la veille de l'attentement, au maréchal de Biron, à savoir qu'elle voulait qu'il devînt « comme un pont entre ses ennemis et lui ». Et le Grand Prieur, m'ayant répondu à ma satisfaction, ses larmes coulant sur ses fraîches joues de par le pâtiment que ces remembrances lui causaient, il se laissa tout soudain aller à les évoquer avec le naturel et la candeur de son âge, comme si d'en faire le conte eût percé l'apostume de son âpre chagrin, le soulageant d'autant.

— Ha! Siorac! me dit-il, me prenant la main entre les siennes (ayant, tout Enfant de France qu'il fût, des manières si cajolantes), depuis un an, il ne s'est passé de jour que je n'aie maudit le misérable aveuglement de l'homme à ne pouvoir discerner le futur dans la trame du moment présent. Sans cela, encontrant ce moine à la cour du logis de Gondi, la veille de l'assassination, l'eussé-je laissé vivre plus d'une seconde? Et le roi, le même soir, me donnant mon congé pour ouïr ses musiciens, aurais-je passé cette nuit-là à jouer frivolement à la Prime avec mes gentilshommes? ne me couchant qu'à l'aurore et dormant, Siorac! Dormant, quand le coup fatal fut porté! Ha Siorac! Que je me garde mauvaise dent de ce sommeil-là!

— Monseigneur, dis-je, eussiez-vous été à ce moment aux côtés du roi, comme Bellegarde et La Guesle, vous n'auriez pu faire davantage qu'ils ne firent.

— Je le crois, dit-il, mais avec la mine de quelqu'un qui le décroit, se berçant sans doute de cette rêveuse et tendre fallace qui veut que notre seule présence puisse protéger ceux que nous aimons. Et Dieu sait si le Grand Prieur aimait Henri, lequel lui était tout ensemble un oncle et un père, celui de par le sang l'ayant laissé orphelin à l'âge d'un an. Siorac, poursuivit-il, me serrant la main avec force entre les siennes, il reste que je dormais quand ce maudit moine enfonça son cotel dans les entrailles de mon unique parent [1], et ne fus désommeillé sur le coup de huit heures, à ce que je sus plus tard, que par un de mes valets de pied, hurlant à mes oreilles qu'on avait navré le roi! Quoi oyant, me jetant du lit où une heure plus tôt je m'étais, tout vêtu, endormi, je volai jusqu'au logis de Gondi, tout le monde y courant avec des cris et des larmes, et peu de paroles, sinon interrompues de sanglots et de soupirs.

« En cette inouïe confusion et cohue j'advins enfin à l'huis dudit logis, lequel était remparé et gardé par des archers qui refusaient l'entrant à tous, et si hors d'eux-mêmes de douleur et de rage qu'ils me l'eussent à moi refusé, si Larchant, par chance, ne m'avait reconnu. Et traversant avec lui la cour, où la veille avec vous, j'avais encontré ce démon en robe de bure, je le vis — horrible spectacle — gisant sanglant et quasi rompu sur le pavé, ce qui me fit entendre, et que c'était lui le meurtrier, et qu'on l'avait occis et défenestré, son forfait accompli. Toujours précédé de Larchant qui m'ouvrait un chemin, je passai les *quarante-cinq* qui gardaient l'escalier, l'épée au poing, grinçant des dents, jurant, et versant des larmes. Oui, Siorac! Ces hommes rudes pleuraient, ayant perdu le meilleur des maîtres! Jugez alors de ma perte à moi, et de mon dol, l'un et l'autre incommensurables à aucun autre en ce royaume! Ha! Siorac! Jugez enfin par là les sentiments qui m'exagitèrent quand, entrant dans la chambre royale, j'aperçus le roi étendu sur sa coite, sans qu'on l'eût encore pansé, le ventre inondé de sang, et sa plaie au ventre béante, cependant, la face, quoique fort pâle, sereine et composée.

« — Mon fils, me dit-il comme je me jetai à genoux à son chevet, mon fils, me dit-il de sa voix coutumière, calme et articulée, ces méchants m'ont voulu tuer, mais Dieu m'a préservé de leur malice : ceci ne sera rien.

1. Le Grand Prieur oublie ici sa tante, la reine Margot, qui survécut de longues années à Henri III, mais avec laquelle il n'eut jamais le moindre lien d'affection. (Note de Pierre de Siorac.)

« Et moi, répondant à ces paroles (qui eussent dû pourtant me conforter) par de convulsifs sanglots, François d'O et Bellegarde me prirent chacun par un bras, et me faisant lever, me conduisirent dans l'encoignure d'une fenêtre où François d'O me dit à voix basse de refréner mes larmes et mes soupirs, pour ce qu'ils ne pourraient qu'affliger Sa Majesté. Et moi, entendant, à la parfin, la raisonnableté de leur avis, j'entrepris de brider mon désarroi quant à la perte que je faisais, ne sachant pas, à la vérité, ce que j'allais devenir, m'encontrant deux fois orphelin, Henri étant, du fait de ma naissance — si illustre par mon père, si modeste par ma mère — mon unique soutien à la Cour, tant est que jusqu'ici je n'avais eu de vie, ni de moyens de vivre que par lui. En ces âpres pensers, cachant ma face toute chaffourrée de chagrin, je me cantonnai dans l'encoignure que j'ai dite tout le temps que Portail et Pigret furent à sonder la plaie du roi, mais leur tâche finie, le pansement fait, les voyant passer l'huis et gagner l'antichambre, je les y rejoignis et advenant, pour ainsi dire, dans le dos de Portail, j'ouïs de prime avec joie ce qu'il dit à Bellegarde et ensuite *sotto voce* à vous-même en latin qu'hélas j'entendis fort bien, ayant été nourri aux Lettres dès mon enfance et élevé avec tant de soins qu'il n'y a eu que la faiblesse de mon esprit qui m'ait empêché d'en profiter autant que je l'eusse dû. Tant est que prêtant encore l'oreille aux propos en latin de Portail et des autres médecins avec vous, j'ouïs que vous différiez d'avis avec eux quant au lavement qu'ils voulaient bailler au roi, mais sans entendre vos raisons, mon latin étant trop court pour aller jusque-là.

— Ha! dis-je sentant quelque mésaise à mettre en cause les révérends docteurs de ma confrérie, ces disputes sur la médication sont la règle entre médecins et ne tirent pas à conséquence. Devons-nous en parler encore?

— Plaise à vous, dit le Grand Prieur, sur le ton d'un prince qui, tout aimable qu'il fût, voulait être obéi.

— Eh bien, j'arguais que si le boyau, comme disait Portail, était percé, la pression de l'eau ferait saillir par la fente la matière excrémentielle dans la cavité du ventre, de laquelle la subséquente infection irait pourrissant le sang. Et encore que Le Febre fût de mon avis, Dortoman, Régnard et Héroard (Fogacer étant absent de Saint-Cloud) tenaient qu'il importait de toute guise de nettoyer le boyau de la matière fécale, afin que la plaie pût guérir.

— Et qui avait raison ? dit le Grand Prieur, le sourcil haut levé.

— Eux, si le boyau n'eût pas été percé. Moi, hélas, puisqu'il l'était.

— Ha ! Siorac ! s'écria le Grand Prieur, son jeune visage fort troublé de ce que je venais de dire, estimez-vous que cette médication causa la mort du roi ?

— Ho non, dis-je, que nenni ! Elle hâta sa fin, mais sans la provoquer. Henri ne pouvait en toutes guises en réchapper, l'intestin étant percé et la médecine ne connaissant aucun exemple qu'un homme ait survécu à ce prédicament.

— La Dieu merci ! dit le Grand Prieur en baissant la tête, je n'aurai pas à ajouter ce regret-là à tous ceux que je nourris jà. Mais je poursuis. Portail enallé, Bellegarde qui se dirigeait vers l'huis de la chambre royale, observant que j'avais changé de visage aux propos en latin qu'il vous avait tenus, revint sur ses pas et me demanda, ainsi que M. d'Epernon, qui se trouvait là, ce que le chirurgien vous avait dit. Toute la réponse que je leur fis fut de fondre en pleurs, et m'asseyant sur une escabelle, de m'y laisser aller, la tête dans les mains, et sanglotant mon âme. MM. Le Grand et d'Epernon voyant alors qu'ils ne pourraient tirer de moi rien d'utile, coururent après Portail qui, sur leurs vives et pressantes instances, leur dit la vérité, laquelle ils reçurent mieux que moi, toutefois en pâlissant prou et la face fort grave. Siorac, je ne vous dirai point le reste, vous le connaissez comme moi, étant entré dans cet instant dans la chambre royale à mes côtés.

— Que nenni, Monseigneur! dis-je, car j'en ressortis aussitôt, le roi m'ayant commandé d'aller sur l'heure avec M. de Ventajoux quérir Navarre et le ramener à Saint-Cloud, tant est que je fus absent alors deux grosses heures, si diligent que je voulusse être.

— Ces deux heures, dit le Grand Prieur après un silence, ces deux heures hélas, ranimèrent notre fiance et me mirent même en doutance de la pronostique de Portail, tant le roi paraissait peu pâtir et parlait d'une voix ferme, haute et articulée, ce qu'il fit après la messe, dite devant lui par son aumônier Boulogne, adressant alors devant tous une prière à son Créateur qui frappa les assistants tant par la noblesse de ses sentiments que par cette élégance de langage à laquelle Henri s'était toute sa vie exercé, y voyant un attribut véritablement royal — le premier des Français devant, selon lui, parler le français à tout le moins aussi bien que les mieux disants de ses sujets.

— J'ai ouï parler prou de cette prière publique, Monseigneur, mais sans qu'on m'en citât les paroles.

— Ha! je me les ramentois! dit le Grand Prieur car je les trouvai fort belles, mais n'ose présumer de les citer correctement, sinon que je suis assuré assez du début qui commençait par ces mots : « Mon Dieu, mon créateur et rédempteur, maintenant que je me vois dans les dernières heures de mon être, si vous connaissez que ma vie soit encore profitable à mon peuple et mon Etat, je vous prie d'en prolonger les jours. Sinon, disposez-en, selon que vous le trouverez plus à propos pour l'utilité générale de ce royaume et le salut particulier de mon âme, laquelle proteste ici que toutes ses volontés sont d'avance résignées aux décrets de votre Eternité... »

« Ha! Siorac, à voir alors la face du roi qui, quoique fort pâle, n'était travaillé d'aucune inquiétude, à ouïr sa voix, comme à son accoutumée, si ferme et si suave, on eût jugé qu'il ne pâtissait aucunement en sa chair : circonstance qui donna à tous ceux qui étaient là tant d'espoir mêlé à tant de désespoir qu'ils ne purent brider leurs pleurs davantage. De quoi Sa Majesté s'apercevant, elle sourit avec sa coutumière bénignité et dit :

— Je suis marri d'avoir affligé mes serviteurs.

Et incontinent demanda à Du Halde de lui servir de secrétaire pour ce que, ses dévotions faites, il voulait dicter une lettre à la reine Louise.

— Dont je n'eus pas, dis-je, connaissance.

— Dont, la Dieu merci, Siorac, je possède une moitié, le roi, après qu'elle fut dictée, commandant qu'on en fît des copies pour les dépêcher à d'aucunes personnes de conséquence en ce royaume. Une de ces copies, je ne sais pourquoi, resta inachevée (raison sans doute pour laquelle elle ne fut pas envoyée) et c'est elle qu'à mon instante prière et supplication, Du Halde me donna après la mort du roi, laquelle je conserve comme mon trésor le plus précieux et d'autant qu'elle est la partie la plus signifiante de la missive, la deuxième moitié que j'ouïs quand le roi la dicta n'étant que le récit de l'attentement, lequel, pour notre male heure, nous est si bien connu.

— Guimbagnette, poursuivit le Grand Prieur en s'adressant à son *majordomo* qui, assis en un coin de la chambre sur une escabelle, nous oyait, l'œil baissé et la mine chagrine, baille-moi ladite lettre.

Ce que fit Guimbagnette, les larmes roulant sur ses grosses joues, après qu'il eut retiré ladite lettre d'un coffret d'argent.

— Je vous la lis, Siorac, dit le Grand Prieur, et soit qu'il le voulût faire, soit qu'il le fît sans le vouloir, imita en cette lecture, le ton et l'articulation de mon bien-aimé maître, imitation si saisissante en sa vérité que j'en restai un moment sans voix.

— « Mamie, disait le roi (car je crus véritablement l'ouïr derechef en cette ressuscitation), après que mes ennemis ont vu que tous leurs artifices s'en allaient dissipés par la grâce de Dieu, et qu'il n'y avait plus de salut pour eux qu'en ma mort, sachant bien le zèle et la dévotion que je porte en la religion catholique, et l'accès et libre audience que je donne à tous religieux ou gens d'Eglise, quand ils veulent parler à moi, ils ont pensé n'avoir point de plus beau moyen pour parvenir à leur malheureux dessein que sous le voile et l'habit d'un religieux, violant, en cette maudite conspiration, toutes les lois divines et humaines et la foi qui doit s'attacher à l'habit d'un ecclésiastique. »

— Ha! dis-je, c'est, comme à l'accoutumée, bien pensé et bien dit. L'infamie d'avoir fait usance d'un moine en cette meurtrerie étant avec force stigmatisée, et la dénonciation de l'attentement remontant jusqu'à ses auteurs véritables, lesquels, s'ils ne sont pas nommés, sont clairement désignés. Je ne m'étonne point que le roi ait fait faire des copies de cette lettre pour la communiquer aux principaux de ce royaume, tant ladite lettre, du moins en cette partie, était plus politique que privée, et destinée d'évidence à ruiner dans l'opinion le beau renom de la soi-disant Sainte Ligue en montrant son hypocritesse cruauté et son exécrable abus des choses de la religion.

— Siorac, dit le Grand Prieur, je ne l'eusse pas dit aussi précisément que vous, mais je sentis fort bien en revanche, au moment où Henri dicta cette lettre, que si l'homme en lui pâtissait prou, il ne parlait point en ce qu'il disait à la reine en homme, mais dépassant son dol, en roi, comme il fit d'un bout à l'autre avec Navarre, quand celui-ci advint.

Lecteur, plaise à toi de me laisser prendre ici le relais du Grand Prieur pour ce qu'ayant, moi aussi, été présent à cette scène, qu'on peut bien appeler mémorable, entre le roi mourant et son héritier, je l'ai vue et ouïe d'une part comme un très fidèle serviteur de mon bien-aimé maître (ayant pour le servir, *calé la voile* et fait profession de papisme) et d'autre part, comme huguenot de cœur, sinon tout à fait d'Eglise, et fort attaché aux intérêts de mes frères persécutés, même si je ne désirais pas que leur fussent sacrifiés ceux du royaume, mais au rebours, les voir ensemble s'accommoder : ce qui était le but même du roi, comme de Navarre.

M. de Ventajoux et moi-même eûmes fort à faire pour trouver Navarre, lequel nous encontrâmes escarmouchant au faubourg Saint-Germain et quasi sous les remparts de Paris, tâchant de se saisir du Pré-aux-Clercs, dont il pensait apparemment tirer avantage pour procéder plus outre contre les murailles. Dès le premier mot que lui glissa M. de Ventajoux à l'oreille, Navarre tressaillit, mais se reprenant tout de gob, il dit à M. de La Trémoille, qui était le maître de sa cavalerie légère, de ne pas pousser le chamaillis plus outre, mais de retirer les troupes en bon ordre dès qu'il serait parti, ayant quant à lui affaire au roi à Saint-Cloud. Là-dessus, il tourna bride, et sans autre escorte qu'une dizaine de ses gentilshommes, donna des éperons et galopa son cheval à tel ventre à terre que même ma Pégase — comme j'appelais la jument que j'avais acquise à Châteaudun — eut du mal à le suivre, sans parler ici du pauvre Ventajoux qui fut impiteusement distancé, son hongre étant gras et mal allant.

Il était vers les onze heures quand Navarre eut l'entrant chez le roi, lequel me parut avoir en mon absence fort changé, et de face, et de voix, la première étant travaillée par le pâtiment et la seconde détimbrée, quoique ferme. J'observai aussi que, par instants, il se donnait peine pour reprendre son vent et haleine, et pour moi, quérant à voix basse du révérend docteur Le Febre si on lui avait baillé lavement, celui-ci me dit que oui, hélas (y étant hostile tout comme moi), et que le roi n'en avait rejeté que la moitié, preuve, ajouta-t-il en latin d'un air chagrin, que Portail avait raison, que l'intestin était percé et l'issue, par conséquent, fatale.

Le roi présenta la main à Navarre, lequel s'étant génuflexé, la baisa et de tout l'entretien, resta sur un genou, ne voulant point par respect s'asseoir sur une escabelle que sur un signe de Sa Majesté Du Halde lui avait avancée.

— Mon frère, dit Sa Majesté, vous voyez comment mes ennemis, qui sont aussi les vôtres, m'ont traité. Prenez garde qu'ils ne vous en fassent autant.

— Sire, dit Navarre, je suis bien marri de vous voir ainsi accommodé. Mais les médecins disent que vous monterez à cheval dans dix jours.

— Dieu les entende, dit le roi, mais s'il ne les entend pas, ce sera à vous, mon frère, d'exercer le droit de succession que j'ai tant travaillé à vous conserver. Le fruit de ces efforts, c'est l'état où vous me voyez : ma navrure et quasi ma mort. Cependant, je ne le regrette en aucune guise (il sourit fugitivement en prononçant le mot guise) la justice dont j'ai été le protecteur en ce royaume, voulant que vous me succédiez. Toutefois (il reprit souffle sur ce « toutefois » et envisageant Navarre d'un air grave, il ajouta) : Mon frère, vous aurez beaucoup de traverses, si vous ne vous résolvez à changer de religion. Je vous y exhorte autant pour le salut de votre âme que pour le bien que je souhaite à votre règne.

A cela je pus voir, étant debout de l'autre côté du lit, et ayant de bonnes vues sur lui, que Navarre s'encontrait excessivement embarrassé, ne voulant ni s'engager avec le roi sur le sujet de sa conversion, ni répondre par un refus à une exhortation si solennelle, ni même se taire trop longtemps.

— Ha ! Sire ! dit-il à la parfin, choisissant fort habilement de répondre à Henri plutôt sur le sujet de son « règne » que sur celui de la religion, à Dieu plaise que ce jour que vous dites arrive jamais ! Tant il y a peu apparence que vous y deviez songer, ne faillant pas votre navrure à être curée, ayant été si tôt pansée.

Oyant quoi, le roi secouant la tête en signe de dénégation, mais avec une sérénité plutôt grave que triste, envisagea les seigneurs qui étaient là fort nombreux en sa chambre — tout le privé d'un roi devant devenir de nécessité chose publique, y compris sa naissance et sa mort — et leur dit :

— Messieurs, approchez-vous.

Et attendant patiemment qu'ils eussent obéi et que s'aquiétât la noise qu'ils n'avaient pas manqué de faire en obéissant, il reprit, faisant, à ce que je vis, quelque violence à son dol, et parlant d'une voix plus haute qu'il n'eût aimé sans doute :

— Messieurs, écoutez mes dernières intentions sur les choses que vous devez observer, quand il plaira à Dieu de me faire départir de ce monde. Vous savez comment à Blois, pour éviter ma ruine entière, et la subversion de l'Etat, j'ai été contraint d'user, à l'égard de mes ennemis, de cette autorité souveraine qu'il avait plu à la Providence de me donner sur eux. Mais comme la rage qu'ils en ont conçue ne s'est terminée qu'après l'assassinat qu'ils ont commis sur ma personne (ici le roi ayant pris un temps, prononça tout soudain ce qui suivit avec une voix dont la soudaine force frappa de stupeur les assistants) : *Je vous prie comme mes amis, et vous ordonne comme votre roi* (ici il prit encore un temps) *que vous reconnaissiez après ma mort mon frère que voilà ; que vous ayez la même affection et fidélité pour lui que vous avez toujours eues pour moi, et que pour ma satisfaction, et votre propre devoir, vous lui en prêtiez le serment en ma présence.*

A cette objurgation, toute la noblesse qui se pressait là obéit d'une seule voix, encore qu'avec des sanglots et soupirs, et jura le serment qui lui était demandé (et auquel hélas ! plus d'un ne tarda pas à être infidèle) tandis que Navarre, s'étant levé, recevait ces hommages, les pleurs coulant sur sa mâle face tannée et recuite par sa vie de soldat.

Tout aussitôt, cependant, Sa Majesté, comme si elle eût été pressée d'en finir, afin que de s'abandonner à la parfin à son mal, donna ses derniers ordres.

A Navarre, elle commanda d'aller visiter tous les quartiers et de dire à La Trémoille de se tenir sur ses gardes ; à Sancy, de se rendre au quartier des Suisses ; au maréchal d'Aumont, à celui des Allemands afin que les uns et les autres demeurassent fermes dans le parti de son successeur, s'il venait à disparaître.

Tous ces commandements prononcés d'une voix ferme n'avaient rien d'un homme qui se voyait mourir, mais dès qu'il les eut donnés, se repliant pour ainsi parler sur son pauvre corps souffrant, Henri donna alors congé aux Seigneurs qui se trouvaient là, ne gardant auprès de lui, outre ses médecins, que Bellegarde, d'Epernon et le Grand Prieur. Celui-ci, agenouillé près de son lit, lui tenait les pieds et nous vint dire qu'il avait senti par une espèce de contraction des orteils que le patient pâtissait prou. Nous lui donnâmes alors un grain d'opium et il s'ensommeilla une bonne heure, mais à son réveil ne put garder le bouillon qu'on lui donna. De cette heure jusqu'à la minuit environ, la chaleur naturelle se retira petit à petit de son être et sur la minuit s'étant désommeillé comme en sursaut, il quit du Grand Prieur d'une voix faible et sur un ton très anxieux d'aller chercher son aumônier.

— Sire, dit le Grand Prieur, sentez-vous du mal ?

— Oui, dit le roi d'une voix entrecoupée, et tel que le sang me va suffoquer.

Mais tandis qu'on allait quérir Boulogne, ce qui prit quelque temps, son mal s'accrut excessivement, avec fréquentes faiblesses, douleurs extrêmes, gémissements, fièvre aiguë, soif insufférable et très grandes inquiétudes.

Boulogne survenant enfin, il se trouva trop faible pour se confesser et demanda tout soudain pourquoi on avait retiré les lumières. Ce qui nous fit entendre qu'il avait perdu la vue, toutes les bougies étant allumées.

Cependant, vers deux heures du matin, il eut une soudaine rémission et Henri recouvra ses esprits assez pour se confesser à Boulogne, quoique brièvement. Après quoi, retombant épuisé sur sa couche, il fit deux fois le signe de la croix et expira.

Nous nous jetâmes tous à genoux, hormis le Grand Prieur qui, de par son âge et son excessive sensitivité, chut de son long sur le sol, tout à plein pâmé. Tant est que sur l'ordre de Bellegarde, lequel l'aimait prou, les valets le placèrent sur une coite et le portèrent en son logis. Et M. Le Grand me priant de l'accompagner, je le suivis, tâchant de le tirer de sa faiblesse. Cependant, dès qu'il eut repris ses sens et ses couleurs, il quit de moi, l'œil égaré, s'il était constant que le roi était mort. Et sur ma réponse qu'il l'était, en effet, il se jeta dans mes bras et sanglota comme un enfant.

Dans le royaume de France, *le mort saisit le vif*. Belle lectrice dont je chéris l'apparence et estime l'esprit, je vous prie de ne point vous rebéquer à cette expression obscure, mais d'avoir la patience d'apprendre de moi ce qu'elle signifie et vous désenchaînant alors des entraves que vos pères et maris ont passées à votre entendement, me permettre d'être en le cabinet où vous vous pimplochez (votre chambrière vous tenant le miroir) le maître et régent qui vous enseignera les choses de la Nation, sans pensum ni réprimande, mais modestement assis sur une escabelle, le genou contre le vôtre, et entre deux leçons, tenant vos belles mains.

— Moussu, dit mon secrétaire Miroul en recopiant ce qu'on vient de lire de sa claire écriture, voilà une éhontée *captatio benevolentiae* [1] ! Autant vous êtes peu aimable aux pères et aux maris, autant vous l'êtes prou aux filles et aux épouses. D'où viennent ces étranges partialités ? Cornedebœuf ! Dès qu'il s'agit des dames, que de caresses ! Que de cajoleries !

— La raison en est simple, Miroul, dis-je avec un soupir, j'ai plaisir à penser que de beaux yeux me lisent.

— Ho, ho ! Moussu ! dit Miroul d'un ton vif avec un petit brillement de l'œil, ce soupir ! Ces « beaux yeux » ! Est-ce que vous poigne encore le regret de la belle drapière ?

— Miroul, dis-je en sourcillant, si tu étais mon page et que je fusse ton gouverneur, cet inquisitoire te vaudrait le fouet.

— Ha, Moussu ! dit Miroul en riant, quelle chattemitesse ire ! Comment pourrais-je ignorer, vivant en votre quotidien, que d'ores en avant pour vous, « belle drapière » et « beaux yeux » ne font qu'un ?

1. Captation de bienveillance.

A quoi je haussai l'épaule et me replongeant en ce rêveux pensement que j'ai dit, expliquai à mes lectrices que dans le royaume de France, s'agissant tout particulièrement des rois, *le mort saisit le vif*.

« — Mais comment, Monsieur, peut-il le saisir, puisqu'il est mort ?

« — Il le saisit de ses biens, lesquels entrent en la pleine possession de l'héritier, sans formalité ni cérémonie, dès la seconde où le roi mourant expire. Ainsi, le 2 août 1589, à deux heures du matin, Henri Troisième ayant perdu vent et haleine, Henri de Navarre devint Henri Quatrième. Nul besoin de le proclamer roi. Il le fut *ipso facto* [1], sans délai, retard, ni transition.

« — Je gage, Monsieur, que la raison en est que le trône ne saurait rester vacant plus d'une minute sans déchaîner des convoitises.

« — Lesquelles convoitises, Madame, s'étaient, chez les princes lorrains dont Guise était le chef, dressées en sifflant comme des serpents, dès l'instant où il apparut que Henri de Valois mourant sans enfant mâle, son héritier serait un huguenot. Beau prétexte que la différence de religion ! Belle raison pour contester sa légitimité !

« — Mais Henri III, le jour de sa mort, avait fait reconnaître Navarre par les Grands de sa Cour.

« — Partie desquels le déconnut, dès qu'Henri eut passé. Ha ! Madame, mon pauvre bien-aimé maître à peine embaumé, j'ai vu de ces yeux que voilà les mêmes personnages qui, la veille, les larmes leur coulant sur la face, avaient prêté serment à Navarre, enfoncer leurs chapeaux jusqu'aux yeux, ou les jeter par terre, fermer le poing, comploter et conciliabuler, se toucher la main et se faire mutuellement le vœu que jamais, jamais ils n'accepteraient qu'un réformé s'installât sur le trône de France ! Plutôt mourir de mille morts que souffrir un roi huguenot ! Plutôt se rendre à toutes sortes d'ennemis que d'accepter sa loi ! Madame, cette Cour écumait et

1. Par le fait même.

bouillonnait en la sauce traîtresse comme le chaudron d'une sorcière! Et d'autant qu'il y avait deux Cours! Celle du feu roi et celle de Navarre, et que celle-ci bouillonnait aussi, mais les bulles qui crevaient à sa surface trémulente parlaient un bien autre langage. Car si on ne voulait point là d'un roi qui fût huguenot, ici on ne voulait pas d'un roi qui tournât papiste. »

Henri IV — que d'ores en avant en ces pages j'appellerai le roi, en tout respect, amour et soumission, mais non cependant sans que mon cœur se serre de nommer ainsi un autre prince que mon bien-aimé maître — n'ayant point voulu, après la mort d'ycelui, se loger en Saint-Cloud en la maison de Gondi, se peut par superstition, l'avait laissé au Grand Prieur dont, en revanche, il avait pris pour lui le logis, et c'est là, en cette maison que je connaissais bien pour y avoir dormi deux nuits, la première si bien, la seconde si mal, que le roi fut par ses fidèles assailli, car si d'aucuns de ses conseillers inclinaient à la conversion du roi, mais sans l'oser dire encore — Roquelaure parce qu'il était lui-même papiste, M. de Rosny parce qu'il était politique —, bien d'autres, en revanche, et d'aucuns de la façon la plus stridente, comme le ministre Marmet, M. de La Trémoille et M. Mornay-Duplessis (qu'on surnommait le pape des huguenots) prêchaient au roi la fidélité à sa foi avec d'autant plus de véhémence que le parti du défunt roi le pressait davantage de l'abandonner.

A moi qui envisageais le roi tandis qu'il marchait qui-cy qui-là dans la grande salle du logis, oyant les avis qu'on lui donnait et n'y répondant miette, il me faut bien avouer que Sa Majesté n'était pas tant majestueuse que mon défunt maître et que se trouvant plus accoutumée à faire le soldat que le roi, il trouvait de la peine à jouer ce personnage. Pour tout dire aussi, son physique ne s'y prêtait point si bien, pour ce que Navarre avait les gambes courtes, le torse long, étant de sa dégaine peu élégant, n'ayant point la royale stature et démarche d'Henri, ses bonnes proportions, sa vêture magnifique, son imposante immobilité, ni quand il bougeait, ses gestes harmonieux, ni dès qu'il parlait, sa suave rhétorique, ni les traits du visage si raffinés, ni les yeux si beaux, si parlants et si lumineux.

Le roi que je voyais là sentait les camps, le cuir et la sueur. Le moindre de ses mouvements annonçait beaucoup de force, et dans son torse long, comme en ses gambes de coq, maigres et musculeuses, se devinait une indéfatigable énergie. Il excellait, de fait, à toutes les athlétiques exercitations. Il était fruste, sobre, actif, passait moins de temps au lit que Mayenne à table, et encore, quand il n'y était pas seul, il y gaillardait plus qu'il ne dormait. Il déjeunait d'un quignon et d'un oignon, se régalait d'une piquette, s'ensommeillait sur une botte de paille, restait dix-huit heures le cul sur une selle, se battait comme un lion, pensait comme un sage.

A en juger par son crâne, qui était vaste et son front, large et puissant, il avait, pour citer Montaigne, « la tête tant bien pleine que bien faite », ce qui se voyait au regard aigu, direct et perçant avec lequel il jugeait d'un coup, et sans errer jamais, les hommes et les situations, et à sa parole brève, rapide, toujours opportune, ne disant à chaque difficile moment très exactement que ce qu'il fallait dire et rien de plus, ni rien de moins, et connaissant tout aussi bien, et sans se tromper non plus, la minute précise où il valait mieux s'accoiser.

Sa face n'était point belle, étant se peut trop grosse pour son corps, son nez courbe et long — plus long, disait-on à son avènement, que son royaume — lequel nez, le menton avait quelque tendance à joindre. Et cependant, le roi s'encontrait à son accoutumée si pétulant, si enjoué, si gai, si gaussant, si plein d'esprit, et à toute heure et en tout lieu trouvant pour chacun le mot si juste et si cajolant que je ne sais personne qui sût résister à son irrésistible charme.

Il demandait avec des paroles aimables. Il réprimandait avec douceur. Il pardonnait avec bonne grâce. Il louait délicatement. Cependant, ayant, comme j'ai dit, à juger les hommes, une vivacité et une promptitude merveilleuses, et par-delà le commun, il était défiant à l'extrême, pour avoir été si souvent trahi, et attendant la trahison de celui qu'il caressait le plus, il ne fut jamais dupe de personne, sauf toutefois des garces.

Les deux mots dont il usait le plus dans sa conversation ordinaire étaient *raison* et *sagesse*, et de *raison* et *sagesse*, il avait plus grande part qu'aucun autre homme, hormis en ses amours qui étaient bien en sa vie la folie, ou faiblesse, sans laquelle il n'eût pas été homme, mais Dieu. Quant à sa parladure, encore qu'il ne soit pas sûr que Montaigne pensât à lui quand il discourait sur le style qu'il préférait à tous, pour moi je retrouve le roi tout entier dans la description qu'il en a faite : *Le parler que j'aime est un parler simple et naïf, tel sur le papier qu'à la bouche, un parler succulent et nerveux, court et serré, non tant délicat et peigné que véhément et brusque, déréglé, décousu, hardi, non pédantesque, mais militaire.*

Heureux, certes, dans les combats, mais malheureux en sa matrimonie, le roi avait l'infortune d'être sans reine, s'étant de prime éloigné de la reine Margot — épine dans sa chair — pour ce qu'elle putassait, et l'ayant à la parfin serrée en geôle pour avoir attenté de le faire empoisonner. Il en souffrait un petit dans sa gloire, mais fort peu dans son cœur, étant atteint d'une plus poignante navrure, née de la contrainte où il s'était encontré, sa vie durant, de passer d'une religion à l'autre.

Et puisque aussi bien ses ennemis n'ont cessé de lui faire reproche des traverses et des nécessités qui l'ont courbé à ces successives conversions, plaise à toi, lecteur, de me permettre de ramentevoir, sinon à toi-même, du moins à nos petits-enfants et à nos arrière-neveux ce qu'il en est de ce grief.

Né catholique, son père Antoine de Bourbon, adoptant la réforme, l'avait à six ans, converti au protestantisme. Puis deux ans plus tard, revenant à la religion de ses pères, cette tête folle d'Antoine avait obligé son fils, à coups de fouet, à retourner à messe. Navarre avait huit ans. Un an plus tard, Antoine arquebusé au siège de Rouen, s'étant par infantile forfanterie dressé debout sur le talus d'une tranchée pour pisser, la mère de Navarre reconvertit son fils à la religion réformée. Il avait neuf ans. Dix ans plus tard, à l'aube de la Saint-Barthélemy, son beau-frère Charles IX le somma, le cotel à la gorge, de choisir entre « la messe ou la mort ». Il avait dix-neuf ans. Il choisit de vivre. Quatre ans plus tard, Navarre, prisonnier de fait de Catherine de Médicis, au Louvre, s'évada de sa geôle dorée, retrouva les siens et se reconvertit à leur religion. Il avait vingt-trois ans.

De sa sixième à sa vingt-troisième année, l'inexorable pression des circonstances l'avait donc contraint à changer cinq fois de religion. Et ce jour-là que je conte en ces présentes lignes, le 3 août 1589, roi depuis quelques heures à peine, le voilà furieusement pressé par les uns de demeurer fidèle à sa foi huguenote et par les autres de l'abjurer. Cependant, s'il y consent, ce ne sera rien de moins que sa sixième conversion et qui la pourra croire sincère? Etant assurément la plus illustre victime de l'inouï encharnement des Eglises dans le trouble de nos temps, quoi que Navarre fasse ce jour d'hui, il est bien assuré qu'on va de prime, et de part et d'autre, suspecter sa bonne foi.

N'est-ce pas, ami lecteur, une chose véritablement infâme que ce siècle, ayant exercé de telles violences sur une âme, peuve ensuite, par un comble d'iniquité, lui en tenir rigueur?

— Ha! Sire! disait Marmet, le ministre de la religion, en ce colloque que j'ai dit, tandis que le roi, incapable de se tenir assis, sauf sur une selle de cheval qui mouvait sous lui, marchait qui-cy qui-là dans la salle de son pas nerveux de montagnard, pouvez-vous devenir catholique sans violer lâchement (à cet adverbe, le roi cilla, mais continua à se taire) la foi et l'amour que vous avez si souvent jurés aux réformés, et vous, chef, abandonner vos troupes?

A quoi le roi ne répondant rien, mais poursuivant sa navette, le front baissé, l'œil à terre et les mains derrière le dos, Mornay-Duplessis — « le pape des huguenots » — ajouta :

— Sire, tant plus Henri III vous a requis de vous convertir, tant plus vous lui refusâtes. Ce que vous avez tant de fois dénié à votre souverain, l'allez-vous accorder à vos sujets ? Un sujet n'a point ployé sous son roi. Un roi ploiera-t-il sous ses sujets ?

A quoi Henri ne fit d'autre réponse que de lever un sourcil pour montrer qu'il avait ouï.

— Sire, dit La Trémoille, le maître de sa cavalerie légère, aucun catholique n'acceptera, dit-on, de se soumettre à un roi hérétique. Vramy, pour quelle raison ? Un roi catholique a bien employé des réformés à son service. Pourquoi les catholiques refuseraient-ils de servir un roi de la religion réformée ?

A quoi Henri hocha la tête et jeta un coup d'œil à Mornay-Duplessis comme pour l'encourager à parler de nouveau.

— Sire, dit Mornay-Duplessis, on oppose que c'est chose nouvelle de voir un roi huguenot. La nouveauté, est-ce le vice de la chose même ? Il est nouveau certes, qu'un huguenot commande en France, mais non en Angleterre, en Ecosse, au Danemark et au royaume de Navarre.

Ici, Henri fit une petite moue qui montrait, soit qu'il était peu touché par cet argument, soit qu'au rebours il le prenait à compte.

— Sire, dit La Trémoille — grand seigneur qui commandait quasiment à toute la noblesse huguenote du Poitou et qui l'avait amenée à Navarre —, il faut trancher !

A cette impatiente objurgation, Henri leva derechef un sourcil, mais sans davantage mot piper, ce qui tant impatienta La Trémoille qu'il se décida à jeter dans le chamaillis le plus gros et le plus lourd de sa troupe.

— Sire, reprit-il d'une voix forte, il importe sans retard de trancher, et dans le sens que nous avons dit. Car, ne doutez point, Sire, que si vous abandonnez votre ancien parti des réformés, ils ne vous abandonnent tout aussitôt!...

À cette adresse, dont la forme seule gardait quelque apparence de respect, le fond étant si menaçant, le roi cilla, pour ce que, même s'il était assuré de n'être pas abandonné par tous ses compagnons, il ne pouvait douter l'être, après ceci, par La Trémoille et sa cavalerie légère. Il n'en persista pas moins dans son silence en lequel, toutefois, il me sembla saisir maintenant une nuance de désapprobation quant aux propos qu'il venait d'ouïr. Ce qu'entendirent fort bien, je crois, le ministre Marmet et Mornay-Duplessis pour ce que d'un commun accord, ils s'accoisèrent l'un l'autre, ne voulant pas paraître renchérir sur les paroles de La Trémoille.

Cet étrange colloque où l'interlocuteur principal ne disait mot ni demi, laissant sa mine et sa mimique parler pour lui, prit fin avec l'arrivée en la chambre royale d'une délégation des principaux serviteurs du feu roi, lesquels avaient choisi pour porte-parole François d'O — d'Epernon, combien qu'il fût présent, et bien au-dessus de François d'O dans l'Etat, étant duc et pair, n'ayant pas voulu d'un rollet qui l'engageait trop avant dans l'affaire.

Dès que l'entrant fut baillé, sur l'ordre du roi, par son chambellan M. de L'Estelle (lequel il appelait « crapaud », de par la ressemblance de sa face avec cet animal, Sa Majesté, tout comme Sa Majesté, la reine d'Angleterre, aimant donner des surnoms à ses gens, Bellegarde étant devenu de prime *feuille morte* du fait de son teint tirant vers le jaune), la délégation des *serviteurs du feu roi* — comme elle s'était nommée, échangea de peu amènes regards avec les conseillers de Navarre, ceux-ci les contrenvisageant sans amour aucune, se doutant bien que le blé que ces seigneurs apportaient au moulin royal ne ferait pas farine à leur goût. Et je ne sais si cette bataille des yeux roidit le discours de François d'O, mais dès qu'il ouvrit la bouche, on eût cru voir des vipères s'en échapper, tant empoisonnés, rebelleux, maillotiniers et discourtois parurent ses propos, lesquels sommaient Navarre d'abandonner incontinent sa foi huguenote, condition hors laquelle sa légitimité de roi de France ne serait point par eux reconnue.

— Sire, dit François d'O, parlant d'une voix haute et claire, le royaume qui vous advient ce jour n'étant point une succession à mépriser, il la faudrait cueillir avec les conditions qui l'environnent. C'est pourquoi nous nous sommes apensés que vous devriez considérer très précisément de quelle religion sont en ce royaume les princes du sang, les officiers de la Couronne, les Parlements, les trois Ordres et l'ensemble du populaire. C'est pourquoi il vous faut considérer aussi qu'aucun roi jusqu'à ce jour ne fût tenu pour tel en ce royaume sans être sacré et oint, le sacre étant pour ainsi parler les arrhes et les marques des rois de France, à telle enseigne que sans être sacré et oint, ils ne sauraient véritablement régner. Nous tenons, donc, Sire, qu'il vous faut embrasser la religion du royaume avec le royaume même — ou à tout le moins consigner dès maintenant une promesse de vous faire instruire dans peu de jours en la religion catholique — ou bien choisir les misères d'un roi de Navarre et fuir le bonheur et l'excellente condition d'un roi de France.

Le roi, à ouïr cette quasi-sommation, ne put rester la face tant imperscrutable qu'il l'eût peut-être souhaité. Il pâlit de prime tout ensemble de colère et de crainte et arrêtant sa marche pendulaire et se tournant d'un bloc vers les *serviteurs du feu roi* (qui d'évidence n'étaient pas encore les siens) il les affronta et d'un ton abrupt, quoique cependant avec courtoisie, il dit, ses mots brusques et nerveux jaillissant de sa bouche comme carreaux d'arbalète :

— Messieurs, je proteste contre cette violence de me prendre ainsi à la gorge sur le premier pas de mon avènement, et de me vouloir quasiment sommer de me dépouiller l'âme et le cœur à l'entrée de la royauté ! Ha ! Messieurs ! Cette sommation (il accentua le mot avec force) de changer ma religion, elle me fut faite toute ma vie ! Mais comment ? La dague à la gorge ! Quand je n'eusse point eu respect à ma conscience, celui de mon honneur m'eût empêché d'y donner suite ! Messieurs, poursuivit-il avec véhémence, avoir été nourri, instruit et élevé en une profession de foi, et tout soudain, sans ouïr et sans parler, tout soudain, dis-je, se rejeter de l'autre côté, non Messieurs, ce ne sera jamais le roi de Navarre qui fera cela, y eût-il trente couronnes à gagner !

A ces paroles véhémentes, à ce « non » clair et abrupt, je vis, à envisager les faces à la ronde, celles des conseillers huguenots s'épanouir et en revanche, se rembrunir et se clore excessivement celles des serviteurs du feu roi. Ce que voyant Navarre, qui tout en parlant n'avait cessé de darder à l'alentour son regard perçant, il entreprit avec la vivacité coutumière de ses subtils retournements d'adoucir l'effet de ces propos, comme si, ayant parlé de prime en soldat, il se souciait d'ores en avant d'exprimer sa position davantage en diplomate, arrondissant son vinaigre de toute l'huile qui lui parut nécessaire.

— Or, Messieurs, reprit-il d'un ton bonhomme en marchant vers les serviteurs du feu roi, ses deux mains ouvertes comme pour serrer les leurs, or, Messieurs, laissons cela ! Si par la prière que vous m'avez faite, vous désirez seulement le salut de mon âme, je vous remercie. Mais si vous ne souhaitez ma conversion que pour la crainte qu'un jour je vous contraigne à vous convertir, vous errez ! Mes actions répondent à cela. En outre, Messieurs, est-il vraisemblable qu'une poignée de gens de ma religion puisse contraindre un nombre infini de catholiques à une conversion à laquelle, en un demi-siècle de combat, ce nombre infini n'a pu réduire cette poignée ?

C'était bien dit, avec cette éclatante raisonnableté qui marquait les moindres propos de Navarre, et encore que dans l'esprit de certains des serviteurs du feu roi, la religion ne fût, se peut, que le voile qui masquait de plus égoïstes calculs, et la poursuite, en les troubles du temps, de quelques très particuliers intérêts, ceux d'entre eux dont la sincérité était moins dubitable, ne faillirent pas à être ébranlés par la pertinence de cet argument. Ce que voyant le roi, dont le regard clair scrutait tour à tour les faces qu'il avait devant lui, il prit tout soudain un air grave et, quittant son ton familier, il dit non sans quelque solennité :

— Messieurs, je promets céans et je promettrai demain par écrit dans une lettre missive envoyée aux principaux de ce royaume, de maintenir et conserver en ledit royaume la religion catholique, apostolique et romaine en son entier sans y rien innover, ni changer chose aucune.

Mais voyant bien que cette promesse — pour importante qu'elle fût par la neuve tolérance qui l'inspirait — ne satisfaisait que maigrement le zèle de ses interlocuteurs, le roi reprit sa marche qui-cy qui-là dans la salle, les mains derrière le dos, et après un temps qui me parut fort long, revenant à la parfin devant eux, et résolu tout soudain à aller plus loin dans la voie des concessions, quoique gardant toujours, ce faisant, son ton abrupt et militaire, il dit :

— Messieurs, touchant le sujet de ma religion, je prie que vous laissiez quelque peu la bride à ma conscience. De grâce, ne me pressez ni ne me contraignez. Instruisez-moi. Je ne suis pas opiniâtre. Prenez le chemin d'instruire. Vous y profiterez infiniment. Car si vous me montrez une autre vérité que celle que je crois, je m'y rendrai...

Promesse assurément, mais tout ensemble formelle et vague, qui l'engageait sans le lier, et dont je vis bien à envisager les faces qui m'entouraient qu'elle alarmait excessivement les conseillers huguenots du roi sans toutefois tout à plein persuader les seigneurs catholiques et ceux, en particulier dont le secret dessein (possédant en propre quelques troupes) était de demeurer dans l'expectative entre la Ligue et le roi, afin que de pouvoir barguigner leur concours au plus offrant, ou au plus victorieux.

Non que les défections qui suivirent ce colloque fussent plus importantes du côté catholique que du côté huguenot : si d'Epernon, tout en protestant de sa fidélité au roi, quitta le camp royal en remmenant les troupes nombreuses qu'il avait levées pour mon défunt maître, La Trémoille, de son côté, n'eut pas scrupule d'en faire autant avec ses nobles réformés : de 40 000 hommes sains et bien armés que comptait l'armée royale le 1er août, elle tomba le 3 à 20 000 à peine, sans qu'il y eût aucun moyen de recruter d'autres soldats, les caisses royales étant vides.

— Messieurs, dit le roi, au soir de cette scène étrange, à ceux qui, dans les dents de sa mauvaise fortune, s'obstinaient à le vouloir servir, je vous sais un gré infini de votre fidélité et d'autant...

S'interrompant alors et souriant tout soudain avec cette gausserie qui cachait le plus souvent une émerveillable force d'âme, il ajouta, le sourcil haut et l'œil malicieux :

— ... d'autant, Messieurs, que vous avez devant vous un mari sans femme, un général sans argent, et un roi sans couronne.

Devant que le roi fût contraint de lever le siège de Paris, n'ayant plus assez d'hommes pour le poursuivre, la male heure voulut que je fusse blessé au bras senestre d'une arquebusade qui me fut tirée du haut des murailles de la ville comme nous escarmouchions à son pied dans le faubourg Saint-Germain. Sur quoi, ramené au logis de Gondi par M. de Rosny et son écuyer Maignan, tous deux encadrant ma Pégase, pour ce que j'y branlais fort, ne tenant ma bride que d'une main, saignant prou et tout prêt à pâmer, Rosny me mit au lit, me fit incontinent panser par son chirurgien, et me venant visiter le lendemain, me dit se réjouir de me voir bonne face, peu de fièvre et bon espoir de curation rapide, laquelle, toutefois, selon le chirurgien, et moi-même, allait bien prendre un bon mois, du moins avant que l'usance de mon bras me revînt en son entièreté. Là-dessus, n'ignorant pas que je savais l'anglais, ayant été, au moment du procès de Marie

Stuart, dépêché par le feu roi à Elizabeth dans les bagages du pompeux Pomponne, pour porter à cette grande reine un message secret (et tout contraire à celui de l'ambassadeur), il me requit de traduire une lettre de Navarre, à cette même princesse adressée, où, l'ayant appelée, sa *très chère et très aimée sœur et cousine*, il se voulait *condouloir avec elle de la meurtrerie du défunt roi* et par-dessus le tout, *travailler avec elle à la continuation et plus étroit lien d'une bonne et assurée amitié et intelligence entre Elle et lui pour le bien commun de leurs affaires*.

Je dictais incontinent en anglais cette missive dont j'entendis mieux le dessein, quand Rosny m'apprit que le roi allait lever le siège de sa capitale, et ayant mené le corps du défunt roi à Compiègne (ne le pouvant enterrer à Saint-Denis qui était aux mains des ligueux) se retirerait ensuite avec ses troupes à Dieppe, où il savait qu'il serait bien reçu des manants et habitants, tant pour s'y remparer contre Mayenne qui rassemblait contre lui une immense armée que pour assurer ses liaisons par mer avec Elizabeth, dont il attendait subsides et secours, la reine d'Angleterre ayant tant d'intérêt à ce qu'Henri IV ne succombât point sous les coups de la Ligue et de Philippe II, sachant bien qu'elle serait alors la plus proche cible et victime en ce mortel combat du papisme contre « l'hérésie ».

Comme M. de Rosny m'allait quitter, je voulus savoir de lui pourquoi le 3 août il n'avait pas conseillé au roi de se convertir, n'ignorant pas que tout ferme huguenot qu'il fût lui-même, Rosny tenait pour la conversion du souverain, n'estimant point possible qu'un prince huguenot pût raisonnablement régner sur un « nombre infini » de catholiques.

— Ha! dit Rosny, c'est trop tôt! Et le roi est encore trop faible! S'il abjurait de présent, il serait en grand hasard de perdre son parti sans être assuré d'en retrouver un autre! Ramentez-vous, Siorac, comment les ligueux affectaient de suspecter la religion du défunt roi, qui était pourtant fort dévot, pour la seule raison qu'il ne voulait pas l'éradication par le fer et le feu de ses sujets réformés. Navarre catholique, ce serait bien pis! Catholique, il ne le serait jamais assez! Ces mutins, pour qui la religion n'est que prétexte à révolte, disent chattemitement de présent : *Ha! Si seulement il était* catholique et demain, s'il se convertit, ils diront : *Ha! si seulement il était bon catholique!* Et après-demain, ils ne failliront pas à dire : *Cela lui a peu coûté d'aller à messe! Ce n'est jamais que la sixième fois qu'il se convertit! Ha! si seulement Navarre avait quelque brin de religion!*

— Et en a-t-il? dis-je tout à plat.

A quoi Rosny cilla fort, et m'envisageant de son œil bleu, me dit :

— Et vous, Baron de Siorac, en avez-vous?

— Certes! Certes! dis-je, fort béant de cette soudaine attaque.

— Pourtant, dit Rosny, vous n'avez pas fait scrupule, pour servir le défunt roi, de *caler la voile* et de vous faire papiste.

— Du bout du bec, dis-je.

— Mais, dit Rosny, quelle sorte de religion est-ce là qu'on ne professe que de bouche et que le cœur renie?

— Je vous entends, dis-je, mais je crains que vous ne m'entendiez pas. Il est vrai que je n'ois la messe que d'une oreille et que je ne vais à confesse que d'une fesse. Mais ce n'est pas à dire que je sois skeptique. J'adore le Christ au-delà des Eglises.

— Ha! dit Rosny, voilà qui est clair. Vous pensez qu'il vous est loisible de faire votre salut dans l'une ou l'autre, indifféremment, de nos deux religions.

— Oui-da, Monsieur de Rosny! C'est cela, fort précisément que je crois! Peu me chaut, à la fin des fins, la façon du culte. Ce qui m'importe, c'est le Dieu.

— Eh bien, Siorac, dit M. de Rosny avec un victorieux sourire, je serais fort étonné si en son for Navarre ne partageait pas votre sentiment... Ce qui, ajouta-t-il avec un soupçon de gausserie, lui rendra les choses si faciles, quand le moment sera venu...

— Le suivrez-vous en cette voie? dis-je au bout d'un moment.

— Nenni, dit Rosny roidement, rien ne requiert de ma personne ce sacrifice, puisque je n'ai pas, moi, de peuple à pacifier, ni de royaume à rétablir.

Il tint parole. Créé plus tard duc et pair de Sully, haussé par le roi au second rang dans l'Etat, et devenu le grand ministre que l'on sait, il ne renia mie sa foi huguenote. Raison pour quoi il ne put jamais, étant réformé, recevoir l'Ordre du Saint-Esprit, étant le seul duc et pair à ne l'avoir pas. Ce qui navra à ce point sa paonnante vanité qu'il se fabriqua un Ordre à lui tout seul, portant en sautoir, à l'accoutumée, sur la poitrine, une effigie en or d'Henri IV, garnie de diamants et de perles. Ha! merveilleux Rosny! Si piaffeur et si vertueux qu'on ne peut sourire de sa piaffe sans vénérer sa vertu. *A very eccentric Lord!* disait my Lady Stafford, la femme de l'ambassadeur d'Angleterre. Un *bizarre*, disait le roi, qui le prisait prou. Que n'avons-nous en ce royaume plus de *bizarres* de ce bon métal! Et un peu moins de ces avisés renards qui, au lieu que d'apporter leur concours en des temps difficiles au souverain, le lui barguignent et le lui vendent!

Le lendemain de sa visite, ma fièvre monta avec un assez fort pâtiment en mon bras navré, ce qui me fit craindre que l'infection ne s'y mît et qu'on ne fût obligé de me le couper pour prévenir la gangrène. Opération que déjà envisageait le chirurgien, mais sans que j'y donnasse mon assentiment, préférant, pour dire le vrai, me mettre au hasard de ma vie plutôt que perdre la symétrie de mon corps. Mon Miroul qui ne me quittait point et mes gens éplorés (même mes pages s'étaient assouagés, ne voulant pas que leur noise me troublât) me suppliaient d'y consentir, mais je ne le voulus point, et fis bien, comme l'heureuse issue le montra.

Je fus pourtant quelques jours et nuits à pâtir et même à délirer, délires pendant lesquels tous ceux que j'aimais et que je m'apprêtais, en mon pensement, à quitter, passèrent devant mes yeux en une infinie procession! Mon père, mon joli frère Samson, ma petite sœur Catherine, Quéribus mon beau muguet de cour, le révérend docteur Fogacer, le maître en fait d'armes Giacomi, tout ensemble mon immutable ami et mon beau-frère, puisqu'il avait marié Larissa, la jumelle de mon épouse, celle-ci enfin et les beaux enfants qu'elle m'avait baillés. Je ne sais pourquoi c'est en mon natal Mespech que je les encontrais tous en mes rêves fiévreux, alors même qu'ils en étaient tous, comme moi-même, partis de longtemps, éparpillés et dispersés en le royaume. On eût dit que semblable à l'animal blessé qui, regagnant sa tanière, s'y ococoule pour lécher ses navrures, j'avais grand besoin de me retrouver par l'imaginative en mon nid crénelé pour reprendre des forces au contact de la terre qui m'avait vu naître, et me raccrocher à la vie par le truchement de ceux qui m'y avaient aimé.

Au matin du 15 août, ma fièvre baissa, le dol de mon bras parut s'ensommeiller, et déclosant mon œil, je me trouvai fort étonné de voir avec une clarté nouvelle en tous ses précis contours, la face de mon gentil Miroul, laquelle m'apparut toute chaffourrée de chagrin.

— Eh quoi, mon Miroul, dis-je, tu sanglotes? Ne vois-tu pas que je vais mieux?

— Ha! que si, Moussu, dit-il d'une voix entrecoupée, je le vois! et bien le sais-je aussi, le chirurgien de M. de Rosny tenant que votre bras va vers sa curation, et que la gangrène ne s'y mettra point.

— Comment se fait-il donc que je te voie pleureux et gémissant?

— Ha! Moussu! ce n'est point pour votre santé que je me fonds en eau, car la Dieu merci, vous voilà sauf, et votre bras aussi, sans lequel vous ne sauriez tenir une épée, mais pour ce que j'ai deux nouvelles à vous apprendre des vôtres, qui sont l'une et l'autre excessivement larmoyables.

— Quoi! criai-je, le cœur me toquant les côtes, et me dressant tant brusquement sur mon séant que mon bras dextre me fit mal. Des miens! Tu dis des miens! De quels miens s'agit-il? De mon père? De Samson? De mon Angelina? De mes enfants? Parle, Miroul, au nom du ciel!

— Nenni! nenni! ces proches-là que je dis ne vous sont pas tant proches, combien que vous les aimiez prou et moi aussi, dit Miroul, lequel, à ce que je vis, ne m'avait fait craindre le pis que pour atténuer les coups qu'il allait me porter... Moussu, le maître en fait d'armes Giacomi fut tué hier en escarmouche par un félon à qui, l'ayant désarmé de son épée, il avait laissé, en sa noble âme, la vie, ce méchant lui tirant un coup de pistolet dans les reins dès qu'il eut tourné bride.

— Ha, dis-je, me cachant les yeux de ma main, Giacomi était un vrai maître à l'italienne, réglé, chevaleresque, humain. Il n'était point fait pour ces combats cruels et sans loi, où le frère égorge le frère qui vient de l'épargner. Bien sais-je qu'il n'a voulu mie user en ces corps à corps de la botte secrète qu'il m'a enseignée, pour ce qu'en la délicatesse de son cœur, il y voyait pour lui-même un trop grand avantage. Cornedebœuf! Etre occis par-derrière d'un traître coup! Ha! Miroul! celui qui a dit que l'homme est un loup pour l'homme, n'a pas calomnié l'homme, mais le loup!

Ayant dit, je m'accoisai, adressant une prière à voix basse au ciel pour ce pauvre frère mien qui venait de passer, sans que je l'eusse revu, ni même à sa tombe accompagné.

— Moussu, dit Miroul, hélas, ce n'est pas tout.

— *Diga me*, dis-je, le souffle court, comme si parler d'oc m'eût donné plus de cœur pour accueillir le coup qu'il m'annonçait.

— Durant que vous déliriez, Moussu, nous avons reçu une lettre de Montfort l'Amaury, et celle-ci, bien qu'étant à vous-même adressée, se trouvant écrite, quant à l'adresse, de la main de ma Florine, j'ai pris, Moussu, la liberté de la déclore, craignant qu'il ne fût arrivé quelque mal à Madame votre épouse. La Dieu merci, poursuivit-il hâtivement, il n'en est rien. Mademoiselle Angelina est sauve, et n'a dicté la lettre à ma Florine que parce que la goutte gonflait et raidissait son pouce.

— Miroul! dis-je soulagé et cependant le nœud de la gorge à me faire mal se nouant, que dit cette lettre?

— Tenez, Moussu, je ne saurais la lire. Je pâtis trop à annoncer moi-même tant de morts.

Prenant alors de ma main senestre la lettre qu'il me tendait, j'y jetai les yeux et vis au premier mot qu'elle m'apprenait la mort de Larissa. Tant âprement que me poignit cette déplorée nouvelle, j'en fus encore plus étonné, n'en croyant pas mes yeux de cette étrange coïncidence du mari et de l'épouse fauchés tous deux quasi dans le même temps, tant est que je voulus voir de prime dans l'une des deux disparitions la conséquence de l'autre. Et lisant dans ladite lettre que Larissa avait été emportée en quelques heures d'un « transport au cerveau », je crus que la fatale arquebusade de Giacomi, toquant un esprit trop faible, avait amené cette funeste issue. Mais comme me le fit observer Miroul, il n'en était rien, la lettre étant datée du 11 août, et Giacomi ayant succombé le 13 à sa navrure, suivant, et non précédant Larissa dans la mort, et quant à lui aussi, ignorant miséricordieusement que son épouse n'était plus, quand lui-même mourut.

De son vivant, j'avais éprouvé pour Larissa des sentiments fort mêlés pour ce qu'elle était tout ensemble si semblable à mon Angelina par sa corporelle enveloppe, et si différente d'elle en son être moral. Elles étaient jumelles, comme j'ai dit, et plus malaisées à distinguer l'une de l'autre que deux grains de sable dans les déserts d'Arabie. La taille, la charnure, l'œil, les traits, la voix, les pas et la démarche, tout était, de l'une à l'autre, tant identique qu'on ne pouvait que les confondre, sauf toutefois que la nature avait voulu mettre une marque distinctive sur la face de Larissa : une petite verrue sur le côté senestre du visage, entre le menton et la commissure de la lèvre, verrue qui, si petite qu'elle fût, désolait tant Larissa que non contente de la dissimuler sous un point de pimplochement, elle avait obtenu de la bénignité d'Angelina qu'elle simulât en même place par le même artifice le grain de beauté qu'elle-même contrefeignait : Ce qui à moi-même eût rendu leur identification impossible, si le jésuite Samarcas ne m'avait appris, en passant mon doigt sur cette mouche, à y sentir, ou à n'y sentir pas, le relief qui était dessous.

Il s'en fallait de prou toutefois que l'identité des jumelles se poursuivît de la surface au cœur et de l'écorce à l'âme. A treize ans, Larissa avait été surprise à coqueliquer en sa chambre avec un page qui appartenait à son père, et celui-ci, en son ire, mettant l'épée à la main, le page, en sa terreur, s'était défenestré, et sur le pavé de la cour, rompu le col. Sur quoi Larissa se jetant sur la chambrière qui l'avait trahie, la dagua, et tomba incontinent dans un désordre si extravagant qu'on la crut possédée du démon. A'steure se versant à terre, elle s'y roulait en convulsions, battait et graffignait soi et poussait, des heures durant, de stridentes hurlades. A'steure se relevant, dénattant ses cheveux, et se mettant nue, elle courait par le château, se ruant à tout homme qu'elle encontrait, jeune ou vieil, et l'accolant avec un visage enflammé, proférait d'une voix rauque mille lubriques invites et incitations.

M. de Montcalm, son père, cuidant Larissa possédée, et ayant failli à la faire exorciser par un capucin de Montpellier, craignit qu'on ne la brûlât vive comme étant habitée par le diable, et la serra dans un couvent dont, après quelques années, le jésuite Samarcas, ayant établi sur elle une complète domination, la fit sortir, curée apparemment de ses folies. Avec le consentement de M. de Montcalm, Samarcas, alors, se l'attacha au point qu'elle ne le quitta plus, même en ses périlleuses expéditions à Londres, car plus encharné ligueux et plus indéfatigable comploteur que ce jésuite jamais ne fut, lequel, à la parfin, perdit la vie au milieu des toiles qu'il avait tissées, condamné à mort par les juges d'Elizabeth et supplicié sur la place publique pour avoir pris part à la conspiration de Babington. Ceci se passait dans le moment de ma mission (dans les bagages du pompeux Pomponne) à Londres, et tant fut satisfaite la reine de mon secret message qu'en récompense de mon truchement, elle voulut bien déclore Larissa de sa geôle où, comme complice et connivente de Samarcas, on l'avait enfermée et me permit de la ramener en ce royaume, où le maître en fait d'armes Giacomi, qui en était de longue date raffolé, la maria.

Je fus à la vérité fort soulagé de ce mariage pour ce qu'il mit fin à la mésaise où me jetait avec Larissa un commerce ambigueux. Et comment eût-il pu ne pas être tel, ni mon cœur ni mon corps ne pouvant rester à elle tout à plein indifférent, Larissa étant si étrangement semblable à mon aimée et se voulant en outre tant identique à elle que l'amour que je trouvais dans l'œil de mon Angelina, je l'encontrais coutumièrement dans le sien, mais sans la réserve et pudeur que mon épouse y mettait, mais bien au rebours, criant et appétant. Ces regards, si fort que je les réprouvasse, ne manquaient pas de me troubler, et de ce trouble concevant des remords, je ne laissais pas de garder à Larissa quelque mauvaise dent de ce qu'elle les eût provoqués et, me cuirassant d'autant, je mettais entre elle et moi une distance et une froidure qui n'étaient assurément point en mes sentiments, et dont Angelina, dans sa colombine innocence, me faisait parfois reproche.

Le lendemain du jour qui m'apporta de si larmoyables nouvelles, M. de Rosny me vint visiter pour se condouloir de prime avec moi, et pour me dire ensuite que le roi, levant le siège de Paris faute d'une armée suffisante pour le poursuivre et s'en allant se remparer à Dieppe, il avait quis de lui et obtenu mon congé, pour que je pusse aller convalescer en ma seigneurie du Chêne Rogneux en Montfort l'Amaury et conforter ma famille des pertes qu'elle avait subies. En sa coutumière et quasi paternelle bénignité de cœur (combien que je fusse de dix ans son aîné) M. de Rosny me prêta une demi-douzaine d'arquebusiers pour renforcer ma petite suite, et me recommanda de me bien garnir en pécunes pour payer péage aux troupes papistes, sur lesquelles, en mon chemin, je me pourrais buter. Mais la Dieu merci, je n'en encontrai pas la moindre, Mayenne, en ces temps-là, battant tambour et sonnant trompettes, pour rameuter les zélés contre leur légitime souverain.

Mon cœur me toqua en mon poitrail dilaté quand j'aperçus dans les brumes de l'aube les tours de ma baronnie. Mon pauvre bien-aimé maître avait été avec moi tant libéral à récompenser mes services que j'avais, au cours des ans, avec les clicailles qu'il m'avait baillées, non point seulement étendu mes terres par de judicieux achats, mais immensément fortifié le château même, au point de le rendre inexpugnable, sauf par une troupe qui possédât canons. Je sais bien qu'il n'est bons murs que de bons hommes, et que le plus abrupt rempart n'est rien, s'il n'est bien défendu. Mais justement, les six arquebusiers de Rosny, ajoutés à mon domestique, faisaient une troupe d'une bonne vingtaine de gens de pié, à qui je donnais Pissebœuf comme sergent et mon écuyer Saint-Ange, comme capitaine, lesquels, de tout le temps que je fus là, les exercèrent quotidiennement dans les murs et hors les murs, ce déploiement devant imposer quelque respect aux ligueux circonvoisins. Il est vrai que les plus encharnés d'entre eux avaient rejoint Mayenne, mi par zèle, mi par appétit de sac et de forcement — comme s'était bien vu à Tours — et que ne restaient en le plat pays que les plus modérés, ou ceux qui, en leur prudence, attendaient la décision des armes pour se déclarer.

Le plus insigne de ceux-là était Ameline, le curé de Montfort l'Amaury, qui fut la première personne que j'encontrai dans la salle de mon logis, lequel s'étonnant de me voir là, et moi, dans l'inspiration du moment lui cachant ma navrure (comme je le pouvais bien faire, mon bras n'étant plus en écharpe) je lui dis que je m'étais retiré dans mes terres pour ce qu'étant catholique, j'avais scrupule en ma conscience à servir un roi huguenot, à tout le moins tant qu'il ne se convertirait point. Le curé Ameline me loua d'autant plus hautement de ce scrupule qu'il pensa deviner derrière lui la temporelle circonspection — qui était aussi la sienne — à ne pas prendre parti trop tôt. Tant est que par son truchement cette version de mon retour au Chêne Rogneux fut crue, glosée, commentée et approuvée dans le pays à l'alentour, ce qui me mit, au moins autant que l'étalement de ma force, à l'abri des surprises et entreprises guisardes de tout le temps que je demeurais là.

J'avais en mes travaux refaçonné la grande salle de mon logis de manière à en faire la réplique exacte de celle de Mespech, ayant bâti à chaque bout deux cheminées qui se faisaient face, pour ce que, comme mon père, j'abhorrais l'idée de me rôtir le devant en me glaçant le dos, et en outre, j'avais percé dans l'épaisseur du mur un viret qui menait droit à l'étage en ma chambre et en ma librairie, afin d'éviter le détour par ces vastes et froidureuses galeries qui sont la plaie des châteaux construits par nos pères. Ayant observé à mon advenue que Florine avait disparu par ledit viret, j'en conclus qu'elle allait prévenir Angelina de ma présence, si bien que m'asseyant avec ma suite affamée autour de la grande table du logis, où mes chambrières apportèrent incontinent viandes et vins pour apazimer ces gorges sèches et ces dents aiguës, je m'attendais, vu l'heure matinale, à une longue attente, m'apensant qu'Angelina ne voudrait mettre le nez en si nombreuse compagnie qu'elle ne fût habillée de cap à pié, et fus fort surpris, la porte du viret déclose par Florine, de la voir apparaître en ses flottantes robes de nuit, le cheveu blond dénatté et répandu à flots sur ses épaules nues. Quelque peu décontenancé qu'elle eût présumé se montrer en cet appareil, et à notre domestique, et à des étrangers, et d'autant plus béant que je connaissais mieux que personne sa native pudeur, je m'avisai que seule sa hâte à me voir la devait sur ce point excuser, et me levant, je lui souris, et m'avançai vers elle les deux mains tendues pour lui prendre les siennes. Mais elle ne l'entendit pas ainsi, et se jetant dans mes bras, me serra avec force dans les siens, tandis que poussant des soupirs et quasi des gémissements, elle me baisa les lèvres à me couper le souffle. Ce qui certes m'eût ému et troublé en notre chambre, dans le cocon de notre grande amour, mais produisit un effet tout rebelute dans la compagnie où nous étions, me laissant béant qu'Angelina se fût livrée si indiscrètement à ces transports publics, saillant de la chaste réserve à laquelle elle m'avait accoutumé, et cela dans le temps où elle eût dû montrer un esprit moins occupé des passions terrestres et davantage des deuils qui l'avaient coup sur coup accablée.

— Angelina, lui dis-je à voix basse à l'oreille, qu'est-ceci? Vous ne m'avez point habitué à tant d'audace! Retirez-vous, de grâce, en votre chambre, et ne reparaissez, je vous prie, céans que vous ne soyez vêtue.

A ces paroles, prononcées d'une voix douce et basse, elle rougit et se troubla excessivement, commença plusieurs phrases sans en finir aucune, et à la parfin se génuflexant profondément devant moi, elle s'en fut, ou plutôt courut jusqu'au viret dans lequel elle s'engouffra, sans se retourner, me laissant béant de cette confusion, pour le moins aussi excessive que l'effronterie qu'elle avait montrée. Car mon Angelina, toute bénigne et douce qu'elle fût, n'eût pas laissé d'ordinaire passer une remontrance de ma bouche sans se rebéquer quelque peu et tâcher d'y répliquer.

Je m'en retournai, songeard, à table partager selon l'us de Mespech, la repue de nos gens, la frérèche n'ayant jamais voulu, en vertu d'une certaine simplicité biblique, que notre domestique mangeât ailleurs qu'avec elle. Et là, à ma considérable surprise, je restai une grosse heure sans qu'Angelina reparût, tant est que, soupçonnant qu'elle ne pouvait passer tant de temps à se vêtir, je dépêchai aux nouvelles Florine, laquelle revint me dire *sotto voce* à l'oreille que mon Angelina, en ses robes de nuit, sanglotait son âme sur sa couche. Je fus béant que ma petite gourmanderie, prononcée si doucement, l'ait pu dégondée au point de la faire s'amalir en bouderie et fâcherie : déportement si étranger à mon Angelina que me levant de table, je montai à sa chambre où, de vrai, ayant fermé l'huis sur moi, et poussé le verrou, je vis, l'œil me sortant quasiment de l'orbite à ce spectacle incoutumier, mon Angelina se rouler de dextre à senestre sur sa couche, pleurant à chaudes et amères larmes, et tirant à poings furieux sur ses blonds cheveux épandus.

— Mon Angelina, dis-je, me jetant sur elle, la couvrant de mon corps, et la saisissant aux poignets pour qu'elle cessât de s'écheveler, qu'est-cela ? C'est folie ! Vous devez-vous mettre en si furieux chagrin pour quelques petits mots ?

— Ah Monsieur, me dit-elle à mots entrecoupés et son parpal à demi nu soulevé de convulsifs sanglots, je le vois, vous ne m'aimez plus ! Vous avez dû encontrer en vos guerres quelque gouge jeunette et fraîchelette par laquelle me voilà de présent repoussée dans les faubourgs et banlieues de votre bon plaisir : A la première brassée, vous me rebéquez ! Vous me chassez de votre vue ! Vous n'avez plus appétit à moi !

— Mais, mon Angelina, dis-je, béant de son irraisonnableté, voilà qui est fol ! J'ai blâmé votre appareil et votre déportement. Je n'ai pas repoussé vos transports, si hâtifs que je les trouvasse, et si publics aussi, après les deuils qui nous ont frappés.

— Monsieur ! Monsieur ! dit-elle, se tortillant sous moi comme un serpent, devez-vous me les ramentevoir si méchamment dans le moment où je tâche de les oublier dans la liesse de nos retrouvailles ! N'est-ce rien pour vous que l'amour d'une épouse ? Et le strident appétit qu'elle a de vous après tant de mois où elle a affreusement langui, vous appelant à grands cris dans le vide de ses nuits ?

Ce langage si nouveau chez mon Angelina m'eût déconcerté par sa fureur, si le trouble qu'il me donna m'eût laissé l'esprit clair, mais je vis bien que mon corps, obéissant aux lascives invites qu'en même temps elle me prodiguait, n'allait pas tarder à devenir mon maître, et le sien : à quoi je consentis bien qu'en doute, mésaise et décontenancement devant tant d'inconvenantes nouveautés, me donnant comme excuse qu'une fois son impudicité satisfaite, il me serait possible de lui parler raison et de savoir d'elle la cause de ces bizarretés.

Nos tumultes apaisés, qui consumèrent bien la moitié du jour tant Angelina y mit un encharnement qui n'était pas dans ses us, je tâchai d'en savoir plus long sur l'infortunée intempérie qui avait emporté la pauvre Larissa. Mais Angelina répéta mot pour mot ce qu'elle avait dicté dans sa lettre à Florine, et qui plus est, elle le répéta, l'œil sec, sans battre un cil et la voix froidureuse.

— Mais, vramy, mon Angelina, dis-je au bout d'un moment, surpris au-delà de toute expression de la voir si composée, comment allez-vous souffrir la pérenniale absence d'une sœur qui était comme votre double ?

A quoi, me jetant tout soudain de côté un regard suspicionneux, elle dit en baissant la paupière sur son bel œil de biche :

— Mieux, mon Pierre, que je n'eusse de prime pensé. C'est que Larissa, qu'assurément je chérissais prou, me mettait par instants en grand doute d'être vraiment moi-même, et de vous seule aimée, tant est que le moindre regard que vous posiez sur elle me plongeait dans les tourments de la plus cruelle jaleuseté. Il me semble que de présent je me sens désentravée de mon autre moi-même et que je suis à la parfin la vraie, la seule Angelina !

— Mais, dis-je, ce discours m'ayant rendu fort perplexe et rêveux, si vous êtes dans ce sentiment, d'où vient alors que vous mettez encore entre le menton et la commissure de la lèvre ce point de pimplochement sous lequel Larissa dissimulait sa verrue ? Puisque Larissa n'est plus, il me semble que vous devriez discontinuer cet artifice qu'elle avait en sa tyrannie exigé de vous afin qu'on ne vous puisse l'une de l'autre distinguer.

— Mais, s'écria Angelina, l'œil tout soudain hagard, l'air effrayé et le corps trémulant de la tête aux orteils, c'est qu'elle l'exige encore de moi après sa mort, et que je n'ose contrevenir à ses ordres, de peur que son âme, revenant d'outre-tombe, ne se glisse en moi et me vole mon être ! Non ! non ! mon Pierre, je vous en prie et supplie, ne quérez pas de moi de cesser de me peindre là, poursuivit-elle mettant le doigt sur sa mouche comme pour la défendre de mes attaques : Il y va de ma vie même !

— Je ne songe pas à quérir de vous quoi que ce soit qui puisse vous effaroucher, dis-je, dans la crainte où j'étais de la voir derechef se tordre sur sa coite en sanglots convulsifs. Et combien que je ne cuide pas que les morts puissent commander aux vifs, ni se glisser en eux pour leur rober leur âme, gardez ce point de pimplochement là où vous le voulez placer. La chose n'est pas de conséquence pour moi et si elle l'est pour vous, faites à votre guise.

Ceci l'aquiéta quelque peu, mais point tout à plein car je ne faillis pas d'observer dans le cours de la journée qu'elle jetait autour d'elle des regards suspicionneux, comme si elle eût craint de sentir à l'alentour de son cotillon une présence invisible. Et à vrai dire, elle portait ces mêmes regards d'extrême défiance sur les personnes visibles de son entourage, sur Florine, sur Miroul, sur notre domestique, sur moi en particulier. Avais-je la male heure de prononcer une parole un peu brusque, elle se jetait dans les larmes, la fureur, ou la prostration, d'où je ne la tirais que par des protestations infinies et des cajoleries qui finissaient, comme on l'a vu, par une insatiableté qui me laissait pantois du changement que quelques mois d'absence avaient opéré dans les tranquilles dispositions de mon Angelina ; cependant, de tout ce temps, sur Larissa pas un mot, et sur Giacomi son beau-frère, auquel elle était pourtant de son vif grandement affectionnée, ni mot ni miette. Pis même, quand par aventure, je citais leurs noms, baissant la paupière tout soudain sur son grand œil de biche, elle s'accoisait, l'oreille sourde, les lèvres serrées, et le front fermé, comme si elle eût été attentive à ne laisser pénétrer en elle la plus petite parcelle des remembrances que ces noms évoquaient.

J'allai voir mon joli frère Samson et Gertrude du Luc en leur apothicairerie de Montfort l'Amaury et les trouvai fort heureux, bonheur que j'enviais en l'inexplicable mésaise où je vivais depuis mon retour au Chêne Rogneux. Je fus fort bien reçu par eux, et par la dame d'atour de Gertrude, Zara, toujours resplendissante en son indestructible beauté. Comme elle ne quittait pas l'enfantelet qu'elle avait contraint Silvio à lui faire, mais le portait continuellement sur son bras, elle avait l'air plus que jamais d'une madone italienne dans le tableau d'un maître et à mon avis ne servait à rien d'autre qu'à cette décoration du logis, car je ne la vis pas toucher un gobelet, ni une écuelle, ni un flacon de tout le temps que je pris ma repue avec mon frère et ma belle-sœur, ma Zara occupant à table la droite de Gertrude, le bambino dans ses bras, dans tout l'éclat de sa triomphante maternité et n'ayant pas, à ce que je vis, d'autre office en le domestique de mon frère que de s'offrir (avec des sourires ravis, adressés à sa propre chair, et à la chair de sa chair) à l'admiration de tous.

Cependant, si chaleureusement que Gertrude et mon frère me reçussent, ils furent bien moins prompts à me rendre ma visite, et moins encore à me parler d'Angelina, sur le compte de qui, sauf pour les salutations d'usage, je les trouvai muets.

A ma grande liesse et surprise, Fogacer apparut à cheval un matin de cette fin d'août au châtelet d'entrée du Chêne Rogneux, suivi d'un petit page aux cheveux bruns bouclés qui ne fut pas sans me ramentevoir Silvio. Il parut fort soulagé de se mettre à l'abri de mes murs, s'encontrant, dit-il, persécuté derechef pour sa bougrerie, et en grand danger d'être brûlé, sans, hélas, pouvoir compter sur la protection du roi comme du temps de notre pauvre bien-aimé maître, Henri IV, quant à lui, étant, dit-il, *sans indulgence pour les vices qu'il ne pratiquait pas*.

Pour moi, en ma longue convalescence, je fus heureux de retrouver sa pétillante compagnie, Saint-Ange étant plus muet que carpe et Miroul, à ce que je vis, fort déquiété de la tristesse de sa Florine à qui je vis plus d'une fois les larmes aux yeux, sans qu'elle m'en voulût dire la cause.

Il y avait toujours eu tant de filial amour entre Fogacer et mon Angelina (encore qu'il fût son aîné) et Fogacer, qui faisait volontiers avec elle l'enfant, éprouvait tant de satisfaction à être par elle tancé, gourmandé et cajolé, et elle baignait tant volontiers dans l'admiration sans limites qu'il lui vouait que je m'attendais, dès son entrant, à voir refleurir entre elle et lui ce connivent, subtil et intime manège qui m'eût porté ombrage, assurément, si Fogacer avait été un homme d'une autre farine. Mais à ma grande surprise et déquiétude, mon Angelina, loin de renouer avec Fogacer ce lien tout ensemble si fort et si innocent, repoussa ses avances, ses agaceries et ses enfantillages du même air suspicionneux qu'elle montrait à tous, et le parut englober dans la défaveur dont elle enveloppait de présent le genre humain.

Fogacer, qui avec sa haute taille, ses bras arachnéens et les sourcils méphistophéliques qui abritaient ses yeux railleurs, paraissait d'autant assuré de lui-même qu'il l'était le moins en son for, se trouvant fait de cette étoffe sensible sur laquelle les dents de la vie s'impriment profondément, se trouva plus navré qu'il eût aimé l'avouer de ce froidureux repoussis, et je vis tant de fois son œil noisette s'attarder, intrigué, songeard et penaud sur mon Angelina qu'à la parfin, me promenant avec lui dans la forêt de Montfort l'Amaury, je présumai de lui demander s'il ne la trouvait pas changée :

— Changée! dit-il levant son sourcil diabolique, c'est peu dire qu'elle ait changé! c'est une autre femme. Mon ami, je vous le dis comme je le sens : je ne la reconnais point. Elle qui fut si bénigne et piteuse, elle paraît tenir en haine et suspicion le monde entier, se défier de tous, se clore à tous. En outre, si à'steure elle retrouve par aventure son enjouement d'antan, aussitôt elle s'enfonce d'autant dans la taciturnité, l'œil tantôt hagard et tantôt vide. Parle-t-elle, elle tient des propos hautains et déprisants qui ressemblent bien peu à la colombine bénignité de cœur qu'elle montrait jadis. En son domestique, elle est souvent avec ses chambrières abrupte, injuste, injurieuse, voire même brutale, et d'autant qu'étant possédée d'une sorte d'incohérence, elle leur donne coup sur coup des ordres contradictoires.

— Ha, dis-je, Fogacer mon ami! je suis infiniment soulagé de vous ouïr parler ainsi, car je me suis demandé si, à la trouver si différente, je ne devenais pas fol. Et à la parfin observant qu'elle ne voulait se défaire du point de pimplochement que Larissa exigeait d'elle de son vivant sous le prétexte que Larissa persistait à exiger sa continuation d'outre-tombe sous la menace de lui rober son âme (superstition si grossière, et qui me parut si étrangement jurer avec la douce raisonnableté de mon Angelina) j'ai, je dois dire, conçu quelques doutes...

— Mais moi aussi, dit Fogacer en tressaillant violemment; et baissant la voix et jetant un coup d'œil sur le sous-bois à l'alentour il ajouta : Parlez, *mi fili*, je sais quels sont ces doutes! Parlez et puisse cela vous conforter!

A quoi étant resté un long temps sans répondre, le nœud de ma gorge se nouant à me faire mal et les mains que je tenais derrière mon dos se mettant à trembler, je dis à la parfin :

— Il n'est nul besoin, mon ami, de préciser la suspicion que j'ai nourrie depuis mon retour, puisque de présent force m'est de confesser que je ne peux raisonnablement l'entretenir, tant de preuves contraires l'infirmant. Car j'ai, depuis quinze jours, par des questions adroites sur notre passé, sondé Angelina sur la connaissance qu'elle en a, touchant certains détails infimes, intimes et quotidiens qui ne sont connus que d'elle et de moi, et à chaque fois elle a si bien et si parfaitement répondu que je ne peux plus douter que j'ai bien devant moi la femme qui les a vécus avec moi.

— S'il en est ainsi, dit Fogacer qui me parut mal persuadé par ces raisons, vous voilà l'esprit en repos. A moins, ajouta-t-il avec un air interrogateur, que Larissa et Angelina, étant si proches, aient eu l'habitude dès l'enfance de se tout dire et jusqu'au plus menu de la vie. Ramentez-vous que l'unique but, appétit et ambition de Larissa en cette vallée de larmes était, non point de ressembler à sa sœur, puisqu'elle était déjà à elle identique, mais d'être sa sœur, d'être Angelina, elle seule et elle tout à trac.

— Le jésuite Samarcas, dis-je, prétendait plus, lui qui si bien la connaissait. Il prétendait qu'elle cuidait être Angelina, et que c'était là sa particulière folie.

— Je me ramentois, dit Fogacer avec un moment de silence, avoir ouï de vous que lorsque Larissa attenta de se faire passer pour sa sœur à qui vous aviez donné un rendez-vous secret dans la poivrière flanquant la tour est de Barbentane, Samarcas qui vous détrompa alors de l'erreur où vous étiez, vous dit que la seule façon de distinguer Larissa d'Angelina était de passer le doigt sur le point de pimplochement qu'elle portait à la commissure de la lèvre pour ce que chez Larissa vous y sentiriez le relief de la verrue, et non point chez votre épouse.

— Ha! dis-je, la salive me séchant incontinent dans la bouche et parlant d'une voix exténuée, bien je me ramentois en effet cette recommandation de Samarcas.

— Eh bien, dit Fogacer, me jetant un regard de côté en arquant son sourcil diabolique, l'avez-vous suivie en votre présent prédicament?

— Non, mon ami, dis-je à voix basse. Non. Je ne l'ai pas encore osé.

Et si je ne l'avais pas jusque-là osé, ami lecteur, ce n'était point par couardise, mais par le sentiment confus où j'étais que le doute est parfois infiniment moins navrant que la certitude. Raison pour quoi par une certaine animale prudence, ne désirant pas nous enfoncer plus avant dans la male heure où jà nous sommes, ni voir notre mésaise devenir désespoir, nous ne poussons pas notre quête trop avant, reculant subrepticement devant la brutalité irréfragable des faits. Telle m'apparaît à y songer plus outre, la leçon d'Œdipe qui, enquêtant sur la meurtrerie du roi qui l'avait précédé, et dans son royaume, et dans la couche de la reine, apprit que l'assassinateur n'était autre que lui-même, l'assassiné, son père et la reine, sa mère. Oyant quoi, il se creva incontinent les yeux pour se punir, je suppose, d'avoir osé envisager la vérité face à face. Pour moi, je m'apense qu'Œdipe eût sauvé peut-être ses pauvres yeux, s'il était sagement demeuré en l'aveuglement où il vivait, avant qu'une force irréfrénable le poussât à en savoir davantage sur lui-même que son bonheur ne l'exigeait de lui.

Cependant, il n'est bandeau sur l'œil qui ne se défasse et déclose quand le touche, se peut indiscrètement, une main amie. Dès que Fogacer m'eut mis quasiment au défi de poser le doigt sur le point de pimplochement qu'Angelina portait à la commissure de la lèvre, afin d'y sentir, ou de n'y point sentir, le relief d'une verrue, je sus que j'allais le faire, combien que je laissasse encore passer huit jours (qui s'écoulèrent pour moi en d'infinis tourments) avant que de me décider. C'est que je voyais bien l'horreur à quoi j'aboutirais si mon attentement devait me révéler tout ensemble la mort d'Angelina — se peut dans des conditions suspectes — et l'imposture de sa jumelle, laquelle en usurpant sa place, non contente de braver les lois humaines, aurait sacrilégieusement outragé le sacrement du mariage.

— Ha! me disais-je, me tournant et retournant sans fin sur ma couche désommeillée, que ferais-je,

Dieu bon, si je me trouve confronté à cette double abomination : la disparition, se peut la meurtrerie, d'une épouse chérie et la simulation d'une criminelle ? Irai-je taire et sans mot dire avaler cette falsification monstrueuse ? Ou vais-je, si je la révèle, vouer Larissa au bûcher et ma maison au déshonneur ? Et d'autant plus sûrement que les juges ne failliront pas de trouver ma dénonciation tardive et ne pourront qu'ils ne me suspectent d'avoir été en quelque guise complice et connivent à l'incestueuse substitution de la sœur à l'épouse.

Mes tergiversations eussent duré se peut plus longtemps si un soir au moment du coucher, un lundi 30 août, comme bien je me ramentois, Angelina s'encontrant exagitée, fébrile et immensément déquiétée ne m'avait demandé un grain d'opium pour s'ensommeiller, lequel, dès que je le lui administrai, fit sur elle l'effet attendu. Et moi, la voyant à la lueur de la chandelle, endormie dans la tiédeur de ses blonds cheveux, ses traits plus détendus et suaves que je ne les avais vus depuis mon retour au logis, la pensée me frappa tout soudain avec l'inouïe brutalité de l'évidence, que le moment ou jamais était venu de poser le doigt sur son point de pimplochement, puisque mon attouchement ne saurait la réveiller en raison de la vertu dormitive de l'opium, et que je pouvais donc tenter l'expérience à son insu, et sans avoir à l'affronter ensuite en l'insensé et convulsif déportement qui lui était maintenant coutumier, dès qu'elle se cuidait haïe et rejetée. Même alors, dans le suspens de mon ultime hésitation, et l'envisageant coite et quiète en le désordre de ses cheveux, belle encore en son automne, l'épaule pleine, et le tétin rondi, je sentis comme un malenconique renouveau de mon amour, laquelle ses folies, depuis mon advenue céans, avaient quasiment tuée. Mais me réfléchissant que cette amour était odieusement déméritée, si elle s'adressait, dans le fait, à une autre qu'à elle-même, l'ire que j'en ressentis tout de gob me fit passer outre à mon lâche attendrissement, et avançant doucement la main dextre, passai, non pas une fois, mais trois ou quatre fois, le doigt sur sa mouche, et à mon inexprimable soulagement n'y trouvai pas l'ombre, le début ni le commencement d'un relief.

Il me sembla qu'un grand poids s'ôtait tout soudain de dessus mon poitrail et que pour la première fois depuis que le doute s'y était glissé, se lovant à l'alentour et petit à petit l'étouffant, je respirais enfin. C'était donc bien Angelina que je voyais dans la lumière tremblante et jaune de la chandelle si quiètement endormie, ses blonds cheveux épars autour de sa suave face, la paupière close sur son œil noir et l'air tant innocent que dans la poivrière de la tour est de Barbentane quand, dans l'éclat et la chasteté de ses vertes années, elle m'avait sa foi baillée. Le cœur me toquant alors comme fol et passant de défiance à fiance dans le temps d'un éclair, je voulus oublier les indécences de son présent déportement et je cuidai retrouver dans cet oubli la force et les délices de ma grande amour, à ce point atendrézi de ces retrouvailles qu'approchant le bougeoir pour la mieux éclairer, je restais un si long temps à la contempler qu'à la parfin se désommeillant de sa torpeur, elle ouvrit les yeux et épiant dans les miens les sentiments qui m'agitaient, et qu'elle n'avait guère eu l'occasion d'y lire depuis mon advenue céans, elle sourit sans mot piper d'un air de triomphante liesse et nouant ses bras frais et ronds autour de mon col, m'attira contre elle, comme si elle s'eût voulu écraser de tout le poids de mon corps.

Le lendemain de ce jour, chevauchant au botte à botte avec Fogacer dans la forêt de Montfort l'Amaury, je lui dis ce qu'il en était.

— Ha! dit-il, *mi fili!* je suis fort heureux pour vous que la chose n'ait pas été telle que nous l'avions craint, pour ce que si ces craintes s'étaient avérées, je ne vois pas comment vous auriez pu vous extriquer et vous dégluer de cette affaire. D'un autre côtel, faillant la sinistre hypothèse qui se trouve de présent déprouvée, je ne sache pas qu'on peuve rendre compte à vues humaines du grand bouleversement qui s'est fait jour dans l'humeur d'Angelina, lequel, poursuivit-il en arquant son noir sourcil, sur son œil noisette, j'abhorre d'expliquer par de surnaturelles raisons.

— Comme vous savez, dis-je après m'être là-dessus un petit réfléchi, Angelina elle-même m'a dit redouter que Larissa, morte, ne se glisse en elle et lui robe son âme...

— Cela, je le nie tout à trac! s'écria Fogacer avec force, en levant au ciel ses bras arachnéens, c'est tout fallace, piperie et superstition que ces grossières imaginations! Il est de fait que la présente Angelina en son déportement ressemble davantage à la défunte Larissa qu'à elle-même, mais je dis et déclare me contenter d'en ignorer le pourquoi et récuser d'ores en avant toute espèce et manière de magie, sorcellerie ou démoniaque possession par quoi les indoctes pourraient trompeusement l'expliquer. Se peut, ajouta-t-il après s'être un temps accoisé, que le grand changement de votre Angelina tienne tout bonnement à son âge, lequel la rapprochant du moment où la maternité ne lui sera plus possible, la jette en les fureurs et folies où nous la voyons.

« Fureurs et folies » hélas, était bien dit, et leurs effets déchiraient quotidiennement ma tranquillité domestique. Ce fut de prime Angelina qui un soir, ses grands yeux lançant des éclairs et la bouche quasiment écumante et tordue, me dit en le privé de notre chambre, que mon écuyer M. de Saint-Ange, tant par ses regards que par son inconvenant déportement, avait manqué avec elle à l'honnêteté. Je la décrus tout à trac et je le lui dis avec rudesse, tant l'accusation me parut improbable et odieuse s'agissant de ce farouche et virginal Hippolyte, dont je connaissais par mille exemples la peur qu'il avait des femmes, à telle enseigne qu'il n'osait même pas en mon logis s'adresser à une chambrière pour lui demander du vin. Et que M. de Saint-Ange ait été l'assailli et non l'assaillant, j'achevais le lendemain de m'en persuader quand l'écuyer, l'œil baissé et la voix trémulente, me vint demander son congé pour aller visiter ses parents, lesquels, dit-il, étaient vieils et mal allants et me requit, qui plus est, la permission de demeurer avec eux jusqu'à ma complète curation et mon retour aux armées du roi. Ce que je lui accordai incontinent, entendant bien que le pauvret, dans la réalité des choses, fuyait, comme Joseph dans le récit biblique, la femme de Putiphar.

Je n'avais pas toutefois la preuve de l'impudicité de mon épouse, et M. de Saint-Ange, en parfait gentilhomme, eût été la dernière personne au monde à me la vouloir fournir. Je me résolus donc, en l'occurrence, à ne point trop appuyer sur la chanterelle, mais à jouer les notes basses, me contentant de montrer à Angelina un front froidureux, et de désunir nos sommeils en couchant d'ores en avant en ma librairie.

Nous en étions là de ces silencieuses et subreptices tensions quand un autre, ou plutôt une autre de mes gens, me demanda son congé. La nouvelle me vint par Miroul qui me dit tout de gob se vouloir associer à cette décision, tout félice qu'il fût pourtant, depuis le départ de Saint-Ange, d'avoir ajouté la capitainerie de mes gens de pié au gouvernorat de mes pages.

— Moussu lou Baron, dit Miroul dont l'œil marron et l'œil bleu me parurent, pour une fois, porter la même expression, triste et déconsolée, le cœur me point d'avoir à vous dire que je ne peux que je ne vous quitte avec Florine pour m'établir se peut dans le Périgord, se peut dans le Bordelais.

— Ha! Miroul! dis-je en souriant sans liesse aucune, tu m'as fait mille fois cette menace, et dois-tu me la faire encore, en ces jours où tu me vois si tourmenté en mon chancelant domestique?

— Hélas, Moussu! dit Miroul, ses yeux vairons se remplissant de larmes, cette fois, hélas, est la bonne, car elle ne vient pas de moi, mais de ma Florine, laquelle ne veut point demeurer une minute de plus dans le service de Mademoiselle votre épouse, étant par elle quotidiennement tancée, tabustée, et même battue en son office.

— Battue? dis-je en me levant, béant, de mon siège. Battue par la douce Angelina? Es-tu certain, Miroul? Battue!

— Ha! Moussu! je n'en peux point douter, ayant vu les traces de ces battures et frappements dans la chair de ma Florine, laquelle se trouve quotidiennement souffletée, pincée et même piquée d'épingles quand elle pimploche, ou coiffe, Mademoiselle Angelina. Et hier encore, trouvant le fer à friser ses cheveux trop chaud, Mademoiselle votre épouse le lança à la tête de ma Florine, que par miracle elle n'atteignit pas...

— Quoi? dis-je indigné, et marchant en ma librairie, Angelina en est arrivée à de tels excès! Certes, je n'ignore pas que de très hautes dames que je pourrais nommer se livrent sans scrupules sur leurs malheureuses chambrières à d'aussi malséants sévices! Mais ce ne fut jamais l'us à Mespech, sauf pourtant du temps de ma défunte mère, ni à Barbentane chez les bons parents d'Angelina, ni en mon domestique, lequel n'étant ni barbaresque ni turc, se veut avec tout un chacun chrétien de cœur et d'âme, et pas seulement de bouche. Miroul, va me quérir ta Florine. Je la veux là-dessus entretenir.

Laquelle Florine, qui était cette même blondinette de Paris que Miroul et moi avions arrachée en 1572 aux massacreurs de la Saint-Barthélemy et qui, depuis dix-sept ans, servait très fidèlement Angelina, étant à elle si affectionnée, et par elle jusque-là si bien traitée, davantage même comme une sœur cadette que comme une chambrière. Et moi, dès que Florine fut là, la faisant asseoir pour l'aiser sur une escabelle, je la priai de me dire quand les sévices dont elle était l'objet avaient commencé.

— Vramy! Bien je me ramentois! dit Florine, les larmes lui coulant sur la face, que ce fut au lendemain de la mort de Madame votre belle-sœur, pour ce que je m'apensais de prime que les méchantises de Mademoiselle Angelina tenaient à ce que son grand chagrin l'avait dégondée et fait saillir hors son bon naturel, auquel je m'apensais donc qu'elle allait petit à petit revenir, quand son dol serait assouagé. Mais hélas, il n'en fut rien ! Tout continua, et jusqu'à de présent, et de pis en pis !

— J'entends donc, dis-je surpris, — pour ce qu'Angelina depuis mon retour ne m'avait pipé mot de la mort de Larissa — que mon épouse pâtit cruellement de la disparition de sa jumelle.

— Ha ! Moussu ! dit Florine, immensément ! On eût dit qu'elle tenait de la lune tant elle criait et pleurait ! Et d'autant qu'un mois auparavant, Larissa s'encontrait dans la plus grande liesse.

— Et quelle raison, dis-je levant haut le sourcil, Larissa avait-elle d'être si joyeuse, ayant, comme Angelina, un mari à la guerre ?

— C'est qu'un magicien — passant par Montfort l'Amaury — lui avait sur sa verrue administré un onguent qui la fit disparaître toute.

— Quoi ! dis-je, me sentant blêmir et serrant mes mains derrière le dos pour les empêcher de trembler, toute ? Sans laisser de trace ? Sans même une cicatrice ?

— Aucune, sauf une petite marque blanche, laquelle, affirma le magicien, devait elle-même au bout d'un mois s'en aller.

Je fus si béant à ouïr cette nouvelle, et mon esprit bouillonnait d'une telle confusion, mes mains tremblantes et mes gambes trémulentes sous moi, que je gagnai l'encoignure d'une fenêtre, et tournai le dos à Florine, ne voulant point qu'elle fût témoin de mon trouble.

— D'où vient donc, dis-je en tâchant de raffermir ma voix et en parlant par-dessus mon épaule, qu'Angelina porte encore à la commissure de la lèvre ce point de pimplochement ?

— Ha ! c'est que l'une et l'autre sœur le trouvaient fort seyant, dit Florine avec un sourire, même quand l'utilité pour Larissa en eut disparu, puisque la mouche n'avait plus à cacher verrue.

— Et, dis-je au bout d'un moment, comment Larissa fut-elle saisie de la fatale intempérie ?

— Fort soudainement. Un matin, comme j'allais en sa chambre pénétrer, je trouvai sur le seuil Mademoiselle Angelina qui me dit de n'en rien faire, que Larissa reposait, qu'elle pâtissait prou et qu'on attendait le révérend docteur Merdanson.

— Florine, dis-je vivement, comment sais-tu que c'était Angelina qui te parlait ainsi ?

— Vramy ! Monsieur le Baron ! dit Florine avec son accent pointu de Paris, il n'y avait pas à s'y tromper, elle était vêtue de bleu pâle comme à l'accoutumée !

— Et Larissa ?

— En jaune pâle.

— Mais voilà qui est neuf ! dis-je. J'ai toujours vu les deux sœurs prendre soin de se vêtir identiquement, et par l'étoffe, et par la façon et par la couleur.

— C'est vrai, dit Florine, mais un mois avant le jour que je dis, je les ai ouïes débattre dans le cabinet de Mademoiselle Angelina où je la pimplochais — Mademoiselle Larissa étant assise sur un tabouret aux genoux de sa sœur — de la guise dont elles pourraient se distinguer l'une de l'autre, afin que le domestique ne s'y trompât pas.

— Souci nouveau, dis-je, plongé dans des réflexions dont je ne savais si je les aimais prou. Bien je me ramentois que dès l'enfance Larissa a, bien au rebours, furieusement appété à ce qu'on ne la distinguât pas d'Angelina.

— Et c'est elle pourtant, dit Florine qui, le jour que j'ai dit, dans le cabinet où je pimplochais Madame, plaidait pour qu'on les pût, par la vêture, reconnaître.

— En es-tu sûre, Florine ?

— Vramy ! J'en suis aussi sûre que le jour se lèvera demain.

Il se leva, en effet, mais, du moins en ce qui touche à moi, sur un homme dont le pensement perplexe était comme enserré dans un nœud de serpents plus menaçants l'un que l'autre, et dont chaque petit fait menu du récit de Florine avait nourri les crocs et le venin. Il me semblait encontrer partout, sous l'aspect le plus riant, la pourriture du doute. Je n'étais que défiance, regards épiants, oreille dressée, captieuse question, comme de quérir à l'improviste à la chambrière qui aidait Florine en le cabinet d'Angelina :

— Mamie, Madame mon épouse pâtit-elle toujours de sa goutte ? As-tu observé si son pouce droit parfois se gonfle et se raidit, l'empêchant de tenir plume ?

— Jamais, Moussu lou Baron.

— En es-tu sûre ?

— Vramy. Et eussé-je failli à le voir que j'eusse ouï Madame s'en plaindre, étant si tendre à la douleur, et faisant des plaintes de tout.

Ainsi le doute allait se nourrissant de sa propre chair, comme Ugolin, sans que jamais l'incertitude pût cesser, rien ne pouvant jamais prouver rien, pas même l'absence de relief sous la mouche de Madame mon épouse, puisque depuis l'effacement de la verrue, ladite mouche, chez l'une comme chez l'autre, ne cachait que la peau. D'un autre côtel, n'était-il pas évident et ne faut-il pas enfin l'écrire ici noir sur blanc que le matin où Florine se vit interdire la porte de la chambre de Larissa mourante par une des sœurs vêtue de bleu pâle, cette sœur eût bien pu être l'une ou l'autre : Une robe y eût suffi. Au rebours du dicton, l'habit, hélas, fait le moine, parfois même, comme on l'a vu, un moine meurtrier.

Depuis mon entretien avec Florine je m'arrachais chaque matin à ma couche seulette, à la pique du jour, sautant de ma coite à ma manière abrupte et militaire, combien que mon âme fût lasse et sans courage, et m'ébrouant comme chien hors de l'eau, mais cette fois faillant tout à plein à détacher de moi les songes noirs qui s'accrochaient à mes cheveux, m'engluaient les mérangeoises du cerveau, et me faisaient la bouche tant amère que je sentis que ma vie entrait dès cet instant dans un grand et tortueux pâtiment dont je ne trouverai pas facilement l'issue.

Il me fut facile d'arranger avec Gertrude du Luc

qu'elle prît Florine à son service, ce qu'elle fit sans même en demander les raisons — tant celles-ci, sans qu'elle en pipât rien, lui parurent évidentes — mais sans omettre, toutefois, de quérir là-dessus, l'agrément de Zara, dont la jalouseté eût pu ménager à la nouvelle venante tout un buisson de piquants, si elle avait suspecté en elle une rivale en l'affection de sa maîtresse. Mais celle-ci lui ayant assuré, sous de grands serments, qu'elle serait la seule, d'ores en avant comme par le passé, à partager sa couche et son sommeil — privilège auquel Zara tenait plus que la vie même, comme l'avait montré son suicide heureusement failli — Zara, toute chambrière qu'elle fût, donna du haut de sa royale beauté son consentement à notre plan et rentrant ses épines, m'en retira du même coup une fort grosse du flanc, puisque Florine, arrachée aux battures et frappements dont elle était chaque jour visitée, Miroul demeura à mon service, en sa double capacité de secrétaire et de capitaine de mes gens de pié en l'absence du pauvre Saint-Ange.

J'écrivis le même jour à mon aîné François, baron de Fontenac et futur baron de Mespech — dont il ménageait le domaine en l'absence de mon père — pour le quérir de me donner pour mon épouse la chambrière Alazaïs, sorte de dragon austère et huguenot, plate comme limande et forte comme bœuf, laquelle avait dompté ma mère et dompterait bien Angelina dans ses fureurs, sinon en ses folies.

Je savais que François ayant tourné casaque et étant devenu papiste, non du fin bout du bec comme moi, mais zélé, confit, confessant et processionnant, serait ravi de se débarrasser de cette roide huguenote qui refusait d'aller à messe et faisait la chasse, en son logis, aux images de la Benoîte Vierge pour les détruire.

Je fus un moment sur le point d'aller trouver le révérend docteur médecin Merdanson qui avait soigné Larissa en sa dernière intempérie. Bien je le connaissais pour avoir en mes vertes années eu nos culs fouettés de concert par le Bedeau sur l'ordre du

Chancelier Saporta lors de la rentrée de l'Ecole de médecine de Montpellier. Mais me réfléchissant que je ne pourrais l'interroger sur les symptômes du mal qui avait emporté Larissa sans éveiller sa méfiance, ses soupçons et se peut, être amené à lui faire part des miens, je ressentis tout soudain une telle nausée à l'idée de remuer cette boue que je préférai renoncer à cet entretien.

Pour la même raison, je tus à Fogacer l'éradication de la verrue de Larissa par celui que Florine avait appelé le magicien et qui était, je suppose, quelque charlatan colporteur de drogues, habillé d'un grand manteau noir étoilé et d'un chapeau pointu pour séduire les chalands.

A mon sentiment, et puisque aussi bien la justice serait à jamais impuissante à démêler le ténébreux écheveau de cette affaire, moi-même y ayant failli, mieux valait l'enfouir sous le silence. Si je le romps en ces Mémoires, c'est pour me justifier de l'accusation méchante que mes ennemis (qui sont aussi ceux de mon roi) ont sur moi répandue, affirmant malicieusement et mensongèrement que j'avais quasi abandonné mon épouse en ma seigneurie, où elle serait avec ses enfants quasi morte de faim sans le secours de ses bons voisins. Il en est de cette fallace comme de bien d'autres qui s'accréditent dans la cervelle des ignares et des fols. Mes enfants à ce jour sont beaux et florissants sans que l'aide d'un père leur ait jamais failli, et quant à Angelina, elle n'a manqué d'aucune des commodités de la vie, et n'en manquera d'aucune, tant que je serai vif.

Cependant, pour revenir à ces temps si aigres et tracasseux pour moi, les piliers noirs ayant succédé aux piliers blancs dans le portique de ma vie, dès qu'Alazaïs fut arrivée du Périgord, portant les dix commandements de Dieu écrits sur sa large et forte face, je pris congé de Madame mon épouse et rassemblant ma suite fis sonner le boute-selle, ayant à l'esprit de rejoindre au plus tôt les armées du roi pour m'y bien battre et m'y faire bien tuer.

CHAPITRE V

Je quittai le Chêne Rogneux le jour que j'avais dit, mais ne rejoignis point cependant tout de gob les armées du roi, pour ce que d'un côtel, mon bras, bien que la plaie fût curée et cicatrisée, n'était point encore en état de porter une épée, le muscle s'encontrant atténué et l'articulation, en ses branles, restreinte et circonscrite. D'un autre côtel, j'avais ouï sur mon département, que mon père ayant lui aussi été navré au service du souverain dans le gras du mollet, se refaisait santé à Mespech.

Concevant alors le propos d'aller avec lui me conforter en son nid crénelé, j'allais de prime quérir M. de Saint-Ange à Chartres, où je trouvai ses parents sains et gaillards, sur quoi je le taquinai quelque peu quant à ce qu'il m'en avait dit, mais voyant son œil bleu, à mes gaussants reproches, s'assombrir, je lui donnai une forte brassée et cent poutounes, en lui disant à l'oreille que j'entendais bien les raisons pour lesquelles il avait fui le Chêne Rogneux, et que je ne le retenais en aucune guise, contre lui, bien le rebours, le tenant en l'occurrence pour aussi innocent qu'un nouveau-né. A quoi il rougit excessivement, mais sans mot piper. Et moi, le quittant pour aller avec Miroul ameuter nos gens qui s'étaient égaillés en la ville, qui appétant au vin, et qui aux filles, je m'apensais que sur ce chapitre-là, justement, j'aurais un jour à prier le Seigneur qu'il fît de son mieux pour que Saint-Ange tombât, pour convoler, sur une bonne garce : sans cela, sa belle tête, faite comme elle était, le pauvre beau sire pâtirait prou.

Ayant fait ce détour par Chartres, j'en fis un autre par Châteaudun : ma belle lectrice devine bien pourquoi. Mais si mes morales meurtrissures avaient rêvé d'être pansées par une main suave, ce rêve ne fut fait que de l'étoffe insubstantielle des songes. Je ne trouvai pas la belle drapière dans les dispositions où je l'avais quittée, ses beaux yeux mordorés — les plus beaux et les plus grands du monde — ne versant plus sur moi qu'une lumière fort chiche, ayant trouvé, à ce que j'entendis, dès les premiers mots, un autre paysage à éclairer. En bref, à ce qu'elle me dit à la parfin en notre très contraint entretien, elle s'allait convoler en secondes noces et serait à son mari fidèle. Or, quand femme prononce ce magique mot de mariage, si vous n'êtes point celui qu'elle marie, il n'y a plus rien à faire — tant elle y met de feu, de flamme et d'obstination — qu'à ouïr sonner malenconiquement votre propre glas, tirer l'échelle et s'ensauver.

Ce que je fis, poussant ma Pégase vers mon natal Périgord, chemin que je parcourus si vite (au grand dam et dol de mes gens qui eussent voulu davantage s'apparesser dans les bonnes auberges) que moins de deux semaines plus tard, j'aperçus les tours de Mespech, puis son châtelet d'entrée, puis ses trois ponts-levis, puis son île, et enfin l'étang qui le circonscrit de ses eaux noires et protectrices — les plus belles et fortes douves qui jamais furent.

J'avais écrit mon advenue à mon père, mais j'advins avant ma lettre missive, tant est que le baron de Mespech fut au comble de la surprise et de la joie à me voir apparaître à la tête de mon imposante escorte, laquelle ne comptait pas moins de douze guillaumes, pour ce que, outre Miroul, Saint-Ange, Pissebœuf et Poussevent, et mes deux diablotins de pages, j'avais gardé, pour mes sûretés, les six arquebusiers que M. de Rosny m'avait baillés.

Mon aîné François, baron de Fontenac, allongea fort son long visage, à voir une si nombreuse compagnie s'abattre sur le domaine, ayant, quoique encharné papiste, retenu la parcimonie huguenote où on l'avait élevé. Mais aux premiers mots aigres qu'il prononça, mon père lui clouit le bec, l'appelant chiche-face et pleure-pain, et le ramentut sans réplique que, lui-même vif et présent, il n'y avait qu'un seul maître en la baronnie de Mespech.

Moi-même toutefois, ne voulant pas voir mes gens de pié vivre à la soldate en villité oisive, les menaçai de la hart s'ils molestaient les manants et habitants de nos villages et de nos mas, et pis encore — si pis il y a — s'ils forçaient filles, et les mis incontinent aux travaux des champs et au repierrage des chemins, et quand l'hiver fut venu, à la chasse aux loups, lesquels s'étaient beaucoup multipliés en nos bois et forêts, faisant mille méchantises aux laboureurs des écarts, tant aux bêtes qu'aux gens. Ainsi mes arquebusiers gagnèrent-ils bien leur écot et crûrent-ils bien en bon renom auprès des villageois, à telle enseigne que l'un de nos fermiers, qui n'était pas sans pécune, me vint, à mon départir, me demander la main d'un de mes gens qui avait engrossé sa fille et qu'il voulait comme gendre, en étant coiffé presque autant que la belle, pour ce qu'il avait bons bras, bonne tête et bon membre aussi, à ce que je gage.

Je trouvai mon père vert, vif et gaillard, quoique, en souvenir de notre pauvre Sauveterre, il affectât de traîner sa gambe navrée, boiterie que je lui vis oublier, quand la vivacité de son naturel une ou deux fois l'emporta. Il ne fut pas long en la bénignité de son cœur à deviner la malenconie où j'étais, et me faisant un soir de novembre, en sa librairie devant un feu cramant, quelques adroites questions, m'amena à lui en dire ma râtelée.

— Mon Pierre, dit-il, quand il m'eut ouï, vous fûtes bien avisé de taire vos doutes, même à Fogacer à la parfin, l'affaire, si elle était sue, portant en elle un grand poids de péril, de déshonneur, peut-être de péché. Mais qu'en est-il de vos enfants ? A leur égard aussi Angelina est-elle changée ?

— Nenni, Monsieur mon père. La Dieu merci, elle est avec eux aussi bonne mère que par le passé. Faible preuve toutefois. Comme vous le savez, Larissa était tout à plein raffolée de ses neveux et nièces, n'ayant pas elle-même d'enfant et n'en pouvant avoir.

— S'il s'agit d'elle, dit mon père, il se peut que ce soit un grand bien que ses présentes folies ne puissent laisser de postérité. Mais, mon Pierre, comment êtes-vous assis ? Pourquoi cette escabelle, quand ce fauteuil, en face du mien, vous tend les bras ?

— Monsieur mon père, dis-je en baissant les yeux, c'est celui de l'oncle Sauveterre. Et j'imagine qu'il nous oit encore, même si son fauteuil reste vide.

A quoi mon père s'accoisa un petit, et se peut parce qu'il ne pouvait parler tout de gob, fit du chef un signe d'assentiment.

— D'après votre conte, mon Pierre, reprit-il à la parfin d'une voix quelque peu étouffée, il ne ressort pas tout à plein clairement laquelle des deux vous cuidez être celle qui demeure vive. Car à'steure vous paraissez apenser que c'est l'une, et à'steure, l'autre.

— Ha ! mon père ! dis-je, la voix quasi trémulente, ne quérez pas de moi ce que je crois, mais bien plutôt ce que je veux, ou ne veux pas croire, n'ayant aucun moyen de décider selon la raison, les preuves faillant toutes.

— Qu'en est-il donc de votre volontaire créance ?

— Je veux ni ne peux admettre, dis-je, ma gorge se nouant, que j'aie perdu à jamais mon Angelina : mon dol serait trop immense pour le pouvoir souffrir. Je me veux donc persuader que la survivante des deux, c'est elle, de présent jetée hors ses gonds par la mort de sa jumelle, et en tout l'imitant en sa corruption dans l'espérance de la faire en elle-même revivre.

— C'est une idée étrange.

— Je ne sais. En ses maillots et enfances, Angelina s'est laissé souvent fouetter, bouche close, pour des fautes que Larissa avait commises et quand j'ai quis d'elle pourquoi elle supportait pareille injustice, elle me répondit qu'une fois la faute perpétrée, elle ne savait plus bien si ce n'était pas la sienne.

— Angelina, dit mon père, ferait donc revivre Larissa en elle en l'imitant, et votre espoir c'est qu'un jour viendra où elle discontinuera ce déportement ? Pierre, si cette idée vous conforte dans votre présente confusion, je vous souhaite de la cajoler assez adroitement pour qu'elle demeure avec vous. *Sit caeca futuri mens hominum fati : liceat sperare timenti* [1].

Début décembre, si bien je me ramentois, mon bras dextre reprenait quelque force et souplesse — au point que mon escrime, au dire de Saint-Ange, n'était point tant inférieure à ce qu'elle avait été — quand un jour, rentrant dans ma chambre, après une matinale repue, j'y encontrai une chambrière que je ne connaissais point, laquelle était occupée à refaire ma coite.

— Mamie, dis-je en oc, qu'est-cela, tu es neuve en ces murs ?

— Oui-da, Moussu lou Baron. Je fus engagée hier par Monsieur votre père. Mes parents ont beau mas à une demi-lieue de Marcuays.

— Tiens donc, dis-je en l'envisageant d'un œil qui pouvait bien sur elle s'attarder, tant elle était accorte et fraîchelette, encore qu'elle fût, comme Maître Zanche en sa langue marrane eût dit, *péguègne* au point de pouvoir passer sans courber le chef sous mon bras à l'horizontale tendu, mais cependant, le peu qu'il y avait d'elle mince et bien rondi, l'œil noir fort vif et fort futé, la bouche friande, et le nez retroussé. Voilà, dis-je, qui est bien fait à lui. Et qui te commande céans ?

— Votre nourrice, la bonne dame Barberine.

— Et quel est céans ton office ?

— Je fais votre lit, Moussu lou Baron.

— Puisses-tu, dis-je, le défaire aussi avec moi !

— Moussu, je ne vous entends pas, dit-elle, mais de l'air de m'entendre fort bien, et tortillant son petit corps de la tête à l'orteil.

— Mamie, comment t'appelle-t-on ?

— Babille.

— Babille ? Est-ce un nom ou un surnom ?

— De mon baptême, je suis Marie. Mais on me nomme Babille au logis.

1. Que l'esprit des hommes reste aveugle aux destins futurs et que ceux qui craignent aient licence d'espérer. (Lucain.)

— Babille, ta langue est-elle si parleresse?

— Se peut, Moussu.

— Voilà qui est parlé bien bref pour une fille jacassante. Montre-moi cette babillarde.

— Ha! Moussu!

— Ha! Moussu! Ignores-tu que je suis révérend docteur médecin? C'est bien le moins que tu me montres ta langue, si tu dois faire et défaire mon lit. Allons, Babille, obéis.

— Voilà, Moussu.

— Et l'œil clos, je te prie.

A quoi elle obéit derechef, si menue, naïve et tortillante que c'était plaisir rien que de l'envisager, et plus grand plaisir encore, m'approchant en tapinois, de prendre entre mes lèvres sa petite langue rose.

— Ha! Moussu! dit-elle, en déclosant l'œil et en se retirant, mais point si vivement que la pudeur l'eût voulu, tant est que je sentis bien que j'eusse pu pousser les choses plus outre, sinon que je répugnais à mener l'affaire à la soldate, n'appétant pas qu'à l'appétit.

— A la goûter, dis-je, ta langue, ma gentille Babille, m'a paru, en effet, jasante et frétillante.

— Moussu, dit-elle en m'envisageant de son œil mi-naïf mi-gaussant, cela est-il une intempérie?

— Fort grave, dis-je gravement, mais que je peux curer de la façon que tu as soufferte — la médication étant quotidienne.

— Voire mais! dit-elle avec un petit pétillement de son œil noir. Pourrais-je chanter, si je guéris?

— Tous les matins.

— Je ne sais, Moussu lou Baron, si j'appète à chanter le matin.

— Et pourquoi donc?

— *L'auzel qué canta lo matin, lo ser sera plumat* [1].
Dicton que les mères dans notre Sarladais enseignent à nos filles dès la première tétée et qu'elles répètent, pour les rebéquer, à leurs galants, dès qu'elles sont d'âge à être entreprises. Et rebéqué

1. L'oiselle qui chante le matin le soir sera plumée (Oc).

j'étais bel et bien à la voir tout soudain se génuflexer devant moi, son œil noir me jetant un gaussant regard, son ample cotillon virevoltant autour de son petit corps, et disparaissant par l'huis, lequel fut déclos et reclos en un tournemain. Ha! peste! m'apensai-je, suis-je pris? Appâté par cette petite langue entre mes lèvres s'attardant? et hameçonné dans le temps où je la voulais prendre?

Ce n'est point que Babille ne frétillât pas, s'attardant chaque matin en ma chambre jusqu'à ce que j'y advinsse, tant est que je ne savais plus lequel des deux était accroché à la ligne de l'autre, et combien de temps encore cette petite souris allait jouer autour de mes moustaches, tout gros matou que je fusse.

— Babille, dis-je un matin, c'est assez m'amuser. Vas-tu à la parfin accepter mes bonnes curations?

— Nenni, Moussu lou Baron, dit-elle, son œil, sa lèvre et son petit corps se trémoussant, disant « non » à ce « non ». Pourquoi curer qui est saine?

— Pour que saine elle soit davantage.

— Ou plus grosse. *La filha vay sovent purant lo rire de i a un an* [1].

— Pourquoi « pleurant », Babille? Irais-je, grosse, t'abandonner?

— *La prumiera annada, naz à naz. La segonda, bras à bras. La tréziema : Tire-t'en lay* [2]!

— Babille, ne sais-tu parler que par dicton? Ne vois-tu pas que j'ai grand appétit à toi?

— *Ios d'une ora e filha de quinze ans son de bossins friands* [3].

— Babille, dis-je en sourcillant, assez de ces *proverbis de mierda*! Que si je te forçais, ne le peux-je? N'en ai-je pas le droit? Qui trouverait à y redire?

— Mais moi! dit la péquègne, dressée comme un

1. La fille va souvent pleurant le rire d'il y a un an.
2. La première année, bec à bec. La deuxième bras à bras. La troisième : tire-toi de là!
3. Œufs d'un jour et fille de quinze ans sont des morceaux friands.

petit serpent de toute sa taille menue. En outre, on ne force pas filles à Mespech, tout grand coq que soit Moussu votre père. Raison pour quoi mon père m'a donnée à lui.

— Babille, dis-je en sourcillant, tu as toute honte bue et toute vergogne avalée de parler ainsi du baron.

— Hé pourquoi? Qui ne louerait un coq d'être coq? C'est aux poules de se garder.

— Si point de coq, des œufs, certes! Mais point de poussins!

— Moussu, le temps n'est pas venu des poussins pour moi. Pucelle suis.

— Babille, il faut bien commencer un jour.

— Oui-da, avec mon mari.

— Qui te battra.

— C'est affaire à lui.

— La peste soit de cette garce rebelute! dis-je en lui tournant le dos et en marchant vers l'huis. La vérité, c'est que tu me trouves trop barbon pour toi.

Per tant vielh siasque lo boc
Mas que la craba siasque de sazon [1].

— Quoi? dis-je en revenant à elle, le sourcil haut et lui posant les deux pattes sur les épaules, que dis-tu? La chèvre est prête?

— Oui-da! dit-elle sans branler sous ma main et affrontant mon regard avec la dernière effronterie : mais à des conditions...

— Tiens donc! Vramy! La place parlemente avant que de se rendre! On barguigne! On négocie! Voyons ces conditions!

— *La prumiera*, que je sois la seule à Mespech à défaire céans le lit que je fais. *La segunda*, que si je suis grosse, on élève le pitchoune au château. *La tré-ziema*, c'est que Moussu votre père me marie au département de son fils, comme il a fait pour la Gavachette.

— Et la quatrième? dis-je.

— C'est que Moussu lou Baron me donne bague

1. Peu importe que le bouc soit vieux, si la chèvre est prête.

204

en or plus grosse et plus belle que celle de la Gavachette.

Cornedebœuf! Cette bague que j'avais eu la folie de rapporter de Paris à la Gavachette en 1572 — Babille n'étant pas née! — dix-sept ans plus tard on en jasait encore dans tout le pays alentour...

— Babille, dis-je, serais-tu chiche-face?

— Nenni, Moussu. Mais j'ai ma hautesse, mon père ayant beau mas, et n'étant pas, quant à moi, fille de Roume comme la Gavachette. Aussi ne veux-je pas être tenue à moins qu'elle, mais à plus, dans les fêtes de nos villages.

Ayant ri de ce trait — nos gens ayant entre eux ces petits chamaillis d'honneur qui ne sont ni plus ni moins stupides que ceux de nos muguets de Cour — j'acceptai sans rechigner la première et la quatrième condition de Babille, mais pour la seconde et la troisième, qui ne dépendaient pas de moi, il m'en fallut de prime parler au maître de Mespech. Lequel au premier mot s'esbouffa à rire.

— Ventre Saint-Antoine! dit-il, je suis heureux, Monsieur mon fils, que Babille vous plaise et qu'elle se plaise à vous. Je ne l'ai pas placée là par hasard. C'est une bonne et saine garce, et si elle vous fait fille ou fils, nous élèverons son beau fruit céans. Quant à vous, et pour vous, je me réjouis grandement. Ne sais-je pas, reprit-il avec un soupir (pensant à la mort de Sauveterre) qu'il n'y a rien de tel qu'un grand dol, deuil, dommage et pâtiment de cœur pour vous escouiller l'homme. Raison pour quoi je tiens — comme médecin, comme père et comme philosophe — qu'il faut, dès que se peut, guérir l'âme par le moyen des sens. C'est raison et c'est délices. Et les deux vont bien ensemble, quoique Paul en dise.

Ce Paul était saint Paul, à qui mon père en huguenot conséquent ne voulait pas donner du « saint ». En outre, il ne prisait guère sa doctrine pour ce que disait-il, « Paul avait poussé jusqu'à l'excès la défiance de la chair », dont les plaisirs, bien au rebours, mon père tenait pour éminemment sains, rebiscoulants et médicamenteux.

Babille et son gentil babil, fait de proverbes et de dictons puisés au fond des âges dans notre périgordine sagesse (tantôt vraie, tantôt fausse, mais toujours ébaudissante) me tinrent chaud en mon cœur et en ma coite tant que dura l'hiver.

Je n'affirme pas que je fus guéri, ni que je le fus tout uniquement « par le moyen des sens », pour ce qu'aux sens, dès qu'ils s'épanouissent avec fille qui à vous se fond, se mêlent des émeuvements et des sentiments qui en décuplent le prix. Sous les piquants de son écorce, Babille était faite, comme la châtaigne, d'une pulpe suave, et quant à moi, comme sait bien le lecteur, je suis assez bon sire, très atendrézi par la tendresse des garces, et dès qu'elles s'y prêtent, avec elles infiniment cajolant. Je baignais, en outre, en Mespech, non point seulement dans la grande amour du meilleur et du plus émerveillable des pères, mais dans celle de nos gens, lesquels m'avaient vu naître, dont j'avais soigné plus d'un et pour qui, bien plus que mon aîné, j'étais le prince en ce petit royaume : Barberine ma nourrice, La Maligou, Cabusse le Gascon, Cathau qui fut la chambrière de ma mère, le berger Jonas, la Sarrazine, Coulondre Bras de Fer, Faujanet, Pétromol, que sais-je encore ! Je ne peux tous les énumérer, mais leurs beaux noms périgordins chantent encore en ma remembrance, tandis que j'écris ceci. En outre, j'aimais Mespech, j'aimais ses murs mêmes, et si étrange que cela paraisse, j'ose affirmer qu'ils m'aimaient aussi : je le sentais au chaud et au rond de la pierre, la paume de ma main l'épousant, quand je descendais le viret qui mène à la grand'salle.

En ce mois de décembre où ma gentille Babille, sans qu'elle le sût, fit de si bonnes curations à mon âme navrée, je reçus deux lettres qui, l'une fort promptement advenue et l'autre incrédiblement délayée, me confortèrent toutes deux grandement. La première, la plus prompte à m'atteindre, était de Fogacer, lequel, pour les raisons que l'on sait, était demeuré avec son Silvio dans ma seigneurie du Chêne Rogneux, et me mandait que l'Alazaïs avait fait merveille avec Angelina, laquelle était devenue plus quiète, ou point tant convulsive, veillait à ses enfants, de moi parlait souvent en termes très affectionnés et eût ajouté mot à sa lettre si, son pouce, étant goutteux, ne l'en avait empêchée. Encore que ce dernier trait, le lecteur entend bien pourquoi, me gâtât un petit tout ce qui précédait, je fus très consolé que le déportement de mon épouse se fût assouagé, et répondant incontinent à Fogacer, j'y joignis une lettre pour elle, que ma compassion me dicta, et où je lui donnais de bonnes assurances de mon dévouement.

La deuxième lettre missive, qui était de mon intime et immutable ami Pierre de L'Etoile, était départie de Paris au début d'octobre et avait mis près de deux mois à me parvenir. Elle m'apportait la bonne, l'excellente, l'excellentissime nouvelle de la victoire du roi devant Dieppe, à Arques, sur le gros Mayenne, et une armée de ligueux deux fois plus nombreuse que celle du roi, grâce à la supériorité de quoi Mayenne avait proclamé, en quittant la capitale, qu'il allait prendre Navarre dedans Dieppe et le ramènerait serré en cage, dans la bonne ville. Oyant quoi, nos bons Parisiens, plus badauds et crédules qu'aucun autre peuple en ce royaume, commencèrent incontinent à louer des chambres et des fenêtres sur le supposé parcours de ladite cage, afin que de voir passer l'hérétique, lié et garrotté, et se donner la joie de le couvrir de crachats — lesquels, Mayenne tout à plein défait, ils durent ravaler en leurs assotés gosiers.

Le lendemain, me confirmant cette mémorable nouvelle, me parvint de mon beau muguet de Cour, le baron de Quéribus, une lettre coruscante et caracolante, écrite, je suppose, avec l'aide du bouffon Chicot (mon beau Quéribus n'étant pas trop docte en écritures) où Mayenne était moqué comme *un gros pourceau qui s'apparesse sur sa putain*, passant plus de temps à table que Navarre au lit, et plus de temps au lit que Navarre à cheval, lequel les *Seize — ce ramassis parisien de vaunéants, de robins et de curés* — avaient eu le front de nommer lieutenant général du royaume, proclamant roi, sous le nom de Charles X, ce pauvre vieux sottard de cardinal de Bourbon, lequel n'était point seulement l'oncle de Navarre, mais son prisonnier, ce pauvre roi de pourpre et de carton étant serré et surveillé de près en sa geôle dorée.

Quéribus n'omettait point, comme bien on pense, de conter — se peut en y rajoutant — ses hauts faits à la bataille devant Dieppe, ce qui ne manqua pas de m'agacer la moustache et de me donner quelques démangeaisons dans le fourreau de mon épée.

— Ventre Saint-Antoine! dit mon père, quand je lui eus lu cette lettre, dirait-on pas que Quéribus a inventé la vaillance! Ce muguet était encore en nourrice quand je me battais, avec de l'eau jusqu'au poitrail, pour reprendre Calais aux Anglais.

Nous étions l'un et l'autre en ces sourcilleuses dispositions, quand nous parvint, à mon père et moi-même adressé, un mot bref et décisoire de M. de Rosny, nous disant que si gambe de l'un et bras de l'autre étaient remis, le roi nous voulait incontinent à son côté comme toute sa bonne noblesse, ramassant, rameutant et ramenant à lui autant d'hommes que nous pourrions, et lui apportant en surplus les pécunes dont il avait grand besoin, et que si nous avions des bois à couper et à vendre, qu'au nom du ciel, nous les coupions pour lui apporter clicailles, afin qu'il pût payer ses Suisses, sa poudre, ses canons, et l'envitaillement de ses troupes.

A Dieu ne plût que le baron de Mespech, si bon ménager de son domaine, coupât prématurément ses beaux bois de châtaigniers, mais sur notre département, mon escorte étant grossie de la sienne, nous passâmes par Bordeaux, où mon père avait confié, deux ans plus tôt, quatre mille écus à un honnête Juif pour qu'il leur donnât du ventre par ses usances, lesquelles, comme on sait ne sont pas permises aux chrétiens par les Eglises, raison pour quoi les Juifs se chargent de ce vilain péché et, prélevant leur dîme, y emploient nos dévotes pécunes.

Mais ce détour nous délayant, nous nous trouvâmes davantage retardés par la nécessité où nous nous encontrâmes, encore que nous fussions forts de vingt-cinq chevaux — nos montures et nos armes étant excellentes — d'avancer à sabot de velours, et fort à la prudence, pour ne point nous heurter aux nombreuses bandes ligueuses qui couraient le plat pays, mon père ne voulant point hasarder à rançon les précieux écus qu'il apportait au roi. Enfin, parvenus à Tours — siège du gouvernement royal —, nous y demeurâmes une semaine à nous y refaire, le plus dur restant à accomplir pour ce qu'il fallait trouver l'armée du roi dont personne à Tours ne sut nous dire précisément où elle s'encontrait, les uns disant qu'elle était à Poissy, d'autres à Meulan, et d'autres enfin à Evreux. Ce fut la partie de loin la plus périlleuse de notre voyage, Mayenne, comme bien nous savions, cherchant à se revancher sur le roi avec une armée nombreuse, tant est qu'à voir des cavaliers surgir à l'horizon, nous ne pouvions savoir s'ils étaient des ennemis, ou des nôtres, qu'en nous rapprochant assez pour distinguer si leurs casaques étaient parsemées de croix de Lorraine. Auquel cas nous nous ensauvions ventre à terre, souvent poursuivis, mais grâce à Dieu et à la célérité de nos chevaux, jamais rattrapés.

Cependant, ayant aperçu trois cavaliers isolés qui fourrageaient, nous les capturâmes, mais par la male heure, nous n'en pûmes rien tirer, sauf qu'ils étaient flamands et appartenaient au comte d'Egmont, troupe que Philippe II avait envoyée des Flandres en renfort à Mayenne. Les pauvrets se tenaient déjà pour morts, mais mon père ayant ordonné qu'on leur prît poudre et balles, les relâcha, et nous poursuivîmes notre hasardeuse errance jusqu'aux environs d'Evreux où un laboureur nous dit que le roi avait quitté la ville dix jours auparavant, fort pressé par Mayenne, et qu'il s'apensait qu'il devait être à Nonancourt où, dans l'effet, nous le trouvâmes le 12 mars, à notre immense liesse et soulagement, occupé à dresser le plan et ordre de bataille. Mais de M. de Rosny point de trace, encore qu'on nous dît qu'on l'attendait, avec sa compagnie, d'une heure à l'autre. Le roi qui déploya ce jour-là une immense activité, à telle enseigne qu'on ne pouvait aller nulle part sans l'encontrer, ayant réuni ses capitaines à la fin du jour, dit à sa façon simple et de prime saut, qu'il allait prier selon son culte huguenot et qu'il avisait ceux des siens qui étaient d'un autre culte d'aller prier en leurs églises. J'eusse volontiers joint mes *pater noster* aux siens, mais étant papiste, fût-ce du bout du bec, je ne pouvais que je n'allasse en église, et ce qui me frappa fort, c'est que je les trouvai toutes pleines de princes, de noblesse et de soldats, si bien que je fus de toutes repoussé par la cohue, sauf d'une qui était quelque peu dans le faubourg, et où je pus entrer. Combien que je ne sois pas de mon naturel très porté aux oraisons, je priai là avec quelque recueillement pour mon père, pour la curation d'Angelina, pour mes enfants, pour le salut de mon âme.

Henri ayant disposé son armée entre Boussey et Lente, du diable si je sais pourquoi le chamaillis qui suivit fut nommé bataille d'Ivry, sinon pour ce que Mayenne passa la rivière d'Eure en ce bourg le 14 mars au matin, et la repassa, vaincu, quelques heures plus tard. Quant à cette grande victoire du roi sur la Ligue, ayant été quant à moi en plein en son milieu, baillant et recevant des coups, et n'ayant rien entendu alors à ce qui se passait, j'ai voulu lire plus tard les contes qu'en ont faits les chroniqueurs, et j'ai trouvé ces récits si confus et si contradictoires que je ne suis pas à ce jour plus avancé dans la connaissance que j'y cherchais. Je m'y résigne donc, et le lecteur devra avec moi s'y résigner aussi : cette grande victoire d'Ivry demeure un livre clos, à commencer par son nom. Tout ce que je sais (et je l'ai su de la bouche du roi), c'est qu'après plusieurs charges furieuses — qui nous mirent fort en péril —

la cavalerie de Mayenne tout soudain se paniqua et s'enfuit, plantant là son infanterie qui partie se rendit, et partie fut taillée en pièces.

Une chose, à tout le moins, est tout à plein sûre : au rebours de tous les mots qu'on prêta à Henri — dont plus tard le fameux *Paris vaut bien une messe* qu'oncques ne prononça — il est bien vrai que le 14 mars à dix heures du matin, avant que de se lancer à l'assaut, il dit à sa noblesse qui l'entourait : *Mes compagnons, si vos cornettes vous manquent, ralliez-vous à mon panache blanc, vous le trouverez au chemin de la victoire et de l'honneur!*

Ces paroles, je les ai ouïes de ces oreilles que voilà, et ce panache blanc — la seule somptuaire coquetterie d'un roi fort simple en sa vêture — je le lui ai vu plus d'une fois sur le chef, et ayant, comme bien sait le lecteur, quelque amour pour les bijoux, j'observai qu'il était orné à sa base d'une améthyste blanche, ceinturée d'une douzaine de perles : luxe qui m'étonna tant chez un prince dont le pourpoint était usé jusqu'à la trame et qui jouait à la paume avec une chemise déchirée que je présumais, trois à quatre jours après Vitry, de quérir de M. de Rosny, qui déjà avait l'œil sur les débours du roi, combien Sa Majesté l'avait payé.

— Bien le sais-je! dit Rosny d'un air mal'engroin, c'est moi qui en ai avancé les pécunes! Cent écus! J'ai versé cent écus il y a deux ans, pour cet affiquet! Ventre Saint-Gris! Le sot dépens! Votre roi aimait les aigrettes! Et le mien les panaches!

— Votre roi est aussi le mien! dis-je, d'un ton piqué.

— Certes! Certes! dit Rosny d'un ton gaussant, ses larges pommettes saillant en son sourire et ses yeux clairs fort pétillants. Le roi est à vous aussi, mon ami, sauf toutefois son panache, qu'il ne m'a mie remboursé.

Henri voulut garder mon père à ses côtés, tant est que je devins le seul chef des vingt-cinq chevaux de notre escorte et, d'ordre d'Henri, rejoignis la compagnie de Rosny qui, à huit heures et demie du matin, venait d'advenir et que le roi plaça dans le corps de son escadron, lui disant :

— Rosny, faites mettre vos arquebusiers pied à terre. Qu'ils renvoient leurs chevaux et bagages avec les pages et les valets. Je connais leur vaillance. Je veux qu'ils me servent ce jour d'hui d'enfants perdus.

A quoi, Pissebœuf, qui avait ouï ce discours, poussa son cheval jusqu'à moi, et me dit *sotto voce* en son gascon, et la face fort pâle :

— Moussu lou Baron, devons-nous aussi mettre pied à terre ?

— Que nenni, dis-je, n'en faites rien. Vous êtes à moi, puisque M. de Rosny vous a à moi baillés, et dites-le aussi aux autres arquebusiers de ma suite.

— Ha ! dit Pissebœuf en poussant un grand soupir, la merci Dieu et la merci à vous ! Je veux bien être tué, mais à cheval ! Et s'il plaît à Dieu, à vos côtés, Moussu lou Baron...

S'il eût voulu mettre sur le devant de la tête les idées qu'il avait derrière, il eût pu dire aussi que sur un champ de bataille, tant qu'on a un bon cheval entre les gambes, on se peut tirer d'affaire, alors que les gens de pié l'ont infiniment plus mauvaise, et en particulier ceux que l'on désigne de cette expression si étrangement compatissante : *les enfants perdus*.

Et « perdus », ils le sont neuf fois sur dix, belle lectrice, à qui je veux expliquer ici, la supposant ignorante des cruels raffinements de la guerre, que ces « enfants », leurs « pères » les perdent fort en avant d'eux sur le champ de bataille, égaillés et dispersés çà et là, cachés comme ils le peuvent, qui derrière un arbre, qui dans un buisson, qui dans un pli de terrain, leur rôle étant de tirailler dans la cavalerie ennemie tandis qu'elle charge la leur, et en très grand danger, par conséquent, d'être par elle piétinés et taillés.

La salive me sécha incontinent dans la gorge, quand je vis s'avancer au petit trot vers nous un escadron de reîtres, et l'ordre ayant été donné de marcher en leur encontre, je mis l'estoc au poing et passai mes rênes dans ma main senestre laquelle, à ma grande honte et confusion, se mit à trémuler. Mais par bonheur je me ramentus ce que Rosny m'avait dit du roi — le plus vaillant de tous les hommes — lequel dans le moment qui précédait le combat, était pris à chaque fois d'un irréfrénable flux de ventre, quitte à en gausser lui-même et à dire, sur sa chaise percée, en parlant des ennemis à sa manière verte et gaillarde : *Mes amis, je vais faire bon pour eux!* J'entendis donc, après ce haut exemple, que je ne devais pas avoir vergogne de ce tremblement, que c'était l'animal en moi qui rebéquait au péril, et que le cœur se prouvait à l'acte, et non avant. Ce pensement me revigorant, je repris vent et haleine, et raidissant mes muscles, j'attendis quasi avec impatience le toquement des ennemis.

Celui-ci toutefois ne se fit pas, car les reîtres, qui s'étaient mis au galop, paraissaient nous devoir charger assez furieusement quand, parvenus à trente pas de nous, ils tirèrent leurs pistolets en l'air et tournèrent bride.

— Au pas! Au pas! cria Rosny à ceux de ses cavaliers qui faisaient mine de poursuivre les ensauvants. Et huchant cela, aidé de ses sergents et capitaines, il ramenait et rameutait sa compagnie en rangs serrés.

— Qu'est-cela, Monsieur de Rosny? lui criai-je, comme il passait à un jet de pierre de moi, ces Allemands sont-ils si couards?

— Nenni! Nenni! hucha-t-il, mais ils sont presque tous huguenots. Raison pour quoi, étant là bien contre leur gré, ils n'ont pas voulu vous combattre. Mais, voici fondre sur nous une tout autre nuée! poursuivit-il en pointant son estoc vers un escadron ligueux qui galopait à brides avalées à notre encontre. Par la bonne heure, Henri a adroitement disposé ses troupes en tenant grand compte du vent, tant est que nous ne serons pas aveuglés par la poussière que ces gens-là soulèvent en nous courant sus.

— Mais qui sont-ils? dis-je.

— A leur casaque, le comte d'Egmont et ses Wallons ! La vaillance même ! Tous ! Le fer de lance de l'armée ligueuse ! Elle est pour nous, Siorac ! Dieu vous protège !

— Dieu vous garde aussi, Monsieur de Rosny ! dis-je, le cœur me toquant comme fol.

— Au trot ! hucha Rosny, devançant de vingt bonnes toises sa compagnie, ce qui fut cause, comme je le sus plus tard, que le roi lui dépêcha son propre cousin pour lui dire qu'il était *étourdi comme un hanneton* et de ne pas s'aventurer trop avant.

— Au galop ! cria Rosny en se laissant quelque peu rattraper par sa compagnie, mais point tout à fait, tenant à honneur d'être le premier au chamaillis.

Ha ! lecteur ! C'est une bien étrange chose de galoper à l'encontre d'un escadron qui sur vous contregalope, hérissé d'une sombre forêt de lances droites, lesquelles, tout soudain, à quelques toises de vous, s'abaissent à l'horizontale, la pointe visant votre cœur, alors que vous n'avez en votre dextre qu'un estoc, tant plus court que ces piques sont longues ! Il est vrai que votre estoc brisé, vos deux pistolets d'arçon vous donnent deux coups, à courte distance mortels, mais deux seulement. Et que font deux arbres abattus dans cette forêt qui vers vous s'élance ! Il est vrai aussi que leur lance perdue, échappée, brisée ou trop profondément fichée pour être à temps retirée, les lanciers n'ont plus que leur braquemart, comme dernier recours. Ce qui est peu contre un estoc, et néant contre un pistolet.

Mais ce que je dis là, lecteur, je le pensais après coup, car dans le moment, galopant et galopant dans un champ, à ce que je vis, labouré et fort sec, l'estoc au bout de mon bras dextre pointé, je sentais mon cœur me toquant, la sueur dans le dos me coulant, ma tête battant comme cloche. Et dès que le choc se fit dans une assourdissante noise de piques et d'estocs contrebattus, de cuirasses s'entrechoquant, de chevaux cabrés et hennissants, de cavaliers emmêlant leurs montures, poussant de la croupe, poussant du poitrail, et rugissant comme bêtes fauves, rien ne compta que la rage de vaincre, dans le tête-à-tête avec la mort de tous côtés menaçante, parant et frappant qui-cy qui-là comme forgeron sur enclume, la poussière étant telle sur ce labour desséché qu'elle nous enveloppait comme un brouillard en ce cruel chamaillis, où il eût fallu non seulement bien voir, mais voir promptement, et même comme les mouches, voir de tous les côtés, pour prévenir le coup fatal, mon estoc se brisant net à deux doigts de la poignée, mes deux pistolets faisant feu à mon poing l'un après l'autre, mon casque par-derrière s'enfonçant quasiment sur mon chef, et moi versant à terre de tout mon haut dans ma lourde cuirasse, ma Pégase s'abattant, roide à mon côtel, la Dieu merci, et non sur moi, le noir tout soudain emplit mes yeux, et ma conscience s'évanouit lentement assez pour que je me crusse arrivé à ces confins de la vie dont personne n'est jamais revenu.

Quand enfin je me désommeillai de ma pâmoison, je me sentis prodigieusement étonné de retrouver l'usance de mes membres et même de me pouvoir lever et béant plus encore de me retrouver seul sur le champ de bataille. Où que je portasse ma vue, si troubles que fussent mes yeux, nul des nôtres et nul ennemi n'étaient visibles. D'où je conclus que les Wallons avaient enfoncé l'escadron royal, et que nous étions battus. Tout chaffourré de la défaite de mon roi et anxieux pour sa vie, je donnai au demeurant peu cher de la mienne, pour ce que j'étais sans estoc et sans pistolet, à la merci des paysans qui viendraient à la nuitée faire picorée sur les morts et les blessés, et expédieraient à la chaude les survivants, n'étant que trop heureux d'égorger les gentilshommes qui avaient gâté leurs champs.

Otant mon casque qui me dolait fort sur le sommet de mon chef, je palpai mon crâne précautionneusement du bout de mes doigts, et sentis des caillots entre mes cheveux, et sur ma face une longue craquelure de sang séché. J'entendis par là qu'un grand coup de braquemart, asséné par-derrière, avait été la cause, et de ma chute, et de ma pâmoison, et que je n'étais pas autrement navré, quoique dolent en tout le corps du fait d'avoir, en vidant les étriers, heurté durement les dures mottes du labour.

Mon premier pensement étant de chercher une arme, je jetai les yeux autour de moi, lesquels, de troubles qu'ils étaient de prime, avaient recouvré leur coutumière vue. Tant est que je pris conscience d'être environné d'un monceau de chevaux morts ou mourants, et de cavaliers qui ne valaient pas mieux, desquels le sang engraissait le labour impiteux qui, certes, vivrait encore et porterait son blé dans les siècles des siècles, quand le souvenir même de cette encharnée bataille serait à jamais effacé.

Le soleil était haut déjà et les chevaux morts commençaient à puer de cette odeur tout à la fois fade, douceâtre et suffocante qui leur est particulière. A la parfin, je trouvai une pique, échappée de la main d'un Wallon qui agonisait, la gambe prise sous sa monture, et ayant dans le poitrail un trou rouge, grand comme un écu, d'où, à chaque fois qu'il respirait, jaillissait un petit jet de sang. Je ne pouvais rien, hélas, pour ce malheureux qui, appelé par l'Espagne de ses Pays-Bas pour mourir en France, au nom d'une cause où il n'entendait miette, était là. Il me vit prendre sa pique et crut, à la casaque dont j'étais revêtu, que je l'allais achever et ferma les yeux avec un tremblement convulsif des lèvres qui me serra le cœur. Je n'avais même pas d'eau à lui bailler, ayant perdu ma gourde, ni même de mot à lui dire, n'entendant pas sa parladure, ni lui la mienne.

Me sentant plus remparé, la pique wallonne à la main, quoique trébuchant encore quelque peu, en mes pas et démarches, de la chute que j'avais faite, je me dégageai du monceau d'hommes et de chevaux que j'ai dit, la puanteur étant insufférable, et avisant à deux cents toises devant moi, se dressant seul dans le champ, un grand poirier dont les branches étaient fort basses et fort étendues, je marchai à lui dans l'espoir insensé (qui montrait bien que je n'avais pas encore retrouvé mes esprits) d'étancher soif et faim en mangeant de son fruit, alors même que nous n'étions qu'en mars.

Mais quand je fus à cent toises environ dudit arbre, traînant la pique derrière moi, tant je la trouvais lourde, je vis un spectacle qui me cloua au sol. Un cavalier sans monture de l'armée royale (comme je le vis à sa vêture, sa face étant ensanglantée) s'ensauvait en boitant et sans arme aucune, devant un cavalier portant la casaque noire brodée de croix de Lorraine des guisards, lequel à cheval, et l'estoc à la main, poursuivait le premier en huchant à gueule déployée qu'il allait abattre et achever *ce suppôt d'hérésie* ! A quoi le pauvre gentilhomme royaliste, se trouvant sans arme et si mal en point, n'eut pas d'autre réponse que de gagner clopin-clopinant le poirier que j'ai dit et de se mettre à l'abri en se glissant derrière ses branches basses, lesquelles tombaient jusqu'à terre. Voyant quoi, l'assaillant se mit à tourner autour de l'arbre, donnant de grands coups de pointe fort inutiles à travers les branches, ce qui m'étonna fort, car il eût atteint sa cible plus sûrement s'il avait sauté au bas de son cheval. Je me hâtai donc avec toute la célérité dont mes pauvres gambes étaient encore capables vers cet encharné guisard, lui huchant, pour détourner son attention, que je l'allais tout de gob mettre en broche. Quoi oyant, et cessant de circuire le poirier comme fol, le guillaume galopa à mon encontre, l'estoc brandi, mais comme je me campais sur mes gambes, mettais la pique basse et l'attendais d'un air résolu, à quelques pas de moi tout soudain, le guillaume se déroba, tourna bride et s'ensauva, ayant, à ce que je pus voir, une fort méchante navrure à la cuisse, dont le sang coulait prou. Raison pour quoi, je gage, il n'avait voulu de son cheval démonter pour occire sa proie, de peur de ne se pouvoir remettre en selle, son coup fait. L'étonnant me parut que lui-même, si grièvement navré, et en grand péril de sa vie, eût eu encore appétit, la bataille terminée, à occire son prochain.

Je ne sais, à la vérité, si j'eusse été capable d'affronter l'assaut de ce méchant, car dès qu'il fut éloigné, la pique retomba inerte au bout de mes bras, et c'est fort peu à la soldate, en la traînant derechef derrière moi, que je parvins au poirier. Mais à peine avais-je saisi une des branches pour l'écarter de mon chemin qu'une voix qui ne me sembla pas de moi déconnue, quoique faible assez, dit sur un ton qui tâchait d'être menaçant :

— N'avancez pas plus outre ! J'ai un pistolet en main ! Qui êtes-vous ?

— France et Navarre.

— Votre nom ?

— Le baron de Siorac.

— Ha ! Siorac ! Siorac ! En quel piteux état m'allez-vous voir, dit la voix de Rosny. Et, poursuivit-il, quand j'eus passé le rempart des branches pour pénétrer jusqu'à lui, qui était adossé au tronc, mais sans que j'osasse le prendre dans mes bras, tant il paraissait dolent et sanglant. En quel piteux état aussi sont les affaires de France ! Ha ! Siorac ! Je crains fort que nous ayons perdu la bataille. Et si Dieu nous conserve le roi, encore serons-nous trop heureux ! Avez-vous vu âme qui vive ?

— Rien que morts et chevaux pourrissant.

— Avez-vous une arme ?

— Rien que cette pique que je peux à peine traîner.

— Et moi, dit Rosny, ce pistolet, mais sans poudre ni balle. En revanche, poursuivit-il avec l'ombre de son sourire gaussant, je suis riche en navrures : le mollet à demi emporté par un coup de lance, un coup d'épée à la main senestre, un coup de pistolet à la hanche qui m'est ressorti par le petit ventre, un autre coup de pistolet dans le gras de la cuisse et un coup d'épée à la tête, peu grief, mais qui m'a fait saigner comme un porc. Certes, je survivrai, reprit-il avec sa piaffe coutumière, mais seulement si je trouve un cheval ! Ha ! Siorac ! Siorac ! Ma baronnie pour un cheval !

— Fi donc, Monsieur de Rosny ! dis-je, votre

baronnie à un féal ! Ce cheval, je suis ingambe assez pour tâcher de vous l'aller quérir, mais en toute serviciable amitié et fidélité, puisque le roi m'a donné à vous, gardez ma pique en mon absence et plaise à vous de me bailler votre pistolet. Il me sera plus utile qu'à vous, ayant sur moi poudre et balles.

— Siorac, dit Rosny gravement avec un petit salut de la tête, je me ramentevrai ce coup-là.

Mais chose vraiment bizarre, il ne s'en ramentut point, pas plus qu'il ne parla à quiconque, ni même à moi-même, et pas davantage qu'il ne pipa mot en ses Mémoires de ce que j'avais écarté de ma pique le guillaume qui circuissait à l'entour de son poirier, maugré que ce poirier, il le montrât depuis à tant de gens que ce bel arbre devint quasi célèbre dans les annales de cette guerre. Hélas, M. de Rosny était déjà trop grand en son pensement pour devoir la vie à quelqu'un d'autre qu'à lui-même, et eût cru déchoir et diminuer en sa gloire et vaillance, si quelque seigneur l'eût aidé à survivre — et pas même en lui baillant un cheval. Or je trouvai bel et bien sur le champ de bataille une jument — et fort superbement harnachée — laquelle je tirai de l'amas des morts, la pauvrette ayant eu plus de peur que de mal, et que je montai incontinent sans coup pâtir et plus légèrement que je n'eusse cru, vu l'état de mes membres, et revenant audit poirier, si fameux en l'histoire de cette bataille, M. de Rosny ayant à son sujet embouché *urbi et orbi* la trompette de sa propre renommée, je trouvai M. de Rosny, lui-même monté sur un courtaud qu'il venait, me dit-il, d'acheter à un guillaume appelé La Roche-Forêt pour la somme de cinquante écus, Rosny étant, comme le lecteur s'en souvient, accoutumé à porter sur soi pécunes quand il allait au combat. Cependant, aguignant de côté ma belle jument et son superbe harnachement, je vis bien qu'il l'enviait, sans toutefois la quérir de moi, pour ce qu'il ne voulait pas qu'il fût dit qu'il me devait sa monture en ce précaire prédicament. Pour moi, je lui rendis son pistolet, que j'avais chargé, repris ma pique et me mettant au pas derrière son courtaud, comme étant à moi seul toute son escorte, je le suivis sur le champ de bataille où il voulut aller, ne le sachant point très bien lui-même, à ce que je vis, et branlant fort sur sa selle.

Comme nous chevauchions ainsi cahin-caha sur le labour desséché, M. de Rosny saignant de toutes ses plaies, et moi tant abêti par mon coup sur la tête que je n'arrivais pas à aligner deux idées, nous vîmes venir à nous une longue file de sept seigneurs au moins, dont les casaques étaient constellées de croix de Lorraine, l'un d'eux portant en outre au bout de son bras senestre la cornette blanche et générale de M. de Mayenne. Et combien qu'ils fussent en aussi mauvais point que nous-mêmes, chevauchant à pas petits et la tête basse, j'entendis bien que, s'ils avaient voulu nous combattre à sept contre deux, nous y eussions laissé du poil. Mais les malheureux n'y pensaient guère, comme on va voir.

— Qui vive ? dit le premier de la file.

— Baron de Rosny, dit Rosny, portant fort haut la crête, et piaffant et paonnant comme à son ordinaire.

— Ha ! Monsieur de Rosny ! continua celui-là qui l'avait quivivé, la Dieu merci ! nous vous connaissons tous. Et bien savons-nous que vous êtes loyal gentilhomme et d'honneur.

— Messieurs, la grand merci de ce los. Que me voulez ?

— Monsieur de Rosny, que vous nous fassiez courtoisie et nous sauviez la vie.

— Que dites-vous ? dit Rosny béant. Voulez-vous vous rendre à moi ? Mais vous parlez comme gens qui ont perdu bataille.

— Quoi ? dit celui qui avait parlé et qui était M. de Sigogne (comme je le sus plus tard), est-ce là tout ce que vous savez, Monsieur de Rosny ? Nous l'avons perdue bel et bien ! Après que le comte d'Egmont vous eut rompu, Navarre (que Sigogne affectait de nommer ainsi, ne le voulant pas appeler le roi, en sot guisard qu'il était) a chargé si furieusement qu'il a mis toute notre cavalerie à vauderoute, laissant nos gens de pié en plan. Et quant à quatre au moins d'entre nous, nous ne saurions aller bien loin, et ne pouvons que nous nous rendions, nos chevaux étant comme morts.

En quoi il disait vrai, car trois de ces pauvres chevaux n'allaient qu'à trois gambes, et quant au quatrième, les tripes lui saillaient du ventre.

— Messieurs, dit M. de Rosny, sur le ton de la plus suave courtoisie, je vois bien que même aux vaillants, nécessité fait loi. De cette minute, vous tenant pour mes prises de guerre, et me portant garant de vos vies, je les défendrai envers et contre tous, si elles s'encontrent menacées.

— Monsieur de Rosny, dit alors un des cavaliers qui s'était tenu jusque-là en retrait, je ne suis point de ceux qui réclament la protection que vous étendez si généreusement à ces messieurs. Je suis M. de Nemours, celui-là à ma dextre est le chevalier d'Aumale (à ce nom je ne pus que je ne tressaillis vivement et fichai mes yeux dans ceux du quidam avec les sentiments que l'on devine) et celui-là, poursuivit M. de Nemours, est M. de Trémont. Nous sommes tous trois en mauvais point, assurément, mais nos montures, comme vous voyez, ont bonnes gambes et bonne haleine, et les troupes royales apparaissant à l'horizon, nous allons nous retirer, Monsieur de Rosny, non sans vous mercier mille fois de votre courtoisie et recommander une dernière fois à vous ces quatre gentilshommes.

M. de Rosny fit alors quelques compliments fort bien tournés à M. de Nemours, lequel se trouvait être duc et demi-frère du duc de Mayenne, et pendant ce temps, le chevalier d'Aumale qui était un fort jeune et fort beau gentilhomme, brun de peau et noir de poil, poussa son cheval près du mien et se mettant au botte à botte avec moi, se pencha sur sa selle et me dit à voix basse :

— Monsieur, qui êtes-vous ? Vous m'envisagez de bien étrange façon.

— Je suis le baron de Siorac.

— Monsieur de Siorac, avez-vous contre moi quelque sujet de fâcherie, et peux-je savoir lequel ?

— Chevalier, dis-je *sotto voce*, dans l'église de Saint-Symphorien à Tours, vous avez forcé une fillette de dix ans, le cotel à la gorge.

— Je m'en ramentois, dit le chevalier d'Aumale en détournant les yeux, et voudrais ne m'en ramentevoir point. Ce sont là de ces folies que l'on commet communément après le combat dans la fièvre du moment.

— La demoiselle était noble et de bonne maison.

— Ha! dit le chevalier, voilà qui me fâche!

Et m'envisageant œil à œil, il ajouta :

— Si cette affaire, Monsieur de Siorac, vous tient à cœur dès que nous serons l'un et l'autre en état de porter les armes, je ne faillirai pas à vous en rendre raison.

A quoi, sans mot piper, j'inclinai sèchement la tête en signe d'assentiment.

— D'Aumale! cria Nemours en se tournant sur sa selle, ne languissons pas plus outre! Les royaux marchent sur nous! Piquons! Adieu, Monsieur de Rosny! Adieu, Messieurs, je vous recommande aux courtoisies de M. de Rosny et à la Sainte Garde de Dieu!

Tous trois s'en furent alors, galopant fort bien, à ce que je vis, tandis que les quatre gentilshommes que j'ai dits se mirent à notre suite et à très petits pas, leurs montures les portant à peine, et non sans qu'au préalable, M. de Sigogne eût, avec un certain air de pompe, remis à M. de Rosny la cornette de Mayenne, laquelle était un superbe étendard en étamine de soie blanche, parsemée de croix de Lorraine brodées en fil de soie noire. Toutefois, M. de Rosny, ne la pouvant tenir ferme assez, ayant blessure aux deux bras, me la tendit. Et dois-je confesser ici que je n'en crus pas mes yeux de me voir porteur de ce trophée, moi qui m'étais trouvé quelques moments plus tôt sans cheval, sans arme, gisant pâmé à terre et laissé quasi pour mort sur le champ de bataille par une armée que je cuidais vaincue. Retournement des choses plus inouï, si plus se peut, pour M. de Rosny qui, blessé en toutes les parties du corps hors les vitales, se trouvait acculé à pire fortune encore, se terrant sous son poirier comme lièvre dans un buisson, et attendant pour ainsi parler d'être achevé par la dent d'un chien, alors que de présent, il revenait victorieux en son camp avec quatre prisonniers de haut rang qui lui seraient à honneur et à rançon, et en outre, en possession, ès poings de son second, de la cornette du général vaincu.

Je me ramentois avoir lu dans mon histoire romaine que l'Imperator, à qui le Sénat accordait le triomphe, se faisait répéter par un esclave qui le suivait en cette cérémonie que la *roche tarpéienne* (d'où l'on précipitait dans le vide les condamnés à mort) était proche du *Capitole* où le menait son char glorieux. Mais dans le présent cas, tout au rebours, on eût pu dire de M. de Rosny que le *Capitole* était, la Dieu merci, tout proche de la *roche tarpéienne* dont il venait de réchapper.

Ces quatre prisonniers — dont vous pouvez être assuré, lecteur, que M. de Rosny, tout navré et fourbu qu'il fût, soupesait déjà la rançon, d'après la connaissance qu'il avait de leurs particulières fortunes —, étaient MM. de Sigogne, Chanteloup, d'Aufreville et de Châtaigneraie, lequel étant le moins blessé des quatre, ne pouvait savoir, alors, qu'il n'avait plus que quelques minutes à vivre. Je vais en dire ici le qu'est-ce et le comment.

M. de Rosny nous menant à la parfin dans la direction dont nous étions partis, à notre dernière charge, entre les villages de Boussey et de Lente, nous trouvâmes là beaucoup de monde, et en particulier les Suisses à la solde de la Ligue, lesquels, immouvables et impassibles, formés en ordre de combat, les piques basses, se trouvaient confrontés par nos Suisses à nous, les arquebuses en joue, mèche allumée, mais ni les uns chargeant, ni les autres tirant, ne se voulant inutilement entremassacrer, étant fils de même nation, et la bataille, de toute guise, se trouvant perdue pour la Ligue, sa cavalerie ayant été taillée par nous en ses croupières. Raison pour quoi les uns et les autres attendaient un accommodement qui se fit de reste, une heure plus tard, sans larme ni sang, sur l'avis du maréchal d'Aumont, vrai vieux soldat qui connaissait la valeur de ces bons Suisses, quelque camp où ils combattissent.

Mais tandis que nos Suisses et les leurs demeuraient de part et d'autre comme d'inébranlables rocs, le champ de bataille à leur alentour était fort mouvant, se trouvant parcouru par des groupes de cavaliers, égaillés qui-cy qui-là, les uns fuyant, les autres poursuivant, en une telle confusion et entremêlement que le diable n'y eût pas reconnu ses petits.

Une de ces troupes, qui était de notre bord, nous apercevant et en particulier, les casaques de nos prisonniers, lesquelles étaient de velours ras noir avec des croix de Lorraine d'argent — plaise au lecteur que j'explique ici que si la cornette de Mayenne que j'avais en main portait des croix de Lorraine noires, cette couleur, inhabituelle aux Lorrains, voulait commémorer le deuil du duc de Guise et de son frère occis à Blois sur l'ordre de mon maître —, cette troupe, dis-je, nous apercevant, vint à nous, toute friande et frétillante du riche butin qui allait quasiment lui tomber dans le bec. Car il ne faut pas que le lecteur s'y trompe le moindrement : si la fidélité au roi (ou à la Ligue) est l'âme de cette guerre, son corps est la picorée que l'on fait sur l'ennemi, tant est que comme l'avait remarqué de longtemps le Gascon Cabusse, que c'est là — si l'on survit aux navrures et blessures — la façon la plus sûre sinon la plus pure, de s'étoffer en pécunes en ce bas monde.

Voyant cette troupe à nous s'avancer, M. de Rosny, de moi suivi, alla à leur devant et leur chef qui était le comte de Thorigny, bridant son cheval, dit à sa vue d'un ton étonné :

— Monsieur, qui êtes-vous ?

— Rosny.

— Rosny ! dit Thorigny. Vertudieu ! N'était votre

voix, je ne vous eusse pas reconnu, tant votre face est tantouillée de poussière et de sang ! Mais qui est donc celui-là qui porte la cornette de Mayenne ?

— Siorac, Monsieur, dis-je.

— Ha, Siorac ! dit une voix, c'est vous ! Vous voilà. Vertudieu, tout pimploché de rouge !

Et me tournant vers qui parlait ainsi, je vis Larchant, le capitaine des gardes du feu roi, fidèle à Sa Majesté entre tous les fidèles, et que bien je connaissais pour avoir joué le rôle que l'on sait (et que j'ai dit tout au long) en ce jour où Guise fut à Blois exécuté. Cependant, Thorigny, ayant aperçu à notre queue M. de Châtaigneraie, lequel était un fort beau jeune homme aux yeux bleu azur, dit :

— Plaise à vous, Monsieur de Rosny, de bien vouloir me remettre ès mains M. de Châtaigneraie que je vois là et qui est mon cousin. Car vous êtes si fort blessé que je doute que vous puissiez le défendre contre les particuliers ennemis qu'il pourrait avoir sur le champ de bataille.

— C'est que M. de Châtaigneraie est mon prisonnier et à moi s'est rendu, dit roidement Rosny, lequel n'accueillait pas sans déplaisir le pensement de perdre une de ses rançons.

— Ha ! Monsieur ! dit Thorigny, point ne présume de vous enlever votre prisonnier ! Je m'oblige, de parole, devant les gentilshommes que voici, à vous le remettre ès poings dès que vous serez vous-même en sûreté.

— En ce cas, Monsieur, j'acquiesce à votre requête, dit Rosny.

Et le pauvre Châtaigneraie, passant dans la suite du comte de Thorigny, poursuivit un chemin inverse du nôtre, y encontrant la mort, trois gardes du feu roi l'ayant peu après reconnu et le mettant en joue :

— Ha Mordieu ! cria l'un d'eux. Traître à ton roi ! Tu t'es réjoui de sa mort ! Tu as porté l'écharpe verte !

Cette écharpe verte — vert étant la couleur des fous — avait été inventée, et aux ligueux distribuée, par Mᵐᵉ de Montpensier, afin qu'ils portassent par dérision le deuil de mon pauvre bien-aimé maître, l'idée étant qu'il fallait être fol pour pleurer la mort du tyran.

Le comte de Thorigny n'eut pas le temps de lever, fût-ce le petit doigt, pour protéger son cousin. Châtaigneraie fut versé de son cheval à terre par trois coups de feu en même temps tirés, d'après ce qu'on me dit, et expira avant même d'avoir touché le sol.

— Le pis de la chose, me dit M. de Thorigny, en me contant l'affaire un mois plus tard, les larmes lui coulant des yeux, c'est que le pauvre Châtaigneraie n'était point du tout un encharné ligueux. Il n'avait porté l'écharpe verte qu'un seul jour et encore, pour complaire à la cousine de la Montpensier dont il était fort raffolé.

— Jeanne de La Vasselière ?

— Comment, Siorac, vous la connaissez ?

— Je la connais.

— Et la tenez-vous à grand compte ?

— Grandissime. Comme on connaît ses diables, on les honore.

Mais, laissons là cette belle diablesse qui n'était redevable qu'à son ample cotillon qu'on ne vît pas son pied fourchu, et laissons-la, dis-je, d'autant plus aisément que nous sommes pour la retrouver en le cours de ces Mémoires, comme si la *fortune* (comme disait Montaigne, quand il ne voulait pas rendre la *providence* responsable des événements ambigueux de notre vie) avait décidé que nos chemins, de temps à autre, se croisassent.

Je ne sais comment M. de Rosny parvint, navré comme il était et sur sa selle vacillant, jusqu'au château d'Anet, mais cet homme-là, comme un chat, possédait sept vies, et je ne vois pas qui, ou quoi, put jamais épuiser son inépuisable vigueur. Le gardien du château lui apprêta une vaste chambre et Rosny, se laissant choir sur l'une des deux coites qui étaient là, me baillant un page pour m'aider en cette mission, me pria de lui quérir, *primo*, un habile chirurgien qui pût panser et bander la plaie qu'il avait à la hanche, laquelle, comme je l'ai dit, venait sortir sur le devant par le petit ventre. *Secundo*, un pichet de bon vin pour lui faire du nouveau sang et remplacer celui qu'il avait répandu. Et encore que je doutasse fort que le vin pût jamais à cela servir, la croyance de son bénéfique effet en cette usance est si répandue chez nos capitaines — reposant sur le fait que sang et vin sont rouges — que je ne voulus pas y contredire, m'apensant, de reste, que cette potation, prise modérément, le retiendrait à tout le moins de trop pâmer. Et partant en quête, avec le page, à travers le château, la tête fort dolente encore, qui encontrai-je, au détour d'une galerie, sinon mon Miroul, lequel pâlit de prime à me voir, m'ayant cru mort et parmi les morts du champ de bataille m'ayant cherché, et venant à peine d'ouïr par Larchant que j'étais sauf. Je crus quasi étouffer de ses brassées et de ses poutounes, auxquels il mêlait des larmes, tant de par sa joie à me voir là que de par son dol à m'apprendre que des vingt-cinq hommes de mon escorte, quinze avaient perdu la vie au combat, y compris le page Guilleris, ce qui avait tant affecté mon autre page Nicolas qu'il se fût occis de sa propre dague, si on ne l'avait empêché.

— Ha! Miroul! dis-je, amène-le-moi en ma chambre que je le conforte, ses années étant si vertes, et son cœur si sensible.

Je trouvai un chirurgien qui, à le voir panser un de nos capitaines, me parut habile assez, et lui baillant quelques écus, le décidai à me suivre dans la chambre de Rosny, où je veillai à ce qu'il se lavât les mains, avant que de toucher la plaie du petit ventre de mon ami, la propreté n'étant pas le fort de cette confrérie, comme bien on sait. Et à la parfin, quand il eut bandé toutes les navrures de Rosny, qui en avait bien cinq ou six, je le priai de se laver derechef les mains, avant que d'examiner celle que j'avais à la tête. Ce qu'il fit, me rassurant en disant que le crâne, en son opinion, n'était point fêlé, le cuir étant seulement meurtri, ce qui m'avait fait perdre beaucoup de sang. Après qu'il eut, sur mon commandement, nettoyé la meurtrissure avec de l'eau-de-vie, je dus pâmer, je gage, sur la coite où j'étais, car bien je me ramentois Miroul me soulevant par les épaules et me faisant boire du vin et mes yeux se déclore sur une chambre fort illuminée aux chandelles, qu'il me sembla découvrir pour la première fois, M. de Rosny étant étendu fort pâle sur sa coite avec, le long de son flanc, la cornette blanche de Mayenne dont il serrait la hampe maugré sa faiblesse; et ses trois prisonniers assis sur un tapis dans la ruelle et le dos accoté au mur, MM. de Chanteloup et d'Aufreville très accoisés et M. de Sigogne jasant et jacassant.

Je tâchai de prime d'ouïr son propos, mais le trouvant dénué de sens, je rapportai ce dénuement à moi-même et j'augurai que j'étais encore à demi pâmé. En quoi j'errais, car je m'aperçus que dans le même temps, j'entendais fort bien ce que me contait Miroul sur ce qui s'était passé lors de la charge des lanciers wallons. Et Miroul s'étant tu, j'observais alors plus curieusement M. de Sigogne, en la compagnie de qui j'allais vivre les dix jours qui suivirent.

M. de Sigogne n'eût eu rien de remarquable en sa face, ses yeux se trouvant vides assez, si la nature ne l'avait doté d'un nez tant grand et tant large qu'il l'entraînait, pour ainsi parler, en avant, tant est que lorsqu'il passait une porte, ceux qui s'encontraient déjà dans la pièce, voyaient son nez entrer avant lui. Au demeurant, bon homme assez, mais sottard, et comme il arrive aux sots, tirant de son insuffisance une suffisance insufférable, il paonnait et piaffait comme pas un fils de bonne mère en France, ne pouvant ouvrir le bec pour dire un rien sans avoir l'air de prononcer un oracle.

MM. de Chanteloup et d'Aufreville, lesquels à eux deux n'avaient pas quarante ans, n'étaient pas encore revenus de la surprise de se trouver là, parce qu'en Paris Mayenne avait annoncé partout l'écrasement de Navarre, son armée à Ivry, comme à Dieppe, d'ailleurs, étant deux fois plus forte que celle de l'hérétique, et des « suppôts de l'hérétique » (comme il appelait les catholiques ralliés à la cause royale). En outre, assurés et persuadés par les prêchailleries des curés que le Seigneur leur allait bailler la victoire, puisqu'ils étaient son glaive vengeur, ils ne pouvaient entendre, en leur colombine simplicité, pourquoi Dieu avait abandonné les saintes cohortes qui défendaient la vraie Foi pour faire triompher la fausse. Et comme il n'y avait pas là de prêtre, ou de moine, pour expliquer que cette défaite n'était qu'une « épreuve » voulue par le Seigneur pour les purifier sur le chemin de l'inévitable triomphe du catholicisme apostolique et romain, ils restaient plus muets et quiets que saints de pierre en attendant qu'on leur dît que penser.

C'est du moins là les sentiments que je crus démêler en eux en observant leur tant visible perplexité. Mais Miroul entrant avec mon page Nicolas, la vue du pauvret dont la jeunette et tendrelette face était toute chaffourrée de chagrin, et de larmes, me détourna de les observer davantage, et faisant de prime asseoir mon pauvre Nicolas sur un tabouret près de ma coite dans ma ruelle, j'entrepris de le conforter du mieux que je pus, et abaissant mon bras sur sa tête, lui caressai, ce faisant, le cheveu qui était court, brun et en bouclettes tortillé.

— Mon Nicolas, dis-je, veux-tu après ce coup t'en retourner chez toi ? Parle-moi sans détour. Pour ce faire, je te baillerai escorte et clicailles.

— Ho ! que nenni ! dit-il à travers ses sanglots. Ce serait lâcheté ! Et Guilleris, de son ciel, me déprisrait, si je tournais couard et m'allais blottir au logis comme lièvre en son terrier. Fi donc ! Je veux combattre et grandir, et mon métier apprendre ! Mieux vaut mort que honte !

— Siorac, dit Rosny d'une voix faible assez, couché sur sa coite, vous avez là un bon page, et sorti d'un bon ventre.

— Je le crois aussi, dis-je, tout en caressant le cheveu de Nicolas, lequel à la longue apazimé par mes mignonneries, et mes consolations, et l'inestimable los de M. de Rosny, passa quasiment des larmes au sommeil, étant un enfant encore, et fort las. Quoi voyant, je lui accordai permission de s'allonger à mon côtel sur la coite. Ce qu'il fit, quasi endormi déjà, me jetant un bras autour du col et ococoulant sa tête bouclée dans le creux de mon épaule, comme si j'avais été sa mère, dont, à la vérité, je lui tenais lieu en quelque guise, étant à lui très affectionné, tout insufférable marmouset qu'il fût en ses jours turbulents, lesquels, de reste, revinrent tôt, cet âge étant celui du bienheureux oubli. Plût au ciel que la navrure et l'anxieuseté qu'avait jetées en moi la mort de Larissa pussent s'effacer si vite, mais hélas, elle avait quasi ébranlé le fondement de ma vie, et je ne pouvais même point dire, en le trouble et incertaineté de mon étrange prédicament, si je pourrais jamais rétablir ma félicité domestique.

Mon page ensommeillé, Miroul départit pour prendre soin de Saint-Ange (lequel était blessé au bras), M. de Rosny pâtissant trop pour ouvrir le bec, et MM. de Chanteloup et d'Aufreville s'accoisant en leur perplexité, même M. de Sigogne, à la longue discontinua ses inanes jaseries, tant est que régnait en la chambre un profond silence quand tout soudain, l'huis se déclouit avec fracas, et entra M. d'Andelot, suivi de cinq à six hommes armés et cuirassés, lequel d'Andelot était le fils de ce grand capitaine huguenot sous les ordres de qui mon père avait combattu sous Calais et que Catherine de Médicis, pour la seule raison qu'il était le frère de l'amiral de Coligny, avait fait assassiner; au demeurant (je parle du fils) bon capitaine du roi Henri, mais de son comportement escalabreux et querelleux.

— Monsieur, dit-il, la mine dépite et refroignée, et s'adressant à M. de Rosny sur un ton des plus froidureux, je suis votre serviteur.

— Monsieur, dit Rosny, fort béant et sourcillant de voir ce seigneur irrompre en sa chambre avec des hommes armés, je vous salue aussi.

— Monsieur, dit d'Andelot d'une voix forte, voilà un gentilhomme (et du doigt il désigna M. de Sigogne) qui est mon prisonnier, et une cornette blanche à votre chevet qui me doit appartenir. Partant, Monsieur, je vous prie de me remettre l'une et l'autre ès mains.

— Voire! dit Rosny qui, malgré ses navrures, et tout le sang perdu, retrouva en un battement de cil sa native énergie à voir son bien et son butin si insolemment revendiqués. Hé! Vrai Dieu, Monsieur! Que pensez-vous dire? Je crois que vous vous moquez!

— Pardieu! hucha d'Andelot, tant encoléré que sa large face devint tant rouge qu'un jambon, pardieu, Monsieur, point ne me moque! M. de Sigogne et la cornette de M. de Mayenne sont à moi et je suis résolu de les avoir!

— Ho! Ho! dit Rosny, qui n'était point homme à se laisser morguer, c'est donc sérieusement que vous parlez! Vrai Dieu, j'en suis béant! Que si j'avais les bras et les gambes en aussi bonne disposition qu'hier, la dispute en serait bientôt vidée...

M. d'Andelot blêmit à ce défi si clairement formulé et quant à moi, voyant les choses se gâter et Nicolas, à la noise de l'algarade s'étant désommeillé, je lui dis à l'oreille d'aller en tapinois rameuter tous les arquebusiers valides qu'il pourrait en le château encontrer et de les ramener céans. A quoi se glissant hors ma coite comme un chat, le page saillit à patte de velours de la chambre par l'huis entrebâillé sans que nul ne l'aperçût.

— Monsieur, dit d'Andelot, en se tournant vers M. de Sigogne, j'en appelle à votre témoignage.

A quoi M. de Sigogne se levant, et lui faisant de prime un salut, et un autre à M. de Rosny (toujours étendu sur sa coite, mais soulevé sur un coude) obéit avec la verbosité qui était, pour ainsi dire, consubstantielle à son être, et fit un long discours, confus assez, mais dont il ressortait que, tandis que M. de Rosny était engagé à quelques pas de lui à parler avec le comte de Thorigny, au sujet du pauvre

Châtaigneraie, M. d'Andelot, l'accostant, lui avait dit qu'il le tenait pour son prisonnier et le prenait sous sa main et protection, ainsi que la cornette blanche de M. de Mayenne. A quoi M. de Sigogne n'eut pas le loisir de répondre, M. d'Andelot l'ayant quitté tout soudain sur le commandement du maréchal d'Aumont, lequel avait ouï que l'ennemi se ralliait pour une nouvelle charge (bruit qui se révéla faux).

— Hé, Monsieur! Vous voyez bien! dit Rosny qui n'avait point le triomphe modeste, M. de Sigogne n'a pu vous donner sa foi, ni vous remettre sa cornette, puisque l'une et l'autre, il me les avait déjà baillées.

— Hé quoi, Monsieur! dit d'Andelot, M. de Sigogne n'a rien dit de ce genre, et n'a pu vous remettre ès poings la cornette, puisque la portait, dans les moments où je lui parlais, un de ses gentilshommes dont la face, bien je me ramentois, était maculée de sang séché.

— Monsieur d'Andelot, dis-je alors, en m'asseyant sur mon séant pour donner plus de force à mon propos, plaise à vous de m'ouïr et que j'en dise ma râtelée. Je suis le baron de Siorac, et mon père, le baron de Mespech, a servi sous le vôtre au siège de Calais et le tenait, comme je vous tiens vous-même, en très grand respect. Mais il y a en cette affaire, un flagrant malentendu : le gentilhomme qui portait la cornette de Mayenne au moment où vous avez accosté M. de Sigogne, n'était point à M. de Sigogne, mais bien à M. de Rosny. C'était moi.

Encore que j'eusse mis, comme à mon accoutumée, beaucoup d'huile en mon vinaigre pour dire ceci — non point tant par prudence que par une sorte d'amitié que je porte à l'animal humain, et qui me fait désirer de ne le point blesser, si je puis — c'est le vinaigre qui brûla d'Andelot et lui vint si au rebours de son estomac que me tournant un dos fort froidureux, il dit à Rosny d'une voix furieuse :

— Ce gentilhomme étant à vous, je dénie, récuse et rejette son témoignage.

— Monsieur, dis-je dans son dos, si vous récusez ma parole de gentilhomme, vous devrez m'en rendre compte, dès que je serai sain derechef.

— A votre guise, dit d'Andelot par-dessus son épaule. Monsieur, poursuivit-il en s'adressant à M. de Sigogne, plaise à vous de me suivre. Vous êtes mon prisonnier.

Oyant quoi, M. de Sigogne, qui s'était rassis sur le tapis, le dos contre le mur, ne branla pas d'un pouce, et pour une fois, ne dit mot. En cela montrant quelque vaillance, car d'Andelot était tant sorti de ses gonds qu'il eût bien pu, par dépit, le dépêcher incontinent, ou laisser un de ses gens de pié le faire comme je vis bien qu'ils en brûlaient d'envie.

— Monseigneur, dit un de ceux-là dont j'aimais peu l'œil méchant et la face renarde, après tout, il n'y a là que trois ligueux désarmés et deux navrés sur une coite. Foin de la parlote et de la caquetade ! Enlevons le ligueux et la cornette sans tant languir. Qui nous en empêchera ?

Avis peu digne de qui lui prêtait l'oreille et que d'Andelot, cependant, eût, se peut, fini par suivre, comme je crois, tant il était hors de lui de voir lui échapper ces dépouilles d'honneur et de profit dont il s'était prévalu en son imagination pour n'avoir point vu sur le champ de bataille que Sigogne et sa cornette étaient jà ès mains d'un autre. Et se peut qu'il y eût eu un brin d'artifice en cet aveuglement, pour ce qu'il était véritablement bien malaisé de me prendre pour un gentilhomme de Sigogne, alors que je ne portais pas la casaque guisarde.

Quoi qu'il en soit de ce qui s'était passé alors dans le secret de ses mérangeoises, d'Andelot fut empêché dans le présent prédicament d'user de force contre un compagnon d'armes blessé, pour ce qu'au moment où il balançait visiblement à le faire, irrompa dans la chambre une bonne quinzaine d'arquebusiers de M. de Rosny, lesquels, armés et cuirassés, entourèrent immédiatement la coite de leur chef sans dire mot, mais jetant des regards de nargue et de défi aux gens de pié de d'Andelot.

— Eh bien ! Eh bien ! Monsieur de Rosny ! dit d'Andelot qui perdit quelque couleur à se voir ainsi affronté, puisque vous voilà navré, et ne pouvez répondre de votre différend avec moi, nous en reparlerons une autre fois.

Ce qu'il ne put faire, MM. de Thorigny et Larchant ayant témoigné pour Rosny et le roi apazimant d'un mot le débat, comme il savait si bien faire, caressant l'un et caressant l'autre, comme on fait de deux chiens querelleux qui se disputent un os : spectacle qu'à la réflexion je trouvai quelque peu indigne des deux et qui porte à mon sens témoignage que dans la guerre s'encontrent tout ensemble du très grand et du très petit dans le déportement de l'homme.

— Moussu, me dit Miroul dès que je fus le lendemain désommeillé, et d'un ton vif et pressant, comme si le pensement l'en avait toute la nuit tabusté, vous ne pouvez demeurer avec un seul page. Il vous faut en trouver un second.

— Pourquoi tant de hâtiveté ? dis-je avec un sourire, entendant bien où le bât blessait mon Miroul. Il n'y a pas péril en la demeure ! En outre, où trouver page en Anet ?

— Justement, dit Miroul, il ne manque pas, en Anet, de pages inoccupés, leurs maîtres ayant été occis en la bataille.

— Mais où est l'urgence ? dis-je d'un ton tout innocent. Ne peux-tu attendre que je sois rebiscoulé de ma navrure ? Et ne faudrait-il pas de prime remplacer les arquebusiers ?

— Moussu, dit Miroul baissant ses yeux vairons, il faut un compagnon à Nicolas pour le revigorer tout à plein. Il est mauvais qu'un page s'apparesse en malenconie, et pis encore, qu'il s'acagnarde en chambre, comme il a fait hier, où il n'a quasi pas quitté votre chevet, se faisant cajoler et consoler par vous comme un enfantelet par sa mère. Cornede-bœuf ! si les choses continuent ce train, Nicolas se va corrompre tout de gob, s'apenser un grand favori et devenir ingouvernable. Vramy, Moussu, bientôt je ne répondrai plus de lui !

— Mon Miroul, dis-je, ne faut-il pas, pourtant, laisser un peu la bride aux humaines affections? Quel mal y a-t-il à conforter Nicolas de son dol, ses années étant si vertes?

— Moussu, dit Miroul avec gravité, le mal qu'il y a, c'est qu'au lieu d'avoir un alerte page de guerre, rompu au plein air et aux exercitations, courant la commission pour son maître et vaillant au combat, nous finirons par n'avoir plus qu'un languissant page de ruelle, pleurant, pâmant et gémissant, et bien plus apte à tenir le miroir d'une dame qui se pimploche qu'à manier la pique et l'estoc.

— Quoi? dis-je, levant haut le sourcil pour contrefeindre la surprise, Nicolas se va-t-il donc gâter tout à trac en un jour?

— Je ne dis point en un jour, Moussu, dit Miroul, sentant mon ironie et s'en trouvant piqué, mais je dis qu'il en prend le chemin. Cependant, faites comme vous voulez! Pour moi, je ne me soucie guère, je vous assure, si Nicolas se gâte ou non! C'est affaire à vous, Moussu!

— Mais c'est affaire aussi à toi, Miroul, dis-je, jugeant que ma gausserie était allée assez loin, puisque tu es le gouverneur de mes pages et de mes valets. Adonc, si tu tiens que pour le bien de mon service, le pauvre Guilleris doit être tout de gob remplacé, et Nicolas remis à ses offices coutumiers, je fais fiance à ton bon jugement. Va, mon Miroul, va.

Lequel départit comme carreau d'arbalète, me laissant peu de doute qu'il m'allait recruter un second page en un tournemain.

— Siorac, dit M. de Rosny qui de sa coite avait ouï cet entretien, vous avez là un bon secrétaire, et à vous excessivement dévoué. Ce qui est tout à votre los! A bon maître, bon valet. Pour moi, poursuivit-il, j'ai trois secrétaires dont je suis content, sauf qu'ils flattent un peu trop mon humaine vanité, laquelle est plus grande que je ne voudrais, que le Seigneur me le pardonne!

M. de Maignan, l'écuyer de M. de Rosny, entra à cet instant, le bras en écharpe et la tête bandée, et au surplus, un air qui allait bien à son long visage fort maigre, et maugré sa jeunesse, sévère, étant huguenot fort roide et prenant très à cœur les intérêts de son maître. Il parut très marri d'avoir à annoncer à Rosny la mort de son prisonnier, M. de Châtaigneraie, lequel, on s'en ramentoit, Rosny avait confié à sa prière au comte de Thorigny et que trois gardes du feu roi avaient occis pour la mauvaise dent qu'ils lui gardaient d'avoir porté par dérision l'écharpe verte. Meurtrerie que par la commodité de mon récit, j'ai jà contée, afin que de la placer dans le temps où elle eut lieu, alors même que je ne l'appris que ce jour où nous sommes, en même temps que M. de Rosny, de la bouche dudit Maignan.

— Voilà qui me fâche! dit Rosny d'un air, en effet, fort dépit. Si je n'avais pas accédé à la demande du comte de Thorigny, le pauvre Châtaigneraie, de présent, serait encore en vie.

— Et nous en pourrions tirer rançon! dit Maignan, qui connaissait trop bien son maître pour ne pas compléter sa pensée. M. de Thorigny fut bien mal avisé de croire qu'il pourrait préserver sa vie mieux que nous.

— Certes, certes! dit Rosny, la mine longue, Thorigny porte une lourde responsabilité dans l'affaire, s'étant engagé d'honneur à me rendre mon prisonnier sain et sauf.

— A mon sentiment, dit Maignan qui était tant plus Rosny que Rosny lui-même, M. de Thorigny ayant failli à vous rendre votre prisonnier, devrait se tenir obligé de vous verser la rançon que vous pourriez, à'steure, tirer de Châtaigneraie, s'il était vif.

— C'est bien pensé, Maignan, dit Rosny, mais je doute pourtant que Thorigny me le propose.

— En ce cas, dit Maignan inflexiblement, ne la devrions-nous pas réclamer?

— La chose est délicate, dit Rosny après un moment de silence où il parut peser l'affaire en ses plus secrètes balances. Sans doute, ce ne serait que justice.

— Que ne le faisons-nous alors? dit Maignan. Monsieur le Baron, voulez-vous que j'approche M. de Thorigny en ce sens?

— Nenni, nenni, dit Rosny qui poussa un grand soupir comme quelqu'un qui vient de prendre à rebrousse-poil une décision difficile. Nenni, Maignan. Laissons courre. Je ne demanderai rien à Thorigny. *Primo*, pour ce qu'il est mon ami très particulier. *Secundo*, pour ce qu'il doit être assez affligé de la mort de son cousin pour qu'encore j'aille lui en réclamer pécunes.

Sacrifice qui, étant donné le chicheté de Rosny, n'était pas, en effet, sans mérite, mais dont il se repaya en le publiant, et s'en faisant parure. Je le dis sans vinaigre aucun, aimant et admirant immensément cet homme, à qui le roi et la France doivent tant.

A peine Maignan eut-il sailli de la chambre, la face longue et marrie de la décision de son maître, que pénétra un des secrétaires de M. de Rosny, M. Choisy, gros homme pompeux et verbeux qui annonça à son maître deux nouvelles qui ne laissèrent pas de faire sur lui un effet extraordinaire : la capitulation de Mantes et l'arrivée du roi en son propre château de Rosny.

— Vrai Dieu! dit Rosny parlant bref et sec, et coupant court à la rhétorique de Choisy, voilà qui change tout! Choisy, appelez-moi mon médecin! Hé! Choisy! Choisy! appelez-moi Maignan!

Si gros que fût Choisy, il obéit en un clin d'œil et disparaissant, reparut incontinent avec ledit médecin, Maignan sur ses talons.

— La Brosse, dit Rosny, suis-je en état de voyager?

— Non, Monsieur, dit La Brosse, lequel était un petit homme à face renardière.

— Je n'entends pas sur un cheval, dit Rosny en sourcillant, mais en litière.

— Voilà qui est tout différent, dit La Brosse, changeant son cap aussitôt, l'amiral de Coligny, étant blessé, fit en litière une retraite restée fameuse! Cependant, il y aura davantage péril à courre les chemins sur une litière qu'à demeurer sur une coite en cette chambre...

— Foin du péril! dit Rosny du même ton rapide et fendant. Maignan! Où est Maignan?

— Je suis céans, Monsieur, dit Maignan en avançant son long visage et ses yeux fidèles, plus attentifs que ceux d'un lévrier attendant de son maître le signal de sa course.

— Maignan, faites fabriquer en toute hâtiveté un fort brancard avec des branches d'arbre, sans du tout les peler, cela prendrait du temps et serait inutile, d'autant que dessus on mettra ma coite. Quoi fait, incontinent, sonnez le boute-selle et nous départirons dès que la litière sera prête.

— Monsieur, j'y vole, dit Maignan.

Ce qui n'était pas qu'une façon de dire. Il vola véritablement, suivi du gros Choisy et du bedondainant La Brosse, dont j'augurai qu'ils perdraient vent et haleine à le suivre, sans que je susse pourquoi ils se hâtaient tant quant à eux, n'ayant, de reste, rien à faire avec le brancard. Mais apparemment, dès que Rosny donnait un ordre, tous ses gens se mettaient à trotter qui-cy qui-là dans les alentours.

— Siorac, dit Rosny, de sa même voix brève, êtes-vous en état de chevaucher?

— Assurément, Monsieur, dis-je.

Mais, qu'il soit grand ou petit, un baron est un baron, et j'osais donc quant à moi demander à mon mentor où nous allions, et quelle était l'urgence.

— Immense, dit Rosny qui, ayant mis ordre à tout, trouva le temps aussi d'en mettre dans son discours. *Primo*, j'ai le dessein de regagner mon château de Rosny, puisque le roi s'y trouve. *Secundo*, je voudrais que le roi me voie en l'état que je suis, afin que si je meurs de mes navrures (ce que Rosny ne croyait pas le moindre), il sache bien que je suis mort pour lui. *Tertio*, j'ai appétit à bailler à mon roi ce trophée glorieux entre tous : la cornette du duc de Mayenne. *Quarto*, conclut-il en parlant d'une voix forte et assurée, Mantes venant de capituler, je me propose de quérir du roi le gouvernement d'ycelle.

Cornedebœuf, m'apensai-je, voilà un homme qui n'est pas long à réclamer au roi la récompense de ses services! Et qui sait aussi se faire obéir de ses gens, car moins d'une heure, je dis bien, moins d'une heure, brancard fait, les chevaux harnachés et sellés, les arquebusiers rameutés et rassemblés, on départit sur le chemin, arrivant à destination bien plus tôt que je n'eusse pensé, vu qu'on marchait au pas, et entrant dans le bourg duquel Rosny était le seigneur (lequel était fort commodément proche en effet de Mantes, dont Rosny convoitait le gouvernorat), nous y advînmes par Beuvron pour éviter à la litière les montées et descentes de la Rouge-Voyet. Ce qui fit que du haut du coteau, nous vîmes la plaine à nos pieds, et la vîmes toute couverte de cavaliers et de chiens. Et quérant des manants et habitants quels étaient les chasseurs, ils nous dirent que c'était le roi. Vous avez bien ouï! Pour se reposer d'avoir la veille remporté l'éclatante victoire d'Ivry, notre indéfatigable roi chassait!

Rosny fit alors arrêter sa litière pour attendre Henri dont on nous dit peu après qu'il remontait, la chasse finie, dans le bourg où il entra par l'autre côté que le nôtre, de sorte que les dés étaient jetés et qu'il ne pouvait pas ne pas nous encontrer sur son chemin. Et puisque cette encontre est imminente et fatale, je voudrais ici, empruntant pour ainsi parler l'œil du roi, dire en quel appareil, ou apparat, ou équipage, il vit le cortège qui s'avançait vers lui. Car ce cortège n'avait point été laissé au hasard, mais arrangé, bien au rebours, avec un art fort labouré.

Belle lectrice, qui en votre cabinet, demi-vêtue, vous pimplochez (spectacle dont je suis raffolé), vos chambrières autour de vous affairées, qui à vous tenir le miroir, qui à vous testonner le cheveu, qui à vous passer la céruse et le rouge, qui à disposer vos attifures, qui à chausser votre pied mignon, bref, toutes occupées à fourbir les armes dont vous allez tantôt navrer nos tant faibles cœurs — peu pensez-vous sans doute qu'un grand capitaine de guerre, à son roi revenant, puisse avec vous rivaliser en art, en fard et en coquetteries. Et cependant, jugez!

Premièrement, en tête de ce cortège, marchaient deux des plus grands et beaux chevaux de Rosny, très harnachés, et menés à la main par deux palefreniers. Ensuite, venaient ses deux pages, fort jolis drôles, montés sur deux de ces grands chevaux dont l'un, un coursier gris, montrait une estafilade en son épaule et son flanc, provenant du même coup de lance qui avait navré le mollet de Rosny. Le premier page était revêtu de la cuirasse dudit Rosny, laquelle était en divers endroits fort cabossée et brandissait en sa main dextre la cornette blanche de Mayenne. Le second portait le casque du héros au bout d'un fragment de lance pour ce qu'il ne le pouvait mettre sur le chef, le fer en étant fracassé et enfoncé.

Après les deux pages, venait le valet de chambre, lequel portait sur soi la casaque de Rosny, quasi en loques, tant elle avait au combat souffert, et dans sa dextre, un paquet où on avait lié et pieusement mis ensemble les estocs rompus, les pistolets cassés et les panaches brisés du capitaine.

Maignan suivait, la tête bandée, le bras en écharpe. Après Maignan, la tête mêmement bandée, moi-même, pour ce que de nécessité, je figurais en ce bel appareil, et après moi, oyez et voyez!

Sur la litière, porté par quatre géantins arquebusiers, était étendu M. le baron de Rosny, le chef soulevé d'un coussin pour qu'il pût voir qui le voyait. Il n'était que pansements, au moins en ses parties visibles, c'est-à-dire bras et tête, pour ce que le reste était couvert d'un drap, sur lequel on avait étendu les casaques noires à croix de Lorraine d'argent de ses prisonniers, et les trois casques d'yceux. Lesdits prisonniers, MM. de Sigogne, de Chanteloup et d'Aufreville suivaient immédiatement la litière du héros (comme Vercingétorix dut suivre le char triomphal de César, en marche vers le Capitole) non point comme lui le pied sur le pavé et les mains enchaînées, mais bien au rebours, montés honorablement sur des bidets et fort bien soignés, traités et nourris, puisque nous allions en tirer rançon.

Nos beaux muguets de Cour estimeront, se peut,

que la suite du cortège vaut tout juste la peine d'être décrite, n'étant composée que d'une compagnie de gens de pié et de deux compagnies d'arquebusiers à cheval, lesquels ayant été envoyés comme on sait, en *enfants perdus* devant l'escadron de Sa Majesté, avaient laissé sur le champ de bataille la moitié de leurs effectifs. Mais j'aime à imaginer que leurs ombres, à défaut de leurs corps, étaient invisiblement présentes en ce cortège afin que de s'atendrézir, elles aussi, sur le triomphe de leur capitaine. Quant aux survivants qui pleuraient leurs compains disparus, Rosny les conforta en disant que s'ils étaient *fort diminués en nombre*, ils étaient, en revanche, *grandement augmentés en gloire*.

Mais pour moi qui aime à me faire des réflexions sur tout, je m'apensai, au moment où mon Rosny prononçait ces paroles, que la gloire dont on décore les soldats morts n'est utile qu'aux vifs, et parmi ceux-ci, en particulier, à leurs chefs.

Ledit chef, qui avait si joliment arrangé son propre triomphe, reçut, à l'entrant dans le bourg, des ovations à l'infini de la part de ses sujets. Et bien mieux, quand le roi s'approcha à la parfin de lui, Sa Majesté fut bonne assez pour démonter de cheval, et l'accoler, et le couvrir devant sa Cour d'éloges magnifiques, étant accoutumé d'être avec ses hommes de guerre aussi prodigue en compliments que d'aucuns le sont avec les dames, y allant, pour me citer, non pas à la cuiller, mais à la truelle.

Cependant, quand Rosny quit du roi, dès qu'il put se lever, le gouvernement de Mantes, il fut tout de gob refusé, pour ce que Sa Majesté, à son avènement, avait promis que lorsque le gouvernement catholique d'une ville ligueuse viendrait à vaquer, il ne pourrait être baillé qu'à un royaliste de même religion. Rosny n'ignorait point ces dispositions, mais s'étant flatté que le roi ferait pour lui dérogation, il fut excessivement encoléré de ce rebéquement et parla à Sa Majesté avec les grosses dents, jusques à lui reprocher de ne pas prendre à compte, en son ingratitude, la longueur de ses services, les dépens encourus et le sang versé.

Cette scène qui tenait quasiment du dépit amoureux, tant Rosny aimait en son for le roi, n'eut de
témoin que moi qu'elle embarrassa prou. Et quand
enfin Rosny toujours bouillant en son ire, se retira
avec le plus bref des saluts (mais il est vrai qu'il ne
se pouvait génuflexer, son mollet n'étant point
refait) je ne sus si je devais le suivre, ou demeurer.
Auquel dernier parti enfin je me rangeai, surpris que
j'étais de l'irraisonnableté de mon mentor, car
n'était-il pas évident que si le roi avait contrevenu à
la formelle promesse de ne point mettre un huguenot en place d'un catholique dans les villes à la
Ligue reprises, il eût mis à groigne et mutinerie tous
les gentilshommes royalistes qui allaient à messe.

— C'est un *bizarre*, dit le roi, Rosny parti, avec un
sourire mi-gaussant mi-attristé, et en marchant
qui-cy qui-là dans la chambre, et de ses courtes et
maigres gambes, frappant le plancher fortement.
Mais, poursuivit-il en parlant par phrases brèves et
rapides, sa bizarrerie n'est que vêture. Au cœur gît
tout, et non pas aux habits. J'ai bien trouvé quelque
extrémité de vanité dans l'arrangement de son
triomphe à l'entrant de Rosny. Ce n'est qu'un petit
côté, l'homme est de bon métal. Il m'est précieux et
entre tous fidèle. Il reviendra. Il ne voudra pas que
de grandes choses se fassent sans lui en ce royaume.
Et vous, Siorac, ajouta-t-il en tournant vers moi sa
longue face où se voyaient de prime son nez si long
et son œil si fin : Qu'allez-vous faire ? Suivre notre
Achille irrité en sa tente ? Ou demeurer avec Aga-
memnon pour l'aider en son siège de Troie ?

— Ha ! Sire ! dis-je, entendant que son propos
était d'aller derechef assiéger Paris, avec vous, Sire !
Avec vous jusqu'au bout ! Et les armes à la main !

— Voilà, comme dit Rabelais, qui est chié chanté,
dit le roi en souriant. Et vous y avez quelque mérite,
mon ami (m'appelant ainsi pour la première fois),
car tant vaillant que vous soyez, vous n'avez guère
de goût, à ce que je crois, au métier des armes.

— Il est vrai, Sire, dis-je, étonné qu'il en ait si vite
et si bien jugé, outre qu'étant médecin, j'ai plus

appétit à curer qu'à tuer, il y a au chamaillis quelque chose qui me rebèque. C'est que vie ou trépas se joue au coup de dés, alors que dans les secrètes et périlleuses missions que m'avait confiées le feu roi, j'avais davantage le sentiment de ne devoir qu'à moi seul ma survie ou ma mort.

— Ha bah! C'est tout hasard là aussi! dit le roi, qui était grand joueur et chaque jour perdait ou gagnait aux dés et autres jeux de grosses sommes de clicailles (ce qui enrageait Rosny). Et croyez-vous, mon ami, que vous n'avez dû qu'à vous-même d'échapper à tous les attentements de meurtrerie dont vous fûtes l'objet en vos missions?

Parole dont je ne peux me ramentevoir à ce jour sans un horrible serrement de cœur, m'apensant que si ce grand roi avait cru un peu moins au hasard, et un peu plus aux précautions, il ne serait pas tombé, lui aussi, comme mon bien-aimé maître, sous le cotel d'un assassin.

— Dans la réalité, poursuivit le roi, c'est de par votre naturelle humeur que vous préférez à la guerre la déguisure, le secret, l'intrigue, la souterraine menée. Vous n'aimez pas tant le laurier que le fruit. Et même si peu le savent, plus vous chaut d'avoir conservé Boulogne au défunt roi que d'avoir gagné, à la bataille, une cornette sur l'ennemi.

— Cela est vrai, Sire, dis-je, béant qu'il pût lire en moi comme en un livre ouvert.

— Mon ami, poursuivit le roi, me frappant sur l'épaule avec cette chaleur d'enjouement qui attirait à lui tant de cœurs, puisque c'est là votre particulier talent, j'en ferai usance, soyez-en assuré, le moment venu. A chaque viole sa corde! Et de celle-là aussi je jouerai!

CHAPITRE VI

Choisy, le bedondainant secrétaire de Rosny, avait quelque peu anticipé les choses en parlant l'avant-veille de la capitulation de Mantes. Elle n'était point faite, et ne se fit que le soir du retour triomphal de mon sage mentor en Rosny, le roi, après la chasse, et comme pour se défatiguer d'elle, s'étant présenté sous ses murs, dont il n'eut pas à faire sept fois le tour, comme Josué devant Jéricho, pour qu'ils tombassent, ou du moins à lui s'ouvrissent. Sur sa lancée, il prit Vernon et revenant à Mantes, il y établit ses quartiers, où je le suivis avec très peu de monde, car j'avais rendu à mon père ses hommes et à Rosny ses arquebusiers, ne gardant que mon Miroul, Saint-Ange, Pissebœuf, Poussevent (tous deux blessés), le page Nicolas, et Mignon, gentil galapian recruté par Miroul en Anet, lequel, ne le voulant pas nommer de ce nom ambigueux, j'appelais Marsal, en souvenir du serviteur de Mespech tué au combat de la Lendrevie à Sarlat.

En les quinze jours que nous demeurâmes avec le roi à Mantes, mon Miroul ne fut pas long à s'apercevoir que j'avais cessé de me couper la barbe au plus près du menton. Et sans oser en demander tout de gob la raison, me tabusta de quelques remarques hors cible et buissonnières, lancées avec un petit brillement de son œil marron (son œil bleu restant froid), par quoi il voulait me faire assavoir qu'il entendait bien qu'il y avait anguille sous roche et la voulait par la queue saisir.

— Moussu, vous n'êtes point vieil assez pour porter toute votre barbe! Même Monsieur votre père ne la souffre pas si longue!

Ou bien:

— Fi donc, Moussu! Que vont penser les mignotes de ces fourrés piquants! Etes-vous barbon ranci? Comment plaire aux dames et aux demoiselles avec ces vieillottes touffes? N'avez-vous plus appétit au sexe? Aimez-vous mieux d'ores en avant aller à messe que courre à fesse?

Ou bien:

— Moussu, votre barbe me ramentoit le temps où vous jouiez au marchand en Boulogne avec Dame Alizon! Ou remembrance plus cuisante encore: quand nous nous cachions chez elle en Paris lors des barricades. Cornedebœuf! Je me revois encore un bandeau sur l'œil pour cacher mes yeux vairons.

Vramy! m'apensai-je, le voilà qui brûle, et en même temps s'abandonne à la plus rongearde anxiété, pour ce qu'il craint, précisément, que ses yeux vairons qui nous ont trahis le jour des barricades (son bandeau ayant chu et La Vasselière nous ayant reconnus) m'empêcheront de l'emmener avec moi en mes nouvelles missions. Car pour celles-là, il a quasiment jà mis le doigt dessus, étant trop proche de moi pour que je lui puisse rien celer, et pas même mes doutes sur Angelina.

Quoi pensant, et le voulant rassurer, sans rien lui déclore du quand, du qu'est-ce et du comment (en sachant si peu moi-même) j'usai des mêmes chemins obliques par où il m'avait approché.

— Je fus bien fol, dis-je sans y toucher, de recourir à ce bandeau, pour ce que la meilleure déguisure pour toi, mon Miroul, ce serait des lunettes, dont un verre serait bleu.

Trois ou quatre jours après cet entretien, je fus ravi de recevoir la visite du Grand Prieur, fort resplendissant en un pourpoint de satin bleu pâle garni de deux rangées de perles, sa belle face encore toute veloutée du teint abricot de l'enfance, son œil bleu tant gentil et naïf, et en contraste avec ce bel azur, le cheveu testonné en bouclettes noires; lequel, tout fils de France qu'il fût, me donna une forte brassée (ce que Rosny ne faisait quasi jamais, se cuidant trop haut pour cela) et cent poutounes sur les joues, ou plutôt sur la barbe, ayant gardé la pétulance et la grâce de ses vertes années, et avec tous en la Cour excessivement cajolant. Tant est que personne ne lui garda jamais la moindre mauvaise dent de son humeur voleuse, car étant excessivement dépenseur, et lui faillant toujours cinquante-neuf sols pour faire un écu, il robait comme fol, et à ce qu'on m'apprit même, envoyait ses laquais détrousser les passants sur les grands chemins.

— Siorac, dit-il de sa voix flûtée et chantante, quand il eut discontinué ses caresses, je suis d'autant charmé de vous voir que je vous croyais mal allant, vous cloîtrant, pour ainsi parler, au logis, et n'apparaissant plus à la Cour.

Et ce disant, il posa une demi-fesse sur une escabelle comme quelqu'un qui ne fait que passer.

— Nenni, Monseigneur, dis-je, soyez-en assuré, je suis sain et gaillard et ne me ressens plus du tout du coup d'estoc que je reçus sur le chef à la bataille d'Ivry.

— Mais, Siorac, reprit-il en riant à l'étourdie, la main devant ses belles dents, comme vous voilà fait ! Vous poussez une barbe ! Mais voyons, vous n'êtes point tant vieil, ni si austère que M. Duplessis-Mornay !

— C'est un vœu que j'ai fait, dis-je, fort mésaisé, raison pour quoi je ne saille non plus du logis. Et plaise à vous, Monseigneur, de ne mentionner cette barbe à personne à la Cour, sauf au roi.

— Je le peux donc dire au roi, dit le Grand Prieur qui ne manquait pas de finesse et entendait les choses à demi et, à la réflexion, poursuivit-il avec un connivent sourire, je le lui dirai bec à bec. De reste, mon cher Siorac, poursuivit-il, le ton passant tout soudain du léger au grave, si fort que je vous aime, je ne suis ici que sur son commandement, et pour savoir comme vous allez.

Ayant dit, il se leva, et me faisant un aimable salut en retour de ma génuflexion, s'envola hors du logis en un battement de cil. Ce bel et brillant oiseau à tire-d'aile enfui, lequel, n'était son resplendissant plumage, on eût pu prendre pour une pie, touchant ses habitudes dérobantes et pipantes, Miroul me dit :

— Moussu, ne me dites point que vous ne savez point où vous mène cette barbe : je ne pourrais vous croire.

— Où ? Mais je ne sais encore, mon Miroul, combien que je commence à m'en faire quelque petite idée. Espère un brin. A mon sentiment, le jour ne se passera pas sans que se pose céans un nouveau messager.

Et en effet, à nuit tombante, apparut en mon logis, le chapeau sur l'œil fort rabattu, et la face bouchée par son manteau, M. Duplessis-Mornay, que l'on surnommait le pape des huguenots, comme je crois que j'ai dit, pour ce qu'il se piquait fort de théologie, méditant jà un gros traité sur l'Eucharistie qui ne vit le jour que dix ans plus tard, et fut incontinent par les théologiens papistes mis en pièces. De reste, grand honnête homme, ayant l'oreille du roi, et d'autant que Rosny faisait toujours l'Achille retiré sous sa tente.

M. Duplessis-Mornay s'assit à ma prière sur l'unique chaire à bras que comportait ma chambre, laquelle les dames appellent un *cancan* (se peut parce qu'elles s'y assoient à l'aise pour jaser avec leurs amies) et une fois débouché de son manteau et de son chapeau que lui quitta Miroul, il prit place sur ledit cancan, comme il faisait toute chose, majestueusement, toutefois sans piaffe aucune, mais de par le sentiment qui l'habitait continuellement que le Seigneur l'avait choisi pour révéler ses commandements aux hommes. Ce qui se peut n'était pas faux. Car du moins quant à son être corporel, Duplessis-Mornay n'était pas sans ressembler étrangement à l'idée que nos peintres et nos sculpteurs se font de Moïse sur le mont Sinaï, ayant, lui aussi, le front ample, l'œil lumineux, la narine puissante, et une barbe non seulement plus longue et touffue que ne le serait jamais la mienne, mais qui plus est, quasi blanche déjà, encore qu'il eût alors à peine passé quarante ans.

— Monsieur de Siorac ! dit-il d'une voix basse et profonde, le propos du roi, lequel est encore secret, est de marcher sur Paris et avant que d'en faire le siège, de s'emparer de toutes les places circonvoisines, afin que de fermer les rivières et les routes par où les vivres parviennent à la capitale. La raison en est que son armée, qui ne dépasse pas quinze mille hommes, se trouvant trop estéquite pour qu'il puisse rêver emporter d'assaut la bonne ville, il ne peut la réduire que par la famine.

— Monsieur, dis-je en m'inclinant, je me sens excessivement honoré d'être mis dans la confidence de ce plan.

— Le roi ne peut que vous y mettre, reprit Duplessis-Mornay, puisque vous y avez votre place, laquelle sera tout ensemble très périlleuse, très déconfortante et pour le roi, si vous n'y faillez, très utile.

— Monsieur, je vous ois, dis-je, le cœur me toquant fort à ce début.

— Un mois, reprit Duplessis-Mornay, un bon mois s'écoulera sans doute avant que le roi vienne à bout d'occuper les places qui, autour de la capitale, lui livreront les clés de son envitaillement. Vous avez donc tout le temps voulu, Monsieur de Siorac, pour compléter votre déguisure et vous installer en Paris avant que le siège commence.

— En Paris ? dis-je.

— Le roi, continua Duplessis-Mornay sans battre un cil, vous donnera un permanent passeport pour traverser nos lignes.

— Mais, dis-je, si je dois, comme je crois, informer le roi de ce qui se passe en Paris durant le siège qu'il envisage, il me faudra obtenir de la Ligue aussi un passeport pour en saillir, quand je serai dedans.

— Le roi, dit Duplessis-Mornay, qui paraissait trouver naturel de parler au nom de Sa Majesté, étant jà accoutumé à parler au nom de Dieu en les grandes assemblées huguenotes, le roi tient que vous trouverez bien un moyen pour vous le faire donner.

— J'y vais rêver. Mais, Monsieur Duplessis-Mornay, poursuivis-je, peux-je quérir de vous pourquoi vous opinez que mon office en Paris sera non seulement fort périlleux, mais très déconfortant.

— Pour ce que, Monsieur, les vivres n'arrivant pas en Paris, vous y mourrez de faim.

Là-dessus, M. Duplessis se leva, ajouta qu'il reviendrait le lendemain soir pour ouïr ma décision, et s'étant derechef calfeutré de son chapeau et de son manteau, s'en alla, aussi majestueux, bouché que débouché, si bien que je me permis de m'apenser que peu lui servait de se cacher avec tant de soin, un œil avisé ne se pouvant tromper à sa démarche, laquelle, assurément, était unique à la Cour.

Je n'eus pas à attendre jusqu'au lendemain soir, pour ce que la nuit même, deux gentilshommes ayant toqué à l'huis du logis, et Miroul ayant jeté un œil par le judas, et demandé qui ils étaient, l'un d'eux qui portait lanterne la haussa sans mot piper jusqu'à sa barbe, laquelle, à ne s'y pas tromper, était celle, fluviale et prophétique, de M. Duplessis-Mornay. Miroul leur baillant alors l'entrant, et au logis et en ma chambre, en laquelle justement je m'allais coucher, ayant déjà quitté ma fraise et mon pourpoint, quelle ne fut point ma considérable béance quand, Duplessis-Mornay s'écartant, dévoila le roi qui marchait derrière lui et aux genoux de qui incontinent je me jetai :

— Ha! Sire! m'écriai-je, chez moi! C'est trop d'honneur!

— Nenni! Nenni! dit le Béarnais en me présentant la main (laquelle, à vrai dire, quand j'y posai les lèvres, sentait quelque peu l'ail) je n'y va pas à la cérémonie. Je fais les choses rondement, à la vieille française! Duplessis-Mornay, prenez place, je vous prie, sur ce cancan, et vous Siorac, sur cette escabelle, et oyez-moi.

Nous ayant ainsi fait l'un et l'autre asseoir, il se mit à marcher qui-cy qui-là dans la chambre en si promptes et nerveuses engambées, que la pièce tout soudain parut trop petite pour lui. Et moi le voyant ainsi déambuler et me ramentevant que mon pauvre bien-aimé maître en faisait autant, dans ses moments d'anxieuseté, avec moins de nerf, certes, mais avec plus de grâce, je ne pus que je m'apensai derechef que le Béarnais n'était point tant beau que lui, ni de corps ni surtout de visage, car pour ce qui est de sa face, si je la dois décrire encore, je dirais qu'elle était longue et chevaline, traversée en sa longueur par un interminable nez. Toutefois cette disproportion s'oubliait quand on envisageait son front large et bossué, et surtout ses émerveillables yeux, si vifs, si perçants et si goguelus.

J'en étais là de ces réflexions quand virevoltant et se tournant vers moi, le roi dit en gaussant :

— Ventre Saint-Gris, Siorac ! La belle barbe ! Elle vaut quasi celle de Duplessis-Mornay ! Sauf que la sienne est théologique et la tienne, aventurière !

A quoi je ris, et Duplessis ne sourit que de la moitié du bec. Ce que le roi observant, il s'esbouffa, puis reprenant tout soudain son sérieux, il m'envisagea de ses yeux clairs et brillants, et comme s'il eût deviné les sentiments qui l'instant d'avant m'avaient exagité, il dit avec quelque gravité :

— Mon ami, vous avez perdu un maître excellent. Mais vous éprouverez que j'ai succédé en la bonne volonté qu'il vous portait.

— Ha ! Sire ! dis-je, je n'en doute pas ! et je ne doute pas servir sa mémoire en vous servant, puisque vous travaillez comme lui à la réconciliation des huguenots et des papistes en ce royaume.

Ceci plut beaucoup au roi, mais non point tant à Duplessis-Mornay qui, étant si zélé en sa foi, craignait que cette réconciliation ne se fît par le moyen de la conversion du Béarnais.

— Siorac, dit Duplessis-Mornay, d'un ton vinaigreux, le roi est le roi et vous lui devez obéissance et service par ce seul fait qu'il est votre roi légitime.

— Cela va de soi, Monsieur, dis-je d'un ton roide assez, mais si le roi était ligueux et appelait les étrangers à la rescousse contre les Français huguenots, cuidez-vous que je mettrais beaucoup de flamme à le servir ?

— Bien dit, Siorac ! dit le roi que la remarque de Duplessis-Mornay avait impatienté. Ce combat que voici, reprit-il, est celui des bons Français contre ceux qui ont quitté ce beau nom pour se faire Espagnols. Et contre ceux-ci, Ventre Saint-Gris, je m'en va mettre incontinent mon armée en besogne ! Siorac, puisque vous avez été en Paris sous une déguisure durant les journées des barricades, dites-moi ce qu'il en fut alors...

Et moi qui sentais bien qu'on ne faisait pas le même récit à Henri IV qu'à Henri III, et que le *bien-dit*, tant chéri de mon défunt maître, devait, pour le Béarnais, laisser la place au *vite-dit*, je lui fis, tambour battant, un conte concis, quoique précis, et dont je vis bien qu'il était satisfait.

— Le défunt roi, dit-il, se parlant à lui-même, n'a pas erré en appelant ses troupes dedans sa capitale pour se défendre contre les mutins, mais il a erré en les dispersant dans les différents quartiers de Paris. Il eût dû, bien au rebours, les resserrer toutes autour du Louvre pour s'y rendre inexpugnable, tant que le Guise serait demeuré en la ville.

Cette remarque, que le roi ne fit qu'en passant, et quasi en *a parte*, me frappa tant par sa pertinence que je la veux consigner en ces Mémoires, la décision d'Henri III d'appeler les Suisses dedans la capitale ayant été si souvent blâmée par les chroniqueurs, sans qu'ils vissent du premier coup d'œil, comme le Béarnais, que ce fut la disposition qu'on leur donna et l'usance qu'on en fit, qui étaient à rebours du sens commun.

— Et moi, dit Henri en redressant sa longue face chevaline et dardant de dextre et de senestre ses regards aigus, je veux aller voir, ce coup-ci, de quel poil sont ces oisons de Paris !

Il dit « poil » et non pas « plume », ce qui me fit sourire, pour ce que j'y vis quelque dérision de plus. Mais le roi, me voyant sourire, dit promptement :

— Ou de quelle plume ! Mais la plume volera, pour peu qu'elle soit à contre-poil caressée !

A quoi Duplessis-Mornay consentit à sourire parmi les touffes de son austère barbe, et le roi et moi-même rîmes à gueule bec, mais peu de temps, pour ce que le roi, avec la rapidité qui lui était coutumière, reprit tout de gob son sérieux et dit d'un ton bref et expéditif :

— Siorac, sous quel nom, et professant quel état, comptez-vous apparaître à Paris ?

— Coulondre, marchand drapier, Sire.

— Il vous faudra donc une coche pour transporter vos étoffes.

— Oui, Sire.

— Sous le plancher de cette coche, disposez une cachette pour y loger des vivres. Quoi fait, allez dret à Paris ! Et à Paris, dret à la Montpensier !

— La Montpensier, Sire ! dis-je, béant. Mais c'est proprement prendre le loup par les oreilles, puisque c'est sa cousine qui a percé ma déguisure en la journée des barricades !

— Précisément, dit le roi. Vous lui remettrez un petit billet de moi vous recommandant à elle, et à mes bonnes cousines, afin qu'elles vous fassent bailler un laissez-passer pour saillir et rentrer dedans Paris tout le temps que durera le siège. Moyennant quoi, vous serez à même de les envitailler.

Par celles que le roi appelait ses « bonnes cousines », il faut, belle lectrice, non seulement que vous entendiez la duchesse de Montpensier, sœur du feu duc de Guise, mais sa veuve, la duchesse de Guise, et sa mère, la duchesse de Nemours, laquelle était bien des trois la plus douce et la plus pacifique.

— Hé, quoi, Sire ! dit Duplessis-Mornay, levant ses onctueuses mains d'un air de scandale, vous allez envitailler les princesses lorraines, alors que leurs fils et frères vous font cette guerre encharnée ?

— C'est affaire à eux, dit le Béarnais, envisageant Duplessis-Mornay d'un air gaussant. Mais quant à moi, je ne fais pas la guerre aux femmes, et ne voudrais pas être cause que mes bonnes cousines perdissent de leurs aimables rondeurs.

— Hélas ! Hélas ! dit Duplessis-Mornay, ne savons-nous pas tous, Sire, combien vous êtes de ce sexe trompeur entiché ! Et n'est-ce pas un scandale aussi, Sire, que ces amours si découvertes, lesquelles vous consument tant de temps et vous robent tant de force !

— Passe pour le temps, dit le roi, mais pour la force, elles la nourrissent aussi.

— Enfin, Sire, dit Duplessis-Mornay qui contrefeignit de n'avoir pas ouï, le moment n'est-il pas venu que vous laissiez là ces batifolages, et que vous vous contentiez, d'ores en avant, de faire l'amour à la France ?

— Duplessis-Mornay, dit le roi avec une émotion soudaine, voilà un beau mot et dont je me ramentevrai. Siorac, reprit-il de sa voix rapide, êtes-vous à mon plan acquiesçant ?

— Tout à plein, Sire, sauf que je n'aimerais approcher les princesses que lorsque je saurai qu'elles commencent à pâtir de la faim.

— Voilà qui est raison ! dit le roi. Ventre affamé a plus d'oreilles que ventre plein. Duplessis-Mornay, poursuivit-il, vous demanderez à M. d'O les pécunes nécessaires à cette mission, sans lui en dire du tout la raison et, ajouta-t-il en levant l'index, sans lésiner.

— Je le ferai demain, Sire, dit Duplessis-Mornay, à la pique du jour.

— Siorac, mon ami, reprit le roi, je suis à ce coup-ci bien assuré de votre bonne affection à moi et au bien de l'Etat, et vous aimant plus que vous n'imaginez, je désire fort qu'il se présente une bonne occasion pour te le faire apparaître.

Cette phrase si aimable, l'air dont elle fut prononcée, ce vouvoiement qui finissait en tutoiement tant me troublèrent que pour une fois, moi qui suis pourtant si bien fendu de gueule, je ne sus rien dire, ni rien faire autre que baiser la main de Sa Majesté en me génuflexant. Quand je me relevai, le roi était jà hors logis, Duplessis-Mornay le suivant aussi vite que le lui permettaient ses pas majestueux.

— Moussu, dit Miroul, l'huis à peine reclos sur eux, qui de votre suite sera de cette aventure, à part vous et moi ?

— Mon Miroul, dis-je en riant à cette adroite question, qui te fait apenser que tu en seras ?

— Moussu, c'est qu'il faut un commis à un marchand drapier.

— C'est bien vu, Miroul, et un cocher aussi pour conduire sa coche, et un valet d'écurie pour panser ses chevaux. Adonc, Pissebœuf et Poussevent.

— Mais, Moussu, ils parlent d'oc à couper au couteau, ne s'étant pas comme vous et moi, Moussu, décrassés de leur parladure en Paris ! En outre, Pissebœuf est grand jaseur.

— Il mettra un bœuf sur sa langue, Miroul, et quant à Poussevent, il est muet comme tombe. Seul son cul est éloquent. Et, la Dieu merci, les pets n'ont pas d'accent.

— Moussu, je suis bien aise de retrouver votre joyeuse humeur. La malenconie où je vous vis au Chêne Rogneux ne vous sied pas du tout! M. de Saint-Ange en sera-t-il?

— Que faire, Miroul, en souterraine intrigue, d'un ange accoutumé à voler dans l'azur? Je le donnerai à mon père ainsi que nos deux galapians.

— Voilà qui est chié chanté! dit Miroul, à qui le gouvernement des pages donnait quelques écornes. Et quand départons-nous, Moussu, reprit Miroul tout flambant d'impatience, pour ce qu'il était de Paris raffolé, et se promettait cent plaisirs de muser en ses rues, même dans les dents du plus mortel péril.

— Demain, pour Châteaudun.

— Pour Châteaudun, Moussu?

— Tu m'as ouï.

Le lendemain à la pique du jour, Duplessis-Mornay m'apporta mon viatique, lequel n'était ni tant libéral qu'il eût été du temps de mon défunt maître, ni tant chiche que je l'avais craint, se montant à deux mille écus. Je dépêchai incontinent Miroul acheter une coche de voyage et vendre du même coup la jument alezane que j'avais dégagée des morts sur le champ de bataille d'Ivry, et qui s'était bien curée de ses navrures. J'eusse voulu que Miroul vendît aussi la selle, qui était de beau cuir et magnifiquement ouvragée, mais étant d'elle quasiment amoureux, il avala mon commandement, et bien il fit, car le même jour, en l'appropriant, il trouva dans une des fontes de l'arçon, caché sous un mauvais chiffon, un sac de cuir contenant mille écus : somme qui était à coup sûr la picorée que le gentilhomme wallon qui montait la jument avait faite en France, depuis qu'il s'en était venu des Flandres, pour ce que c'étaient des *Henricus* français, sans aucune autre monnaie, ni flamande ni espagnole.

Je fus bien aise de cette trouvaille qui me confortait des dépens et débours que m'avait coûtés cette campagne, sans que j'eusse fait un seul prisonnier dont j'eusse pu tirer rançon. J'en voulus donner une part à Miroul, mais il refusa tout à trac, arguant que la jument était ma prise de guerre, saisie par moi sur le champ de bataille, selle comprise. La vente de la jument me rapporta cinq cents écus, tant est que je me sentis content d'être assez étoffé, outre le viatique du roi, pour soutenir du dedans le siège de Paris.

C'est entre Mantes et Châteaudun, la coche arrêtée dans un bois, que je revêtis la vêture de marchand qu'Alizon m'avait fait faire pour ma mission de Boulogne, et commandai à Miroul, Pissebœuf et Poussevent de revêtir leurs habits. Ce que mes deux arquebusiers firent très à rebrousse-poil, étant bien rebelutes de quitter leur livrée jaune et rouge, dont ils tiraient plus d'orgueil qu'un baron de son toril. Dans cet équipage, je ménageai si bien les choses que nous arrivâmes à Châteaudun à la nuit tombante, si bien que les rues étaient jà désertes quand je toquai à l'huis de la belle drapière et éclairant ma face par ma lanterne, dis à la chambrière à travers le judas que je me nommais Coulondre, que j'étais drapier à Mantes, et que je demandais l'entrant. Elle alla quérir sa maîtresse, laquelle, fort perplexe de prime, ne me reconnaissant ni par mon visage ni par mon attifure, me reconnut à la parfin à ma voix, et commanda à sa chambrière de laisser entrer la coche en sa cour.

Dès que nous fûmes seuls en sa chambre, et sans me demander la raison de mon attifure, la belle drapière s'assit et jeta tout soudain des torrents de larmes, m'apprenant la très affligeante nouvelle du décès de son deuxième époux, frappé d'un *miserere* [1]

1. Appendicite.

huit jours après qu'il l'eut mariée. Je m'aperçus alors qu'elle était de cap à pié vêtue de noir (ce qui, du reste, seyait à merveille à son teint laiteux). Et je lui dis combien j'étais marri d'être venu troubler son deuil par ma présence inopportune.

— Ha! Monsieur! me dit-elle d'une voix entrecoupée en m'envisageant à travers ses larmes de son œil mordoré (le plus grand et le plus beau de l'univers), c'est tout le rebours! Vous me sauvez! Du moins pour le temps que vous serez céans, car j'ai formé le propos de mettre fin à mes jours, ne pouvant souffrir une heure de plus le vide où je m'encontre après le décès du meilleur des maris. Raison pour quoi j'ai éloigné tous mes gens, ne gardant près de moi que la vieillotte qui l'huis vous a déclos.

— Ha! Madame! m'écriai-je, me jetant à ses genoux, et lui saisissant les deux mains, qu'ois-je! Porter la main sur votre douce vie! Quel péché ce serait! Ignorez-vous comment l'Eglise traite les suicidés, refusant de leur ouvrir la terre dans les cimetières?

— Ah, peu me chaut! dit-elle, ses larmes redoublant, peu me chaut de ce qu'il adviendra de ma mortelle enveloppe, dès que je l'aurai dépouillée. Et peu m'importe même, poursuivit-elle avec passion, si je suis damnée, craignant fort que mon pauvre bien-aimé défunt ne le soit mêmement, pour ce qu'il est mort en un battement de cil, sans confession ni communion, et pour ainsi parler, dans la graisse de ses péchés, s'étant la veille avec moi ventrouillé dans des enchériments si délicieux que je ne peux croire que l'Eglise les approuve.

— Ah! Madame! dis-je, laissez là ces pensements si âpres! Que savons-nous de la justice du grand juge du ciel, personne n'étant sur cette terre revenu pour nous dire ce qu'il en est! Vivez, Madame, vivez! Vous êtes trop jeune et trop belle pour ôter au monde le privilège de se réjouir l'âme en vous contemplant.

— Ha! Monsieur! vous parlez de miel! Je croyais, à prêter l'oreille à vos gentillesses, ouïr mon mari, le plus aimable et le mieux-disant des hommes. Ha! vrai Dieu! Doux Jésus! Benoîte Vierge, reprit-elle secouée par ses sanglots, me l'avoir ravi si vite!

Ce disant, elle porta les deux mains à ses joues, comme pour les graffigner, ses larmes, cependant, coulant sur lesdites joues, grosses comme des pois, et moi, emprisonnant ses deux mains dans l'une des miennes pour l'empêcher de se douloir, je les caressais doucement de ma main senestre, afin que de l'assouager, comme on fait d'un enfant.

— Ha! Monsieur! dit-elle, savez-vous que quand je vous ai vu à travers le judas avec cette barbe, le cheveu à plat testonné, et cette bourgeoise attifure, j'ai cru en ma folle imagination que c'était lui qui, par je ne sais quel miracle, me revenait, lui pourtant que j'ai accompagné à sa tombe ce matin même, et que j'ai vu, de ces yeux que voilà, disparaître dans les entrailles de la terre.

Ayant dit, elle pâma et se serait versée au sol, si, me levant, je ne l'avais en mes bras saisie et portée sur sa coite, où j'entrepris de la ranimer en lui ôtant sa fraise et dégrafant son corps de cote, sous lequel je m'avisai qu'elle portait une basquine qui la serrait excessivement, mais n'y touchant point, pour ce que j'avais scrupule, quoique médecin, à pousser plus avant son dévêtement, je lui baillai sur les joues quelques petits soufflets qui n'y firent rien, tant est que revenant à ma première idée, je la mis sur le ventre et délaçai sa basquine qui, de toute évidence, l'étouffait. Il me parut, à la retourner sur le dos, qu'elle respirait mieux, et posant mon oreille au-dessous de son tétin gauche, j'ouïs son cœur, lequel était mieux allant que je ne l'avais craint. Je m'apensai donc qu'elle était passée par insensibles degrés de l'évanouissou à l'ensommeillement, où la portait l'extrême lassitude née de son passionné chagrin. J'achevai alors de la dérober de cap à pié et je la mis sous son drap, la soirée étant fraîche pour une fin de mars, et la chambre sans feu. Cependant, en prenant son oreiller pour le lui glisser sous la tête, ma main encontra une dague que je retirai incontinent de sa cache, et l'examinant à la lueur de la chandelle qui éclairait le chevet, je vis qu'elle était fort petite, mais aussi très pointue et très effilée, et tout à plein suffisante aux funestes desseins qui l'avaient placée là.

Je l'y laissai, me proposant toutefois de l'ôter lors de mon département, assuré que j'étais que la belle drapière ne se voudrait pas occire, tant que je serais là à tâcher de la consoler. Quelques couleurs étant revenues alors à ses joues, j'en augurai qu'elle dormait et je la regardai dormir, la chandelle éclairant doucement son beau visage chaffourré par les larmes. Et moi-même, à l'envisager, me sentant saisi d'une compassion qui, alors même qu'elle me nouait la gorge, me donnait en même temps un sentiment agréable, pour ce qu'elle m'inspirait un grand appétit à protéger la pauvrette, à la conforter, à la cajoler, à la conserver en vie. Je ne laissais pas d'entendre qu'il y avait quelque théâtre dans son propos passionné de mettre fin à sa vie, mais la petite dague n'avait point été placée là pour mes yeux, puisqu'elle ignorait mon advenue, ni pour ses gens, puisqu'elle les avait renvoyés à sa maison des champs, ni pour la vieille chambrière qui était plus qu'à demi aveugle. On avait donc à craindre que l'état d'excessif désespoir où elle s'encontrait, l'indifférence des autres, la solitude, et à la parfin une sorte de défi à soi ne la pussent pousser à ces extrémités.

La voyant si profondément endormie, je m'avisai d'aller voir ce que devenaient mes gens et, la maison étant silencieuse, je passai de pièce en pièce et les vis tous les trois occupant les trois coites du logis et plongés dans un sommeil dont le tocsin n'aurait su les tirer. La vieillotte dormait aussi en sa chambrifime, laquelle donnait sur la cour où ma coche, dételée, reposait, les bras sur les pavés. Et traversant ladite cour — la nuit étant fraîchelette, mais lumineuse, la lune s'encontrant hors nuages et plaisamment rondie —, j'allai voir mes chevaux et les vis tête-bêche, caressés par la lune, l'œil clos, l'haleine quiète et dormant debout, selon l'étrange coutume de cette espèce. Cependant, l'un d'eux s'agitant à mon advenue, le sommeil de nos montures se trouvant toujours plus léger que celui des cavaliers, je m'en fus, et retraçant mon parcours de pièce en pièce, revins à la chambre de la belle drapière, laquelle je vis, dressée sur son séant, le tétin nu, la face comme folle d'un excessif chagrin, et sa petite dague à la main.

— Ha ! Monsieur ! dit-elle, la voix entrecoupée, je m'apensai que vous aussi, vous m'aviez abandonnée !

— Madame, dis-je en m'approchant d'elle à pas vifs, voilà qui n'a pas le sens commun ! Vous aurais-je laissée ? Est-ce là tout le fond que vous faites sur ma tendre amitié ?

— Ha ! mon Pierre ! dit-elle, se laissant par moi désarmer et recoucher avec la docilité d'un enfantelet, est-il constant que vous nourrissiez encore quelque amitié pour moi, après que je vous ai si malgracieusement reçu lors de votre dernière advenue en Châteaudun ?

— Cuidez-vous, Madame, dis-je en posant avec négligence sa dague sur le chevet, pour ce que je ne voulais point paraître attacher trop de crédit à son suicidaire projet ; cuidez-vous que je vous puisse tenir à mauvaise dent d'avoir été si énamourée de Monsieur votre époux ? Si j'ai de présent sailli de cette chambre, c'était pour m'assurer des commodités de mes gens. Mais me voilà de retour, dis-je, tirant à moi une chaire à bras qui se trouvait devant une table, et je me dispose à dormir toute cette nuit en votre ruelle pour ne vous point quitter.

— Mon Pierre, dit-elle soulevée sur un coude, et versant à nouveau des larmes, mais celles-ci moins amères, me voilà tout atendrézie et fondue par votre émerveillable bénignité. Mais fi donc ! Je ne saurais consentir que vous dormiez sur ce cancan au risque qu'être demain courbatu. Plaise à vous, mon Pierre, de venir à mon côté partager ma coite, y dormant main en main, et tant chastement que frère et sœur.

Je feignis de prime de n'avoir pas ouï cette offre,

étant bien moins sûr de moi-même qu'elle paraissait l'être de soi. Mais la belle drapière la répétant et le pensement me rebéquant prou de passer la nuit tout vêtu sur cette chaire qui était de bois fort roide, n'étant point même tapissée, au lieu que j'aurais chaleur et moelleuse douceur entre deux draps, et le sommeil, en outre, me venant, j'y consentis, et fus bientôt à son flanc et endormi en un battement de cil.

Je ne sus pas alors, et ne sais encore que penser, de la nuit que je passai là, pour ce qu'elle ne fut point du tout ce que la belle drapière avait dit, mais comme durant ce temps, elle ne pipait point et que son bel œil restait clos — comme je le vis à la lueur de la chandelle mourante — j'ignorerais jusqu'à la fin des temps dans quel degré de connivence elle était avec elle-même en tâchant de me faire passer pour un songe. Il est vrai que la réalité de ce rêve paraissait peu crédible, puisqu'il fut répété au cours de chacune des huit nuits qui suivirent. Mais comme pas un mot ne fut échangé ni au cours de ces enchériments (la seule noise étant celle de nos respirations, celles-ci étant elles-mêmes fort retenues) ni dans la journée, moi-même prenant grand soin d'être debout et vêtu quand elle se levait, la « madamant » cérémonieusement et elle, du « mon Pierre » du premier jour revenant au « Monsieur », notre silence, pour ainsi parler, eut cette vertu d'étouffer la profonde mésaise qui eût été la mienne et, à plus forte raison, la sienne, si nous n'avions pas maintenu si opiniâtrement l'évidente vérité en le plus profond de son puits.

Je trouvais (et à m'en ramentevoir, je trouve encore) un grand charme à ces chattemites délices, et gardant une amitié infinie et à cette remembrance, et à celle qui en fut l'objet, je ne voudrais pas que mon lecteur passe un jugement trop roide sur ma belle drapière et sur les faiblesses où l'amena l'excès de son chagrin. Pour moi, je n'entends pas déranger l'incertitude où je demeure, ni me faire l'arbitre de nos fragilités, puisque, à en croire l'Écriture, nous sommes faits d'argile et fort disposés, par conséquent, à nous laisser soit défaire, soit pétrir, par la mort ou par la volupté.

Quand je fus le lendemain vêtu, j'allais de prime déparesser mes gens, et quérir, pour eux et moi, quelques viandes de la vieillotte, laquelle, ma repue terminée, je dépêchai à sa maîtresse pour lui demander de me bien vouloir recevoir. Et permission m'en ayant été baillée, je gagnai sa chambre et je m'approchai d'elle, quoique à distance révérencieuse, sans même lui prendre ni lui baiser la main, la « madamant » et l'œil à demi baissé sur mon ardente prunelle, de peur qu'elle ne trahît par son éloquence notre commune taciturnité.

La belle drapière était attifurée comme la veille en ses habits de deuil et sa face présentait, à qui eût su finement l'examiner, un bien étrange mélange de chagrin et de contentement, tous les deux véritables, et le premier tâchant de voiler le second, mais y faillant, à tout le moins à mes yeux. Les siens, qui étaient immenses et me ramentevaient un lac sombre où se jouaient des lumières dorées, m'eussent paru insondables et froidureux, si elle ne m'avait quis de m'aiser et de m'asseoir d'une voix tant basse et suave que mon oreille y perçut un frémissement secret. Frémissant alors mêmement du talon à la nuque, j'eus grand-peine à détrémuler ma propre voix pour lui réciter le conte que j'avais pour elle préparé :

— Madame, dis-je, vous devez vous demander la raison de cette déguisure où vous me voyez, de cette barbe, de ces habits de marchand, de ce nom emprunté. C'est que je dois à force forcée me rendre à Paris pour y défendre des intérêts que j'y ai, mais ne le peux faire sous mon vrai visage, étant haï par de certaines gens qui sont de présent tout-puissants en la capitale. J'ai donc pensé me couvrir d'un patronyme supposé, ayant acheté des étoffes céans afin d'y usurper l'état de drapier.

— Monsieur, dit-elle avec un sourire, vous pourrez acquérir à Châteaudun soie, satin, brocart, laine, coton, futaine, pour toutes les quantités que vous désirez. Mais vous ne pourrez rien vendre aux chalands en Paris : sans cela les drapiers de la bonne ville vous tomberaient sus, bec et griffes. Cependant, si vous vous donnez à ceux-ci en les allant voir de prime, comme mon cousin et mon associé, vous leur pourrez vendre à eux-mêmes ce que vous voudrez, toutes marchandises circulant si mal par les troubles des temps. Toutefois, ajouta-t-elle, avec un demi-souris, si vous les voulez persuader que vous êtes des nôtres, il vous faudra barguigner âprement sur lesdits prix et ne rabattre que sol par sol vos prétentions ! Ce que les gentilshommes ne sont guère accoutumés à faire.

Ce discours ne laissa pas que de me toucher, me ramentevant ma petite mouche d'enfer Alizon, quand elle me donnait ses bonnes leçons sur le ton et le langage propres à l'état de bonnetier, avant que de partir avec moi à Boulogne en cette déguisure. N'est-ce pas étonnant, m'apensai-je, de voir avec quelle force, quel émerveillable dévouement, sans réserve et sans faille, les femmes servent leurs amants, pour peu, justement, qu'elles se sentent assurées de leur amitié. C'est là, à mon sentiment, que ce suave sexe est à son meilleur et plus sublime degré, lui qui, dans les occasions, peut si facilement entrer en ire et en haine, et se changer en tigre, d'agneau qu'il était de prime.

Je ne faillis pas d'être docile élève à si aimable régent, laissant la belle drapière acheter pour moi les étoffes qu'elle voulut et pour les revendre, serrant ses avis et conseils dans la gibecière de ma mémoire. Dans le même temps, je commandai à Miroul qui était de ses mains si dextre, de pratiquer une cache dans le plancher de ma coche, afin que d'y placer les vivres que Pisseboeuf et Poussevent, chacun de son côté, allèrent acheter en différents endroits de la ville pour ne point éveiller l'attention par un excessif envitaillement.

Autant que le permettaient les dimensions de ma cache, je fis ainsi de grandes provisions de biscuits, de lard, de jambon, de salaisons, de miel, et même de blé, m'apensant que le pain viendrait se peut à manquer en la capitale.

Cependant, si affairé que je fusse à chaque minute de ces huit jours que je passai à Châteaudun, je ne manquai pas d'attendre du matin au soir avec une sorte de contenu frémissement, la délicieuse sournoiserie de nos nuits. Et voyant combien la belle drapière était exacte à ne rien trahir, ni par ses regards ni par le plus menu propos, de ce qui s'y passait, mais voulait voir fort observées les disciplines et les cérémonies de notre chaste amitié, je faisais mine, chaque soir, à la tombante et complice nuit, de me vouloir contenter de la chaire à bras, tant est qu'elle me devait prier de la venir, pour la commodité, rejoindre en sa coite pour dormir avec elle, comme frère avec sa sœur. Ainsi les mots mêmes s'encontraient aussi immuables que les actes qui les démentaient, une fois la chandelle éteinte, et l'amicale obscurité s'épaississant aux alentours, et nous-mêmes, muets et quiets, contrefeignant de dormir, tandis que par des mouvements insensibles nos songes venaient prendre le relais du sommeil.

Mes préparatifs terminés, cinq jours après mon advenue en Châteaudun, il eût bien pu échoir que je me serais ventrouillé plus de huit jours encore dans ce que la belle drapière aurait appelé, si elle n'avait été si coite, « la graisse de nos péchés ». Mais le septième jour, je reçus, porté par le beau Saint-Ange, un billet de mon maître, écrit à sa manière gaillarde et galopante :

Si ce billet, Barbu, te trouve là où tu es, va dret où tu dois aller. Je serai sous ses murs dans huit jours. Il y va du royaume que je baise au bec cette ville et lui mette la main au tétin. Tu y dois être pour me dire comme elle le prend. Barbu, à cheval !

Henri.

Je fus au comble de la joie que le roi m'eût donné un surnom, chose qu'il ne faisait qu'à ceux de ses serviteurs qu'il aimait le plus. Au reste, ce billet que je serrai incontinent parmi mes archives et trésors, peignait au plus vif, l'homme : commandant en roi, il le faisait avec un enjouement si contagieux et une familiarité tant flatteuse, qu'elle vous donnait appétit à lui obéir.

Ce que je fis, allant tout de gob trouver ma belle drapière en sa chambre pour lui dire que je l'allais, le lendemain, quitter, et crus bien à la vérité que, mettant bas le masque, elle allait se fondre en larmes et en mes bras jeter. A vrai dire, l'œil mi-clos, et perdant ses couleurs, elle parut osciller entre les pleurs et la pâmoison, mais étant, cependant, femme forte, et en corps toute membrue et nervue — comme bien elle le montrait dans la fougue de nos nuits silencieuses — elle se reprit, et d'une voix ferme assez, me dit qu'elle était bien marrie de voir s'éloigner un ami si fidèle et qui l'avait su si bien conforter en sa détresse, mais qu'elle entendait bien que je ne pouvais que je n'acquiesçasse aux ordres de mon maître. Et là-dessus, dans un grand virevoltement de son vertugadin, elle me quitta pour vaquer, dit-elle, à ses labours, et l'huis reclos, me laissa fort ému, et de son attachement pour moi, et de sa fortitude. Tant est que maugré la différence du rang, je l'eusse aimée, je crois, si mon séjour en Châteaudun avait dû se prolonger plus outre.

— Madame, lui dis-je le lendemain, à mon département, je vous tiendrai en mon cœur une gratitude tant infinie de votre amical accueil que je voudrais le témoigner autrement que par des mots. Mais sachant bien que vous ne voudrez accepter de moi un présent, sans qu'il y ait quelque amicale contrepartie, j'oserais vous proposer un échange.

— Un échange, Monsieur ? dit-elle d'une voix trémulente, et ouvrant à plein ses grands yeux mordorés. Et de quoi donc ? Et contre quoi ?

— Contre cette bague que vous me voyez de mon petit doigt détacher, j'aimerais, Madame, que vous me bailliez la dague à manche d'argent que vous cachez sous votre oreiller.

— Ha, Monsieur ! cria-t-elle avec un soupir, et un demi-souris, vous êtes un bien mauvais marchand, si vous barguignez cette tant jolie bague, or et rubis, contre ce poignard petitime, dont le manche n'est point même d'argent pur, étant seulement de cuivre damasquiné d'argent.

— Madame, dis-je en baissant l'œil sur ma prunelle dont je craignais qu'elle ne me trahît en le propos que j'allais tenir, il n'est point valeur que marchande. Ayant dormi en frère à vos côtés pendant sept nuits, la tête sur le même oreiller, cette dague qui était dessous, et fut, pour ainsi parler, le muet témoin de mes songes, me les ramentevra dès que la remembrance de vos immenses yeux me viendra visiter.

— Ha, Monsieur, dit-elle en rougissant, c'est très joliment dit, et dit du bon de l'âme.

Et se détournant vivement de moi, se peut pour me cacher sa rougeur, elle alla quérir la dague sous l'oreiller de sa coite, et à moi revenant, plus composée, me la tendit, et moi retenant sa main, après que j'eus la petite arme empochée en mes chausses, je lui passai au doigt le petit rubis que j'ai dit.

Je fus tenté sur l'instant, de garder davantage sa douce et tiède main entre les miennes, mais n'étant point assuré de ce que j'eusse fait ensuite, tant cette scène m'avait tout ensemble enflammé et atendrézi, je la laissai aller, bien à rebrousse-cœur, et dis non sans gravité :

— Madame, je voudrais qu'avec cette petite dague, qui de vous à jamais s'éloigne, vous quitte aussi la tentation qui y était attachée, et si vous le permettez, j'oserais quérir de vous que vous m'en fassiez la promesse.

— Ha! Monsieur, dit-elle, vous l'avez! Vous l'avez mille fois! C'eût été très grand péché, et très damnable, d'oser faire ce que j'ai osé dire, et je rougis, de présent, à cette pensée même, dont votre braveté m'a à jamais détournée. Mais je vous prie que vous me promettiez à votre tour de me revenir visiter dès que pourrez : l'amitié, comme vous savez, se nourrit de la vue de l'ami, et se meurt, si elle en est privée.

Je le lui promis, et aussi de lui écrire des lettres

missives de Paris si faire se pouvait, puisque d'ores en avant, elle était ma cousine et en l'état qui était le mien, mon associée. Là-dessus, le cœur me toquant fort, je la quittai, ne sachant si dans le nid de frelons où je m'allais fourrer, je vivrais assez pour la revoir.

J'avais de Mantes écrit à ma gentille Alizon de louer pour moi une maison en la capitale, pour ce que je ne voulais point la mettre en péril à loger chez elle de nouveau, ayant été découvert de ma déguisure par La Vasselière le jour des barricades et risquant fort, par conséquent, d'être par elle, ou ses suppôts, derechef percé à jour. Auquel cas, ma pauvre Alizon se fût vue fort suspecte de connivence avec moi, et se peut ruinée par les encharnés ligueux, qui en Paris piaffaient et bravachaient comme fols sur le haut du pavé.

Aussi, advenant en la bonne ville, comme j'avais fait en Châteaudun, à la tombée du jour, ma petite mouche d'enfer, après mille brassées et poutounes, me conduisit tout de gob en une maison, belle assez et spacieuse, qui se trouvait sise près la porte Saint-Denis, rue des Filles-Dieu, à côté du couvent de nonnes qui porte ce nom. Son possesseur, M. de Férot, qui était de noblesse de robe, et fort étoffé, s'était quinze jours plus tôt, retiré en sa maison des champs de Normandie, sous le prétexte d'une intempérie des poumons, en réalité pour ce que voyant bien que le roi allait faire le siège de la capitale, il désirait s'escargoter à l'abri des misères et famines qui ne failliraient pas de s'ensuivre.

Je retins mon Alizon à souper et coucher en mon nouveau logis, ne la voulant point mettre au hasard de sa vie à déambuler la nuit en Paris, même par mes gens accompagnée, sachant combien les mauvais garçons pullulent céans en les rues, dès que tombe le soir. Tant est que j'eus tout loisir après notre repue de rester bec à bec avec elle, et de quérir d'elle où était l'état des affaires en la capitale.

— Vramy! dit ma petite mouche d'enfer, sur qui les ans avaient passé sans entamer du tout joliesse ni pétulance — étant mince, vive, frisquette, peu d'appas, mais ceux-là toujours en mouvement, et parlant avec cet accent pointu et précipiteux de Paris qui me plaisait tant à ouïr de sa friponne bouche. Vramy, mon Pierre! Cela ne saurait aller pis, le gros Mayenne s'est tant fait taper sur la queue à Ivry par Navarre qu'il n'a même pas, depuis, osé montrer son gros nez en Paris! C'est son demi-frère qui commande, céans, le duc de Nemours, un gala-pian qui à peine a passé vingt ans, et pour l'armée de Paris, c'est son cousin, le chevalier d'Aumale.

— Le chevalier d'Aumale! dis-je, béant.

— Lui-même. Et encore qu'il soit jeune, beau et vaillant, je ne l'aime guère : il a tant de mauvaiseté dans l'œil.

— Nemours et d'Aumale! dis-je songeard. Quand même que Guise soit mort à Blois, les Lorrains sont toujours les rois de Paris!

— Et les princesses lorraines, les reines! dit Alizon avec un vinaigre que je ne lui connaissais point. Vramy! Passe encore pour la « reine-mère », elle est bénigne assez. Mais la Guise! Mais la Montpensier! Vramy! Il n'y a pas pire diable en cotillon que la Boiteuse! Les prêchereaux ne prêchent, le poignet bien graissé, que sur l'Evangile des petits billets qu'elle leur fait tenir, et Benoîte Vierge! il n'est question là-dedans que de mourir pour la foi plutôt que de se rendre à l'hérétique! Vramy! que nous chaudra la plus belle foi du monde quand nous aurons tous péri de faim! Mais il n'y a pas à aller contre! Qui déclôt le bec est occis! Hier encore, deux marchands que je pourrais nommer furent en Seine jetés dans un sac pour avoir osé dire qu'il serait bon de faire la paix avec Navarre, le commerce se mou-rant quasiment des incommodités de la guerre.

— Et toi-même, dis-je, mon Alizon, comment fais-tu tes affaires?

— Mal ce jour d'hui, et pis demain! dit-elle d'un ton fort mal'engroin. Si Navarre nous assiège, qui

ira acheter mes bonnets, mes basquines et mes vertugadins ? Ha, mon Pierre, j'eusse bien mis la clé
sous la porte comme M. de Férot et gagné ma maison des champs, si je n'avais eu vergogne à désoccuper d'un coup toutes mes ouvrières, réduisant les
pauvrettes à famine, même devant que commence le
siège ! Bien je me ramentois comme je vivais moi-
même, du temps où j'étais dans l'emploi du chiche-
face Recroche !

Ayant dit, elle rougit et détourna la face, pour ce
que, faillant, en ces temps-là, à subsister sur le peu
que lui baillait le maître bonnetier Recroche, à tirer
l'aiguille de l'aube à la nuit, celle-ci venue, elle vendait son devant ès étuves, tant pour se nourrir elle-
même que son enfantelet : remembrance qui rouvrit
en son cœur une âpre et béante plaie.

— Au moins, mon Alizon, dis-je, la voulant
détourner de cet aigre souvenir, as-tu été prudente
assez pour faire de grandes provisions en vue du
siège ?

— Oui-da ! dit-elle, je n'y ai pas failli, et me suis
tant bien envitaillée que je puis tenir un mois sans
rien acheter.

— Ha ! mon Alizon ! dis-je. Un mois, ce n'est pas
prou ! Songe que Mayenne ne peut contraindre le
roi...

— Le roi ! cria Alizon, fort effrayée, en me mettant ses doigts fins sur le bec. Ne nomme pas ainsi
Navarre en Paris, pour l'amour de Dieu ! Tu serais
sur l'instant mis en pièces ! Le roi en Paris, c'est son
oncle, ce gros sottard de cardinal de Bourbon, que
les ligueux appellent Charles X et que Navarre tient
en geôle. C'est au nom de ce soi-disant Charles X
que Nemours gouverne Paris, et d'Aumale
commande les Parisiens en armes.

— Bien le sais-je ! dis-je, et bien je m'en ramentevrai. Mais, songe, Alizon, songe que Mayenne ne
peut attendre de secours contre Navarre que de
l'armée espagnole du duc de Parme qui guerroie
contre les gueux dans les Flandres, que le duc de
Parme ne bougera pié ni gambe que Philippe ne lui

commande, et que pour envoyer supplique à Philippe II et qu'il y réponde enfin, il faudra à Mayenne, au plus bas mot, deux mois!

— Deux mois! dit Alizon.

— A tout le moindre!

— Deux mois! cria-t-elle, l'œil agrandi et le bec béant. Deux mois de siège! Je n'y survivrai pas!

Le lendemain de mon advenue, j'envoyai mon Miroul, le nez chevauché de ses lunettes dont un verre était bleu — et celui-là justement devant son œil marron —, muser de par les rues de la ville pour m'en rapporter des nouvelles, mission qui l'enchanta, étant le plus grand musard de la création. Mais outre que je m'apensai bien qu'il allait me rapporter provende sur l'état d'esprit des Parisiens, la raison principale en était que je ne voulais visiter Pierre de L'Etoile, rue Trouvevache, qu'accompagné du seul Pissebœuf, lequel, n'ayant jamais mis les pieds en la capitale, ne risquait point d'y être reconnu. Quant à Poussevent, je le dépêchai faire au marché des provisions, jugeant jà que celles que j'avais faites n'étaient point suffisantes assez pour nourrir quatre bouches.

Encore que je ne l'eusse pas revu depuis longtemps, je trouvai mon Pierre de L'Etoile, en son beau logis, fort peu changé, le poil plus poivre que sel et maugré l'air amer que lui donnaient son long nez, sa lippe et ses profondes rides, la même bénignité en ses yeux vifs et pétillants. M'étant donné à son valet à l'entrant comme un maître drapier qui désirait consulter Monsieur le Grand Audiencier sur une affaire le touchant, il fut fort ébahi quand je lui dis qui j'étais.

— Ha! Baron! dit-il, sa bilieuse face s'éclairant d'un amical sourire, si vous ne vous étiez nommé, je ne vous eusse jamais connu, tant votre déguisure est parfaite, et si je vous reconnais de présent, c'est de par votre voix, tant gaie et chaleureuse. Mais n'êtes-vous pas fol de reparaître en ce Paris où tout ce que la Ligue compte de furieux vous tient en grande détestation pour avoir servi si bien le défunt roi, et mieux encore, celui qu'elle ne veut reconnaître?

— Ha bah, dis-je, notre vie n'aurait plus de saveur, si nous ne la hasardions point pour une bonne cause.

— Et bonne elle l'est! dit Pierre de L'Etoile, lequel était un de ces *politiques* que les ligueux haïssaient fort pour être partisans secrets du roi et d'une loyale entente entre les huguenots et les papistes. Les choses, poursuivit Pierre de L'Etoile, vont céans un train qui ne me plaît guère. Ces crottés pédants de Sorbonne, qui croassent comme corbeaux sur clocher, ont décidé, par un solennel arrêt, qu'il ne fallait pas faire la paix avec Navarre, même s'il se convertit, pour ce qu'il y aurait, disent-ils, *danger de feintise et perfidie*. Vous avez ouï, Baron! Ces zélés sont plus papistes que le pape! Pour moi, je tiens que n'est pas hérétique celui qui demande à entrer dans la religion catholique, mais bien plutôt ceux-là qui lui refuseraient l'instruction sous le prétexte de *feintise et perfidie*, alors même que les actes dudit ne laissent en rien préjuger ces méchants sentiments. Car, partout où il a conquis, Navarre a respecté les églises et les prêtres.

— Mon ami, dis-je, cela est vrai, mais que ne l'appelez-vous le roi, et non Navarre? Ce langage me fâche.

— Il faudra bien pourtant qu'il devienne le vôtre, dit L'Etoile aigrement, si vous ne voulez pas tout soudain finir vos jours dans un sac ballotté dans le courant de Seine. Car telles de présent sont en Paris nos belles Evangiles. Quiconque prononce le mot « roi », ou le mot « paix » est dagué, ou jeté en rivière, sa femme et ses filles forcées au nom de Dieu, et sa maison pillée.

— Sanguienne! dis-je, les douces mœurs! Nemours ne peut-il les modérer?

— Mais Nemours n'est pas roi, encore qu'il le voudrait bien devenir, tout béjaune qu'il soit.

— S'il n'est pas roi, qui commande céans?

— Ha! dit L'Etoile, c'est là le point, mon ami! Le pouvoir est en Paris quadripartite, comme eût dit le pauvre Ramus (lequel grand mathématicien,

270

comme peut-être le lecteur s'en ramentoit, fut comme huguenot tué, mutilé et dépecé lors de la Saint-Barthélemy).

« *Primo*, poursuivit L'Etoile, les Lorrains, à savoir d'Aumale, Nemours, la mère dudit, la duchesse de Nemours, la duchesse de Guise, veuve de l'occis de Blois ; et enfin, je la cite en dernier, bien qu'elle ne soit pas la moindre, la duchesse de Montpensier, qui est aux deux autres princesses ce qu'est la tigresse à l'agnelle. Mais vous connaissez, Siorac, notre sublime Boiteuse. Vous la connaissez même à fond, ajouta-t-il avec un petit brillement gaussant et gaillard de son œil vif.

— Ha ! dis-je d'un ton plus raisin que figue, cette remembrance ne m'est pas si douce, la Boiteuse Cypris m'a voulu assassiner deux fois. Mais poursuivez, de grâce, mon cher L'Etoile qui est la deuxième tête de cette quadricéphale royauté ?

— Le cardinal Cajetan, légat du pape. Celui-là est un très grand seigneur, fils d'un puissant duc, fort raffiné, fort italien, et bien marri d'être en cette nordique, turbulente et bientôt affamée Paris, alors qu'il serait si bien à Rome en son palais. De reste, à venir céans, il a subi mille traverses. Sur le chemin, son bagage se perd, sans être perdu pour tout le monde. On le loge à Sens, à l'évêché : le plancher s'écroule. Le duc de Lorraine lui donne des lansquenets pour escorte : ces barbares commettent mille excès, souillant les églises et mangeant chair en plein carême !

— Cajetan est-il ligueux ?

— Comme bourdon en bocal ! Plus que le pape, lequel ne l'est qu'à demi, mais moins que l'ambassadeur Mendoza, la troisième tête de notre présente monarchie en Paris.

— Ha ! dis-je en levant les deux mains en l'air, Mendoza ! L'archi-ennemi de la reine Elizabeth et de mon pauvre bien-aimé maître ! Mendoza, si castillan et si arrogant ! Dès qu'il ouvrait le bec devant mon roi, il avait l'air de le commander.

— Baron, dit L'Etoile en faisant sa lippe, va pour

la piaffe castillane! Mais feriez-vous l'humble et le modeste, si vous aviez derrière vous Philippe II d'Espagne le roi le plus puissant de la chrétienté, l'infanterie espagnole (la meilleure du monde), les mines d'or des Amériques, et quasiment à votre botte, le pape de Rome?

— Sixte Quint, dis-je, n'est point à la botte de Philippe II.

— Cela est vrai, mais le peut-il récuser comme champion de la Sainte Eglise Catholique contre les huguenots? Baron, observez, je vous prie, le bizarre de cette royauté en Paris: Trois têtes, toutes étrangères: Nemours, qui est du clan lorrain. Cajetan, qui est italien. Mendoza, qui est espagnol. Voilà ce qu'il advient de nous autres, vrais vieux Français de vieille France, depuis que nous tuons nos rois!

— Et la quatrième tête qui commande en Paris?

— Celle-là, je vous le concède, est française, et peut-être la pire de toutes par son zèle et sa rapacité. L'allez-vous deviner?

— Les *Seize*!

— Oui-da, les *Seize*! qui ne sont pas seize, mais cinquante; un ramassis de robins, de curés et de prêchaillons! Cinquante coquins qui commandent à deux cent mille Parisiens sottards, crédules et badauds! Les *Seize*, c'est tout ensemble la prêchaille et le bras séculier! Ceux-là ne pensent qu'à exiler, qu'à tuer et piller et ne font pas, hélas, qu'y penser.

J'entendais bien, à ce véhément discours, que L'Etoile se faisait un souci à ses ongles ronger, craignant que les *Seize* le chassent un jour, en tant que *politique*, de son clair logis. Et le voulant détourner de cette funeste anxieuseté, je quis de lui s'il avait pensé à amasser provisions en vue du siège.

— Oui-da! Et suis le seul de ma rue à l'avoir fait! Tant ces coquefredouilles sont persuadés que, dès que Navarre apparaîtra sous nos murs, l'armée espagnole du duc de Parme volera à notre secours pour terrasser le dragon. Ce que je décrois, le duc de Parme ayant fort à faire dans les Flandres.

Je quis alors mon congé de L'Etoile pour ce que ce

jour étant un dimanche, je voulais aller à messe en l'église de mon quartier qui était l'église des Filles-Dieu, tant pour y prier que pour y être vu, écoutant bec bée un prêche assurément séditieux, donnant libéralement à quête, et me faisant mouton parmi les ouailles pour n'être point suspicionné. Sur quoi mon bon L'Etoile me voulant raccompagner jusqu'à son huis, un bras jeté sur mon épaule, il voulut bien me régaler, l'œil tout à la fois moral et allumé, d'une de ces petites historiettes dont on daube et badaude en Paris.

— Baron, avez-vous connu Sélincourt ?

— Oui-da. Il était gouverneur de l'arsenal.

— Il l'est toujours, sauf qu'un marchand de vin nommé Vasseur l'a, ce samedi écoulé, blessé d'un coup d'épée.

— Sur quel fondement ?

— Fondement est bien dit, s'agissant d'une garce dont Sélincourt, devant marier la veuve Yver, se défit en la vendant audit Vasseur.

— En la vendant ?

— Oui-da, quatre cents écus.

— Sont-ce là mœurs parisiennes ?

— Il apparaît. Et ce fut lourd payé, la drolette étant si légère. D'autant que la veuve Yver décédant deux mois après mariage, Sélincourt, veuf de la veuve, voulut ravoir sa ribaude.

— Sans repayer ?

— Sans repayer. D'où le coup d'épée de Vasseur.

— La sienne ?

— Vous vous gaussez. Un marchand de vin porte-t-il épée ? Celle de Sélincourt, lequel, Vasseur désarma et navra de son propre estoc.

— L'arsenal est bien gardé ! dis-je, en riant à gueule bec.

Mais L'Etoile qui s'était en son for très ébaudi de son historiette, n'en voulut point rire, mais faisant sa lippe, l'œil au ciel, et fort soupirant en sa morale componction, il dit :

— Querelle digne des temps !

A quoi je ris.

— *O Tempora! O Mores!* [1], disait déjà notre Cicéron. Mon cher L'Etoile, le pis des mœurs de ce temps, ce n'est ni l'écu ni le cul. C'est le zèle sanguinaire des dévots.

— Amen! dit L'Etoile, qui, étant en son gallicanisme fort défiant du pape, tenait lui aussi en grande suspicion la tyrannie des Eglises.

Celle des Filles-Dieu où j'allais de ce pas à messe, après être passé en mon logis prendre un gros livre de prières (car plus le livre est gros, plus l'âme est pieuse) ne tarda point, comme je m'y attendis, à retentir des accents d'un prêchaillon qui, écumant de la gueule en sa fureur, claironna du haut de la chaire sacrée, à stridente voix, que le Béarnais n'était qu'un bouc puant, un âne rouge, un chien, un bâtard, fils de putain, sa mère n'étant qu'une vieille louve qui se faisait encharger par les loups de tous poils; qu'il était hérétique, relaps, excommunié, athée, avéré tyran; qu'il avait couché avec notre Mère l'Eglise, et fait Notre Seigneur cocu, ayant forcé toutes les abbesses en toutes les villes qu'il avait prises; qu'il ne le fallait en aucune façon recevoir et accepter céans, même s'il se faisait catholique; que les Parisiens n'étaient pas assez niais et nigauds pour ne point apercevoir que sa prétendue conversion ne serait que fallace et tromperie; que, de reste, ce bouc puant de Navarre pourrait bien ouïr la messe, cela ne lui chaudrait du tout, et il n'en pisserait pas plus roide : les Parisiens ne voulant pas de lui davantage que devant; et avec raison, sachant bien que si ce bâtard se mettait sur sa vilaine face le masque de catholique, ce serait le loup déguisé en agneau pour entrer dans la bergerie. Qu'une fois entré dedans, il nous ôterait tout de gob notre religion, notre Sainte Messe, nos belles cérémonies, nos reliques et nos croix; userait de nos églises comme d'étables pour ses chevaux; tuerait nos prêtres et ferait des sacerdotaux ornements des chausses pour ses soldats; qu'il fallait donc trouver un autre vénéré

1. Ah les temps! Ah les mœurs!

Jacques Clément pour l'occire; que lui, curé des Filles-Dieu, s'il le pouvait, l'étranglerait volontiers de ses propres mains, certain de gagner par là la palme du martyre et le paradis; qu'en attendant, c'était le devoir de tout un chacun en sa paroisse de dépister, dénoncer, arrêter et jeter en la rivière de Seine les « politiques »; et qu'en bref, il fallait derechef en Paris une bonne saignée de la Saint-Barthélemy afin que notre chère et sainte ville se purgeât derechef de son sang pourri...

J'écoutais ces criminelles sottises, comme bien on l'imagine, sans du tout broncher, mais avec la plus grande componction, mes deux mains à plat posées sur mon ventre de marchand, l'œil mi-clos, la face grave et hochant la tête aux meilleurs endroits en signe d'approbation, tant est que je ne manquai pas d'édifier mes voisins, qui, à ouïr ce furieux, grimaçaient comme singes ses grimaces, et après messe, sur le porche de l'église, allaient péroquetant ses propos, comme parole d'Evangile, l'Evangile selon saint Hérode, pourrais-je dire, puisqu'il n'y était question que de mort et de massacre.

Revenant au logis avec Pisseboeuf, lequel en l'église montra sa coutumière finesse en imitant en tout mon déportement (en quoi il eut quelque mérite, ayant l'huguenoterie fort profond dans le cœur, tout gaillard et paillard qu'il fût), nous trouvâmes en notre souillarde, le bedondainant Poussevent fort abasourdi et jérémiant des prix qu'on avait requis de lui au marché.

— Moussu lou Baron! dit-il tout effaré, c'est la ruine de votre maison! Toutes vos pécunes y vont passer! Cette ville n'est point Paris, c'est Babylone! Le beurre salé qu'à Châteaudun j'ai payé quatre sols la livre, se vend céans au double. Le quarteron d'œufs, mêmement. La chair est tant renchérie que j'ai dû bailler trente sols pour une couple de poulets quelque peu grandelets. Pour ne rien dire de la paire de chapons dont je n'ai point voulu, la commère m'en demandant un écu! Vous m'avez bien ouï, un écu! Quant aux fruits et légumes que les manants

céans appellent les « herbages », c'est à croire que la
terre de France se fait rare, tant ils sont hauts ! on
m'a quis quinze sols pour une livre de cerises ! S'il
faut payer tant cher les « herbages », autant brouter
l'herbe des prés ! Moussu lou Baron, j'opine que
nous n'achetions plus rien à ces brigands de Parisiens et subsistions sur nos réserves !

— Ha ! que nenni ! Nenni ! Nenni ! dis-je avec
véhémence, c'est tout le rebours, Poussevent ! Nous
ne toucherons miette à nos réserves et nous achète-
rons tous les jours, et aussi gros que nous pouvons !
Et à n'importe quel prix ! Ce n'est point tant que le
marchand brigande, Poussevent, c'est que le vivre se
fait rare, et rare, il se fera chaque jour davantage, le
roi resserrant ses tenailles autour de la ville, et peu
de bateaux et de charrois pouvant à elle parvenir !
La paire de chapons dont tu n'as pas voulu ce jour à
un écu, tu la paieras dans un mois six écus. Et dans
un mois, au double de ce prix, tu ne trouveras pas
crête de coq ! Achète ! Achète, Poussevent ! Achète
tant qu'il y a à acheter, et au prix requis, sans ménager du tout mes clicailles ! Il y va de notre vie !

Quant à mon Miroul, il ne retourna qu'à la nuit de
ses pérégrinations, las et recru, pour ce que, dit-il, il
avait usé ses semelles jusqu'à l'empeigne, et ses
gambes jusqu'aux genoux à mon service. Ayant
ainsi, par mille plaintes, mêlées à mille éloges de sa
propre vertu, tâché de dissimuler l'immense soulas
qu'il avait pris à son trantolement dans les rues de la
capitale, il m'en fit un récit épique.

— Ha ! Moussu ! Plus crédule, badaud, nigaud, et
gobe-mouches que ce peuple parisien oncques ne
vis. Tout ce que disent les prêchaillons contre le roi,
les Parisiens le croient de cœur et le confessent de
bouche, et pour cette foi-là, plus temporelle, certes,
que spirituelle, ils se feraient hacher menu.

— Miroul, dis-je, pour tes sûretés, dis Navarre et
non pas « le roi » : cela sent trop le *politique*. Et de
même, dis « assurément » et non pas « certes » : Ce
« certes »-là trahit le huguenot.

— Je m'en ramentevrai, Moussu.

— Et ne me rabâche point les prêches des prêtereaux; qui en connaît un les connaît tous : Et celui des Filles-Dieu me suffit. Cornedebœuf, j'en aurais raqué mes tripes !

— Mêmement ! dit Pissebœuf.

— Mais savez-vous, Moussu, reprit Miroul, que les Parisiens se paonnent, outre les lansquenets, qui se montent à six mille hommes, d'avoir en armes trente-cinq mille des leurs ?

— Chiffres, dis-je, qu'il faudra tâcher d'acertainer.

— Adonc, poursuivit Miroul, ils ne craignent nullement Navarre qui, disent-ils, n'a pas la moitié de ce nombre.

— Ce qui est vrai.

— Et d'autant que tout un chacun fait état des lettres de Mayenne à Nemours, annonçant son imminente advenue céans avec les Espagnols du duc de Parme.

— Je connais la chanson.

— Moussu, dit Miroul quelque peu piqué, y a-t-il quelque chose céans que vous n'avez su avant moi ? Savez-vous, par exemple, que les Parisiens, qui de nature sont excessivement rebelles et maillotiniers, n'ouvrent jamais le bec sans vomir des milliasses d'injures sur le défunt roi, qu'ils appellent tyran, hérétique, suppôt d'enfer, athéiste, bougre et sodomite, le haïssant, mort, autant qu'ils le firent, vif ? Que le Béarnais, de reste, n'est pas mieux traité d'eux, sauf qu'au lieu de le nommer bougre, ils l'appellent putassier et forceur de nonnes.

— Je n'ai jamais forcé nonne, dit Poussevent avec un soupir. Se peut que ce soit plaisant.

— Fi donc du vilain paillard ! dit Pissebœuf qui, à mes yeux du moins, se voulait parer de quelque vergogne — laquelle je décroyais, nourrissant le soupçon qu'il avait fait pis que mal dans le sac des villes.

— Silence là ! dit Miroul, qui n'oubliait jamais qu'il gouvernait en mon nom les deux arquebusiers. Et auriez-vous pensé, Moussu, que Jacques Clément est célébré partout comme martyr et vénéré quasiment comme un saint, qu'on a fait des messes à Notre-Dame en sa mémoire où la Montpensier a mené sa mère par la main, à laquelle la duchesse a dit devant l'hôtel tout haut : « Béni soit le ventre qui a porté Jacques Clément et les mamelles qui l'ont nourri ! » Après quoi, la bonne femme a été acclamée, et depuis, honorée quasiment par le peuple comme la mère de Jésus. Qui eût pensé, Moussu, qu'un petit jacobin de merde gagnerait telle resplendissante gloire non point par la prière, mais par le cotel ?

— Cela, du moins, je l'ignorais. Mais parle, Miroul, parle ! Je vois tes joues toutes gonflées du savoir appris dans les rues.

— En voici le meilleur, dit Miroul. Ou plutôt le pis, que j'ai gardé pour la fin. *In cauda venenum* [1], comme on raconte que disait le scorpion en recourbant la queue. Et ce qui suit, Moussu, je ne l'ai pas ouï en dardant l'ouïe aux jaseries du populaire (et Dieu sait pourtant si ce peuple que voilà clabaude) mais vu de mes propres yeux.

— Et qu'était-ce donc, Miroul, que tu as vu et qui rugit si fort en cette préface ?

— Une procession.

— J'en ai vu cent !

— Mais celle-ci, Moussu, passe toutes les autres. Oyez plutôt ! Ayant appris que l'Eglise allait faire une grande revue de ses moines, clercs et moinillons, j'y courus, fort friand et curieux de ce spectacle, et me glissant parmi le grand concours de peuple qui s'y pressait, je m'enrichis de l'œil et de l'oreille pour le restant de ma mortelle vie. Ha ! Moussu ! Que nous avons de moines en ce Paris ! Et quelles légions d'intercesseurs auprès du divin maître ! Robés de tant de frocs, livrées et façons que j'en suis encore ébloui, car j'ai vu ce jour d'hui, mis ensemble, des moines blancs, des moines gris, des moines marron, des moines noirs, des moines bruns, que sais-je encore, moutonnant et serpentant

1. Dans la queue le venin. (Lat.)

à l'infini dans les rues de Paris, tous gras et luisants comme vers de terre en beau labour, sauf toutefois les feuillants qui, ne mangeant que du pain et des « herbages », comme on dit céans, sont pâles et maigrelets. Mais ce sont bien les seuls ! Car je n'ai rien vu de plus replet, à tout dire, que les quatre ordres mendiants, lesquels ayant fait vœu de pauvreté, vivent d'aumônes publiques et en vivent très bien ! Je ne saurais dire, à la vérité, à qui des quatre ordres les bonnes gens donnent le plus, car touchant la vaste circuité de leur bedondaine, je ne vois qui l'emporte, du dominicain sur le franciscain, ou de l'augustin sur le carme...

— Vertudieu ! dit Pissebœuf, les feuillants, les dominicains, les franciscains, les augustins, les carmes, combien d'ordres avons-nous donc en France ?

— Bah ! Cela n'est rien, huguenot ! dit Miroul en se paonnant de son savoir, car prient encore pour nous les capucins, les minimes, les chartreux, les hiéronymites, les jésuites, et hélas, ce nœud de vipères des jacobins, d'où est sorti Jacques Clément pour ramper jusqu'à Saint-Cloud et tuer notre roi.

— Va ! Va, mon Miroul ! dis-je, sans te vouloir piquer, qu'y a-t-il de si extraordinaire à ce que des moines processionnent, pieds nus, dans les boues des rues ?

— L'extraordinaire, Moussu, dit Miroul en levant bien haut la crête, c'est que ce jour, ils étaient armés.

— Armés ?

— Oui-da ! Armés ! Chacun avait sa robe vaillamment troussée pour marcher au pas, le capuchon rabattu, et qui portant corselet sur son froc, qui arborant cuirasse, qui coiffant son chef d'un casque ou d'un morion, et tous brandissant, en marchant, des armes.

— Quelles armes ?

— Ce que les voisins, je suppose, leur avaient prêté. Car j'ai vu en leurs mains des mousquets, des pistoles, des pistolets, des poitrinaires, des piques, des épées et des dagues.

— Le beau cortège! Avaient-ils du moins des capitaines et des sergents?

— Oui-da! En tête comme commandant et premier capitaine, marchait, non pas pieds nus, mais en bottes, Mgr Rose, évêque de Senlis, lequel n'a point le teint rose, comme se pourrait croire, mais jaune safran, l'œil coléreux et impérieux, et la bouche quelque peu torve du côté senestre. Celui-là portait d'une main un crucifix et de l'autre une hallebarde.

— Une hallebarde? Tu te gausses, Miroul!

— Point du tout. Tous les capitaines portaient tout ensemble croix et hallebarde, lesquels capitaines étaient les prieurs et abbés des ordres devant lesquels ils marchaient, fort acclamés par le bon peuple. Je n'ai point retenu leurs noms, sauf celui de dom Bernard, prieur des chartreux. Quant au sergent qui mettait de l'ordre dans les files, c'était Hamilton, le curé de Saint-Côme, de sa nation écossais, lequel avant que de tourner curé, a dû être soldat, car il rangeait fort bien les moines par quatre, courant de l'un à l'autre comme chien de berger, huchant comme sergent en manœuvre et commandant à'steure aux files de s'arrêter pour chanter des hymnes, à'steure de marcher derechef en criant : *A mort le bâtard Navarre! En Seine les politiques!* Cris que le peuple reprenait à tant de noise et vacarme qu'ils vous auraient débouché un sourd.

— N'y avait-il que des moines dans ce cortège?

— Non point. Des clercs et des écoliers de Sorbonne les suivaient et même quelques bourgeois zélés, lesquels, branlant le chef, disaient entre eux qu'à temps nouveaux, nouvelles mœurs, et qu'il était temps, dans les dents du péril qui la menaçait, que l'Eglise des prières devînt l'Eglise militante...

— L'Eglise militante, Ventre Saint-Antoine! Est-ce là tout, Miroul?

— Nenni! Nenni! Moussu! dit Miroul d'un air merveilleusement réjoui, la pointe, la cime, l'apogée de cette inouïe procession furent atteints, quand elle encontra le carrosse de Mgr Cajetan, légat du pape, qui était advenu là pour la saluer, sans que pourtant ledit Cajetan, qui est grand seigneur, et italien, et n'aime pas l'odeur du bon peuple (ni se peut celle des moines) consentît à en sortir, n'apparaissant qu'à la fenêtre dudit carrosse. En quoi il fit bien, car Hamilton, pour l'honorer, ayant commandé une salve à ses moines-soldats, le plus gros de ceux-là, qui se peut maniait moins bien le mousquet que le cuiller, fut assez maladroit pour tuer roide l'aumônier du légat et blesser une de ses gens. A quoi Mgr Rose dit tout haut qu'il avait compassion, mais que l'aumônier, à bien l'examiner, était mort dans une action sainte pour une sainte cause.

— Amen, dit Pissebœuf, lequel, imité par Poussevent, se prit à rire à ventre déboutonné, tant l'idée que les moines puissent mettre leurs mains molles au noble métier des armes ébaudissait nos deux arquebusiers. Mais, quant à moi, m'étant réfléchi un petit sur cette étrange procession, je ne souris que de la moitié du bec. Quoi observant, Miroul me dit :

— Quoi, Moussu, n'avez-vous pas aimé mon conte ? Ne vous a-t-il pas réjoui ?

— Si fait, dis-je, gravement assez. Je l'ai aimé pour le risible et le ridiculeux de la chose. Mais il ne m'a pas réjoui, bien le rebours.

— Hé, Moussu, pourquoi donc ?

— Pour ce que je m'apense qu'un peuple, aussi furieusement trempé et martelé par son clergé, fera un acier bien dur, et ne se laissera pas casser aisément par la famine. D'où j'augure que le siège sera long et que bien des Français naturels y laisseront leurs bottes.

Cette expression « laisser ses bottes » est parler de Parisien, voulant dire « mourir » en leur parladure. Et combien de fois l'ai-je ouïe en les quatre mois qui suivirent, et dans ma rue même, et dans mon quartier des Filles-Dieu je ne saurais, hélas, en faire le compte, tant ce fut prou.

Dans les trois semaines qui suivirent la procession des moines boutefeux je commandai à Pissebœuf, Poussevent et Miroul de se rendre chaque jour séparément en différents marchés de la ville et d'y faire autant provisions de vivres qu'ils le pourraient sans du tout considérer les prix. Et tout de gob, n'attendant pas que lesdits vivres vinssent à manquer, j'entrepris de nous rationner tous quatre, ce qui nous fut à quelque incommodité, surtout à Poussevent (dont la large gueule était plus friande de mets que la cervelle de savoir) et à Pissebœuf, à peine moins, tout maigre qu'il fût. Quant à mon vif, fluet et élégant Miroul, il ne bâfrait ni à tas ni longtemps, ayant peu de goût à rester le ventre à table, une fois la première faim apaisée, et ne faisant pas plus grand cas que moi d'attendre la seconde, ni la troisième, ni les autres suivantes. Tant est que, calculant à quelque temps de là nos réserves, je vis qu'à les bien ménager, nous en aurions à quatre personnes pour six mois au moins. Ce qui me mit l'esprit en repos, ne m'apensant pas que le siège pût se prolonger plus longtemps.

Cependant, pour donner quelque couleur à ma présence en Paris, j'allai visiter les marchands dont la belle drapière m'avait baillé les noms, et je les trouvai de prime apparemment rebelutes à acheter mes étoffes, craignant, disaient-ils, de ne les point vendre, jérémiant à l'infini sur la ruine de tout commerce en la ville (hors celui des vivres où se gagnaient des fortunes) et partant sur la leur propre, étant jà quasiment sur la paille. Mais c'est là, comme on sait, jargon de gens d'argent, qui au moindre revers, huchent à cœur fendre qu'ils n'ont plus chemise en leur coffre, ni chair salée en leur lardier. Ce que je décroyais, car au bout de ces plaintes, au lieu que de me donner mon congé, je les voyais dépriser mes étoffes et barguigner âprement mes prix. Ce qui me donna à penser qu'ils voulaient se refaire quelques réserves de laine, de soie et de cotonnade dans l'idée que, le siège fini, elles seraient tant renchéries par la rareté qu'il y aurait grand profit à la revente.

Quant à moi, étant fort insoucieux de conclure, ou de ne conclure point, je fus si âpre barguigneur en ces bargouins que je vendis tout, et gagnai, en outre, la considération des marchands et en quelque mesure leur fiance, car cette espèce de gens est plus prudente et suspicionneuse que rat en fromage et sort fort peu la tête du trou qu'elle s'est fait, de peur qu'on ne lui tape sur le museau.

Pourtant, un de ceux-là, nommé Borderel, qui habitait au bout de la rue Saint-André-des-Arts, j'entends du côté de la porte de Bucci, me prit en amitié, pour ce que sa femme, étant quasiment à la mort et lui ayant dit que j'avais étudié médecine en Montpellier, devant que mon père me laissât son fonds, il voulut à force forcée que je la visse, et moi observant qu'elle toussait à cracher le sang, et qu'elle s'encontrait sèche, étique et atténuée, quis de Borderel comment les médecins la soignaient. Et oyant de sa bouche qu'ils la purgeaient, saignaient et mettaient à diète, je l'avisai de discontinuer ce mortel curement, mais de la nourrir à suffisance, sans la saigner ni la purger, ni la claquemurer entre ses quatre murs, mais d'ouvrir sa fenêtre à l'air, quand le soleil luisait. Ce que Borderel finit par faire sans me croire du tout, mais en grande désespérance de la voir passer. Tant est que la pauvrette reprit en peu de jours quelque vie et couleur, et aussi quelque gaîté, et ne mourut, à ce que j'appris, que deux ans plus tard, tuée par la maladie, et non par les médecins.

Ce Borderel qui se trouvait fort haut en son état, fournissait soieries et satins au tailleur de M. de Nemours et des princesses lorraines. Ce qui fit que je me mis à cultiver fort son amitié, m'apensant que je trouverais en son discours provende à béqueter, d'autant qu'il n'était ni ligueux ni royaliste, attendant que l'un et l'autre des deux partis fût victorieux avant que de se déclarer pour lui, et n'ayant, de vrai, d'autre religion que celle de ses écus; cependant, allant fort à messe, opinant du bonnet aux prêches sanguinaires, et donnant libéralement aux quêtes des *Seize*, afin qu'on ne le réputât pas *politique*.

Je ne laissai pas, de reste, d'aimer quelque peu ce Borderel, quoiqu'il fût chiche-face, pour ce qu'il était homme de sens et bon homme assez, à ses enfants, très dévoué, et de son épouse raffolant, laquelle avait vingt ans de moins que lui, et dès qu'elle eut derechef rondi ses os de quelque charnure, fort belle, encore que languissante, en raison de son intempérie. Borderel portait toute sa barbe, qu'il avait grise, et sur sa face, un air de tristesse que démentait sa coutumière humeur, laquelle était gaie et gaussante, s'encontrant, en fait, fort clabaudeur et colporteur de petites nouvelles, surtout sur les grands, comme le sont les Parisiens. Et je me suis souvent apensé que sa malenconique mine était un jeu de la nature — *lusus naturae* — et due au fait que tous ses traits s'affaissaient : l'œil tombant sur le bord externe, le nez tombant sur les lèvres, les lèvres tombant aux commissures, et je suppose aussi (pour ce que la barbe le cachait) son menton s'affaissant sur son double menton. J'ai vu depuis des chiens (du diable si je me ramentois leur nom) dont l'œil vers le bas abaissé, piteux et larmoyable, paraissait témoigner au milieu de leurs poils d'un chagrin éternel, alors qu'on les voyait trotter, sauter et gambader, la queue droite, ou de joie agitée. Ainsi pour mon Borderel.

C'est le 15 ou le 16 mai, à ce que je cuide, c'est-à-dire huit jours environ après le début du siège, que Borderel m'apprit la mort du gros cardinal de Bourbon que les ligueux appelaient Charles X, s'étant fait un roi de carton, pour couvrir leur mutinerie, lequel n'avait, en réalité, d'autre couronne que la tonsure de son état.

— Il est mort, me dit Borderel en hochant le chef, d'une rétention d'urine qui lui causa une fièvre continue, laquelle le dépêcha. A preuve, poursuivit-il, en remplissant mon gobelet à ras bord d'un bon vin de Médoc, que pour vivre, il faut pisser, et pour pisser, il faut boire. Trinquez, compère.

— Tant est que nous voilà sans roi, dis-je en trinquant, et parlant avec prudence, à seule fin de tirer le premier fil qui allait, se peut, dévider l'écheveau.

— Voire! dit Borderel. Ce n'est pas tant que nous manquons de cette denrée-là. C'est que nous en avons trop.

— Trop? dis-je contrefeignant le naïf. Comment cela?

— Trois Lorrains, deux Bourbons et une Espagnole. Cela fait six prétendants, dit Borderel en se caressant la barbe, n'est-ce pas prou?

— De Lorrains, dis-je, je ne vois que Mayenne.

— Et Nemours.

— Quoi? Ce béjaune?

— Il y rêve, et sa mère, qui le préfère à son demi-frère Mayenne, y rêve aussi pour lui. Cependant, étant femme avisée, elle garde deux fers au feu, et au cas où Navarre serait victorieux, elle aimerait marier son préféré à la sœur dudit, afin que Nemours, s'il n'est roi, devienne, du moins le beau-frère du souverain. Raison pour quoi elle n'est point du tout si ligueuse que la Montpensier.

— Mais, dis-je, si Nemours caresse ce rêve, pourquoi pas le fils de l'occis de Blois ne le mignonne-rait-il pas aussi?

— Le jeune duc de Guise? Mais il y pense! Et Mme de Guise sa mère, plus encore. Tant est que, le jeune duc étant prisonnier de Navarre, elle ménage, elle aussi, l'hérétique.

— Quant aux Bourbons, dis-je, je n'en vois qu'un : le comte de Soissons.

— C'est que vous oubliez, compère, le cardinal de Vendôme, qui est Bourbon aussi.

— Eh bien, dis-je avec un soupir, de ces six aspirants au sceptre, sur lequel gagez-vous?

— Sur l'Espagnole.

— Quoi? dis-je, faisant l'étonné, une femme régner en France? Et notre loi salique?

— Qui n'est pas une loi, mais une coutume, dit Borderel en riant. En outre, Claire-Isabelle Eugénie est fille de France, étant petite-fille de Catherine de Médicis.

— Hé! dis-je, cela ne serait rien, si elle n'était aussi la fille de Philippe II.

— C'est là, en effet, sa principale force, dit Borderel, avec un sourire gaussant, et son indubitable titre.

— Je ne sais, toutefois, repris-je, si le Parlement lui ferait si bonne face !

— Se peut que oui, si on la marie au jeune Guise ou à Nemours.

— Je vois, dis-je, avançant une patte et l'autre déjà sur le recul, qu'il y aura de grosses traverses avant que les Français naturels aient un roi.

— Cela vient, dit Borderel en se caressant la barbe d'un air d'infinie sagacité, qu'on a renoncé, dans le cas présent, au principe d'hérédité, lequel avait ceci de bon qu'il ne suscitait point tant de grenouilles dans le marais coassantes.

Ayant fait cette remarque qui eût pu passer pour *politique*, si une oreille ligueuse l'avait ouïe, Borderel m'envisagea d'un air à me faire entendre qu'il n'en dirait pas plus, même en son propre logis, entre ses quatre murs, et bec à bec. Ce silence perdurant, comme s'il eût voulu éclairer davantage ma lanterne, il ajouta :

— Ce lundi, compère, un nommé Moret, que je connaissais un petit, a été jeté en un sac à l'eau pour avoir dit tout haut qu'il serait bon de faire la paix avec Navarre, pour peu qu'il se convertît. Ce mardi, Régnard, procureur au châtelet, fut arrêté et serré en geôle ainsi que plusieurs autres, sur l'accusation d'avoir voulu livrer la ville à Navarre. Et le jour suivant, ils furent pendus.

— Quoi, sans jugement ?

— Oui-da, compère, sans jugement, et sur le commandement des *Seize*, Dieu les bénisse, ajouta Borderel d'un air qui démentait plus qu'à demi cet appel à la bénédiction divine.

Mais c'était là, j'imagine, une prudentielle habitude qu'il avait dû prendre en public et qu'il exerçait même en sa chacunière, de peur de s'en désaccoutumer : bel exemple des violences exercées en ces temps sur les âmes (et sur les corps) par ce ramassis de tyranneaux qui, usurpant les privilèges du roi et du Parlement, nommaient aux offices publics, levaient les tailles, et expédiaient la justice.

Nous en étions là de notre entretien quand la dame du logis apparut, soutenue par deux chambrières en ses pas et démarches. Assise par elles sur un cancan, elle me fit, pour mes bonnes curations, ses mercis et ses grâces, d'une voix faible et douce. Et à la vérité, au lieu de mourir d'inanition et de pintes de sang tiré, elle n'était plus mourante que de sa maladie, qui, plus miséricordieuse que les médecins, ne la consumait que lentement, avec des répits et des rémissions qui lui donneraient, de loin en loin, à ce que j'augurais, l'illusion de la convalescence; illusion dans laquelle elle se trouvait de présent plongée et que je ne lui voulus ôter pour rien au monde, puisqu'elle lui voilait la gravité de son intempérie. Ce qui l'y confortait, c'était qu'elle avait repris, en deux petites semaines, poids et forces, cependant, fort pâle encore et son bel œil noir, où se lisait un grand appétit de vivre, brillant et quelque peu fiévreux, ce qui n'était pas sans ajouter à ses charmes. Elle n'avait pas, à ce que je cuide, passé vingt ans et retenait encore en sa naïve physionomie quelques-unes des grâces de l'enfance, envisageant Borderel et moi-même qui avions quasiment le double de son âge, avec un air de candide fiance, comme si nos forces conjuguées avaient le pouvoir de la retenir de glisser plus avant sur le chemin de la mort. Je vis que mon pauvre Borderel refrénait ses larmes, mi de contentement de la voir mieux allante, mi de l'appréhension que ce mieux ne serait que passager, comme je l'avais prévenu : secret qui pesait lourd à son cœur.

— Madame, dis-je en levant la main, de grâce accoisez-vous et permettez-moi de vous répéter ce que j'ai ouï des lèvres du grand Ambroise Paré : à savoir qu'on peut parfaitement guérir d'une intempérie du poumon, pourvu qu'on se tienne en repos, qu'on s'empêche de toussir, qu'on ne parle point et qu'on se nourrisse à sa suffisance.

— Je fais tout cela, dit-elle d'une voix exténuée

avec une petite moue d'enfant qui me la rendit plus charmante, mais toutefois, ma fièvre continue de me ronger.

— J'y ai pensé, Madame, dis-je, et je vous ai apporté ce paquet de feuilles de saule, desquelles je vous recommande de faire matin et soir une décoction contre votre fièvre.

A cela elle fit de grands mercis, et plus encore Borderel, dès qu'elle fut départie, soutenue par ses chambrières, tant est que ne sachant comment me témoigner sa gratitude, il m'offrit de m'envitailler, si je venais à être à court de vivres durant le siège : offre dont je mesurais l'immensité, chacun ne pensant qu'à soi en le trouble des temps. Et sur ma réponse que j'étais bien pourvu, il me félicita de ma prudence et me donnant au départir une forte brassée, tout soudain, ses larmes lui coulèrent des yeux, dont son humeur, pour une fois, ne démentait pas la tristesse.

Pour moi, en revenant de son logis, et tâchant de bannir de mon esprit le grand œil fiévreux et les grâces languissantes de ma patiente, je tâchai de faire le tri des choses que son mari m'avait dites, d'aucunes de moi connues et d'autres déconnues. Quoi fait, je trouvai que la plus conséquente de ces choses touchait à Mme de Nemours dont je m'apensai qu'elle serait davantage pliable à mon dessein d'obtenir passeport de son fils, puisqu'elle caressait l'espoir de le voir marié à la sœur de Navarre et ne pouvait donc être aussi avant dans la Ligue que la Montpensier.

Celle-ci, cependant, restait la grande trébuchure où je pouvais faillir, et de mon dessein, et de ma vie. Car je ne pouvais me découvrir à Mme de Nemours sans que la Montpensier le sût, et comme elle rêvait d'autres projets que sa mère, étant ligueuse encharnée et poussant Mayenne vers le trône réputé vacant, il y avait apparence que pour contrarier les visées de Mme de Nemours, elle tâcherait d'occire l'intermédiaire entre la mère et le roi.

Je conclus donc que le moment de me dévoiler

n'était pas encore venu et qu'il fallait attendre que, le siège se prolongeant, la Boiteuse Cypris devînt moins assurée de la victoire des siens, et disposée davantage à ménager le roi. Je fus, de reste, conforté dans cette idée par la nouvelle que m'apprit Borderel deux semaines plus tard et qui me laissa béant : la Montpensier avait désoccupé les trois quarts de son domestique, et ne donnait aux gens qui lui restaient qu'une livre de pain par jour pour tout rôt et potage, ne s'étant pas, quand il fallait, envitaillée à suffisance, tant elle nourrissait une folle fiance — la seule chose qu'elle nourrisait bien — en le prompt secours de son frère et du duc de Parme.

— Voilà, dis-je à Miroul en le secret de mon cabinet, qui arrange fort mes affaires. Si la Montpensier elle-même pâtit de la faim et que je lui apporte vivres, ira-t-elle couper la main qui la nourrit ? On dit que ventre affamé n'a pas d'oreilles. J'opine le rebours.

— Ha! Moussu, dit Miroul, vous refourrer sous les griffes de ce dragon ! Je tremble pour vous ! C'est démone incarnée et ligueuse encharnée !

A quoi je souris, non que je décrus que mon Miroul craignît pour moi mais parce que même alors, il ne pouvait résister à un *gioco di parole*, étant bien l'enfant de son siècle.

— Toutefois, reprit-il, je ne peux croire que la Boiteuse pâtisse vraiment. Les grands s'entraident entre eux.

— Ha! Miroul! m'écriai-je, pas plus les grands que les petits! Si du moins j'en crois les récits atroces que me fit Ambroise Paré sur le siège de Metz. Faim ne pense qu'à soi et ravale l'homme à l'animal.

A une semaine de là, j'appris par Pierre de L'Etoile que le prévôt des marchands et les échevins, ayant fait le 26 mai une recherche générale des grains, et tout ensemble un compte des manants de Paris, trouvèrent qu'il y avait dans la bonne ville deux cent vingt mille habitants et assez de blé pour les nourrir un mois. Quant à l'avoine dont on pensait qu'elle pourrait servir faute de pain, on en trouva quinze cents muids [1], ce qui était fort peu. Ce rapport fort déquiétant avait été gardé secret, mais il transpira jusqu'à Pierre de L'Etoile dont les grandes oreilles se faufilaient partout. Et dès qu'il me l'eut répété, observant que nous étions déjà le 15 juin, j'envoyai Poussevent acheter tout le blé qu'il pourrait trouver, et à vrai dire il en trouva, mais revint les mains vides et fort effaré me dire qu'on lui avait proposé un muid, à raison de quatre écus le setier [1] et qu'il mourrait plutôt que de le payer un prix pareil.

— Niquedouille ! dis-je, tu mourrais assurément, et nous avec toi, si tu ne le veux payer ce prix.

Ayant dit, je le renvoyai sans tant languir au marchand, mais cette fois accompagné de Miroul et de Pissebœuf, et je fis bien, car sur le chemin du retour, quelques grains, s'étant échappés par la couture du sac que portait Poussevent et ayant chu sur le pavé, une demi-douzaine de pauvres hères, enflammés par cette vue, se jeta sur eux bec et ongles pour leur rober leur précieux fardel. A quoi ils faillirent, étant si affaiblis par la faim, et mes gens, si vigoureux. Mais d'ores en avant, je leur commandai d'aller à la moutarde (ce qui en le jargon de Paris veut dire faire ses emplettes) tous trois ensemble, à la pique du jour, et armés de bâtons.

Le 20 juin, j'achetai derechef un muid de blé, cette fois à six écus le setier, lequel alla rejoindre la réserve que j'avais cachée dans le plancher de ma chambre sous une trappe cadenassée.

Le marchand que j'ai dit vendait ce blé, non point au marché public, mais en grand secret, en son arrière-boutique. Ce qui me donna à penser qu'il avait des intelligences avec un officier royal qui le lui devait fournir en tapinois, la nuit, par-dessus la muraille. Et Miroul m'ayant dit qu'il n'avait jamais vu chez lui aucun homme qu'on réputât ligueux dans le quartier des Filles-Dieu, je conclus que je devais d'être son chaland, à ce que je ne l'étais point,

1. Le setier contenait 1 hectolitre 60. Le muid, 19 hectolitres.

le compère craignant, d'évidence, d'être par les zélés découvert et pendu. Et j'ose dire que tout en déplorant que le rusé renard fît fortune sur le ventre de ses frères, la pensée me chatouilla excessivement que les plus boutefeux de la ville ne pussent acheter du blé, même à prix d'or.

Je faisais chaque jour moudre deux livres de ce blé, dans un petit moulin à bras que j'avais au grenier trouvé, et Poussevent ayant pétri la farine avec tout le son, j'attendais la nuit pour la faire cuire au fournil, huis et fenêtres bien clos, afin que l'odeur n'alléchât pas nos voisins. Le jour venu, Poussevent ayant posé le pain fraîchement cuit sur la table de la souillarde, non sans un certain air de pompe, Miroul, en présence de moi-même et des deux arquebusiers, tous quatre fort accoisés, et l'œil fiché sur ledit pain, en faisait quatre parts miraculeusement équitables. Je dis miraculeusement, car Pissebœuf, qui était de son naturel quelque peu vinaigreux, ayant un jour argué de quelque inégalité dans les parts, je les mesurai avec une règle, mesure qui tourna à sa confusion. De ce jour, Miroul fut notre grand panetier, et l'objet du respect général, tandis que brandissant le cotel, et envisageant un instant le pain de ses yeux vairons, mais sans jamais tracer sur lui de préalables lignes, tout soudain il le découpait avec une rapidité, une élégance et une précision qui nous laissaient béants, et pour tout dire, la salive en bouche, tant la faim nous poignait.

J'avais instauré cette quotidienne cérémonie du pain, pour ce que mon père m'avait souvent répété qu'en cas de famine, ou à tout le moins de manque ou de besoin, comme cela est fréquent en temps de guerre, le capitaine devait renoncer à ses privilèges de rang et de noblesse, et avec ses soldats rigoureusement partager le peu qui restait, à peine de perdre sur eux son autorité et, la faim aidant, qui est mauvaise conseillère, de les mutiner, au moins en esprit contre lui; sans même, d'ailleurs, cet enseignement, j'eusse agi comme je le fis, de par mon humeur et composition naturelles qui me portent à aimer ceux qui me servent et à les vouloir heureux à mon service. Comme bien le lecteur le sait, j'ai eu en la personne du roi Henri Troisième un maître excellent, d'une bénignité et d'une libéralité sans limites, à telle enseigne que je ne peux jamais à lui songer sans que me monte en cervelle un flux si soudain d'affection et de gratitude que le nœud de ma gorge se noue et qu'à peu que me viennent les larmes. D'où j'aspire à être à mon tour pour mes serviteurs un maître de cette étoffe, et désire qu'ils m'obéissent, parce que leurs sentiments pour moi les y inclinent autant que leur devoir.

Ce 20 juin, qui était le quarante-troisième jour du siège, j'avais décidé de diminuer quelque peu les rations, au moins de pain car il n'y avait pas apparence que la chair nous fît défaut, diminution que mes gens avaient acceptée sans broncher, alors même qu'ils trouvaient — comme Miroul me le dit — ma prudence excessive et ma peur de manquer tout à plein irraisonnable, nos réserves étant ce qu'elles étaient. Or, ce matin que je dis, comme nous nous préparions à porter chacun la main sur les parts que Miroul venait de couper, on entendit toquer à l'huis et Miroul étant allé voir par le judas qui c'était, me revint dire qu'une garce proprement vêtue qui se nommait Héloïse et se disait ouvrière d'Alizon, demandait l'entrant. Ce qu'ayant accordé, elle apparut, jolie et grandette drolette, encore que fort pâle, fort maigre et tant faible et exténuée qu'à peine elle se tenait debout, vacillant sur ses pieds mignons.

— Monsieur mon maître, dit Héloïse en son vif parler de Paris, mais d'une voix fort ténue, plaise à vous de me permettre de m'asseoir. Je n'ai point mangé de trois jours, mes gambes ne me portent plus, et c'est à peine si j'ai pu me traîner jusqu'ici.

— Mamie, dis-je, assieds-toi, je te prie, sur cette escabelle. Mais d'où vient que tu sois si démunie, Alizon te nourrissant pour la repue de midi?

— Hélas! dit-elle, notre maîtresse nous a désoccupées toutes. Ne le savez-vous point? Et fermé boutique, ces deux semaines écoulées, n'ayant plus de chalands et ayant elle-même si peu à se mettre en bec.

Paroles qui me laissèrent sans voix et me frappèrent d'âpres remords, n'ayant pas visité Alizon une seule fois en dix jours, maugré les immenses obligations que je lui devais. Cependant, m'accoisant dans les sentiments que j'ai dits, je ne laissai pas d'apercevoir que la drolette, elle aussi, s'accoisait, et lui jetant un coup d'œil, je la vis comme transie, le regard fiché sur les quatre parts de pain qui étaient demeurées sur la table, et l'œil quasi sorti de l'orbite dans l'avidité de cette contemplation.

— Ha! Monsieur mon maître, dit-elle d'une voix faible et les narines dilatées, vous avez encore du pain! Et du pain de froment!

Ce disant, elle fit un mouvement violent comme pour courre dessus et s'en emparer, mais ses forces la trahissant, ou la vergogne lui revenant, je ne sais, elle retomba sur son siège et demeura là, pâle, hébétée et tremblante, ne pouvant détacher ses yeux du beau pain doré et odorant que Miroul avait découpé.

— Mamie, dis-je, tu vois là quatre parts, et mes gens et moi-même étant quatre, il n'en est point dont je peuve disposer, hormis la mienne dont je vais te bailler une tranche pour t'aiser.

— Moussu, dit Pissebœuf en oc, c'est folie! Quelle raison avez-vous de bailler la moitié de votre part à cette *drola*, plutôt qu'à l'une quelconque des milliers de garces qui à'steure en Paris crèvent de verte faim? Et de quelle usance a pour elle cette tranche ce jour d'hui, si elle n'a rien demain?

— Paix-là, Pissebœuf! dit Miroul, mais mollement assez, ce qui me fit apenser qu'il n'était pas sans donner raison en son for à l'arquebusier.

Poussevent ne pipa mot, mais à la façon dont il me vit rogner sur ma part, j'entendis bien qu'il n'opinait pas différemment.

Je m'attendais à ce que la mignote se jetât sur la tranche que je lui tendis et d'autant que la salive lui coulait, à sa seule vue, des commissures des lèvres, mais loin de la fourrer en gueule et de l'avaler d'un coup de glotte, elle s'approcha de la table, et saisissant le cotel, elle la découpa avec beaucoup de soin en petits cubes, qu'elle porta l'un après l'autre à sa bouche, mâchellant chacun d'eux longuement, et quand elle eut fini, ramassant les miettes dans le creux de sa petite main, et les y picorant comme un oiseau : spectacle que nous envisageâmes dans le plus grand silence, tant il nous rendit sensibles les tourments dont Héloïse avait souffert et que tant d'autres, hommes et femmes, au même moment enduraient.

— Monsieur mon maître, dit-elle, sans même songer à me dire un merci tant, à l'exclusion de toute autre, la pensée du pain avait occupé sa cervelle, plaise à vous que je vous parle bec à bec ?

A quoi, pensant qu'elle avait se peut un message d'Alizon à me délivrer, je la pris par le bras (qui me parut, sous mes doigts, fort maigre et fort léger) et je la menai dans ma chambre, où au moment de parler, elle me parut tout soudain fort vergognée, cillant, baissant la tête et excessivement rougissante.

— Eh bien, Mamie, dis-je, parle ! Que te poigne que tu restes si coite ?

— Monsieur mon maître, dit-elle à la fin, en levant l'œil sur moi qu'elle avait du bleu le plus tendre, devant qu'elle me désoccupe, Alizon parlait souvent de vous, tandis que nous cousions nos bonnets, déplorant de ne plus rien ouïr de votre personne, ni de vous voir, et disant que c'était pitié que vous viviez avec vos gens en ce grand logis, sans même une femme pour cuire votre rôt, et tenir les chambres proprettes. A cela s'ajoutaient tant d'éloges de votre braveté et bénignité que la pensée me vint, orpheline que je suis, sans aide et secours d'aucun, dépérissant chaque jour au logis faute de pain et de pécune, d'oser aller quérir de vous d'être votre chambrière...

Disant cela, elle tremblait de cap à pié et fixait sur moi un œil bleu tant suppliant que je me détournai, le cœur saisi de tant de compassion que le nœud de ma gorge se noua.

— Mamie, dis-je enfin d'une voix étouffée, cela ne se peut. Nous avons assez pour quatre, et non pour cinq, et si je te prenais en mon emploi, cela diminuerait grandement nos chances de nous tirer, saufs, de ce siège.

— Hé ! Monsieur ! dit-elle, aurez-vous le cœur de manger encore, quand le populaire autour de vous périra de male faim ?

A cette parole, que j'attendais peu, et qui me frappa comme flèche en poitrine, ma conscience huguenote me monta en cervelle, me poignant d'une sorte de remords qui n'avait pas été sans me tabuster depuis le début du siège de m'encontrer si bien prémuni contre la faim alors que cette grande masse de peuple autour de moi — nourrie par les prêchaillons dans l'illusion d'un prompt secours — n'avait point fait — ou, pour les plus pauvres d'entre eux — n'avait pu faire, en temps utile, provision. Sans doute la faute n'en était pas à moi, ni aux *politiques*, qui voulaient la paix, mais au zèle furieux des ligueux. Mais le fait était là : je mangeais et ils ne mangaient point. Et même en me disant : « Qu'y peux-je ? Si je partageais mon envitaillement avec les seuls manants et habitants de la rue des Filles-Dieu, ils n'auraient point à leur suffisance pour survivre une semaine, et moi non plus. » Or, même en me disant cela, la nature humaine est si étrange que je ne laissai pas pour autant de sentir qu'il y avait quelque péché à se préférer soi à tant de gens.

Agité de ces pensées, je marchais qui-cy qui-là dans la chambre, et sentais sur moi le regard tant anxieux et suppliant d'Héloïse que c'est à peine si j'osais l'envisager à mon tour.

— Mamie, dis-je en m'arrêtant à la parfin devant elle, je te le dis encore : cela ne se peut.

A quoi vacillant sur ses pieds comme si je l'eusse souffletée, elle me saisit l'avant-bras de sa main maigre et rougissant profondément, et l'œil fiché en terre, elle dit à voix fort basse :

— Monsieur mon maître, si je deviens votre chambrière, vous pourrez faire de moi ce que vous voudrez. Je serai toute à vous.

— Fi donc, Mamie ! dis-je sans la tancer trop et en baissant la voix, tu tournerais ribaude ?

— Ha ! Monsieur ! dit-elle, ses lèvres trémulentes et son œil vacillant, je suis bien vergognée de vous parler ainsi, car je suis bonne et honnête fille, fort honorée dans ma rue, pour ce que je laboure prou de mes mains, et vis de mon salaire. Mais je n'ai plus ni labour, ni pécune, ni pain, et suis au désespoir réduite.

— Cependant, dis-je, vendre ton devant, c'est péché.

— Monsieur mon maître, dit-elle en me lançant un regard aigu de son œil bleu, et me laissant quasi étonné de la vivacité de sa cervelle — si je n'ai pas de pain, je n'aurais bientôt plus de corps. A quoi donc me servirait de ne le point vendre ? Et où serait le tant gros sacrifice ? poursuivit-elle avec un regard qui me donna à penser qu'Alizon, qui était grande clabaudeuse, n'avait pas fait devant elle l'éloge que de mes seules vertus.

A cela tournant le dos et me remettant à marcher dans la chambre, je ne sus que répondre, étant la proie de sentiments divers où se mêlaient la compassion, l'appétit, la vergogne, la prudence huguenote, et tant d'autres sentiments en écheveau si confus que je les distinguais mal. Et il est de vrai que cette maison de la rue des Filles-Dieu, encore qu'elle fût vaste et commode, m'avait paru, ces semaines écoulées, fort triste, sans un seul cotillon qui-cy qui-là virevoltant, sans douce voix aux oreilles plaisamment sonnante et sans les mille tendres tyrannies auxquelles les femmes, au logis, attentent toujours de nous assujettir, qu'elles soient mères, épouses ou même chambrières.

— Mamie, dis-je à la parfin, il n'y faut pas songer. Que diraient mes gens si une bouche de plus allait rogner leur part ? En outre, il ne me plaît guère de barguigner ton joli corps contre du pain.

— Ha ! dit-elle, de tout ce que je venais de dire ne retenant que la louange, joli, il ne l'est point tant de présent, s'encontrant si maigrelet du fait de la famine. Mais laissez-moi manger deux semaines à ma faim, et vous verrez comme il sera de partout rondi ; un roi même n'y trouverait pas à redire. Et quant à barguigner, Monsieur mon maître, il n'y a pas tant de mal à cela qu'il y paraît. D'aucuns ont des pécunes. D'autres, des sermons à vendre. D'autres encore ont des dagues et des arquebuses pour rober le bien d'autrui. Et moi, qu'ai-je comme arme : rien, sinon l'aimable charnure dont le Seigneur m'a habillée ?

Voilà, m'apensai-je, une garce fort bien fendue de gueule, et à qui on n'en conte pas, ayant cervelle entre ses deux oreilles, et de sa complexion vive, maligne, ébaudissante et, qui mieux est, point ligueuse pour un sol : ce qui me la rendait, certes, plus aimable et plus proche.

Cependant, fine mouche de Paris qu'elle était, me voyant en ma résolution osciller, mon Héloïse repartait à l'assaut.

— Quant à barguigner, Monsieur mon maître, que fîtes-vous d'autre avec ma bonne maîtresse Alizon, quand pour nourrir son enfantelet, elle vendait son devant ès étuves où vous la rencontrâtes, comme elle me l'a conté, et cependant, vous êtes devenus depuis tant grands et fidèles amis qu'elle vous a sauvé deux fois la vie ?

— Quoi ? dis-je, béant, elle t'a fait ces récits ? C'est grande fiance qu'elle a en toi, Héloïse !

— Et méritée, dit Héloïse en redressant la crête, pour ce que je suis grande jaseuse, certes, mais grande silencieuse aussi, quand il le faut.

Cependant, je me reprenais peu à peu, me reprochant âprement mes faiblesses, et parmi celles-ci, celle qui veut qu'une garce me trouve toujours à elle pliable et pitoyable, et après un long silence, pendant lequel, en effet, elle s'accoisa, me voyant balancer, je dis, à la parfin résolu, mais très à contre-cœur et à contre-désir :

— Héloïse, ma décision est prise. A vrai dire, je t'aime assez, mais pour la raison que j'ai dite, et qui est pour moi très forte, je ne peux t'employer céans.

La pauvre Héloïse ouït ces paroles comme si un juge en ses robes l'avait condamnée au gibet, et en effet, à voir les choses avec l'œil de l'imagination, — qui si souvent manque aux juges — ce qui l'attendait, après cela, était bien pis que la corde. Mais s'accoisant tout soudain, l'œil sec et la face roide, elle s'assit sur une escabelle et resta là, quiète et comme résignée, ses deux mains l'une sur l'autre reposant; spectacle qui me tordit le cœur plus que des larmes n'auraient fait.

— Monsieur mon maître, dit-elle enfin d'une voix terne et basse, si vous ne pouvez me sauver, sauvez du moins Alizon, car elle est à peine en meilleur point que moi, étant quasiment au bout de ses forces!

— Héloïse! criai-je, quasiment hors mes gonds à l'ouïe de cette nouvelle, que ne me l'as-tu dit plus tôt?

— Mais je l'ai dit! dit-elle, sa voix reprenant quelque force en son indignation. Je l'ai dit de prime! J'ai dit qu'elle avait fort peu à se mettre en bec!

— Héloïse, dis-je en la saisissant par le bras, et en la ramenant vivement dedans la salle commune, où mes gens en grande déquiétude attendaient l'issue de cet entretien, Héloïse, demeure céans un petit. Et toi, Miroul, veille, je te prie, à la nourrir un brin, et lui baille du vin, je l'ordonne ainsi. Quant à moi, je cours chez Alizon.

— Quoi, seul? dit Miroul piqué.

— Seul.

J'y courus, en effet, mais non sans prendre le temps de passer chez une affreuse ménine qui logeait rue de la Cochonnerie — non loin, par conséquent de la rue de la Ferronnerie où Alizon demeurait — et là achetai à cette gorgone qui élevait en catimini cinq poules en son grenier (remparé et claquemuré comme une forteresse) deux quarterons d'œufs que la gueuse me vendit quatre écus. Vous avez bien ouï, lecteur, quatre écus! Et toujours courant, je toquai, le cœur me toquant aussi, à l'huis d'Alizon, laquelle eut à peine la force de m'ouvrir, tant faible elle était devenue, et dans les bras de qui, ayant posé mes œufs sur un coffre, je tombai. Ce qui se dit alors de moi à elle, mes larmes, mes pardons demandés, mes brassées, mes poutounes, mes promesses de la revisiter souvent, je ne vais point le conter ici, la chose étant aisée à imaginer. En revanche, ce que je vais dire et qui me frappa et me laissa béant et qui passe toute imagination — à telle enseigne que ce jour d'hui même, j'hésite encore à en croire mes remembrances — fut ce que je vis de ces yeux que voilà, comme je regagnai mon logis, dans les rues de Paris.

CHAPITRE VII

Ayant envisagé mon Alizon revivre, tandis qu'elle gobait ses deux œufs, ne prenant même pas le temps de les cuire tant la faim la poignait, je pris d'elle mon congé, l'assurant que mon aide et secours ne lui failliraient plus d'ores en avant, et au saillis de l'huis je suivis la rue de la Ferronnerie jusqu'à la rue Trouvevache, afin que d'y aller visiter mon cher Pierre de L'Etoile que je n'avais vu de huit jours, ayant été si pressé par mes bargouins. Ceux-ci, pour le dire en passant, m'avaient été d'un tel et si grand profit, qu'il m'en laissa tout étonné, pour ce que je croyais le négoce plus difficile, alors qu'il suffit, pour en voir le bout, d'y mettre ce qu'il y fallait d'âpreté avec un grain de malice.

Cependant, comme je m'approchais à quelques toises du logis de mon ami — la rue, d'ordinaire si passante, étant déserte assez, hormis quelques pauvres guillaumes et maries, pâles comme des spectres, qui déambulaient à pas petits en se tenant aux murs, tant ils trébuchaient en leur démarche — je vis me passer quasiment entre les gambes, un chien roux fort apeuré qui s'enfuyait aussi vite que le pouvaient porter ses faibles pattes, la pauvre bête étant maigre comme un cerceau, ses côtes que soulevaient son vent et haleine saillant sous sa peau. Comme je m'arrêtais, étonné de sa vue, m'avisant pour la première fois qu'il y avait beau temps que je n'avais plus vu ni chien ni chat en cette Paris qui d'ordinaire en comptait tant (les Parisiens étant si raffolés de ces bêtes que les plus pauvres même partageaient avec eux leur pitance), j'ouïs derrière moi des pas pressés sur le pavé et me retournant, je vis une meute des gens, qui femmes, qui hommes, les uns armés de cotels, les autres de cordes, les autres même de broches de rôtisseurs, lesquels, avec des cris tout ensemble faibles et sauvages, couraient aussi vite qu'ils le pouvaient — ce qui était fort peu, se trouvant si maigres, et non point seulement pâles, mais véritablement verdâtres — leurs prunelles seules brillant d'un éclat inhumain en leur face décharnée.

Et pour moi, craignant que ce fussent là ligueux qui m'avaient découvert, et qui en voulaient à ma vie, je me jetai dans une encoignure de porte et dégainant des deux mains les dagues à l'italienne derrière mon dos sous le couvert de mon mantelet, je les brandis devant moi, décidé à faire face. Mais la meute me passa sans même me voir, leurs dents appétant à tout autre gibier que moi, comme je vis bien en les suivant, ce qui fut fort facile, leur course étant si lente, encore qu'encharnée. Et moi m'adressant à un petit gautier à la face chafouine qui clopinait parmi les derniers, sa main portant, et portant à peine, tant elle était faible, une scie de menuisier, je lui dis :

— Compagnon, à qui courez-vous sus ?

— Quoi, mon maître, dit-il du bout des lèvres, n'avez-vous point vu ? Un chien !

— Un chien ! dis-je. Un chien roux ?

— Oui-da !

— Et qu'a-t-il fait ? A-t-il mordu quelqu'un ?

A quoi le gautier, m'espinchant de côté, comme si je n'avais pas toute ma raison, fit entendre un petit rire lugubre et dit :

— Vramy, c'est bien plutôt nous qui l'allons mordre.

Ayant dit, soucieux, à ce que je vis, de ménager son souffle pour rester dans la chasse, il fit de la main un petit geste pour me signifier qu'il n'allait plus ouvrir le bec. Et moi le dépassant alors, si peu que je pressasse le pas, je m'encontrai, du fait de mes forces intactes, porté au premier rang de la meute par ceux qui me talonnaient, lesquels poussaient ces grognements tant faibles que sauvages qui m'avaient de prime frappé, et huchèrent tout soudain plus haut, quand le chien roux, en sa trébuchante course, s'engagea dans une impasse dont une clôture en bois haute de deux toises fermait l'extrémité. La meute des hommes se brida alors, tant parce qu'elle était hors souffle, que parce qu'elle voyait bien que sa proie ne lui pourrait plus échapper. Et en effet, si fort que le chien tâchât de franchir la clôture en sautant, il y faillit, ses pattes étant si faibles, malgré qu'il recommençât deux fois, à chaque fois sautant moins haut. Après quoi, il s'affala sur ses hanches, et la tête tournée vers nous, haletant, mais sans songer aucunement à nous montrer les crocs, il envisageait les poursuivants de ses yeux bruns, doux et suppliants, en poussant des petits jappements à vous tordre le cœur. Cependant, voyant que le cercle autour de lui peu à peu se resserrait, le chien d'un dernier et désespéré effort, se remit sur pied, comme s'il allait tâcher derechef de sauter la clôture, mais avant qu'il eût pu même se ramasser sur soi, il fut rejoint, jeté au sol, égorgé, et tout pantelant, mis en pièces. Je m'écartai pour ne point être pris dans la masse tourbillonnante et rampante des dépeceurs, mais cependant demeurai là, cloué au sol par l'horreur de ce grouillement à terre d'êtres humains se disputant avec une incrédible férocité les morceaux, et bientôt les lambeaux de la bête, d'aucuns même, à ce que je vis, la nausée me montant aux lèvres, empoignant ses entrailles à pleines mains pour les dévorer et se chaffourrer la face de leur sang.

M'arrachant à la fin à cette scène qui dépassait ce que j'avais pu voir de plus répulsif sur le champ de bataille, je me retirai de cette impasse le plus vite que je pus et j'allai frapper rue Trouvevache à l'huis de M. de L'Etoile, et dire par le judas qui j'étais. L'huis ouvert et refermé sur moi, une chambrière qui me parut, quant à elle, avoir fort peu souffert de la faim, tant elle était mignardement contournée et rondie, m'apprit que son maître n'était point au logis, venant de saillir hors pour gagner le palais, ayant ouï d'un quidam qu'il y avait là de présent un grand tumulte du populaire.

— Pour moi, ajouta la mignote, mon maître départi, je suis seule céans et serais bien aise, Monsieur, d'avoir votre compagnie jusqu'à son retour, pour ce que je crains que l'huis soit enfoncé par ces furieux, le bruit courant en notre rue que nous sommes trop gras pour être de la Ligue.

— Seule? dis-je, et la famille de M. de L'Etoile? Et ses gens? Et son train?

— Hier départis tous, mon maître ayant obtenu passeport de M. de Nemours et moyennant pécunes, un laissez-passer du capitaine Saint-Laurent, de franchir les lignes royales.

— Tiens donc, dis-je, le capitaine Saint-Laurent! Il en est donc que cette guerre nourrit! Mais, mamie, d'où vient que tu aies telle fiance en moi, ne m'ayant jamais vu.

— Vramy, dit-elle, je vous connais, moi! Vous ayant, lors de votre dernière visite, espinché fort curieusement par l'entrebâillement de la porte, étant béant, que M. de L'Etoile, qui est de bonne noblesse de robe, et au surplus, allié par sa première femme à un baron, descendît à faire tant de cas d'un simple marchand drapier.

A quoi je ris à gueule bec, ce qui me fit grand bien.

— Mamie, dis-je, toujours riant, à t'ouïr, on te croirait noble toi-même.

— Nenni, dit-elle en redressant la crête, mais quand même que je ne sois pas noble, si suis-je pourtant de bon lieu.

— Mais moi aussi.

— Vramy, je le crois, dit-elle, à vous voir si bien causant, et surtout si poli. Car je sais d'aucuns de votre état qui, se trouvant seuls avec moi, m'auraient déjà biscotté les tétins.

— A Dieu ne plaise, dis-je, que je manque de respect à tétins de bon lieu.

— Monsieur, vous vous gaussez.

— Nenni, nenni, et pour tout dire, je t'aime assez, tout simple marchand drapier que je sois.

— Adonc, avec moi demeurez.

— Hélas, cela ne se peut. J'ai affaire urgente avec ton maître, et cours de ce pas au palais.

— Ha! Monsieur! je serai seule derechef! Je tremble! Je vais mourir!

— Mamie, l'huis est de chêne robuste, aspé de fer et fort bien remparé. Et qui oserait le vouloir rompre n'en aurait pas seulement la force.

— Monsieur, dit-elle avec un grand soupir, avant que de départir, une brassée de grâce, et un baiser, je vous prie, là, sur ma joue, pour me donner fiance et vaillance, quand serez de moi enallé.

Ce que je fis du bon du cœur, ayant autant besoin qu'elle d'être conforté, non point comme elle de chimériques craintes, mais des horreurs nauséeuses que je venais d'envisager. Et certes, mon familier démon, lui aussi sur sa faim, m'eût peut-être porté à m'attarder davantage à ces enchériments si le souci de ma mission, laquelle était, comme bien on sait, de tout voir et tout ouïr de ce qui se passait en Paris, ne m'eût arraché, à la parfin, au tendre licol de ces bras potelés pour courre au palais.

Le quidam n'avait point menti à L'Etoile. Je trouvai là un grand concours de peuple qui criait à la faim, pour la plupart pauvres et maigrelets, à qui se mêlaient pourtant des bourgeois, d'aucuns en presque aussi mauvais point; d'autres gras assez, et même, à ce que je vis, quelque noblesse, et aussi, des ligueux notoires qui promenaient dans la foule leurs yeux aigus et leurs grandes oreilles, suspectant que derrière le mot « faim » se cachât le mot honni de

« paix ». En bref, il s'encontrait là une multitude moutonnante et bigarrée où il m'eût été plus aisé de trouver une aiguille sur le pavé que mon cher L'Etoile. Je demeurai, néanmoins, voyant bien que la Ligue se trouvait fort décontenancée par ces gens qui, n'étant ni armés, ni rebelles, ni politiques, criaient tout bonnement le grand dol de leur estomac creux, de leurs forces déclinantes et de leur imminente mort : cris jaillis des entrailles vides, où le plus encharné ligueux n'aurait pu trouver rien de séditieux, et pas même matière à pendre : ce qui eût pourtant tout résolu.

Cette presse s'accroissait à chaque minute et emplissait les quais de la cité et les rues avoisinantes sans violence aucune, mais fort têtue en son unique et gémissante prière : qu'on leur donnât du pain ! du pain ! du pain ! Vœu qui finit, je gage, par parvenir jusqu'aux oreilles des puissants, pour ce qu'une demi-heure à peine s'était écoulée depuis mon adve-nue devant le palais que l'on vit arriver des arquebu-siers, lesquels précédaient, suivaient et entouraient un carrosse découvert, plus orné de dorures qu'un retable d'église romaine et où avait pris place ce que mon cher L'Etoile appelait si bien la quadruple monarchie de la capitale : à savoir le duc de Nemours, le cardinal légat Cajetan et l'ambassadeur Mendoza. A vrai dire, une tête faillait là : celle des *Seize*, qui comme l'Hydre de Lerne en avait tant qu'elles n'eussent pu prendre place en ce carrosse, à moins qu'on ne voulût considérer que les représen-tât toutes Pierre d'Epinac, archevêque de Lyon, assurément le plus rusé, renardier et cauteleux ligueux de la création.

Mais de celui-là, qui était le quatrième en cet étin-celant carrosse (qui paraissait d'or sous ce soleil d'été) je ne parlerai qu'en dernier. De reste, étant le seul Français en cette galère, laquelle comptait un prince du clan lorrain, un Italien et un Espagnol, tous trois bien plus puissants que lui, il est juste qu'ayant épousé contre son roi le parti des étran-gers, il leur cédât le pas en ce discours, mon propos étant, en ces lignes, de compléter par quelques touches le portrait de ces funestes princes.

Le terrible Mendoza qui était le soleil de cette galaxie, ayant ordonné d'arrêter le carrosse, quit d'un air hautain à un de ses officiers ce que faisaient là tous ces faquins et ce qu'ils demandaient. A vrai dire, il ne prit pas l'air hautain, il l'avait, étant doté de par sa nature et sa complexion d'un sourcil sourcilleux, d'un œil noir perçant et d'un menton excessivement avancé (comme celui de son maître Philippe II) lequel, par contrecoup, avançait aussi sa lèvre inférieure en perpétuelle et dédaigneuse moue sur laquelle tombait un long nez ibérique. Au demeurant, fort carré de sa membrature, la fraise haute, austère et petite, le cheveu noir lui tombant roide jusqu'aux oreilles, la moustache petite et cirée, et sous la lèvre du bas, une touffette de poils.

En son côté en ce rutilant carrosse, et lui-même rutilant en sa pourpre cardinalice, s'encontrait le légat Cajetan, qui à ce Mendoza, comme je sus plus tard, était lié par de telles connivences qu'il en arriva à faire la politique de l'Espagne davantage que celle de son maître le pape Sixte-Quint, encore qu'il la fît à l'italienne, doucement et finement, là où Mendoza eût employé le gant de fer. Cajetan, quant à lui, était un homme d'une beauté romaine, tout de velours, fort bien né, d'un esprit infini, suave en ses manières, mais fier en son for et méprisant secrètement Sixte-Quint (qui en son jeune temps avait gardé les pourceaux) et misant son propre avancement sur le triomphe du parti espagnol.

Face à l'Espagnol et à l'Italien, l'un tant arrogant et l'autre si chattemite, et en flagrant contraste avec nos deux larrons, était assis le duc de Nemours dont, sous le clair soleil, la claire face brillait, ayant le cheveu blond doré, l'œil azur, les joues nordiques et cet air de vaillance (bien réel) et de franchise (fausse) qui le faisait aimer du populaire à l'égal de François de Guise, dont pourtant il ne descendait pas, étant fils de Nemours, et n'appartenant au clan lorrain que par sa mère. Mais tout comme un Guise (qu'il n'était pas), ambitieux à frémir, et prétendant, sans l'oser dire, à la couronne de France, étant arrière-petit-fils de Louis XII.

Aspirant, lui aussi, mais ni à la couronne comme Nemours et Mendoza, ni à la mitre comme Cajetan, mais au chapeau de cardinal, l'archevêque Pierre d'Epinac côtoyait le blond Nemours en ce carrosse, et aussi noir que celui-là était blond — d'œil, de poil, de peau et d'âme, ayant nourri avec sa sœur un commerce infâme pour lequel Henri III, quasi publiquement, le blâma. Raison pour quoi il avait conçu pour mon pauvre bien-aimé maître une haine inapaisable, inspiré contre lui des libelles et conspiré indéfatigablement, tant est qu'arrêté à Blois en même temps que Guise, et le cardinal de Guise, et n'ayant dû la vie sauve qu'à l'intervention de son neveu, le baron de Lux, il sentit, redevenu libre, sa haine redoubler contre Henri III qui l'avait épargné. Cependant, comme si cervelle et cœur se fussent ignorés à l'intérieur de cette noire enveloppe, l'une tirant à hue et l'autre à dia, ce méchant avait beaucoup d'esprit, d'expérience, d'éloquence et de discernement : Vertus qui faisaient de lui, au service de la Ligue, un conseiller infiniment sagace.

Pour en revenir à Zeus, j'entends à Mendoza, dès qu'il eut fait arrêter son carrosse quasiment en face de la grande et belle horloge qui décore le palais, il promena son olympien regard sur la multitude qui se pressait autour de lui, et de l'air de morgue qu'il n'aurait pu, quand même il l'eût voulu, effacer de ses traits, il demanda à l'un de ses officiers :

— *¿Qué hacen aquí estos ganapanes ? ¿E qué piden ?*

— *Pán, su Excelencia*, dit l'officier.

— *Así piden pán !* [1] dit Mendoza qui avait attendu orgueilleusement qu'on lui traduisît « pain » par « *pán* », pour entendre le mot huché autour de lui

---

1. — Que font là ces faquins ? Que demandent-ils ?
   — Du pain, votre Excellence.
   — Ainsi ils demandent du pain !

par des milliers de bouches, alors qu'il savait le français aussi bien que le castillan, et outre le français, l'anglais, l'italien et le latin, étant un diplomate tout à plein accompli, quoique brutal.

— Bernardino, dit-il en s'adressant à un grand laquais aux couleurs du roi d'Espagne, qui se tenait assis au côté du carrosse, *échales moneditas !* [1]

Sur quoi ledit Bernardino, puisant de sa large main dans un grand sac de toile, se mit à jeter à dextre et senestre, dans la foule, des poignées de demi-sols, ce qui, à ce que je vis, fit fort sourciller le duc de Nemours, pour ce que Mendoza, usurpant le privilège du roi de France de frapper monnaie en son royaume, avait osé, en Paris, forger de son autorité privée ces piécettes, et qui pis est, à l'effigie du roi d'Espagne.

A ce que j'appris plus tard par L'Etoile, ce n'était point la première fois que Mendoza ordonnait cette distribution et toujours avec succès, le populaire rampant à ses pieds, le cul levé, pour ramasser ces demi-sols. Mais cette fois, la chiche largesse de l'Espagnol faillit tout à plein.

Car, bien loin de se vautrer à croupetons devant l'arrogant Castillan, pour se disputer les *moneditas* à l'image de Philippe II, la multitude, chose inouïe, les méprisa, ne se voulut même pas baisser pour les saisir, criant qu'elle n'avait que faire de ces petites pécunes, qu'on ne trouvait rien à acheter pour un demi-sol, ni pour un sol, ni même pour un écu, et que si on la voulait conforter, et la retenir de mourir de verte faim, il lui fallait jeter, non des clicailles, mais du pain. Et avec cette vivacité de cervelle des Parisiens, ayant bien entendu le mot espagnol pour le vivre qu'ils réclamaient, se mirent à hucher tous ensemble :

— *Pán, Señor, pán !*

Ce qui fit sourire à la dérobée l'élégant Cajetan pour ce qu'il avait, je gage, trouvé à part soi du ridicule dans l'affectation de Mendoza à ne pas

1. — Jette-leur des piécettes.

entendre le mot français que le peuple lui avait corné à l'oreille. Quant à Mendoza, il se trouva fort offensé du dédain que le populaire opposait à ses *moneditas*, lesquelles gisaient sur le pavé par centaines, l'image du roi d'Espagne souillée par la poussière, et foulée par les pieds des manants. Et ne sachant que dire ni que faire en son ire, contre ce peuple ingrat, il jetait sur lui, de toute sa hauteur, des regards qui, s'ils avaient été balles et poudre, l'eussent anéanti.

Cependant, l'archevêque de Lyon, très déquiété du péril qu'il flairait pour la poursuite de la guerre, dans ce refus du bon peuple à ramasser clicailles — chose que dans sa longue expérience, il n'avait jamais vue — s'étant penché en avant et à voix basse entretenu avec Mendoza et Nemours, se leva de son siège capitonné et se tenant d'une main à la porte du carrosse, il leva la dextre pour réclamer le silence et cria d'une voix forte :

— Bonnes gens, nous entendons votre misère et nous allons aviser à la soulager promptement. Allez en paix, regagnez vos logis, chacun en sa chacunière, et ne perdez pas fiance en la sollicitude de notre Sainte Mère l'Eglise dans le bon combat que vous menez avec elle contre les hérétiques !

Ayant dit, il appela la faveur du ciel sur la foule qui, en effet, se dispersa sagement assez, et quasi contentée, étant nourrie à tout le moins par le pain de ses bénédictions.

Ayant perdu tout espoir d'encontrer L'Etoile en cette grande masse de peuple, je fis pourtant une autre encontre qui s'avéra féconde. Ayant repassé le pont aux Changes et le Châtelet, je cheminais dans la grand'rue Saint-Denis, quand je vis, marchant devant moi, un géantin laquais dont ni la taille, ni la dégaine, ni la livrée ne m'étaient déconnues. Pressant alors le pas, pour me porter à sa hauteur, je reconnus la bonne face carrée de Franz, le laquais de Mme de Montpensier, à qui, comme on s'en ramentoit, j'avais, mû par quelque compassion, baillé un écu pour ce que sa maîtresse l'avait fait fouetter à mon occasion : Ecu à bon escient déboursé, pour ce que dans la suite, Franz m'avait averti des embûches mortelles que la démone m'avait dressées. A vrai dire, si la face de Franz avait conservé son ossature carrée, elle avait perdu, en revanche, et sa chair, et sa couleur de jambon cru, et me parut fort maigri, non moins que son grand corps qui déambulait sans beaucoup de force à pas petits :

— Franz ! dis-je à mi-voix.

A quoi il tourna vers moi un œil terne et dit d'une voix ténue :

— Monsieur, avez-vous affaire à moi ?

— Oui-da ! Et bien te connais-je aussi !

— Monsieur, dit-il avec sa politesse lorraine, excusez-moi, mais je ne vous connais point.

— Si fait, pour m'avoir la vie sauvée.

— Monsieur, vous vous gaussez !

— Nenni, et pour te montrer quelle bonne dent je t'en garde, si tu veux bien me suivre, je te baillerai deux œufs.

— Deux œufs, Monsieur ! dit Franz en baissant la voix et en jetant un œil dans nos alentours dans la crainte qu'un gautier ou guillaume eût surpris ce propos, vous avez bien dit deux œufs ? Ha, Monsieur ! reprit-il, ce n'est pas bien de se moquer d'un pauvre laquais qui se meurt de verte faim !

— Je ne me moque point. Suis-moi. Point déçu ne seras.

Mais à la porte de la ménine, rue de la Cochonnerie, je ne voulus pas le laisser entrer, de peur que sa livrée aux couleurs de Guise effrayât la vieillotte. Et je le commandai de m'attendre dans une impasse qui s'ouvrait là et où ne passait pas un chat — bien sagement, car le pauvre matouard n'eût pas vécu plus d'une minute, s'il eût mis le museau hors.

J'achetai quatre œufs et après en avoir dissimulé deux dans mon pourpoint, je saillis de nouveau dans l'impasse et en baillai deux à Franz qui sur l'heure, sortant son couteau, y pratiqua des trous et les goba en un tour de langue, les cachant dans sa large main de peur d'être aperçu. Cependant, comme au lieu de jeter les coquilles, il les empochait, je lui en demandai la raison.

— Pour les manger, dit-il, quand la faim me reviendra tenailler. Savez-vous, Monsieur, que ma maîtresse, ne me voulant donner davantage par jour qu'une tranche de mauvais pain, lequel est fait de son et d'avoine, j'en suis venu à dévorer en cachette l'oing de ses chandelles.

— Ce n'est point pourtant, dis-je, que ta maîtresse manque d'écus.

— Ha, Monsieur! dit Franz, à qui quelque couleur et vigueur paraissaient un petit revenir, bien savez-vous comme moi, que l'envitaillement en cette Paris est maintenant aux mains des *politiques*, pour ce qu'ils sont seuls à pouvoir nouer des connivences par-dessus les murailles avec les officiers du roi (il jeta autour de lui un coup d'œil apeuré) j'entends, du roi de Navarre. Et que personne ne voudra rien vendre, même à prix d'or, à ma bonne maîtresse, de peur d'être par elle dénoncé et pendu.

— Ta maîtresse serait donc quasiment au bout de son pain?

— Si crois-je, car toute paonnante et piaffante qu'elle soit, elle a désoccupé petit à petit tout son domestique, et de quarante que nous étions, n'en a gardé que trois. Moi et deux chambrières, desquelles il ne reste qu'une, la seconde ayant été trouvée morte hier en sa chambre.

— Morte de faim?

— Hélas, oui, Monsieur! de faim! Et je le serais moi-même sans l'oing des chandelles.

— Et l'autre chambrière?

— Je la nourris du même vivre, dit Franz et baissant la paupière sur son œil naïf, vu que je suis d'elle raffolé et me trouve que de la vouloir marier, si du moins je survis à ce siège et elle aussi. Ha! Monsieur! ajouta-t-il, cela me chagrine prou la conscience d'être contraint de rober les chandelles de ma bonne maîtresse !

— Laquelle n'est point tant bonne, dis-je *sotto voce*, puisqu'elle te fit fouetter pour avoir osé toussir en sa présence.

— Monsieur, comment savez-vous cela ? dit Franz comme effrayé, seriez-vous le diable ?

A quoi je ris.

— Un bon diable, en tout cas, puisque je t'ai alors baillé un écu comme onguent à tes fesses.

— Ah ! Monsieur le Chevalier, est-ce vous ? dit Franz béant. Qui vous eût reconnu en cette bourgeoise vêture, sauf se peut, à vos yeux.

— Point de chevalier, je te prie, Franz ! dis-je, ne jugeant pas utile de lui apprendre qu'Henri m'avait fait baron à Blois. Je suis céans en secret. Me nommer, c'est m'occire.

— Monsieur, dit Franz en se redressant avec roideur et suspicion, si vous complotez contre ma bonne maîtresse, je ne saurai en rien vous aider, maugré vos œufs.

— Mais bien le rebours, Franz, dis-je, prenant le parti de la franchise comme étant pour une fois le meilleur en cette intrigue, je suis céans pour envitailler ta maîtresse d'ordre du roi.

— Monsieur, peux-je vous croire ? dit Franz, béant.

— Franz, te mentirai-je ?

— Assurément non, Monsieur, dit-il en confusion, mais d'un autre côtel, ne sais-je pas bien que ma maîtresse hait de mort ledit Navarre.

— Ha ! Franz ! dis-je, ne sais-tu pas bien aussi que nos princes à'steure se caressent et à'steure se tuent, sans que personne n'y entende miette ?

— Cela est bien vrai, dit Franz en hochant la tête d'un air de sagacité.

— Et où est le mal d'envitailler ta maîtresse ?

— Monsieur, dit-il, dois-je tout de gob courre le lui dire ?

— Non point ! non point ! l'encontre n'est point sans péril pour moi, Mme de Montpensier ou La Vasselière ayant attenté deux fois de me faire dépêcher, comme bien tu sais.

— Hélas ! Monsieur ! dit Franz (lequel, la deuxième fois, sa bonne maîtresse avait chargé de ce soin qui, grâce à lui, faillit).

— Je veux donc être assuré, dis-je avant de me découvrir à elle, qu'elle soit tout à plein au bout de son pain. Franz, me veux-tu encontrer chaque jour à midi sous la grande horloge du palais pour me dire ce qu'il en est ?

— Monsieur, dit Franz après avoir balancé un petit, si vous me jurez par le Dieu tout-puissant, et la Benoîte Vierge, et les saints, que vous n'en voulez pas à la vie de ma bonne maîtresse, je le ferai.

— Franz, dis-je (abandonnant au passage Marie et les saints) je te le jure par le Dieu tout-puissant. Es-tu content ?

— Oui-da ! Car je ne voudrais point faire des cachottes à ma maîtresse qui lui seraient à dol. D'autant que ma conscience me tabuste jà de lui rober ses chandelles pour nourrir ma grande carcasse et le petit corps de ma *liebchen*.

Ces paroles tant m'atendrézirent que je lui dis, obéissant tout soudain à l'émeuvement du moment :

— A laquelle, Franz, tu bailleras ces deux œufs que voilà.

Quoi disant, je les sortis de mon pourpoint et les lui mis dans les mains.

— Ha ! Monsieur ! Monsieur ! Monsieur ! dit Franz, les larmes lui venant aux yeux.

Mais voyant que sa gorge trop l'étouffait pour me dire un merci, je lui donnai son congé et l'envisageai, tandis qu'il s'en allait aussi vite que la faiblesse de ses grandes gambes le lui permettait, le cœur, à ce que je gage, lui toquant de joie dans le pensement qu'il allait apporter, pour le jour du moins, sang et vie à sa *liebchen*. Et quant à moi, regagnant, comme nous en avait avisé le rusé et incestueux archevêque de Lyon, ma chacunière, je m'apensai que l'adage si souvent cité (y compris en son oc par ma Babille) « Tel maître, tel valet » est bien plus faux que vrai, le méchant aimant à se faire servir, lui aussi, par de bons serviteurs.

D'avoir pensé à Babille me fit penser à celle dont elle m'avait consolé, mais cette pensée m'attristant, je la chassai incontinent, ayant assez de sujet de chagrin à voir les spectres qui peuplaient de présent les rues où j'allais cheminant.

A dire le vrai, je ne trouvai de retour au logis ni chagrin ni tristesse, mais bien le rebours, mes gens étant attablés avec Héloïse devant des gobelets de vin, et avec elle jasant joyeusement, mon Miroul montrant bien, toutefois par son déportement, qu'il était le gouverneur, et non l'égal, des deux arquebusiers.

— Ha! Moussu! dit-il, son œil marron fort chaleureux et son œil bleu à demi froid, mais à demi seulement, subissant, pour ainsi parler, la contagion de l'autre, avec votre permission, j'aimerais vous parler bec à bec.

Ayant dit, et sur un signe d'assentiment de moi, il me suivit dans ma chambre où je me défis de prime de ma vêture bourgeoise, le temps étant fort pesant, et la marche m'ayant mis en eau.

— Eh bien, Miroul, dis-je, me tournant à lui, quelle est donc cette pressante affaire?

— Moussu, dit-il, répondant par question à question avec sa coutumière adresse, est-il constant qu'Héloïse ait quis de vous d'être notre chambrière et que vous l'ayez refusée?

— Miroul, dis-je d'un ton rogue assez, sans lui jeter un œil, contrefeignant d'être tout à ma dévêture, si tu le sais, pourquoi me le demandes-tu?

— C'est que, Moussu, je me suis apensé que ce ne serait pas une mauvaise idée que d'avoir Héloïse céans pour cuire notre pot, rendre les chambres proprettes...

— Faire et défaire les lits...

— Moussu, je n'ai pas dit cela.

— Mais, tu le penses, c'est tout le même.

— Moussu, je ne suis pas le seul à l'avoir en l'esprit.

— Tiens donc! Pissebœuf et Poussevent aussi!
Voilà notre chambrière de tous côtés arquebusée. A
ce jeu, elle ne court pas grand risque de rester mai-
grelette.

— Moussu, êtes-vous fâché et dépit contre votre
Miroul?

— Seulement de ce que mon Miroul se bande
avec mes valets.

— Ha, Moussu, dit Miroul, fort alarmé, cela n'est
point! Je ne regarde qu'à vos intérêts!

— Mes intérêts vont à ne pas faire cinq parts de
notre pain, quand quatre suffiraient.

— Moussu, touchant au pain justement, vos
valets et moi-même sommes accordés à rogner sur
nos parts pour faire celle d'Héloïse.

— Tiens donc! Que voilà une chanson nouvelle!
Souvent valet varie!

— C'est que, Moussu, il n'y a pas que la faim du
ventre. Celle-là contentée, il reste l'autre.

— Ne le sais-je pas bien aussi?

— Mais, Moussu, vous n'êtes pas compté hors en
ce bargouin.

— La grand merci à toi, Miroul, mais outre que je
ne suis pas grand partageux, si la pauvrette grossit
trop vite, je ne veux point être réputé le père.

— Moussu, vous êtes docteur médecin, vous
connaissez les herbes et où les mettre.

— C'est merveille comme tu as pensé à tout.

— Ha, Moussu! Ce fut merveille d'ouïr en cette
maison le rire clair d'une garce.

— Pauvre Florine!

— Moussu, dit-il avec un sourire entendu, je me
vêts du drap que je peux, ne fût-il pas de Châteaudun...

Et moi, voyant qu'il me renvoyait si adroitement
le caillou en mon petit jardinage, je ne pus que je ne
m'esbouffasse, tant j'aimais ce fripon, si vif et si frisquet.

— Moussu, dit-il en prenant cœur à me voir rire,
n'avez-vous pas compassion à la pauvrette?

— Pourquoi, dis-je, pour citer notre Pissebœuf,

avoir plus de compassion à cette *drola* plutôt qu'à l'une quelconque des milliers de garces qui à'steure en Paris crèvent de verte faim ?

— Parce que nous l'avons là, sous la main.

— Sous la main est bien dit. La défendriez-vous si fort, si elle n'était pas pliable à vos appétits ?

— Non, certes.

Ayant dit, je m'accoisai, lui laissant les plumes fort rebroussées par mon silence, lequel il ne manqua pas de rompre à la parfin pour me demander du ton le plus modeste :

— Moussu, en tout respect, qu'allez-vous décider ?

— Je le dirai demain.

A vrai dire, la chose en mon esprit était jà conclue, encore que je fusse bien aise de laisser Miroul mûrir en son mijot. Mais, m'apensai-je après mon entretien avec Franz, dans huit jours, dix jours au plus, ou bien la Montpensier m'aura par Nemours baillé passeport, et je l'aurai envitaillée à plein, et nous avec. Ou bien je serai dagué et mes gens envoyés tout bottés au gibet. Dans le meilleur, Héloïse ne rognera guère sur nos parts. Dans le pire, que mes gens aient du moins ce soulas de l'avoir eue huit jours, eux que j'entraînerai à coup sûr dans ma mort, tout bon maître que je sois.

Toutefois, je me trouvai très peu content de moi, m'ayant laissé rafler par mes droles la *drola* que je n'eusse assurément pas refusée, si mon entretien avec elle avait suivi, et non précédé, mon encontre avec Franz et les espoirs qu'elle m'avait donnés d'un prompt aboutissement. Qui pis est, je n'étais pas fort fier de m'être avec Miroul montré si graffigneur, trahissant jaleuseté et dépit, sentiments que je tiens pour infantins, tout universels qu'ils soient.

Je courus le lendemain au logis de mon cher L'Etoile pour le désir que j'avais de quérir de lui ce qui était résulté du tumulte du Grand Palais où le peuple avait tant mortifié Mendoza en dédaignant ses *moneditas*. Mais je n'y trouvai que la chambrière que j'ai dite, laquelle me voulut derechef retenir, et dans les filets de qui je m'eusse volontiers entortillé, si je n'avais commencé à croire, observant l'épousante humeur de la mignote, que si L'Etoile avait envoyé hors les murs sa femme (qui était grosse), sa sœur et son fils Mathieu, c'est qu'il y trouvait, se peut, une commodité autre que vivrière. En outre, voyant à ma montre qu'on était proche de midi, je me désenlaçai des vrilles de cette enveloppante vigne, et partis à grands pas vers le palais où sous la grande horloge Franz m'attendait, à qui je remis tout de gob, enveloppé dans un linge, un morceau de lard salé.

— Ha! Monsieur, la grand merci à vous pour moi et ma *liebchen*, dit-il avec confusion, enfouissant le paquet en ses chausses, et d'autant, poursuivit-il, de son ton scrupuleux, que j'ai peu à vous répéter, hormis une conversation que ma *liebchen* a ouïe dans le cabinet de sa maîtresse entre elle et la reine-mère (vous voyez qui je veux dire) ces deux hautes dames débattant d'une proposition que M. de Mendoza avait faite la veille en une assemblée chez M. Courtin, conseiller à la Cour, à savoir que pour donner ordre à la famine grandissante, il fallait conseiller aux plus pauvres de déterrer les morts du cimetière des Innocents, moudre leurs os en farine, et ayant délayé cette farine avec de l'eau, en faire du pain.

— Franz, ta *liebchen* a-t-elle vraiment ouï cela?

— Assurément, dit Franz avec chaleur, ma *liebchen* ne saurait mentir.

— Mais, Franz, c'est une abomination!

— Monsieur, c'est ce qu'opina aussitôt la reine-mère, proclamant bien haut qu'elle préférerait mourir de verte faim plutôt que d'y toucher. « Mêmement », dit ma maîtresse, ajoutant cependant qu'elle donnerait ordre à ses prédicateurs de recommander en son nom ce pain des morts à leurs ouailles : qu'ainsi le peuple, ayant l'estomac rempli, se tiendra plus quiet et ne criera plus à la paix. « Mais ils en mourront », dit la reine-mère. « Ainsi en seront-ils plus tranquilles », dit ma maîtresse.

— Et que dit la reine-mère?

— Rien. Mais faisant la moue, et haussant le sourcil, elle s'accoisa et peu après départit.

— Franz, dis-je d'un ton pressant, si ce pain-là apparaît jamais en le logis de ta maîtresse, n'y touche point, fût-ce du bout de la langue, et ta *liebchen* non plus.

— Monsieur, est-il donc vrai qu'on en meurt?

— Infailliblement. Et dis-le en tes alentours, sans me nommer.

Je conservai, cependant, quelques doutes sur ce qu'avait ouï ou cru ouïr la *liebchen* de Franz, tant la chose me paraissait immonde et nauséeuse, mais elle me fut confirmée dès le lendemain par L'Etoile (qu'enfin j'encontrai au logis) et qui me dit la tenir de ce même Courtin chez qui Mendoza avait donné la recette du pain des morts, d'aucuns sujets de Philippe II s'en étant, me dit L'Etoile, nourris lors d'une de ces effroyables famines dont l'Espagne, maugré tout l'or des Amériques, se trouvait souvent travaillée : Preuve que cet or ne retombait pas en pluie miséricordieuse sur le populaire.

— Le bon de la chose, dit L'Etoile, c'est qu'avec ledit pain, on meurt plus promptement que de faim. Toutefois, l'archevêque de Lyon, se réfléchissant sans doute que s'il n'y avait plus de Parisiens, on ne pourrait plus défendre Paris, et partant la Sainte Ligue, imagina un autre remède, et convoqua une assemblée des curés, des marguilliers de paroisses et des supérieurs de couvents.

— Vous y fûtes, je gage.

— En catimini, dit L'Etoile, son œil gris fort pétillant, n'y ayant de reste aucun droit.

— Et vous trouvâtes les curés fort gras?

— Point autant que les moines, d'aucuns même étant maigres assez, mais point du tout aussi maigres que les marguilliers. Tant est que je ne fus pas étonné que l'un des marguilliers, parlant au nom de tous, proposât que ceux d'entre les ecclésiastiques qui avaient des vivres au-delà du nécessaire les vendissent à ceux qui n'avaient que des pécunes, et en outre, nourrissent les pauvres quinze jours *gratis pro Deo*.

— Ce *gratis* dut les graffigner prou !

— Ha ! Mon Pierre ! Si ce marguillier avait marché sur un nœud de vipères, il n'eût pas produit plus d'effet. Mais Nemours, qui présidait l'assemblée de nos saints hommes, trouva la proposition louable, et ordonna, pour rechercher vivres, une visite de toutes les maisons ecclésiastiques.

— Ha ! L'imprudent béjaune ! dis-je. D'ores en avant, on ne priera plus beaucoup pour lui dans les couvents ! Je gage toutefois qu'entre le commandement de Nemours et son exécution, il y eut de grands remuements.

— Immenses et feutrés. Mais point si feutrés, quand même, qu'ils ne transpirassent. C'est ainsi qu'on sut que Tyrius, le recteur des jésuites, avait été trouver le légat Cajetan, pour le supplier qu'il lui plût d'exempter la maison de son Ordre de la visite. A quoi, le prévôt des marchands qui se trouvait là répliqua d'une voix tonnante : « Monsieur le Recteur, votre prière n'est ni civile ni chrétienne ! N'aurait-il pas fallu que tous ceux qui avaient du blé l'exposassent en vente pour subvenir à la nécessité publique ? Pourquoi seriez-vous exempt de cette visite ? Au nom de quoi ? Votre vie a-t-elle plus grand prix que la nôtre ? »

— C'est La Chapelle-Marteau qui a dit cela ?

— *Ipse* [1]. Le connaissez-vous ?

— N'est-ce pas un grand escogriffe, jaune comme coing, le nez tordu, et le regard lui aussi jaunâtre ?

— Son portrait tout craché.

— C'est donc bien lui, dis-je, qui nous a rançonnés au nom de la Ligue, de trois écus, Alizon et moi, le jour des barricades, pour franchir lesdites et rentrer au logis.

— Le chiche Sire vous a bien martelé pour sa cha-

1. Lui-même. (Lat.)

pelle! dit L'Etoile en riant. Lisette, poursuivit-il en se tournant vers sa chambrière qui venait d'apparaître, portant sur un plateau un flacon de vin et deux gobelets, pose ceci sur le coffre, à côté de la cheminée.

— Monsieur, verserai-je ? dit Lisette.

— Oui-da !

Quoi voyant, et craignant que mes regards ne trahissent l'appétit que j'avais à la mignote, je m'allai planter devant la verrière, tournant le dos, mais toutefois gardant l'œil sur la scène par un petit miroir à ma dextre. Et c'est ainsi que je vis, tandis que l'accorte garce se baissait pour verser le vin, L'Etoile en tapinois lui mignonner les arrières. Geste qui prouvait, d'un côtel, que L'Etoile n'était point tant rigide moraliste qu'il l'eût voulu, et d'un autre côtel, que rigide, il l'était bien encore en quelque mode et manière, maugré son âge.

— Eh bien, dis-je, quand Lisette eut fermé l'huis sur nous et que L'Etoile m'eut mis le gobelet en main, que fut le résultat de ces recherches en les maisons de nos ecclésiastiques ?

— Edifiant. En toutes, on trouva des vivres au-delà de ce qu'il était nécessaire pour la demi-année. Chez les jésuites, en particulier, on trouva de grandes provisions de blé, de chair salée, de légumes et de biscuits. En bref, de quoi les nourrir tous plus d'un an, sans rogner sur les parts.

— J'imagine que Nemours commanda la saisie d'une partie de ces vivres et leur distribution aux pauvres.

— Nemours l'eût voulu en sa colombine innocence. Mais la reine-mère l'en détourna, craignant pour lui, qui aspire en secret au trône, la haine des dévots.

— D'où vient, dis-je, que Mme de Nemours soutienne l'ambition de son cadet, et non celle de son aîné Mayenne, lequel est fort bon capitaine et, qui plus est, un Guise ?

— Pour ce qu'elle n'est Guise elle-même que par alliance. En outre, Mayenne est bedondainant ; il gloutit comme quatre; il boit comme un soulier percé; il s'apparesse au lit; il est goutteux. Et Nemours est si charmant avec son œil bleu et l'aurore sur ses joues...

— Mon cher L'Etoile, dis-je en riant, comme je vous sais gré de m'expliquer les mystères de la Sainte Ligue!

— Il n'y a pas de mystère, dit L'Etoile. Le peuple et le clergé croient défendre la maintenance de la religion catholique. Mais quand on en arrive aux princes, la religion n'est que prétexte. Seul le couvre-chef fait question.

— Le couvre-chef?

— La couronne. La mitre. Le chapeau. La couronne pour Mayenne, Nemours ou Philippe II. La mitre pour Cajetan. Le chapeau de cardinal pour Pierre d'Epinac. Comme bien vous savez, poursuivit-il en souriant, toute la vanité de l'homme se porte sur ses cheveux.

— Nenni, nenni, mon cher L'Etoile! dis-je en riant à mon tour, elle se porte aussi sur les colliers, qu'ils soient de Saint-Michel ou du Saint-Esprit. Pour les Anglais, elle se porte sur la jarretière. Et pour tout le monde sur l'outil que l'on brandit en sa dextre: Le sceptre pour le roi, le bâton pour le maréchal et la crosse pour l'évêque.

— Et touchant notre vanité à nous, qu'allons-nous dire? dit L'Etoile, à qui je trouvai, depuis le département de sa famille, l'œil fort jeune au milieu de ses rides.

— La mienne, dis-je promptement, est de m'abaisser à jouer les marchands, afin de mieux servir mon roi. Aussi me paonné-je prou, en mon for, de mon humilité.

— La mienne, dit L'Etoile, est d'être l'oreille et l'œil de cette grande Paris, y étant à toute heure l'homme le mieux informé de tout.

— Buvons donc à nos vanités, dis-je, lui tendant mon gobelet contre lequel il toqua le sien en disant:

— Qu'elles durent autant que nous, puisqu'elles nous rendent félices!

Langage bien neuf chez mon cher L'Etoile, et dont je me permis de m'apenser qu'il n'était plus tout à plein celui d'un moraliste.

— Adonc, repris-je, voici Nemours retirant vivement la patte des vivres ecclésiastiques de peur de s'y brûler. Que fit-il donc de ce marron trop chaud ?

— Il le repassa aux *Seize*, lesquels décidèrent que les couvents bailleraient à manger une fois le jour aux pauvres de leur quartier.

— Voilà qui paraît honnête.

— Et quasiment trop pour être vrai, dit L'Etoile qui, étant homme de robe, n'aimait guère la soutane, et moins encore, depuis qu'elle avait tourné ligueuse et à son roi rebelle.

Huit jours après cet entretien, j'appris par Miroul, qui avait lié langue avec un sergent de Nemours, que la ville de Saint-Denis s'était rendue au roi, ce qui me parut avancer grandement les affaires de Sa Majesté, Saint-Denis étant comme la citadelle de la capitale. Ce sergent qui s'encontrait dedans la ville, avait été capturé par les royaux, et relâché par le roi, ayant femme et enfants à Paris. Et il avait ouï, durant qu'il était captif, que lors de sa visite à l'église Saint-Denis, Navarre, se faisant montrer les sépultures de nos rois, et s'arrêtant devant celle de Catherine de Médicis, avait dit avec un petit sourire : *Ho, qu'elle est bien là !* Remarque qui m'ébaudit fort, me ramentevant comment la Florentine avait persécuté le malheureux prince, Nostradamus ayant prédit en sa présence *qu'il aurait tout l'héritage*, lequel, toutefois, Catherine morte, on lui disputait encore.

Le dimanche suivant, j'allai ouïr la messe à Notre-Dame de Paris, pour ce qu'on m'avait dit que le curé Boucher, archiligueux s'il en fut, y ferait un sermon de grande conséquence. Lequel j'endurai une heure durant avec une patience d'ange, n'y trouvant rien que son ordinaire et sanguinaire violence, sinon, à la fin de son enfiévrée harangue, un vœu solennel que Boucher présuma de faire au nom de la ville de Paris, promettant à Notre-Dame de Lorette, sitôt que le siège serait levé, une lampe et un navire d'argent pesant trois cents marcs, en reconnaissance de la délivrance que son intercession auprès de son divin fils aurait apportée à la ville. Vœu qui scandalisa prou ma conscience huguenote, étant en mon opinion doublement païen : En premier lieu, parce qu'il suggérait que Notre-Dame de Lorette se pouvait paonner de plus d'influence que Notre-Dame de Paris sur les décisions du ciel. En second lieu, parce qu'il supposait qu'on pouvait intéresser Marie à la défense de la capitale par des cadeaux. Cependant, ce vœu, annoncé à grands sons de trompe, eut un grand succès auprès du populaire, lequel accourut de tous les quartiers de la ville en Notre-Dame et emplit si bien l'église que d'aucuns n'y purent pénétrer, l'affluence étant, dans le fait, telle et si grande qu'une femme grosse y fut étouffée par la presse avec son fruit. Quant au cadeau promis, le siège levé, personne n'y songea plus, et la pauvre Dame de Lorette resta sur sa faim. Ainsi en va-t-il des hommes. Ils mentent, même à leurs petits Dieux et Déesses.

Avec Aubry, avec le petit Feuillant et l'Ecossais Hamilton (qui avait joué les sergents lors de la cléricale procession que j'ai plus haut décrite), Boucher, le bien-nommé, était, des prêchaillons de la Ligue, un des plus violents, rajoutant même aux billets que la Montpensier lui faisait tenir. Et il faut dire que les curés — j'entends les curés de la Ligue, d'aucuns, même en Paris ne l'étant pas, et prêchant tout bonnement l'Evangile —, avaient fort à faire à maintenir le bon peuple dans le parti de la guerre, ce qu'ils faisaient par des processions, des prières de huit jours, et des sermons où ils lui assuraient que dans peu Paris serait secourue par Mayenne et par les Espagnols du duc de Parme, dont l'imminente advenue était annoncée tous les jours par eux depuis deux mois, affirmant, en outre, aux fidèles que si par aventure, ils venaient à mourir avant la très certaine délivrance de la ville, ayant quitté la ville pour la cause de la sainte religion, leurs âmes seraient incontinent portées par les anges auprès du maître du ciel. Oyant quoi, leurs ouailles s'en retournaient chez elles, saoulées de ces promesses et contentes, tant elles avaient appétit à gagner ce beau paradis qui ne se pouvait atteindre autrement qu'en se laissant mourir de faim, ayant été bien exhortées à tous leurs devoirs par leurs bons bergers, sauf toutefois au jeûne, qu'il n'était pas utile de leur recommander. Quant à ces bénins et honnêtes curés de Paris qui n'étaient point ligueux, et avaient eu la rare vaillance de refuser, et les billets de la Montpensier, et les écus qui les accompagnaient il m'est arrivé, après avoir été tympanisé par les harangues du sanguinaire Boucher, et autres prêtreux de même farine, d'aller me rafraîchir l'âme en oyant les prêches de ces ministres vertueux qui ne parlaient que de paix, de bonne volonté et d'amour. Je suis bien marri, lecteur, de ne point me ramentevoir leurs noms, mais du moins me souviens-je des églises parisiennes où ils prêchaient : Saint-Séverin, Saint-Sulpice et Saint-Eustache.

C'est peu après le vœu solennel fait par Boucher à Notre-Dame de Lorette que, cheminant par les rues, je commençai à voir qui-cy qui-là en divers quartiers de Paris, étendus sur le pavé, les cadavres de gens morts de faim, tant riches que pauvres. Ils furent peu de prime, mais crûrent prou en nombre comme les jours passaient, la puanteur devenant si forte que La Chapelle-Marteau, comme en temps de peste, recruta des fossoyeurs pour les ramasser et les aller jeter en la fosse commune, quand leurs familles ne les réclamaient pas. Mais souvent, hélas, leurs familles mêmes étaient mortes ou mourantes. Et encore que la faim fût l'originelle et principale cause de ces décès, d'aucuns étaient provoqués par les nourritures immondes que ces malheureux avaient glouties, et d'autres par les intempéries à qui leur grande faiblesse avait permis l'entrant en leur corps.

Parmi les funestes vivres que je viens de dire, le pain des morts ou, comme disaient les Parisiens, le pain à la Montpensier, du nom de celle qui l'avait recommandé, venait premier. Mais il y en avait d'autres. Et bien je me ramentois qu'à la mi-juillet, me rendant au palais pour y encontrer Franz sous la grande horloge, je vis un vieux gautier assis sur une borne devant sa porte cochère et pilant une ardoise dans un mortier. Et m'arrêtant alors pour quérir la raison de cette étrange opération, il me dit d'une voix très ténue que, l'ardoise étant réduite en poudre, il la délayait avec de l'eau et la mangeait. Je lui demandai s'il avait essayé l'oing de chandelle.

— Ha! Monsieur mon maître, dit-il, vramy, j'ai tout essayé, y compris les orties qui, bien cuites, ont le goût de l'épinard. Mais on n'en trouve plus une seule en aucun champ, jardin, ou jardinet qui s'encontre en la capitale. Et quant aux chandelles, on en a tant mangé qu'elles se font fort rares et qu'on vous en demande, de présent, quatre écus les dix.

— Bon homme, dis-je alors, qu'en est-il de cette farine d'ardoise que tu piles? Ne douloit-elle pas ton estomac?

— Excessivement, Monsieur, mais je préfère ce pâtiment à celui d'un estomac vide.

Je lui baillai alors un quignon que j'avais dans mes chausses, mais en me cachant et l'œil sur les alentours, craignant d'être assailli par les passants et plus encore par les passantes, tant de Parisiennes étant tournées ribaudes par famine et offrant leur devant pour un morceau de pain.

Il y avait bien dix jours que Franz ne m'avait rien rapporté qui valut, mais le midi que je vis le guillaume piler l'ardoise en son mortier, j'aperçus à son œil, avant même que de l'aborder, sous la grande horloge, qu'il était content d'avoir matière à jaser sur la Boiteuse pour me repayer des quelques vivres que je lui baillais quotidiennement, pour lui et sa *liebchen*.

— Ha! Monsieur! dit-il à voix basse, dès qu'il eut empoché mon présent en ses chausses, c'est merveille ce que j'ai ouï ce matin par l'entrebâillement de la porte! Je n'eusse pas de prime fait grand cas d'une conversation entre ma maîtresse et le prévôt des marchands si je n'avais vu ledit prévôt sortir de ses poches des pierreries et des bijoux, lesquels il dit valoir deux mille écus et les offrir tout de gob à ma maîtresse.

— Deux mille écus! Ventre Saint-Antoine! Que voulait-il de la duchesse en échange?

— C'est ce que j'appétais aussitôt à savoir, dit Franz. Encore que, ajouta-t-il en baissant l'œil, je ne sois pas curieux de ma complexion. Mais, deux mille écus! Voilà qui me piqua. Je m'approchai donc de la porte le plus que je pus et laissai traîner mon oreille au plus près de l'entrebâillure.

— Et qu'appris-tu?

— Rien que de fort étrange. Ces bijoux, disait le prévôt, n'étaient point à lui, mais à un sien parent qui était affecté d'une mortelle intempérie, laquelle, selon les médecins, il ne pourrait guérir que s'ils lui faisaient un bouillon de la cervelle d'un chien.

— Voilà qui est plaisant! dis-je, et sent quelque peu la fallace. Je gage que les médecins, après avoir décocté ladite cervelle en un bouillon, auraient mangé le reste du chien. Mais où trouver la pauvre bête en cette Paris que voilà? Il y a beau temps qu'on les a tous gloutis!

— Pardon, Monsieur, dit Franz, ma maîtresse en a un.

— Gros?

— Petit assez.

— D'où le troc, j'imagine. Peste! Deux mille écus de pierreries contre un chien dammeret! Quel bargouin pour ta maîtresse!

— Mais justement, Monsieur mon maître, elle le refusa.

— Cette chiche-face le refusa? Je n'en crois pas mon ouïe! Et pourquoi?

— Pour ce que, dit-elle, désespérant de voir jamais venir les Espagnols, et cuidant que la famine ne saurait cesser encore, elle se voulait garder son chien pour sa propre maintenance.

— Ha! Elle fait donc dire à ses prêchaillons le

contraire de ce qu'elle croit! L'espérance pour le sot peuple! la désespérance pour elle!

— Et le chien, dit Franz. Monsieur, m'est avis que vous ne serez pas le mauvais venu, si vous l'allez de présent visiter.

— La merci à toi, Franz, j'y vais songer.

Et je demeurai, dans l'effet, tout rêveux pendant la repue de vesprée au logis et me retirai tôt en ma chambre où, alors que je me dévêtais, on toqua un petit à l'huis. Et sur l'entrant que je baillai, Héloïse apparut, et closant la porte derrière soi, s'y adossa.

— Monsieur, dit-elle, vous ne fûtes guère causant ce soir. Vous avez des soucis?

A quoi, étonné de sa perspicacité, bec bée, je l'envisageai, et mon regard m'entraînant à faire d'elle le tour, admirai à quel point ces deux semaines chez nous l'avaient « de partout rondie », comme elle en avait fait la promesse, grandette et jolie drolette qu'elle était, active au labeur domestique, et chantant au logis de l'aube à la nuit.

— En effet, dis-je.

— Monsieur, pardonnez-moi de mettre mon nez en vos affaires, courez-vous donc un péril?

— Se peut.

— Péril de mort?

— Se peut.

— Sommes-nous donc céans au bout de notre pain? dit-elle, la peur se peignant tout soudain en son grand œil bleu.

— Nenni.

— Ha! Monsieur, poursuivit-elle avec un grand soupir, vous m'aquiétez! Monsieur mon maître, encore une question, je vous prie.

— Mamie, curiosité n'est point péché mignon, même en mignote.

— Voire mais, Monsieur, mais encore! Etes-vous bien celui que vous prétendez être? Vos gens, quand ils jasent entre eux en oc, à quoi je n'entends miette, vous appellent *lou baron*.

La fine mouche! m'apensai-je, et la fine oreille que voilà!

— « Lou baron », dis-je en prenant le parti de rire, veut dire « le maître » en oc.

— Monsieur, poursuivit-elle, si vous avez des soucis, ne pourrais-je les assouager?

— Comment cela?

— En demeurant céans, ce soir.

— Pour quoi faire?

— Pour coqueliquer avec vous, vramy!

Réplique qui fila droit comme carreau d'arbalète et m'atteignit au point faible, ou au point fort, selon que la nature, ou la morale, voudra en décider.

Cependant, si hameçonné que je fusse jà, je me baillai le temps de réfléchir un petit.

— Mamie, dis-je à la parfin, je ne rogne pas sur la part de mes gens.

— Monsieur, pour le pain, vous rognez cependant sur la vôtre, tout comme eux, pour me faire la mienne.

— C'est que je suis félice de t'avoir céans, Héloïse, opinant que les trois choses les plus tristes du monde sont un foyer sans feu, une table sans pain et un logis sans femme.

— Couche sans femme, dit-elle, n'est pas tant gaie non plus. Et je sais bien, moi, à qui et à quoi vous avez appétit, tant votre œil est déshabillant.

— Mamie, c'est vrai. Mais je ne veux pas mettre dans le cas d'être jaleux de mes gens, ni eux de moi. Mamie, ensauve-toi, ou tu vas ajouter à mes soucis au lieu de les assouager.

— Monsieur, dit-elle en ondulant de la tête à l'orteil, sans mentir, me trouvez-vous de ma charnure accorte, maintenant que je mange à ma faim?

— La peste soit de ton caquet! Ensauve-toi sans tant languir!

— Monsieur, votre œil contredit votre bec. Et à peine aurai-je passé l'huis que vous vous en mordrez les doigts.

— Assurément! Mais passe-le quand même et me laisse! Et la grand merci à toi pour ta gentille pensée.

A quoi elle obéit, à la fois dépite assez de mon

refus et toutefois fort contente du regret évident que son département me laissait. Au demeurant, outre que je ne voulais boire qu'en mon propre gobelet, j'avais fort à penser. Et ne pouvais qu'y penser seul sans me ventrouiller en délices, la nuit ne portant conseil qu'à celui qui se porte conseil à lui-même, après un long et désommeillé débat. Or, il ne m'échappait pas que si même la Montpensier avait perdu à ce point espoir en les secours espagnols qu'elle songeait à manger son chien, je me mettais en son pouvoir, m'en allant fourrer en son antre ; la dame, à jeter seulement l'œil sur moi et sans réfléchir plus outre, me pouvant dépêcher, vraie furie qu'elle était, et ne faisant pas plus de cas de la vie d'un homme que de celle d'un poulet.

Ayant tourné la nuit durant dans ma bourdonnante tête les épines de mon projet, j'allai le lendemain à midi encontrer Franz sous la grande horloge du palais, et quis de lui si Mme de Nemours allait à jours fixes visiter sa fille en son hôtel.

— Oui-da, Monsieur mon maître, dit-il, la reine-mère est aussi réglée en ses us que l'horloge que nous voyons céans. Elle se rend chez ma maîtresse les mardis et vendredis, de deux heures de l'après-midi à quatre heures. Le vendredi, elle est accompagnée de son fils, M. de Nemours, lequel toutefois ne reste que quelques minutes, ne rendant ses devoirs que du bout du bec à sa demi-sœur, ayant peu d'amour pour elle, et elle non plus pour lui, qui a le tort de n'être Guise, ni par son père ni par sa mère. Comme bien vous savez, pour ma maîtresse, le seul prétendant qui vaille, c'est Mayenne.

— Bien le sais-je, dis-je. Et cuides-tu, Franz, que si je quiers l'entrant vendredi à trois heures, demandant un entretien à ta maîtresse, et à la reine-mère, touchant leur envitaillement, elles me recevront ?

— Il se pourrait bien, Monsieur.

— Et Franz, crois-tu que Mme de Guise ait quelque influence sur les princesses ?

— Monsieur, dit Franz sentencieusement, une dame, si haute soit-elle, n'a de poids que par le frère, le fils ou le mari qu'elle sait envelopper de ses cajoleries. Guise occis, Mme de Guise ne pèse rien.

— Et Jeanne de La Vasselière?

— Elle pesait prou dans les conseils de ma maîtresse, laquelle toutefois, lui montre de présent la froidureuse épaule.

— Pourquoi cela?

— Ma maîtresse est sur le chemin de perdre ses rondeurs, tandis que Mme de La Vasselière a gardé les siennes.

— Ce qui veut dire?

— Que ma maîtresse la suspicionne d'avoir des vivres qu'elle ne partage point.

— Ha! dis-je, je n'aime pas cela! Quelle raison La Vasselière aurait-elle d'épargner ma vie, si elle mange à sa faim?

— Voire mais! dit Franz, pour vous vouloir mal, il faudrait de prime qu'elle sache qui vous êtes, maugré votre déguisure.

— Elle l'a jà percée, Franz, le jour des barricades.

— Ha! dit Franz avec un soupir, elle n'est point fille de Belzébuth pour rien! Monsieur, poursuivit-il après s'être un petit accoisé, je serais bien marri de vous voir renoncer à cause d'elle à votre propos d'envitailler ma maîtresse. Je suis à son petit chien très affectionné.

Cette naïve remarque m'ébaudit fort, malgré le grave de l'heure, et tout riant (ce qui étonna Franz) je lui donnai jour pour le vendredi suivant à trois heures.

— Ha! Monsieur, dit-il, vous n'avez pas à craindre que je n'y sois pas, étant de présent, avec ma *liebchen*, tout le domestique de ce grand hôtel, lequel fourmillonnait de monde avant le siège. Et ne perdez point cœur, je vous prie, si je vous fais espérer un moment à l'huis, après que vous l'aurez toqué. Pour ne point donner l'éveil à ma maîtresse, je contrefeins une grande faiblesse des gambes et me traîne au logis comme limace sur laitue.

Les deux jours qui suivirent, je débattis âprement avec mon Miroul la question de savoir s'il serait ou non de ma suite le vendredi de ma visite, craignant d'être trahi derechef par ses yeux vairons, maugré ses lunettes. Mais à la parfin il l'emporta, me vergognant quasiment de ne le point vouloir avec moi, alors qu'en ces sortes d'encontres, il m'avait sauvé plus d'une fois la vie, et m'inspirant, pour ainsi parler — futé fripon qu'il était —, une sorte de superstitieuse crainte de son absence en le péril de l'heure. Mais comme, de toutes manières, je voulais Pissebœuf avec moi — laissant au logis Poussevent, lequel, à cause de son impudente bedondaine, faisait de présent scandale dans les rues de notre maigre Paris — je décidai, *primo* : que tous trois, nous revêtirions des cottes de mailles sous nos habits, afin de ne pas être assaillis à l'avantage au détour d'une galerie, *secundo* : que Miroul et Pissebœuf porteraient des hottes sur le dos, contenant des soies et des satins qui me restaient de mes bargouins, Pissebœuf entrant seul avec moi, et Miroul demeurant en l'antichambre, sa hotte contenant, cachées sous les étoffes, trois épées dont nous pourrions, se peut, avoir l'usance. En outre, chacun de nous porterait dans le dos, dissimulées sous notre mantelet, deux dagues à l'italienne.

C'est en cet appareil — lequel nous eût laissés toutefois sans défense aucune devant un pistolet — que nous prîmes ce vendredi le chemin de l'hôtel de Mme de Montpensier, lequel, comme je l'ai dit jà en cette chronique, était construit sur la rivière de Seine, le pied de son mur sud baignant dans l'eau. Il faisait fort chaud en ce juillet, et le poids de notre cotte de mailles sous nos habits nous mit terriblement en eau, si lentement que nous marchions à destination, sans compter aussi quelque émeuvement de ce qui nous pouvait échoir en l'antre de ces sorcières — je parle ainsi de la Boiteuse et de La Vasselière, Mme de Nemours n'étant point faite de la même infernale chair, tant s'en fallait.

Franz fut fort long, comme il m'en avait prévenu,

à répondre au toquement de l'huis, lequel se faisait par un petit marteau de bronze doré, aux armes des Guise, et lui ayant dit ce dont nous étions convenus, il fut plus long encore à me rendre réponse et à nous donner l'entrant : ce qui fut pour moi, cause tout ensemble de contentement — puisque je touchais au but — et d'enfiévrée déquiétude.

— Franz, dis-je, comme il allait me précéder dans une longue galerie, laquelle, à ce que je vis, donnait à l'aplomb sur la rivière de Seine, plaise à toi de laisser Miroul et sa hotte céans en ce recoin pour l'appeler au cas où j'aurais de lui besoin, mon commis Pissebœuf seul me suivant.

— Qu'y a-t-il dans ces hottes ? dit Franz d'un air suspicionneux, pour ce qu'il se voulait fidèle à sa maîtresse, maugré sa chicheté et ses mauvais traitements.

— Rien que des étoffes, Franz, dis-je, sourcillant. Me crois-tu homme à assassiner ta maîtresse ? C'est elle, et non pas moi, qui tient boutique et marchandise de meurtreries, et par ta main, et ici même, les corps des malheureux étant ensuite jetés en Seine par cette fenêtre que voilà. Le nieras-tu ?

— Hélas non ! dit-il, tournant tout soudain pâle et vergogné. Je vous l'ai dit, et ne m'en dédis point, et assurément, le souvenir m'en tabuste excessivement la conscience, combien que le chapelain de ma maîtresse m'ait absous à chaque fois, pour la raison que j'ai obéi à ma dite maîtresse, laquelle, dit-il, ne pouvait errer, étant si haute dame et si bonne catholique, et les hommes que j'ai dagués, de vils hérétiques et autres suppôts d'enfer.

— Et moi, Franz, dis-je le prenant par le bras, et l'envisageant œil à œil, me daguerais-tu, si elle me baptisait fils de Belzébuth ? Moi qui vais à messe, à confesse et à communion ?

— Assurément, Monsieur, dit-il promptement, comme s'il avait jà tourné le problème en sa cervelle, assurément, Monsieur, je le ferais. Fort heureusement, ajouta-t-il sans sourire le moindre, je n'en ai pas la force et brandirais ma dague avec tant de lenteur que vous me pourriez désarmer en un battement de cil.

A quoi, je lui souris d'un seul côté du bec, mais sans qu'il me contresourît, chattemite même vis-à-vis de soi, du moins touchant la fidélité à « sa bonne maîtresse », comme il l'appelait. Car pour ce qui est de sa complexion il était franc comme écu non rogné.

Cependant ainsi devisant, nous étions parvenus au bout de la longue galerie que j'ai dite, laquelle de hautes fenêtres donnant sur la rivière de Seine éclairaient tout à plein. Nous montâmes alors deux étages par un petit viret, Franz, sans plus songer à visiter les hottes, m'expliquant que la duchesse avait ses appartements au plus haut du logis, abandonnant le rez-de-chaussée et le premier étage à ses gens, pour ce qu'elle craignait prou l'humidité de la rivière.

— Madame la Duchesse, dit Franz après avoir déclos l'huis d'un petit salon, peux-je donner l'entrant au marchand drapier que j'ai dit ?

— Fais donc, dit une voix aigre que j'eusse entre mille reconnue.

— Madame la Duchesse, dis-je en ôtant le chapeau et quasi balayant le sol de mon cheveu, je suis votre très humble, très obéissant et très dévoué serviteur.

M'avisant alors qu'il y avait là, assises avec la Montpensier sur des cancans (comme eût dit ma belle drapière), Mme de Nemours — que j'avais deux ou trois fois aperçue en compagnie de Catherine de Médicis, du temps que je vivais à la Cour — et Jeanne de La Vasselière qu'hélas je connaissais beaucoup mieux, je fis à ces deux hautes dames des saluts mesurés à l'aune de leur importance et de mon propre néant, un marchand drapier, à leurs yeux, tirant à moindre conséquence qu'un petit chat. Et me retournant vers la Montpensier, commençai :

— Madame la Duchesse, peux-je dire...

— Ni mot ni miette, coupa-t-elle du ton le plus

offensant. Quand je voudrai que tu dises ta râtelée, drapier, je te le commanderai.

A quoi, je m'accoisai et lui fis derechef un profond salut, ravalant mes homicidières pensées, et Mme de Montpensier poursuivant comme si je n'étais pas là son propos, je l'ouïs conter l'histoire, justement, de La Chapelle-Marteau et de son propre petit chien, ce qui me donna le temps, voilant mes aigus regards sous un apparent respect, d'envisager à loisir la jaseuse et les écouteuses.

Le lecteur connaît jà Mlle de La Vasselière qui, pour lui rober une lettre, avait dagué ès auberge (après s'être à lui prostituée) mon pseudo-valet Mundane, lequel était dans la réalité un gentilhomme de la reine Elizabeth que j'avais, sur l'ordre de mon roi, caché dans ma suite, quand j'accompagnai d'Epernon en son ambassade auprès de Navarre en Guyenne. Et de cette démone incarnée, je ne dirai rien d'autre, sinon qu'elle était grande, et brune, et frisquette, et belle, si le lecteur la veut belle, encore que je doute, s'il la connaissait tant bien que moi, qu'il aurait appétit à ses sulfureux appas.

La Montpensier avait, si je présume de m'exprimer ainsi, la cruauté plus innocente, et comme naturelle, pour ce que fille d'un François de Guise, qui aspirait à la royauté, sœur d'un Henri de Guise qui appétait au sceptre, et ces deux-là ayant été successivement occis, elle était la sœur d'un Mayenne qui, à son tour, rampait sur sa bedondaine vers les degrés du trône, et donc ne se pouvait concevoir autrement que royale et quasiment au-dessus de la commune humanité. Cependant, en sa quotidienne pratique, et combien que les prêches de ses curés fussent assassins, elle ne tuait point au-delà du nécessaire et sans y mettre la *furia* et l'acharnement de La Vasselière.

De son être physique que je connaissais bien, pour ce que lors de ma prime et unique visite en son logis — sous mon véritable visage — elle m'avait contraint, quasi le cotel sur la gorge, à coqueliquer avec elle de la façon bizarre que j'ai contée (la dame étant de ces Messalines qui, selon le mot de l'auteur latin « s'épuisent sans se rassasier »); elle était grande, blonde, l'œil bleu fort vif, et de sa charnure « bien rondie de partout », comme eût dit Héloïse, sauf que depuis deux mois ses rondeurs avaient prou pâti de la famine. Mais ronde ou point, et combien que j'aime le sexe auquel, en sa mûrissante maturité, la Montpensier appartenait, je ne pouvais m'empêcher en mon for de l'envisager avec haine et dégoût, pour ce que bien je savais qu'elle avait armé contre mon pauvre bien-aimé maître le bras de Jacques Clément.

Encore que de son coloris, de sa stature, de son *habitus*, la Montpensier fût toute lorraine, sa mère, Mme de Nemours, était mi-française, mi-italienne, sa mère étant Renée de France et son père, le duc de Ferrare. Ces origines, à soi seule, me la rendaient aimable, Renée de France ayant, de son vivant, fort protégé les huguenots et le duc de Ferrare lui-même inclinant à la réforme. Il est vrai que de par son mariage avec François de Guise, la princesse ne peut qu'elle ne devînt catholique et ligueuse, mais le fut, sa vie durant, très tièdement, par devoir plutôt que par amour. En outre, les passions violentes de la Ligue ne s'accordaient guère à sa bénignité naturelle, laquelle était si unanimement reconnue que notre ami périgordin Brantôme était accoutumé de dire que *Nul ne s'était jamais trouvé, à qui elle eût fait mal ni déplaisir*. La terre, sinon le ciel, s'étonnera un jour que cette femme angélique ait pu donner naissance à Guise, au cardinal, à Mayenne et à la Montpensier, la pire de ses enfants.

Les deuils ne lui avaient pas manqué, ayant perdu son premier mari et deux de ses fils par assassination, et son deuxième mari, Nemours, par intempérie, mais rien ne pouvait durablement aigrir cette âme douce dont la corporelle enveloppe brillait d'un éclat céleste, n'étant pas sans rappeler sa grand-mère, Lucrèce Borgia, dont elle avait, hors les vices, tout hérité, le cheveu blond, épais comme fourrure, l'œil bleu azur, la bouche mignarde et le long cou flexible. Mon père qui l'a vue quand à dix-huit ans elle épousa François de Guise (sous lequel il avait combattu à Calais) me devait répéter souvent qu'il tenait la princesse, en ses jours verdoyants, pour la femme la plus belle de la chrétienté.

Elle avait, ce jour que de présent je conte, passé cinquante-sept ans, le cheveu fort beau encore, mais par l'âge poudré à frimas, ce qui n'avait d'autre effet que d'adoucir encore ses traits suaves, sa face étant demeurée, en dépit de ses ans, émerveillablement jeune, la chair ne se trouvant pas affaissée du tout, mais tout le rebours, lisse, ferme et bien tirée sur les os, et toute sa personne, au surplus, en son déportement, en son œil, en son souris, en la manière dont elle courbait sa jolie tête sur son cou élégant, montrant une grâce italienne que sa fille n'eut jamais.

J'imagine que mes regards, tout prudents qu'ils fussent, durent trahir les sentiments avec lesquels je l'envisageais car, tandis que la Montpensier jasait interminablement, en ne faisant pas plus de cas que moi que si j'avais été le tabouret sur lequel elle posait les pieds, Mme de Nemours parut s'aviser de mon humiliante situation, debout et bec clos derrière elles, alors même que sa fille m'avait baillé l'entrant. Et mettant à profit une pause dans le caquet de la Boiteuse, elle tourna vers moi sa tête fine et poussant la condescension jusqu'à me voussoyer, elle dit avec enjouement :

— Eh bien, maître drapier, qu'avez-vous donc à nous apprendre ? Je suis curieuse de vous ouïr.

— Madame, dis-je avec un profond salut, j'attends que Madame votre fille me commande de parler.

— Parle donc, drapier ! dit la Montpensier d'un air mal'engroin assez, la douce rebuffade de sa mère n'ayant pas manqué de la piquer.

A quoi, je lui fis un salut de la même aune qu'à sa mère, et un autre encore à Jeanne de La Vasselière, ayant observé que les marchands les plus âpres à barguigner pour un demi-sol ne sont jamais chiches en civilités.

— Madame, dis-je en me tournant vers la Montpensier puisque j'étais chez elle, je me nomme Coulondre, et suis marchand drapier, ayant boutique en Châteaudun avec ma cousine, laquelle est veuve devenue, et en raison de quelque mévente des étoffes en ma province, je conçus fin avril, le projet de venir vendre en Paris, à tout le moins mes brocarts, mais fus début mai capturé en Corbeil, avec ma coche et mes commis par le roi de Navarre.

— Drapier, dit rudement la Montpensier, si ton clabaudage tend à nous vendre les brimborions qui sont en cette hotte, c'est temps perdu.

— Nenni, Madame, dis-je en m'inclinant et le dos fort lassé de ces infinis saluts, je n'ai pas ce propos. Ma hotte sert un tout autre dessein.

— La peste soit de ces mystères ! s'écria la Montpensier. Veux-tu parler clair à la parfin ?

— Poursuivez, maître drapier, dit Mme de Nemours. Nous vous oyons avec patience.

— La grand merci, Mesdames, dis-je, contrefeignant de croire en mon humilité que ladite patience m'était montrée par toutes. Je fus donc retenu deux jours captif en Corbeil, et tout soudain amené devant le roi de Navarre, il me dit qu'il allait me bailler passeport pour passer ses lignes, mais qu'il m'avisait, si je persistais à vouloir aller en Paris, de bien m'envitailler à l'avance, pour ce qu'il était pour réduire la ville par la famine. Ce que je fis.

— Et ce que bien je crois, dit la Montpensier avec aigreur, te voyant gras comme rat en paille.

— Il n'est pas gras, dit Mme de Nemours avec sa coutumière bénévolence, il est sain et bien-portant.

— Mais, que me chaut, à moi, qu'il soit sain et bien-portant ? dit la Montpensier. A quoi tend tout ceci ?

— J'y viens, Madame, dis-je avec une autre de ces épuisantes courbettes. Navarre me dit aussi que si j'apprenais en Paris, que ses bonnes cousines, les princesses lorraines, pâtissaient de la faim, il m'envitaillerait pour elles, si je pouvais à lui revenir, ne voulant point faire la guerre aux femmes.

— Le chattemite! s'écria La Vasselière, laquelle jusque-là n'avait pas le bec décloui, se contentant de m'observer fort curieusement. Ce bouc puant, poursuivit-elle, a trouvé un bon moyen de nous empoisonner!

— Ce que je décrois, dit Mme de Nemours, Navarre est à l'égard de notre famille tout à plein innocent : Il n'y a pas apparence que Navarre qui, à l'époque avait dix ans, ait trempé dans l'assassinat de mon mari. Et quant à la meurtrerie de mes fils, elle fut l'œuvre du seul Henri Troisième, Navarre étant alors fort occupé à prendre des villes audit Henri.

— Quand même qu'il n'aurait pas offensé les Guise, votre Navarre est l'ennemi de l'Etat et de la Sainte Religion! s'écria avec feu La Vasselière.

— Il n'est pas, toutefois, l'ennemi de ma famille, dit doucement Mme de Nemours qui, comme Catherine de Médicis, inclinait à faire passer sa famille avant le royaume.

— Mais il est hérétique! hucha La Vasselière tout à fait hors d'elle-même.

— *Babillebahou*, Madame ma nièce! dit Mme de Nemours (voulant dire par là dire « Bah », à ce que j'imagine) ma mère fut quasi hérétique, et mon père aussi, et tous deux finirent pieusement leurs jours en le giron de notre Sainte Mère l'Eglise. Si Navarre prend Paris, nos bons évêques rhabilleront son hérésie, et le tourneront catholique en deux coups de goupillon.

— Le pape, cria La Vasselière, sa face tournant au rouge brique, l'a déclaré hérétique et relaps, et il ne l'absoudra jamais!

— *Babillebahou!* dit Mme de Nemours avec un petit rire, le pape sera trop aise d'avoir en France un roi catholique, fût-ce du bout du bec, pour ne point à la parfin l'absoudre. Et pour moi, Madame ma nièce, poursuivit-elle de sa voix suave et son long cou gracieux inclinant sur le côté sa fine tête, si ce siège se prolonge encore, je préférerais manger du pain hérétique que pas de pain du tout.

A ce mot « pain », il y eut un grand silence dans la pièce, et de grands pensements de part et d'autre dans les cervelles, qui ne se voulaient pas mettre en mots, La Vasselière, à mon sens, n'en manquant point, et la Montpensier qui s'encontrait à ce que je crois, quasiment au bout du sien, ne voulant pas, comme sa mère, l'admettre, et sachant fort bien ce qu'il en était de La Vasselière, voyant sa bonne mine, et lui lançant par-dessous des regards haineux, tout amies, cousines et complices qu'elles fussent. Pour moi, il me parut fort étonnant que ces dames, si hautes qu'elles fussent dans l'Etat, et se voulant plus hautes encore, si riches au demeurant, et possédant des centaines de fermes dans le royaume, lesquelles je voyais, en outre, en ce beau salon, pimplochées à ravir, parées de merveilleux brocarts, et couvertes de leurs coutumières et coûteuses perles, n'appétassent, pour lors, à rien d'autre qu'à un simple morceau de pain blanc, ayant mortellement peur en leur for de n'en plus connaître l'odeur ni la saveur.

— Drapier, dit tout soudain la Montpensier qui s'était accoisée pendant que sa mère et sa cousine débattaient, si Navarre t'a bien baillé cette étrange mission, d'où vient que tu sois resté deux mois en Paris sans nous venir visiter ?

— C'est que, Madame, dis-je en lui faisant un nouveau salut, j'ignorais que vous fussiez dans les difficultés, et ne l'ai su qu'hier, ayant appris que vous avez refusé votre petit chien au prévôt des marchands, craignant d'être réduite à le manger.

— Maraud ! cria La Vasselière, sur le ton de la plus grande violence, tu n'as pas eu à chercher loin pour trouver cette explication : Mme de Montpensier vient de conter l'histoire devant toi.

— Si est-il pourtant constant, Madame, dis-je avec fermeté, que je l'ai apprise hier.

— Comment s'en étonner ? dit Mme de Nemours avec un sourire. Elle court les rues. C'est ma chambrière qui me l'a de prime contée. Et vous aurais-je demandé ce qu'il en était, Madame ma fille, si je ne l'avais sue ?

— Il n'empêche, dit La Vasselière, ses yeux noirs fort orageux, il y a en Paris trop de grands, et même de très grands, qui se voudraient en secret accommoder avec ce bouc puant de Navarre, pour que nous, qui sommes Guise, consentions à nous aboucher à lui.

Mais éclair contre éclair, l'œil bleu de la Montpensier valait bien l'œil de jais de sa cousine.

— Aboucher est bien dit, ma chère ! cria-t-elle, et on voit bien que votre bouche, elle, n'est pas menacée de vide !

— Madame, dit alors Mme de Nemours avec un air de grande dignité en se tournant vers La Vasselière, j'espère que vous ne vous faites pas céans l'écho d'une méchante rumeur au sujet d'un supposé mariage de mon fils Nemours avec la sœur de Navarre.

— Madame ma tante, dit La Vasselière en se levant de son cancan pour faire à Mme de Nemours une profonde révérence, je vous assure que je n'ai jamais eu en cervelle une telle pensée, tant elle m'aurait paru odieuse et nauséeuse.

Mme de Nemours parut se contenter de cette ambigueuse réponse et s'accoisa, les deux mains à plat sur son giron, et son long col inclinant un petit à dextre sa fine et jolie tête. Et je fus tant frappé par cette gracieuse attitude, à la fois si sereine, si suave et si ferme, que maugré son cheveu neigeux et son rang, je serais tombé d'elle tout de gob amoureux, je gage, si le souci de ma mission ne m'avait tant poigné.

— Drapier, dit de sa voix rude la Montpensier, qu'y a-t-il dans cette hotte. Et que fait-elle céans ?

— Ha ! Madame ! s'écria La Vasselière, l'œil étincelant et le ton fort encoloré, qu'on en finisse à la parfin avec ce faquin, sa hotte et ses jaseries ! Je ne crois ni mot ni miette de son conte, tant il me paraît loche, branlant et fallacieux et j'opine qu'on le remette sans tant languir au lieutenant de police pour qu'il le mette à tourment, et qu'il en tire la vérité !

A cela, je ne dis moi-même ni mot ni miette, la sueur me coulant dans le dos et tâchant toutefois de garder bon visage.

— Il n'y a pas apparence que cet homme mente, dit Mme de Nemours du ton le plus tranquille.

— Avec votre permission, poursuivit furieusement La Vasselière, j'opine le rebours. Je n'aime pas ses yeux.

— Je les aime prou, dit Mme de Nemours avec un sourire si délicieux que je me serais incontinent jeté à ses genoux, si je ne m'étais bridé.

— J'opine dans tous les cas, qu'on le remette au prévôt et qu'on le pende ! cria La Vasselière tout à plein hors d'elle-même.

— Belle récompense, Madame, dis-je en la saluant, pour quelqu'un qui travaille à vous envitailler.

— Ne présume point de me parler, maraud ! hucha La Vasselière, je ne veux pas de tes vivres d'enfer !

— Pour les tant mépriser, sans doute en avez-vous d'autres, dit tout soudain la Montpensier d'une voix sifflante. Et sans doute aussi, ma cousine, avez-vous d'autres visites à faire dans le voisinage, auquel cas je ne voudrais pas, pour un royaume, abuser de vos instants précieux.

A ce congé, Mme de Nemours haussa le sourcil, tant elle le trouvait brutal, et adressa un sourire des plus bénins à La Vasselière, quand celle-ci, la face de marbre, vint se génuflexer devant elle, et derechef devant sa cousine, mais l'œil noir et sans mot piper, quittant la pièce dans un tournoiement menaçant de son vertugadin. Ce qui me déquiéta fort, car je ne l'eusse pas voulue si suspicionneuse à moi, ni à mon projet si hostile, connaissant bien la ménade et à quelles extrémités elle se pourrait porter.

— Eh bien, drapier ! dit la Montpensier en se tournant vers moi, son œil encore allumé de son ire, n'ai-je pas quis de toi ce qu'il y avait dans cette hotte?

— Madame, dis-je avec une autre de ces courbettes qui me mettaient d'autant plus à torture que ma cotte de mailles, à me baisser, me rentrait dans le ventre, elle contient un présent fort modeste, que je présumerai d'offrir à votre grâce, si elle daignait me faire l'honneur de l'accepter.

— Quoi! s'écria la Montpensier avec le plus malgracieux déprisement, des soies! Des satins! A moi! C'est porter de l'eau à la rivière de Seine!

— Nenni, Madame, dis-je, les soies et les satins ne furent mis là que pour cacher le véritable présent aux yeux du populaire, tandis que nous cheminions par les rues.

Quoi disant, je fis signe à Pissebœuf qui portait la hotte, de se tourner et de se baisser, et plongeant ma dextre et ma senestre sous les étoffes, j'en retirai l'un après l'autre, deux pains de froment, blonds, dorés, cuits du midi, chauds au toucher, craquelants à l'oreille, savoureux à l'odorat, lesquels tout soudain, brandis par moi des deux mains, parurent tant emplir le petit salon de leur émerveillable présence, que je jure par tous les dieux qu'il n'y eut jamais, en boutique, sur le pont aux Changes, perle, pierrerie, ou diamant qui furent par ces hautes dames plus ardemment convoités. Juste retour des choses, me sembla-t-il, que ces princesses pussent connaître, au moins une fois dans leur vie, les stridents appétits qui agitent continuellement, d'un bout à l'autre du royaume, tant de leurs sujettes irrassasiées.

Ni l'une ni l'autre, à ce que j'observais pourtant, n'ouvrirent le bec, ni ne branlèrent, étant comme transies et immobilisées par cet inouï spectacle, tandis qu'allant me mettre de prime aux genoux de la Montpensier, qui me recevait en son logis, je lui tendis un des pains, et ensuite baillai l'autre à Mme de Nemours, m'agenouillant devant elle avec combien plus de respect véritable que devant sa fille, laquelle, d'ailleurs, sans m'adresser le moindre merci, me donna incontinent mon congé (tant, se peut, elle était pressée de mordre à ce beau pain blanc) me disant du ton le plus sec :

— Reviens demain, drapier, à la même heure. Je te dirai si Mme de Nemours a pu obtenir de son fils un passeport pour saillir hors avec ta coche et pouvoir en la ville rentrer.

— Je vais m'y employer, dit alors Mme de Nemours, en m'envisageant avec son suave sourire, de mon mieux. Et en attendant, maître drapier, la grand merci à vous pour ce bel et bon présent.

— Franz, dit la Montpensier, demeure céans. J'ai affaire à toi, le drapier trouvera sans toi son chemin jusqu'à l'huis.

— Plaise à vous, Madame la Duchesse, dit Franz.

Suivi de Pissebœuf, je descendis alors le viret de deux étages jusqu'à la longue galerie qui surplombait la Seine. Et là, me hâtant vers l'huis et poussant un gros soupir d'avoir mené à bien cette redoutable entrevue, j'ouïs tout soudain une voix claire dire derrière moi :

— Baron de Siorac !

La voix me prit sans vert et hors mes gardes. Par la plus sotte et mortelle des erreurs, je me retournai et me trouvai confronté à La Vasselière, laquelle sortait d'une pièce que je venais de passer en cheminant dans la galerie et que j'aurais juré vide. Elle tenait un pistolet dans chaque main et était suivie de deux laquais (porteurs de sa chaire j'imagine), lesquels avaient des épées nues.

— Nenni, Baron, dit-elle, ne branlez point, la détente de ces pistoles étant fort fine. Je suis bien aise que vous répondiez à votre nom, mais à la vérité, j'avais peu de doutes sur votre personne, combien parfaite que fût votre déguisure. Vos yeux vous ont trahi. Non point tant leur forme ou leur couleur, mais la manière dont vous avez envisagé Mme de Nemours. Votre violente amour des personnes du sexe, jeunes ou vieilles, vous aura perdu, Baron ! vous allez entrer dans un très long repos, et des mains d'une femme. N'est-ce pas pour vous bien confortant ?

A voir cette furie si gaussante, ricanante et parleresse, nullement pressée de m'expédier, mais prolongeant, si je puis dire, la volupté du moment, je conçus aussitôt le projet de l'entreprendre en jaserie, afin que de laisser le temps à Miroul, dont je voyais nulle trace, de venir à secours.

— Madame, dis-je, je n'entends pourquoi vous ardez si vivement à ma mort. Je ne suis pas un ennemi des Guise : je les envitaille.

— Ha! Baron! dit-elle avec un petit rire, me croyez-vous si sottarde? Ce cauteleux renard de Navarre, dont vous êtes l'outil, dispose d'une arme redoutable : sa mansuétude. Soit calcul, soit naturelle bonhomie, il sait gagner les cœurs par l'oubli des offenses. Il a fait des conditions si douces aux habitants de Saint-Denis pour obtenir leur reddition que ces fols, de présent, lui mangent au creux de la main! Croyez-vous que ma cousine, s'il l'envitaille, le haïra autant qu'elle le devrait? Je ne parle même point de sa mère qui, à défaut de voir son Nemours sur le trône, le voudrait du moins marier à la sœur de ce bouc!

— Madame, dis-je, avez-vous toutefois réfléchi que si je ne les nourris point, elles mourront?

— Voire mais! La belle perte pour la Ligue! s'écria La Vasselière avec une dérision infinie. Ma tante est une poire blette qui tant est molle que le doigt s'y enfonce. Quant à ma cousine, elle n'est dure que d'écorce. Grattez, vous trouverez la femelle. Avant le jour des barricades, il m'a fallu barguigner avec elle une grosse demi-heure avant que je pusse à votre vie attenter, tant elle vous gardait bonne dent de vos coqueliquades.

— Mais vous-même, Madame, dis-je, poussant ma pointe, n'avez-vous pas joué à la femelle femellisante ès auberge avec Mister Mundane?

A cela je crus qu'elle allait tout de gob me tirer comme un lapin, tant elle pâlit de frémissante rage.

— Ha! cria-t-elle, l'abominable remembrance! Et comme je vous sais mauvais gré de me l'avoir ramentue! Sachez, Monsieur, puisque vous allez mourir, que j'ai prononcé des vœux secrets, que je ne suis dans le monde que sur ordre et qu'en cette auberge que vous dites, j'accomplis avec ce porc anglais le plus nauséeux sacrifice jamais fait pour une sainte cause !

— Madame, dis-je, la relançant encore et priant Dieu que Miroul pût intervenir à temps, soit par ses cotels, soit par ses épées, si vous êtes dans les Ordres, je ne m'étonne guère que le pain ne vous fasse point défaut. Mais éclairez-moi d'un doute. Vous m'allez, dites, dépêcher. Et assurément, cette galerie en a vu d'autres. Elle est si isolée. La Seine est si commode. Toutefois, un coup de pistolet fait grande noise. Et ne craignez-vous pas que la vacarme n'attire céans Madame votre cousine qui pourra s'étonner que, ne partageant point avec elle vos vivres, vous dépêchiez au surplus le sire, fût-il le baron de Siorac, qui la devait envitailler.

— J'y ai rêvé, dit-elle, aussi ces pistoles ne sont là que pour vous empêcher, à la désespérée, de vous ruer sur moi. Mon propos est de vous tuer de ma main, à l'épée, dans un duel loyal, pour peu que vous ôtiez incontinent la cotte de mailles dont vous êtes, sous votre habit, revêtu, et qui vous a tiré tant de grimaces, à chacune de vos courbettes.

— Ha ! dis-je, un duel ! J'aime mieux cela !

— Voire ! dit-elle avec un petit rire.

— S'il doit y avoir un duel, dit tout soudain Pisse-bœuf, avec son terrible accent gascon, alors je pose ma hotte à terre.

Ce qu'il fit, se rendant incontinent libre de ses deux bras, La Vasselière sourcillant, mais les laquais ne faisant rien pour l'en empêcher.

— Madame, dis-je pour divertir son attention, qui retiendra vos laquais de me passer une épée au travers le corps dès que j'aurai ôté ma cotte de mailles ?

— Ils n'oseraient me rober ce plaisir, dit La Vasselière, son œil de jais étincelant.

— Adonc, à Dieu vat, Madame, pour peu que loyal soit le duel !

— S'il ne l'est pas, dit La Vasselière, aucun des présents ne survivra assez pour le dire.

— Avez-vous ouï, compagnons ? dis-je vivement aux laquais qui avaient quelque peu pâli à ces paroles imprudentes, le baron de Siorac occis, on s'assurera de votre silence par le plus court chemin.

— Qui a dit cela ? s'écria La Vasselière tout à plein hors d'elle-même. Assez jasé, Baron, dévêtez-vous à la parfin ou je tire !

Ce que je fis, prenant soin toutefois de dissimuler mes dagues à l'italienne dans l'habit que je quittai et posai sur un coffre qui se trouvait dans l'embrasure d'une fenêtre. Et quant à ma cotte de mailles, une fois ôtée, j'en tins le col dans ma main, la laissant pendre au bout de mon bras.

— Picard, dit La Vasselière les dents serrées, à un de ses laquais, prends ces pistolets et me donne les épées.

C'était là, d'évidence, où j'attendais la preuve de sa loyauté, laquelle ne faillit pas, car dès qu'elle eut les deux épées en main, au lieu que de m'en tendre une, elle me donna de la lame qu'elle tenait en sa dextre une pointe si furieuse qu'elle m'eût traversé le corps si je ne m'étais tout soudain dérobé, et enveloppant ladite lame d'un brusque mouvement tournant de la cotte de mailles balancée au bout de mon bras, — comme un rétiaire dans la Rome Antique eût fait de son filet — je la lui arrachai des mains, non sans lui meurtrir les doigts, à ce que j'imagine.

— Tire, Picard, tire ! hucha La Vasselière avec rage.

Mais soit que Picard, après ce qu'il avait ouï de sa bouche (et de la mienne) ne fût pas si chaud pour m'assassiner, soit qu'il hésitât un petit avant que d'agir, il fut libéré de ses hésitations par Pissebœuf, qui, tout soudain, lui envoya sa lourde hotte à la face, les deux pistolets chéant sur le carreau, aucun des deux laquais n'osant les ramasser, Pissebœuf ayant fait jaillir aussitôt de son mantelet ses dagues à l'italienne.

Dans les temps que prit ce bref assaut pour se dérouler — et simultanément et non successivement, comme mon récit se trouve contraint de le conter — Miroul, qui s'était glissé derrière le dos de La Vasselière, la saisit à la gorge de son bras replié, et l'immobilisa le temps qu'il me fallut pour ramasser l'épée que je lui avais arrachée. C'est du moins ce que me dirent plus tard et Miroul et Pissebœuf, car pour moi, occupé que j'étais à désemmailloter de ma cotte de mailles la lame de La Vasselière, je m'étonnai confusément qu'elle n'en profitât pas, en sa « loyauté », pour me larder de celle qui lui demeurait. Et ce fut fort béant que je me trouvai tout soudain debout, à égalité d'armes, de nombre et de terrain, en face de cette incarnée démone.

— Madame, dis-je en la saluant de mon arme, on dit que vous avez pris, dès l'enfance, des leçons du grand Silvie et que vous valez deux hommes, ceci en main.

— Vous allez l'éprouver, dit-elle, les dents serrées. Vous errez, Baron, si vous vous croyez sauf !

Elle disait vrai, hélas, car tout soudain liant sa lame à la mienne, elle montra un jeu si prompt, si fin et si savant, pressentant si bien à chaque moment la botte que je lui préparais que je commençai, en effet, à nourrir quelque appréhension sur l'issue du combat, ayant par deux fois dû d'échapper à sa mortelle pointe par un retrait du corps — ce que mon pauvre Giacomi eût bien haut condamné. Je m'avisai alors que le moins mal que je pusse faire était de la fatiguer, en cédant du terrain, ma vive retraite la forçant à tant de mouvements en son lourd vertugadin qu'elle perdrait peu à peu par lassitude de son émerveillable précision. Je fis ainsi, quasi fuyant ou tournoyant devant elle deux fois la longueur de la galerie, et la ramenant à la parfin vers le pied du viret, je sentis que sa riposte, au tâtement de ma lame, devenait moins rapide, sa réplique moins sûre, son souffle plus pressé. Mais même alors, hasardant un coup, j'échappai à son contre de justesse et tout soudain perdis cœur.

— Moussu, votre botte ! cria Miroul en oc, preuve évidente qu'il me voyait en grand péril, puisqu'il savait bien que j'avais juré à Giacomi de n'en user qu'en désespoir de ne pouvoir sauver autrement ma vie.

L'oyant, et surtout oyant l'accent de terreur que décelait sa voix, à la parfin je m'y résolus. Et certes, si je l'eusse servie plus tôt, elle eût failli. Mais La Vasselière étant quasiment hors de son vent et haleine de l'exercitation où je l'avais contrainte, elle para le coup, mais trop tard : son jarret était navré bel et bien. Et comme je me retirai vivement, elle poussa un tel cri de rage et de fureur qu'on l'ouït, je gage, de l'autre côté de la Seine, et se jeta de toutes ses forces contre mon épée, se châtiant elle-même de ne m'avoir pas vaincu.

Je tombai plutôt que je ne m'assis sur la première marche du viret, la sueur ruisselant de ma face, et tremblant de tous mes muscles, tant mon effort avait été violent, envisageant sans y croire, étendu devant moi, le corps de La Vasselière dont je n'avais pas eu la force de retirer mon arme.

— Moussu, dit Miroul en me mettant la main sur l'épaule, que faisons-nous ?

A quoi, j'ouvris le bec pour répondre, et ne pus articuler un seul son, ma gorge étant si serrée et si sèche que le peu de salive qui me demeurait entre les lèvres s'était quasiment épaissi au point de les coller. Je fis alors vers l'une des fenêtres qui donnaient sur la rivière de Seine un geste, un seul, et aussitôt me sentant fort nauséeux, et prêt à raquer mes tripes, j'enfouis ma tête dans mes mains.

— Moussu, les laquais ? dit Miroul.

— Avec nous, dis-je.

Mais ma voix étant à la parfin revenue, je fus un long moment encore à pouvoir branler du degré où je me trouvais assis.

CHAPITRE VIII

— Moussu, dit Miroul en me désommeillant le lendemain matin d'un dormissou fort traversé de cauchemars et de sang, l'usance de l'estoc, à la guerre, vous aura gâté votre escrime : je vous ai trouvé lent et lourd, affronté à cette guêpe. Cornede-bœuf, quelle lame ! Quelle célérité foudroyante ! Tant je tremblais pour vous que si vous aviez failli votre botte de Jarnac, je lui eusse lancé mon cotel entre les deux épaules, au risque que vous ne me pardonniez jamais. Ce qui, toutefois, à y réfléchir, me laissa béant, c'est qu'elle ait tâché de prime de vous occire, dès qu'elle eut les deux épées en main, alors qu'elle tirait si émerveillablement.

— La joie de la traîtrise, j'imagine, dis-je en me grattant le chef, lequel me doulait fort. Qu'as-tu fait des laquais ?

— Je les ai nourris à la vesprée et aux matines, tant est qu'abasourdis de vivre encore et de recevoir viandes, ils m'appellent « Monsieur mon Maître » et me baisent les mains.

— Qu'en es-tu apensé ?

— Que ce sont bonnes et honnêtes gens, tout dret venus du plat pays, et sans le plus petit grain de méchantise ni de malice.

— Sais-tu leurs noms ?

— C'est à peine s'ils le savent eux-mêmes. En outre, ils baragouinent effroyablement. L'un, sa maîtresse appelait Picard, pour ce qu'il venait de Picardie. L'autre, Breton, étant né en Bretagne.

— Baragouin ou non, tâche de savoir d'eux leurs patronymes. Je les voudrais mettre sur le passeport que Nemours me va bailler.

— Quoi ! Les emmènerons-nous hors Paris ?

— Nous ? J'ai ouï « nous » ? Que veut dire ce « nous » ?

— Moussu, vous me picaniez !

— Si crois-tu ? dis-je, le saisissant au col de ma dextre et lui poutounant la joue. Me pourrais-je passer de mon sagace secrétaire ? Cependant, Pisse-bœuf et Poussevent demeureront céans. Et Héloïse.

— Il faut bien le logis garder, dit Miroul, satisfait que les arquebusiers ne fussent pas du voyage.

— Quoi ? Point de jaleuseté ?

— A partage honnête, point de jaleux.

— Cependant, qu'allons-nous bailler à Pissebœuf qui lança si opportunément cette hotte à la bonne face de Picard ? Trente écus ?

— Ce geste-là les vaut.

— Et à toi ?

— Ha! Moussu! dit-il, la crête fort haute et comme offensé, j'ai du bien!

— Bien le sais-je, tu le répètes assez. Que dirais-tu de ma bague d'améthyste sertie de petits diamants ?

— Ha! Moussu, c'est trop!

— C'est donc assez. La furie m'eût lardé sans toi.

— Ha! Moussu! Dix mille millions de mercis!

Et sa claire et franche face rougissant en sa vergogne de l'énormité de ce don, non tant des pécunes que de l'honneur qu'il en tirerait aux yeux de sa Florine — son œil marron quasi rattrapant son œil bleu en son étincelant soulas — il me fit un grand salut et s'en allait, fluet, frisquet, le pas dansant quand je dis :

— Comment se fait que tu ne quières pas de moi ce que nous ferons de Picard et de Breton, une fois hors les murs ?

— Eh bien, dit-il se retournant, et délecté encore de ce « nous », qu'en ferons-nous ?

— Je les mettrai en mon emploi au Chêne Rogneux.

— Moussu! cria-t-il ivre d'allégresse, irons-nous en Montfort ? Je n'osais le quérir de vous, craignant qu'on n'eût pas l'occasion de s'y rendre.

Et tout soudain s'apensant que je ne reverrai pas Angelina avec autant de joie que lui-même sa Florine, son œil s'assombrit un petit et changeant non point tant de sujet que d'objet, il dit :

— C'est bien pensé. Ainsi nous assurons-nous du silence de Picard et de Breton jusqu'à la fin des temps.

Dès qu'il m'eut laissé seul, étant fort las, je me rendormis et me vis en rêve, la poitrine de part en part traversée, descendre à reculons le courant de la rivière de Seine jusqu'à Chaillot, où, la Seine faisant une courbe, mon corps — comme ceux des victimes daguées de la Saint-Barthélemy — s'arrêta, pris et tortillé dans les entrelacs des herbes de la rive. Cependant, je m'encontrai aussi parmi les curieux qui envisageaient de loin mon cadavre, tandis que des mariniers, avec des perches, le ramenaient sur la berge. Circonstance qui m'étonna, mais en quelque mode et manière me rassura, me donnant confusément à penser que je devais être, maugré tout, de ce monde, puisque je me voyais mort.

Cependant, la peur de me tromper me tenailla et tabusta assez pour me désommeiller, le cœur me toquant comme battant de cloche, et le dos de sueur inondé. Etat qui tant me vergogna que je ne fus pas long à reprendre la capitainerie de mon âme. Je crus toutefois — et crus longtemps — en la valeur prophétique de ce rêve, m'imaginant qu'on allait retrouver à Chaillot le corps de La Vasselière, ce que l'Etoile m'aurait, à coup sûr, appris à mon retour en Paris où, sembla-t-il, on parla prou de la soudaine disparition de la dame, puis de moins en moins, puis plus du tout, la noblesse ayant tant d'autres chats à fouetter dans la détresse et famine du temps.

Il est vrai que Miroul avait agi avec une bien avisée prudence, car au saillir de l'hôtel de la Montpensier, il avait commandé aux deux laquais de rapporter la chaire à porteurs au logis de La Vasselière et de l'y laisser, ainsi que leurs livrées, et de nous suivre à dix toises afin que de n'être point avec nous aperçus. Je renonçai, à la réflexion, à faire figurer leurs patronymes, non plus que celui de Miroul, sur mon passeport, celui-ci portant mention de mon seul nom et anonymement de mes « trois commis ».

Ma coche saillit de Paris par la porte Saint-Denis le 24 juillet au matin, et c'est à peine si l'officier du guet jeta l'œil sur ledit passeport, pour ce qu'un grand concours de pauvres gens, en même temps que moi, se pressaient, qui portant cotels, qui faucilles, afin que d'aller moissonner les champs de blé les plus proches des murs, lesquels, vus du haut desdits murs merveilleusement ondulaient sous le soleil chaleureux de juillet. L'officier leur remontra qu'ils se feraient arquebuser, ou tailler, par les soldats de Navarre. Mais ils ne voulurent rien entendre, tant l'image de ce beau blé doré contemplé du haut des remparts les rendait fols. Sourds aux objurgations, aveugles au péril, brandissant leurs cotels et faucilles, ils criaient si furieusement « Le blé! Le pain! Le blé! Le pain! » que l'officier, craignant un tumulte, les laissa sortir des murs, tant est que ma coche les précéda de peu à la première barricade des royalistes. Celle-ci par moi franchie sans encombre ni traverse, je décidai d'arrêter la coche et de descendre, afin de voir ce qu'il allait advenir de ces malheureux.

A vrai dire, les royaux parurent de prime décontenancés devant ce pacifique assaut, ces pauvres gens, maigres comme des cerceaux, n'ayant rien d'hostile, ne criant que les mots « blé! » et « pain! », et leurs cotels mêmes n'étant point menaçants, brandis par des bras si faibles. Tant est que les soldats leur laissèrent d'abord le passage maugré leur nombre, qui allait bien au millier. Ces affamés, se jetant alors sur le premier champ de blé à leur senestre, s'abattirent sur lui comme sauterelles, arrachant les épis et les fourrant entiers en leur bec, sans même dépouiller les grains des balles, voire même couchés de tout leur long sur les tiges, et les foulant de leur corps pour s'assurer de cette part au moins de la picorée, craignant qu'on ne la leur volât. Tout cela accompagné de grognements et grondements qui n'avaient rien d'humain. Cependant, un capitaine du roi, attiré par le tumulte et envisageant cette curée, s'avisa de s'en offusquer et donna l'ordre aux arquebusiers de la faire cesser. Ce qui se fit d'abord avec des cris, et ceux-ci se révélant inutiles, avec des platissades de braquemarts, et comme celles-ci ne suffisaient pas, tant l'obstination des dévoreurs était grande, des coups de pointe et de taille qui en navrèrent plus d'un, d'aucuns se retirant alors clopinant et sanglant mais gardant en leurs mains crispées quelques épis de blé, et d'autres ne branlant mie et résolus à se faire hacher sur place plutôt que d'abandonner leur festin.

Un commandement du roi advint alors, porté au galop par un cavalier, d'avoir à cesser de découdre ces malheureux. Quoi oyant, les arquebusiers qui ne les avaient taillés qu'à contre-cœur regagnèrent les barricades. Mais le répit fut court, car surgit alors du proche village une troupe nombreuse de laboureurs que le propriétaire du champ, à ce que j'entendis, avait ameutés, lesquels, armés de fléaux, et bien plus encolérés et farouches que n'avaient été les soldats, assommèrent sans merci les pauvres dévoreurs. Je n'en voulus pas voir davantage et remontai dans la coche, bien marri et meurtri de cette larmoyable scène.

Parvenu à Saint-Denis, je ne voulus pas me montrer sous ma déguisure à la Cour, me doutant bien que quelques espions ligueux s'y étaient glissés qui pourraient me découvrir à mon retour en Paris. Et n'y ayant là, outre le roi, que deux personnes à connaître mon identité de marchand, Duplessis-Mornay et le Grand Prieur, je dépêchai Miroul s'enquérir auprès des passants du logis de l'un et de l'autre. Toutefois m'y rendant, je faillis à les trouver et apprenant de leurs gens qu'on ne savait quand ils reviendraient, je me trouvai dans un extrême embarras, ne sachant ni comment atteindre le roi ni, de reste, où me loger, les auberges, à ce que j'appris, regorgeant d'officiers royaux. Dans cette humeur et déquiétude, je restai à méditer dans ma coche à l'arrêt dans la grand'rue de Saint-Denis, la fenêtre de ladite coche ouverte et mon œil s'amusant à envisager les passants, ou plutôt, à dire tout le vrai, les passantes, qui filles, qui femmes. En quoi mon peu de vertu fut par le ciel récompensé, car je tressaillis tout soudain de joie, et mettant ma main sur celle de Miroul, je lui dis :

— Miroul, vois-tu cette grande et haute dame

cheminer en la rue à notre encontre, brune, l'œil noir, la démarche vive, l'épaule robuste et très superbement attifurée ?

— Oui-da, Moussu, c'est morceau de roi !

— Ou de Lord. Va, mon Miroul, va lui dire que *la petite, française et particulière alouette d'Elizabetha Regina* se trouve encagée dans cette coche, en laquelle, si sa Ladyship consent à venir, ladite alouette chantera à son ouïe une chanson de quelque intérêt.

— Ha ! Moussu ! dit Miroul, bien la reconnais-je ! Comment pourrais-je oublier mie le jour des barricades ?

— Va, Miroul !

Il vola comme carreau d'arbalète, et si brusquement qu'à sa subite approche, la dame fit un bond en arrière, et plus vive et véloce que louve, sortit à demi un pistolet de son ample cotillon, lequel, toutefois, elle remit en sa cache, Miroul à deux pas d'elle, ayant enlevé ses lunettes pour dévoiler ses yeux vairons. Je la vis rire alors de ses dents carnassières, et après le chuchotis de Miroul à son oreille, vers moi à grands pas venir, montant dans la coche et enclosant la porte en un tournemain derrière elle.

— Quoi ! dit-elle, mon Pierre ! Une déguisure encore ! Par les blessures de Dieu (juron emprunté à la reine Elizabeth), où vais-je trouver vos lèvres au milieu de tout ce poil ?

Mais elle les trouva, cependant tout de gob, me poutounant à la fureur, et à souffle couper, sa dextre cependant me déboutonnant le pourpoint et la chemise pour me mignonner le poitrail.

— My Lady, dis-je, quand elle voulut bien me déprendre, me laissant tout à plein hors d'haleine, l'alouette est-elle céans pour être plumée et incontinent rôtie en votre fournaise, ou pour chanter ?

— Vertudieu ! dit-elle en s'esbouffant à gueule bec, que ces Français sont vifs ! Ma fournaise, tudieu ! Je répéterai ce mot à la reine ! Elle en mourra de rire !

— Comment se porte Sa Majesté ?

— Fort tristement en ces jours, dit my Lady Markby, elle-même s'attristant, Walsingham est mourant et comment la reine trouvera-t-elle jamais serviteur plus zélé ? Mais mon Pierre, que faites-vous céans en la même déguisure où je vous vis en Paris le jour des barricades ?

— Et que faites-vous céans, my Lady ?

— La défense de Londres passant par Paris, *Philippo regnante* [1], je tâche de faire entendre raison à ces fous de Français.

— Quoi, dis-je, une ambassadrice en cotillons ? Et my Lord Stafford ?

— Il serait bien trop voyant en cette Cour, tandis qu'Henri vivant entouré de cotillons, un de plus ne se remarque pas.

— Même si ses poches secrètes abritent un pistolet.

— Et une dague, la Sainte Ligue étant si assassineuse.

— Comment va la bonne Lady T. ?

— Elle est à Londres et elle est bonne, que cela lui suffise, et à vous aussi, Monsieur, dit my Lady Markby contrefeignant une ire que peut-être elle n'était pas sans ressentir. Mon Pierre, reprit-elle, avez-vous le corps aussi fidèle que le cœur ?

— Si crois-je.

— Si verrons-nous.

— Ceci, Madame, qui paraît menace, m'est suave promesse.

— Langue française, langue dorée. Une fois encore, Monsieur, que faites-vous céans ?

— My Lady, je saille de Paris, et ayant vu le roi, y rentre. Mais je le veux voir à la dérobée et en logis secret.

— Le mien, dit my Lady Markby promptement. Qui sert Henri sert Elizabeth. Et je vous serai bonne hôtesse, mon Pierre, encore que je ne sois pas tant bonne que votre bonne Lady T. Qui plus est, je vois, moi, le roi à toute heure du jour.

1. Sous le règne de Philippe II. (Lat.)

— C'est que je le dois d'urgence entretenir !

— Demain, dit-elle d'un ton de souveraine autorité. Ce soir, mon Pierre, vous êtes à moi.

Ma coche, mes commis et moi-même ayant donc trouvé où nous remiser en cette Saint-Denis surpeuplée, je ne pouvais qu'être content d'avoir encontré my Lady Markby, laquelle, outre qu'elle était, pour ainsi parler, mon pendant anglais (jouant auprès d'Elizabeth le même rollet que moi auprès de Navarre), m'avait offert secours et refuge le jour des barricades et comme se peut ma belle lectrice s'en ramentoit, m'avait caché à croupetons sous son ample vertugadin pour me permettre d'ouïr l'entretien que le très ligueux comte de Brissac avait demandé, dans Paris insurgé, au nom du duc de Guise, à my Lord Stafford.

Cependant, belle lectrice, ce serait me déconnaître et ne point m'aimer à mon aune et mesure véritable que de me croire tout à plein heureux pour ce que j'avais trouvé bon logis, bonne chère et chaleureuse hôtesse. Bien le rebours. Deux vives craintes ne laissaient pas que de me tabuster. Je redoutais que my Lady Markby, amenant le roi en son logis, ne présumât — comme moi-même je l'eusse fait à sa place — de se vouloir présente à notre entretien. Ce que j'eusse trouvé peu souhaitable, ne cuidant pas que le roi voudrait qu'Elizabeth en sût autant que lui sur les affaires de France.

Quant à ma deuxième appréhension, elle ne touchait que moi et il se peut qu'on l'ait déjà devinée : Ayant résolu de prendre en mon emploi Picard et Breton, il me faudrait, après mon entretien céans, les mener en ma seigneurie du Chêne Rogneux, où je devrais, bien à rebrousse-cœur, affronter une présence que j'avais pris grand soin de fuir depuis le décès de Larissa, laquelle fuite m'était apparue alors non comme la meilleure, du moins comme la moins mauvaise réponse que je pusse donner à mes doutes, à mes interrogations, à mes infinis tourments quant à l'identité véritable de la morte.

La première de ces craintes s'évanouit dès le len-

355

demain, le roi, en très avisée manière, ayant dépêché à la tombée du jour une chaire à porteurs pour me prendre au logis de my Lady Markby et m'amener en certaine maison de la grand'rue de Saint-Denis où, à ma très immense joie, je découvris, boitillant et le bras dextre en écharpe, mais le teint fleuri et vermeil, M. de Rosny, lequel voulut bien me bailler de son bras valide une forte brassée, ce qui me toucha d'autant qu'il était, en bon huguenot, fort ménager de ses poutounes.

— Ha! Monsieur de Rosny! dis-je, envisageant avec amitié son bel œil bleu, sa bouche friande, ses larges pommettes et surtout son front ample, et d'autant ample que son cheveu blond s'en retirait prou : Que je suis aise de vous encontrer sain et bien allant et de vous voir céans! Derechef le confident et conseiller de Sa Majesté! Maugré votre petite brouille et bouderie touchant le gouvernorat de Mantes!

— Ah bah! dit Rosny, portant très haut la crête et immensément paonnant, le roi a bien fait de ne me le point bailler, puisqu'il l'avait promis à un royaliste papiste. Au demeurant, qu'ai-je à faire de ce hochet? J'appète à plus! Je n'ai boudé le roi que sur le principe de la chose. Peu me chaut la chose même! Et quant à Henri, reprit-il avec sa piaffe coutumière, je n'étais pas absent de lui depuis deux mois que, ne pouvant se passer de moi, il m'a envoyé, par chevaucheur, un billet pour me rappeler à lui.

— Vous y courûtes, j'imagine! dis-je en riant.

Mais à mon rire jugeant au-dessous de lui de mêler le sien, Rosny dit gravement :

— Mon cher Siorac, j'ai cette faiblesse de me croire utile à l'Etat.

— Et certes, vous l'êtes! dis-je avec un salut, et plus qu'aucun autre gentilhomme de ce royaume!

A quoi sans protester le moindre — si grande était l'idée qu'il se faisait de ses mérites —, Rosny me rendit mon salut.

Comme il l'achevait, on entendit quelque bruit à

l'huis donnant sur la rue, puis des pas pressés sur le viret qui menait à l'étage, et la porte de la chambre où nous jasions se déclosant, le roi apparut, sans suite aucune, et comme à son ordinaire, pressé, joyeux, impatient de toute préface et cérémonie.

— Barbu, dit-il en me laissant à peine le temps de me génuflexer et m'arrachant sa main (laquelle sentait l'ail) avant même que je l'eusse baisée, Ventre Saint-Gris, je suis content de te revoir sain et gaillard! Assieds-toi sur cette escabelle, là, près de la cheminée. Et toi, Rosny, ne demeure point debout avec ta gambe qui cloche, ou tu ne te cureras jamais. Barbu, je t'ois! Qu'en est-il de cette ingrate Paris, comme disait le feu roi?

Ayant dit, et tandis que je lui contais *paucis verbis* [1] — le serviteur se devant mettre au diapason du maître — ce que j'avais vu et observé en les semaines que je venais de vivre, il marcha, comme à son accoutumée, à grands pas dans la pièce, ses courtes gambes, maigres et musculeuses, frappant le sol avec vigueur, les mains à'steure derrière le dos, à'steure de l'une ou l'autre se tirant le nez — qu'il avait long et courbe — son œil tantôt méditatif et tantôt acéré, m'espinchant de côté, ou sur le sol fiché, et son vaste et robuste crâne faisant sa provende, j'imagine, de tous les faits, menus et grands, que j'avais moissonnés pour lui.

— Pauvres Parisiens! dit-il quand j'eus fini mon récit, que je déplore leur misère! Et que j'ai plus grande pitié encore de les voir si sottards et si badauds! Que ne voient-ils pas à vue de nez que cette âme damnée de Mendoza se gausse d'eux en leur faisant manger tant de ce pain des morts qu'il voudrait qu'ils en fussent tous crevés pour s'emparer plus vite de leur bonne ville! Et de la France aussi, s'il le pouvait. Ventre Saint-Gris! Lui seul et son maître Philippe empêchent la paix et le repos de notre pauvre royaume tant désolé! Mais, Barbu, poursuivit-il, tout soudain changeant de ton, de tour

1. En peu de mots. (Lat.)

et de voix (ni l'élégie ni la tristesse n'étant son fort) qu'en est-il de mes bonnes cousines les princesses lorraines (à quoi Rosny sourcilla prou), lesquelles il ne se peut que tu n'aies vues, puisque Nemours t'a baillé passeport ?

Je contai alors ce qui m'était échu en l'hôtel de la Montpensier, et le fis à plus grand détail qu'auparavant, pour ce que je savais que, parlant des dames, je ne pouvais lasser si vite la patience de Sa Majesté. Et en effet, il parut prendre autant de plaisir à mon conte que Rosny en prit peu, sans cependant le commenter en aucune manière, sauf en disant à Rosny quand j'eus fini :

— Mon ami, vous compterez cinq cents écus sur ma cassette au baron de Siorac, pour qu'il achète viandes et vivres pour nourrir nos cousines.

— Certes, Sire, je le ferai, dit Rosny d'un air fort mal'engroin, mais c'est folie que d'envitailler ces vipères.

— Elles ne sont point vipères, mais femmes.

— C'est tout un, dit roidement Rosny.

— Ho ! Ho ! dit le roi en riant, je croirais ouïr M. Duplessis-Mornay ! Vipère est froide, Rosny ! Femme est chaude, et au-dehors, et au-dedans.

— Raison pour quoi celles-ci travaillent si chaudement contre vous !

— Femmes ne peuvent qu'elles ne travaillent pour ceux qu'elles aiment ! Telle pour son frère, telle pour son fils, comme Mme de Nemours ! Or il faudra bien, quand j'aurai pris Paris, que je me réconcilie avec les princes ! Autant commencer de présent, Rosny ! Et par les femmes, qui sont de ces princes écoutées ! En outre, poursuivit-il, la langue de la duchesse de Montpensier vaut à elle seule trois régiments. Et je ne voudrais pas qu'elle agite contre moi ses prêchaillons, quand je serai en mon Louvre.

— Autant couper ladite langue ! dit Rosny.

— Fi donc ! dit le roi avec un clin d'œil si gaillard et si entendu que Rosny lui-même sourit. De reste, Rosny n'était point si roide qu'il le voulait paraître, ni lui-même si ennemi des femmes, encore qu'elles passassent en sa cervelle bien après le souci de sa gloire.

On toqua à l'huis et un page vint dire que my Lady Markby priait Sa Majesté de lui faire la grâce de la recevoir.

— Quoi! dit Rosny comme indigné, le Roi ne peut-il avoir un entretien avec ses serviteurs que cette commère anglaise n'y vienne fourrer son nez? My Lord Stafford ne suffit pas à dire au roi le sentiment d'Elizabeth? Faut-il encore, à côté de ses chausses, un cotillon diplomatique?

— C'est que le cotillon parle plus haut que les chausses, dit le roi en riant. My Lady Markby, à dire tout le vrai, est bien fendue de gueule, mais Elizabeth l'aime ainsi. Moi-même mêmement. En outre, elle me plaît à voir, étant si belle! Page, donne-lui l'entrant!

— Ha! Sire! dit my Lady Markby, en pénétrant dans la chambre toutes voiles dehors, comme un vaisseau de haut bord, et en courant s'agenouiller avec grâce aux pieds du roi, son vertugadin de brocart s'évasant autour d'elle en corolle, faisant valoir sa mince taille et son parpal rondi. Sire, je vous fais dix mille millions de mercis, comme dirait ma maîtresse, pour avoir condescendu à me recevoir au pied levé et sans cérémonie.

— Madame, dit le roi en la relevant et en la menant par la main à l'unique cancan de la chambre, prenez ce siège, aisez-vous et je vous prie, soufflez, ce viret étant fort raide. Ma bonne cousine et sœur, la reine Elizabeth, à qui je garde une gratitude infinie de son aide et secours, a tous les droits sur moi, et votre beauté vous en donne d'autres de surcroît, tant est que je n'ai pu souffrir une minute de plus que vous attendiez à mon huis.

Cornedebœuf, m'apensai-je, il se trouve donc avéré qu'Henri a deux langages : l'un pour les hommes qui est gaussant, abrupt et militaire. Et l'autre pour les dames, qui est fort cajolant. Cependant, ayant assis my Lady Markby sur le cancan et lui tournant le dos pour venir à nous, le roi lança à

Rosny un œil si aigu, si fin et si connivent que j'entendis bien que cet entretien impromptu et quasi imposé le trouvait fort sur ses gardes.

— Madame, dit-il en se retournant vers elle, mais sans s'asseoir ni arrêter le moindre son mouvement pendulaire avez-vous affaire à moi en ce beau matin d'été ?

— Hélas, oui, Sire ! dit my Lady Markby en poussant un soupir si profond qu'il souleva ses beaux tétins, sur lesquels, comme pour les apazimer, elle posa ses deux mains blanches, ce qui eut pour effet d'attirer sur eux l'attention du roi, la mienne, et je suppose aussi, celle de Rosny, combien que je n'eusse pas, à cet instant, d'œil disponible pour envisager le baron. Oui, Sire ! reprit-elle avec un second soupir, j'ai affaire, ou plutôt, j'aurais affaire à Votre Majesté, si je présumais de me mêler des décisions de son gouvernement.

— Madame, dit le roi en lui faisant un petit salut, soyez assurée que je n'en prendrai pas offense et que je tiendrai vos avis parmi les plus précieux de ceux que je pourrai recevoir. Vous ne pouvez ignorer comme je suis affectionné à ma très chère et très aimée sœur et cousine la reine Elizabeth à qui je désire rester uni comme les deux doigts de la même main, étant bien persuadé que sans le plus étroit des liens, nous ne pouvons faillir à être, l'un après l'autre, dévorés par Philippe. Bien au rebours, si nous demeurons amis et alliés, nos royaumes seront saufs des atteintes de l'Espagne, et la liberté de conscience, en nos deux royaumes, préservée de la tyrannie du pape.

— Ha ! Sire ! dit my Lady Markby en jouant, à l'alentour, de son bel œil noir, et penchant le cou pour que ses bouclettes brunes vinssent caresser le blanc laiteux de son cou, certes, vous m'encouragez prou, mais comment aurais-je l'outrecuidance, moi faible femme (à quoi Henri sourit), d'oser contredire vos graves conseillers, lesquels puisent une infinie sagacité dans leur longue expérience (quoi disant, elle fit de la tête à M. de Rosny un salut des plus gracieux).

— Parlez, Madame, je vous en prie et supplie, dit le roi qui n'était pas, à ce que je crois, sans pressentir l'objet de cette visite. Personne ici n'en prendra ombrage, ni moi ni M. de Rosny, et moins encore M. de Siorac qui est, si j'entends bien, votre particulier ami.

— Eh bien, Sire! dit my Lady Markby, voici mon sentiment puisqu'il vous faut le dire. J'ai ouï, mais il se peut que j'aie ouï d'une mauvaise oreille, que Votre Majesté, cédant aux pleurs, prières et supplications des Parisiens affamés qui ont à elle délégué, a permis que trois mille d'entre eux aient la liberté de sortir des murs et de gagner le plat pays.

— C'est vrai, Madame, dit le roi d'une voix ferme, la chose est décidée et se fera demain.

— Ha! Sire, s'écria my Lady Markby en baissant ses beaux yeux noirs d'un air désolé, moi qui connais bien la reine Elizabeth, peux-je vous dire en tout respect et révérence, qu'elle en sera excessivement mécontente. Et si j'osais céans être son interprète...

— Osez, Madame, dit le roi, la face imperscrutable.

— Je présumerais, Sire, d'articuler que c'est là de votre part une peu pardonnable nonchalance.

— Nonchalance, Madame? dit Henri, en arrêtant devant elle.

— Ou laissez-faire, Sire, si le mot vous plaît davantage. Puisque Votre Majesté veut prendre Paris par la famine, n'est-ce pas étrange que vous en laissiez sortir les affamés, lesquels, justement la faim eût poussés à se rendre?

— Madame, dit le roi gravement, trente mille Parisiens sont déjà morts de verte faim. Combien d'entre eux doivent mourir encore afin que de vous contenter?

— Ha! Sire! dit my Lady Markby en rougissant, je serais bien marrie que Votre Majesté pût me considérer inhumaine ou impiteuse. C'est le péril où votre laissez-faire vous met qui me pousse à parler. Car plus le siège se prolonge, plus le secours du duc de Parme est probable et vous serez alors jeté à grand hasard, assiégeant Paris, mais ayant dans le dos une armée espagnole.

— Madame, dit le roi en tirant une escabelle à lui et s'asseyant sur elle en l'enjambant comme s'il montait à cheval, voilà qui demande une franche explication, car je voudrais chasser ce mauvais goût que votre rapport pourrait donner à la reine Elizabeth de ce que je n'ai pas exactement gardé la rigueur de la guerre en cette occasion.

— Sire, en effet, dit my Lady Markby, vous ne l'avez pas gardée et la reine dira encore que vous êtes trop tardif à vous faire du bien et aimez davantage hasarder que conclure.

— Nenni, Madame! dit le roi, cela n'est pas! Quand je n'eusse pas permis la sortie de ces pauvres gens, ils seraient morts au-dedans des murs, et morts inutilement. La ville pour cela ne se serait pas rendue. Entendez, Madame, reprit le roi d'une voix pressante, entendez de grâce que ceux qui meurent de faim dedans Paris et ceux qui s'opiniâtrent dans la rébellion, ne sont point du tout les mêmes. Ceux-là, qui sont les pires factieux et ligueux, disposent de tout le pouvoir : Ils ont les pécunes, les armes, les soldats et aussi les vivres, en ayant amassé de prime plus que leur part. Tant est qu'ils laisseront périr les premiers sans les secourir du tout, et non plus sans rien céder. Il n'est donc pas vrai que ma mansuétude prolonge le siège. Elle aura, à la longue, un effet tout contraire, car elle disposera les esprits de telle sorte que la ville un jour se rendra d'autant plus aisément à moi qu'elle aura fiance davantage en ma clémence.

Je ne sais si ce discours — où pour une fois la bénignité faisait bon ménage avec l'habileté politique — persuada my Lady Markby, car sans presser le point davantage, elle fit au roi des compliments infinis et, toute grâces et souris, demanda un congé qui lui fut gracieusement accordé et s'en alla dans un grand froissement de son vertugadin, lequel laissa derrière lui un parfum qui certes m'agréait davantage que celui du roi.

— Sire, dit Rosny, j'admire fort cette impertinente.

— Je l'admire aussi, dit le roi en riant, tant il se sentait soulagé en son for que cet entretien fût fini. Mais on tolère chez une femme des audaces qu'on ne souffrirait pas chez un homme. Raison pour quoi, j'imagine, c'est my Lord Stafford qui me fait les compliments et my Lady Markby qui se charge des remontrances. Ma bonne cousine Elizabeth est une femme très avisée.

— Et aussi, dit Rosny, une alliée incommode et sourcilleuse.

— Nous allons la désourciller, dit le roi. Le temps nous presse, en effet, Parme et Mayenne vont bien finir par me tomber sus. En cela du moins my Lady Markby n'erre pas. Aussi ne vais-je pas tarder davantage d'ordonner une attaque de tous les faubourgs de la capitale. L'heure est venue de resserrer Paris davantage en ses murs afin que d'en venir à bout.

— Demain, Sire ? dit Rosny, fort trémulant, et de joie, et d'espoir.

— Demain, l'abbaye de Saint-Germain-des-Prés capitulera, mais il nous faudra attendre un petit encore.

— Quoi et qui, Sire ? s'écria Rosny.

— Châtillon et ses forces fraîches. Ha ! Rosny ! reprit le roi avec une brusque bouffée de poésie, je n'attends rien de plus que Châtillon et le joyeux premier soleil qui brillera sur ses cuirasses.

— Ha ! Sire ! m'écriai-je, ivre d'allégresse, voilà qui est bel et bon ! Peux-je l'annoncer à my Lady Markby ?

— Ce soir même, dit Henri, l'œil goguenard et gaussant, sur l'oreiller. Et que grand bien pour toi s'ensuive, Barbu.

A quoi il s'esbouffa à rire, Rosny et moi-même l'imitant.

— Rosny, reprit tout soudain le roi toujours riant, mais l'œil réfléchi, ne laisse d'ores en avant approcher de moi que des gens qui soient gais, comme toi-même, mon Rosny ou comme le Barbu, ou Roque-

laure : Je ne peux me servir d'un homme mélancolique ; un homme qui est mauvais pour lui-même,
comment serait-il bon pour les autres ? Un homme
mécontent de soi, comment pourrait-il me contenter ? Le bon chien est celui qui trotte, la queue en
l'air. Foin des yeux tombants, du poil pauvre, et des
queues tristes.

Ne pouvant, ni quitter ma déguisure ni, après
l'avoir quittée, la reprendre, sans qu'elle fût découverte de tous, je ne pus participer à l'assaut général
des faubourgs, et fus du très petit nombre de ceux
que le roi emmena avec lui à l'abbaye de Montmartre, d'une fenêtre de laquelle, dominant de si
haut, il voulait embrasser l'ensemble de la capitale
pour surveiller à chaque instant les progrès de son
armée. Celle-ci, d'après ce que me dit Rosny, il avait
divisée en dix parts égales et ycelles disposées pour
attaquer en même temps, les faubourgs Saint-
Antoine, Saint-Martin, Saint-Denis, Montmartre,
Saint-Honoré, Saint-Germain, Saint-Michel, Saint-
Jacques et Saint-Victor.

L'attaque se fit le 27 juillet à minuit par une nuit
fort noire. Tant est qu'étant à ladite fenêtre de
l'abbaye avec le roi, M. Duplessis-Mornay, M. de
Rosny (que le roi avait fait asseoir en raison de ses
navrures) et, si j'ai bonne mémoire, M. de Fresnes,
nous pensâmes de prime ne rien apercevoir du tout
dans cette obscurité, mais quand l'escopeterie
commença à faire rage de tous les côtés à la fois
autour de la ville, ce fut un spectacle tout à fait merveilleux que de voir ces bluettes de feu courir au-
dessus des faubourgs, telles, et si nombreuses, et si
admirables qu'on eût souhaité qu'un peintre les eût
pu fixer sur une toile. Mais, ce qu'il n'eût pu rendre
assurément, ce fut la noise et la vacarme (tantôt
reculée, tantôt proche) des voix confuses dans la
nuit, des cris, des appels et des arquebusades. Et
pour moi qui aime à me faire des réflexions de tout,

je me dis qu'à voir les choses d'un point de vue commodément lointain, la guerre est fort belle, si peu qu'elle le soit pour ceux qui la vivent de près. Et de près l'ayant vécue, à Ivry, et la vivant maintenant de loin, je ne doutais plus que pour d'aucuns princes vivant resserrés en leur palais, et non comme le nôtre chargeant avec ses troupes — encore que cette nuit-là il ne le pouvait faire, la cavalerie n'ayant aucune part en cet assaut — il est facile d'un trait de plume de mettre leurs armées en branle et de causer tant d'inexprimables maux tant à leurs propres sujets qu'à leurs ennemis. Et à la queue de cette idée, comme sa suite naturelle, me poignait aussi très vivement le sentiment que tant de Français naturels allaient cette nuit mourir de ce qu'ayant pris sa capitale au roi défunt, ils ne la voulaient rendre au roi régnant, ayant eu l'entendement tourneboulé et rassotté par les prêchaillons et les princes.

L'escopeterie commença sur la minuit et se continua deux grosses heures, au bout desquelles le dessein du roi si heureusement réussit que tous les faubourgs furent pris en même temps ! Evénement de grande conséquence pour ce que les armées du roi, ayant rétréci prou le périmètre du siège, se trouvaient quasiment sous les murs de Paris et bloquaient toutes les portes hors lesquelles ne se pouvait plus entrer ni saillir sans qu'elles l'eussent permis. Ainsi la pauvre Paris se trouva plus resserrée et contrainte qu'elle ne l'était la veille et les nécessités du pauvre peuple de deçà, plus grandes encore. Ce qui donna à tous le sentiment que les princes ne pourraient faillir d'entrer un jour proche en composition avec le roi.

Du simple arquebusier aux capitaines, et des capitaines au roi, cette victoire fut célébrée dans les faubourgs par des festins où viandes et vins ne furent pas épargnés. J'y pris part, fort heureux d'un succès qui, à ce que je croyais alors, mettait la paix à la portée de la main, mais fort triste aussi dans le pensement que les Français d'en deçà des murs manquassent de tout le pain que les Français d'au-delà si gaîment gaspillaient. Je me faisais aussi quelque souci pour Alizon, Franz et sa *liebchen* pour ce qu'ayant baillé à Pisseboeuf, avant de départir, l'ordre de continuer à les envitailler, je craignais qu'il eût oublié la consigne.

En ces agapes, je pris garde de ne me point mêler à la noblesse qui entourait le roi, mais demeurai avec les bourgeois, échevins, marchands et prévôts de son entourage avec qui je jouais mon rollet de drapier sans éveiller, à ce que je crois, la moindre suspicion, tant bien j'étais passé maître en cette comédie ; au demeurant, parlant fort peu, sous le prétexte d'une intempérie de la gorge, et m'asseyant modestement avec Miroul en bout de table et dans le coin le plus sombre.

Précautions qui n'empêchèrent point le bouffon Chicot qui musait par là de me reconnaître et de me venir dire à l'oreille :

— Tudieu, la Saignée, ta déguisure est parfaite, mais outre que je t'ai vu en cette attifure le jour des barricades, je t'ai reconnu à l'œil goulu et glouton dont tu espinchas cette accorte brunette quand elle te vint verser le vin de son pichet à ton gobelet. Vertudieu ! Que n'as-tu pu alors lui retourner la courtoisie, et verser ton gobelet en son pichet ! Eh quoi ! Tu ris, la Saignée ? Tu es bien le seul à t'esbouffer céans de mes saillies ! Mais viens, fils, viens t'attabler avec moi et ton commis vairon, en ce petit coin que voilà, où nous serons hors d'oreilles de ces bedondainants bourgeois.

— Chicot, dis-je à voix basse, quand nous fûmes assis, ma mission est secrète. Ma présence, céans, l'est aussi : que pas un mot sur elle, je te prie — même pour faire *un gioco di parole* — ne passe la barrière de tes dents ! Tu me mettrais à grand péril !

— Fils, tant promis, tant tenu. En outre, à qui parlerais-je ce jour ? Mon fils, tu vois céans un fort triste spectacle : un bouffon désoccupé.

— Qu'ois-je ? dis-je en levant le sourcil. Le roi t'a chassé de son sein, te trouvant trop piquant ?

— Point du tout. Mais comment ferais-je s'esbouffer un roi qui se bat du matin au soir? Chasse quand il ne se bat pas. Et quand il ne chasse, ni ne se bat, coquelique d'une poule à l'autre. Un roi, en outre, qui fait tout cela en riant comme fol, oubliant que le fol, c'est Chicot.

— Chicot, dis-je en riant, mais tu me fais rire, moi!

— Petit mérite, la Saignée, dit Chicot en branlant le chef, vu que tu es, comme Navarre, de cette déplorable race qui rit de par naturelle inclination. Ha, mon bon maître Henri Troisième, lui, quand il marinait interminablement en ses humeurs noires, c'était prouesse de le sortir de sa malenconie pour le remettre en selle et le raccommoder à sa condition de roi. Et là, Vertudieu, j'étais utile à mon souverain, à la Cour, au royaume et même à Dieu, qui ne peut vouloir la victoire des ligueux, puisqu'il est bon.

A quoi, je ris encore, ce qui fut à Chicot baume sur sa navrure, laquelle était, je crois, fort réelle, encore qu'il s'en gaussât.

— Mais le pis de la chose, reprit-il, c'est que le roi, aimant s'égayer, tout un chacun à la Cour travaille à lui en fournir l'occasion, qui par un bon mot, qui par un bout de vers, qui par un conte. En bref, tout un chacun céans me robe mon rollet et fait le bouffon à ma place. Rosny! Roquelaure! le maréchal de Biron!

— Mais point, cependant, M. Duplessis-Mornay.

— Ha! celui-là, je l'aime! dit Chicot. Dès qu'il s'entretient une petite demi-heure avec le roi, celui-ci est si mourant d'ennui qu'il me suffirait alors de lâcher un pet bien fier pour le dérider.

— Mais, Chicot, dis-je, je m'étonne! Passe encore pour Rosny et Roquelaure d'égayer le roi. Mais Biron! le sévère et sourcillant Biron!

— Si sais-je, dit Chicot, pour l'avoir ouï de mes propres oreilles; ois-moi à ton tour, fils.

— Ta goutte, Chicot! dis-je. Ote la goutte qui te pend au nez! Elle va te gâcher ta fraise.

— Au diable, dit Chicot en s'essuyant, ce maudit corps qui sécrète hors saison ses perpétuelles humeurs. Que disais-je ?

— Tu parlais de Biron.

— Si fait, Biron. Ois-moi. Se peut que tu ignores, fils, poursuivit-il en baissant la voix, qu'Henri installant son artillerie sur la colline de Montmartre, noua connaissance avec une nonnette de l'abbaye, et avec elle gaillarda.

— J'ai ouï en Paris, de la bouche écumante d'un de nos prêchaillons, que « ce bouc puant de Navarre avait forcé des nonnains et fait cocu Notre Seigneur ».

— Lequel Seigneur, dit Chicot en mettant la main devant sa bouche, pour étouffer sa voix, dispose de tant d'épouses en tous les couvents de la chrétienté qu'il peut bien en dispenser une au roi de France.

— Fi donc, Chicot ! C'est blasphème !

— Comme c'est calomnie de dire qu'il força la nonnain ! Soit que la belle trouvât pesant son vœu de chasteté, soit qu'elle s'apensât qu'un vit royal ne put qu'il ne la sanctifiât...

— Au bûcher, Chicot !

— Y finirai-je, dit Chicot, si la belle est absoute ? Or elle l'est, en toute apparence, le roi, en sa gratitude pour ses petits services, l'ayant promue tout de gob abbesse en l'abbaye de Pont-aux-Dames.

— La bien-nommée, dis-je en riant.

— Mais la chose ne s'arrête point là, reprit Chicot, car le roi, passant de Montmartre à Longchamp, prit langue en un couvent avec une autre nonnette, laquelle, pas plus que celle de Montmartre, ne fit la fière ni la farouche. Voyant quoi, et la préférant, le roi quitta Montmartre et à Longchamp s'installa. Or fils, tu dois savoir qu'en ces temps-là, Henri était fort importuné et pressé par M. d'O et tous les papistes royaux pour se convertir. Tant est que le trouvant un jour rêveux et soucieux à sa repue de midi, le maréchal de Biron, faisant le bouffon à ma place, va lui dire :

— Sire, avez-vous ouï les nouvelles ?

— Quelles, Biron ?

— Chacun dit à Paris que vous avez changé de religion.

— Comment cela ?

— Celle de Montmartre pour celle de Long-champ...

A quoi pour ne te rien cacher, lecteur, je ris du bon du cœur, et Miroul aussi, la main sur la bouche et la tripe secouée. Je le dis en toute révérence pour les églises, mais sans révérence aucune — depuis l'assassination de mon roi — pour les couvents et les abbayes, dont les murs ne sont si hauts et si épais que pour cacher bien des choses qui ne gagneraient point à être connues de tous.

Ayant appris de Rosny que mon père se trouvait en ma seigneurie du Chêne Rogneux pour s'y reposer et se curer d'une petite attaque de goutte, j'avais, outre la nécessité d'y mener Picard et Breton, et d'y faire à bon compte mon envitaillement, une raison de plus de m'y rendre. Mon congé quis et obtenu du roi dès le lendemain de la prise des faubourgs, je sonnai sans tant languir le boute-selle, ou plutôt le boute-coche, mais, maugré mon impatience, attendis la tombée du jour pour me présenter au pont-levis de ma demeure, afin que de n'être vu ni reconnu des manants et habitants de Montfort en traversant le bourg.

A ma très grande liesse, je ne trouvais pas dans mes murs qu'Angelina et mon père, mais autour d'une table bien éclairée de chandelles et fort bien garnie en flacons et viandes succulentes, tout ce que j'avais de famille et d'amis chers (hors mon frère aîné, lequel n'était, à dire tout le vrai, que peu nécessaire à mon bonheur) : à savoir : mon joli frère Samson, sa Gertrude et Zara, Quéribus et ma petite sœur Catherine, et, je le cite en dernier, combien qu'il ne fût pas le moindre, Fogacer. Je crus alors périr étouffé sous les embrassements et poutounes dont je fus de tous et de toutes parts joyeusement accablé, et à la parfin m'y dérobant, courus me décrasser en ma chambre et me mettre en vêture plus appropriée. Quoi fait, j'allais calin-caliner mes enfants que les chambrières avaient jà couchés. Et redescendant allègre, en la grande salle, je fus derechef entouré, caressé, touché, palpé, toqué, poutouné et les contrepoutounai tous à mon tour en une ivresse de mignonneries que je crus ne devoir jamais cesser tant notre réciproque affection nous rendait irrassasiables. Car le comble de la chose fut que, non content de m'embrasser, hommes et femmes s'entrembrassèrent par la suite en se congratulant, étant si félices de voir ma venue compléter et couronner leur réunion, et accompagnant ces mignardies de cris, d'exclamations, de soupirs et même de larmes, que je laisse au lecteur à imaginer.

Quand enfin, je m'assis, la joue humide de baisers, à la grande table, je redoublai leur joie en leur annonçant, la nouvelle n'étant pas encore parvenue jusqu'à eux, la prise par le roi des faubourgs de Paris, aucun des présents ne doutant alors que la prise de la capitale ne fût proche, et que les cruelles et interminables années de lutte fratricide ne dussent bientôt cesser. Cependant, sur ma particulière mission, je restai bouche close et comme personne d'entre eux n'ignorait mon rollet en Boulogne, en Sedan, le jour des barricades et entendait bien, à m'avoir vu, à mon advenue, attifuré en marchand, que j'y avais de fort bonnes raisons, nul ne présuma de m'interroger là-dessus, sauf à m'adresser taquinades et gausseries sur le sujet de ma barbe. Mais pour moi, je n'avais point à montrer tant de réserve et je ne fus pas chiche en interrogations infinies touchant l'un, touchant l'autre, et mes enfants, et ma baronnie, et la face des choses en Montfort, où je fus fort aise d'apprendre que depuis notre victoire d'Ivry et l'encerclement de Paris, les *politiques* gagnaient prou sur les ligueux.

Angelina me faisait face à table, et de tout ce temps, m'envisageait, coite et quiète, de ses beaux yeux noirs, où, certes, j'eusse pu lire une violente amour, si j'avais consenti à l'envisager plus long-temps que dans un battement de cil, étant écartelé entre le refleurissement de mes sentiments et le renouveau de mes doutes.

Après la repue, nous quîmes des dames notre congé, lequel elles nous baillèrent fort à rebrousse-cœur et retirés en la librairie, nous entrâmes tous cinq, j'entends : mon père, Quéribus, Samson, Foga-cer et moi-même en une jaserie à bâtons rompus sur l'un et l'autre, interrompus de prime par Gertrude qui, flanquée de sa Zara, vint recommander à Sam-son de ne point trop s'attarder en mâle compagnie pour ce qu'un de leurs enfants au logis était mal allant ; et à sa suite, par Angelina qui me vint dire à l'oreille, et en rougissant prou, qu'elle voulait m'entretenir en particulier avant que je ne m'allasse coucher.

Pour moi, j'allais de l'un à l'autre, ne pouvant me lasser de les voir et de les ouïr, et sentant bien que mon gentil Samson, après la recommandation de Gertrude, n'allait pas tarder à nous quitter, je l'entrepris sur le chapitre de son apothicairerie où, à mon grand étonnement, je ne le trouvais pas aussi loquace qu'autrefois, non, à ce que je crois, qu'il fût moins raffolé de ses bocaux, mais pour ce que, vivant entre deux femmes intarissables, il avait qua-siment perdu l'usage de la parole, mais non celle de l'obéissance, car à moins d'une demi-heure de là, il nous laissa, me confortant à son départir par la pro-messe de prendre avec nous le lendemain la repue de midi, ce que l'accompagnant dans la grand'salle, je me fis, par sûreté, confirmer par sa Gertrude, laquelle je submergeai de tant de compliments, que Zara s'en montra piquée, et qu'il me la fallut oindre, elle aussi, de gracieusetés infinies, y allant selon mon us, à la truelle, et non à la cuiller.

— Mais, mon Pierre, me dit mon père à l'oreille, quand je reparus à la librairie, qu'avez-vous ? Vous avez l'air quelque peu chiffonné ?

— C'est que, Monsieur mon père, dis-je, *sotto*

voce, je suis déçu de trouver en Samson un mari si docile.

— Bah! dit le baron de Mespech, Samson n'a point connu sa mère, et Gertrude, qui du reste est plus âgée que lui, lui en tient lieu, tout autant que d'épouse. Cependant, la souveraineté qu'elle exerce sur lui, si elle est absolue, est douce et bénéfique, car notre Samson est tant pétri de colombine innocence qu'il serait, sans Gertrude, confronté à de continuels périls, et s'il est, comme je crois, heureux en ses bocaux, et heureux en sa Gertrude, à la parfin, peu nous devrait chaloir qu'il se montre un peu trop pliable à ses volontés.

Là-dessus, mon beau Quéribus, qui s'entretenait à l'autre bout de la librairie avec Fogacer, nous vint avec lui rejoindre, et comme il me demandait des nouvelles de la Cour — dont il s'était tenu éloigné depuis un mois, ne se jugeant pas assez récompensé par Henri après ses exploits en la bataille d'Ivry — je lui en dis ma râtelée, qu'il écouta d'un air assez mal'engroin. Quoi voyant, et le voulant dérider, je lui contai l'histoire du roi et des deux nonnettes, qui de Montmartre, qui de Longchamp, et le mot de Biron. Mais c'est à peine s'il consentit à sourire, alors même que mon père et Fogacer s'esbouffaient.

— Ha! Monsieur mon frère! dit-je à la parfin, si le vois-je, et vous ne le pouvez nier : vous n'aimez guère le roi.

— En effet, dit mon beau Quéribus, lequel même en mon campagnard logis portait un splendide pourpoint de satin bleu pâle garni de deux rangées de perles véritables — attifure qui faisait honte à la vêture grise de mon père, et à celle, noire et usée, de Fogacer. Non que je trouve, poursuivit-il, que Navarre ne soit pas un bon roi, mais je n'ai qu'à jeter l'œil sur lui pour que les larmes me jaillissent de l'œil à me ramentevoir mon pauvre bien-aimé maître, lequel, comparé à celui-là, serait un Apollon comparé à Vulcain.

— Vulcain boitait, dit Fogacer.

— Et celui-là a les gambes courtes, dit Quéribus.

Quand je le vois, je vois le roi, mais non Sa Majesté. Il ressent beaucoup son soldat, étant fruste en son langage et rustre en ses manières.

— Rustre de *rus, ruris*, dis-je en riant, pour lui rappeler comment, en 1572, il m'avait provoqué en duel dans la cour du Louvre.

— En outre, poursuivit Quéribus, sans même daigner sourire, il n'a en son visage ni dignité ni gravité, porte des chausses élimées, pourpoint usé aux coudes, fraise froissée, sent l'ail et la sueur, mange debout comme un cheval, fait en ses propos le fol et le bouffon, et recherche la compagnie du commun. A Alençon, il a admis à sa table un artisan. Vous m'avez ouï : un artisan ! Et à Mantes, il a joué à la paume avec des boulangers !

— Louis XI lui non plus ne déprisait point la roture, dit mon père, et il était fort sobre en ses habits.

— Mais pour moi, cria Quéribus, j'aime qu'un roi soit roi, c'est-à-dire magnifique, comme l'était mon pauvre bien-aimé maître, lequel était roi, roi, vous dis-je, de la tête aux pieds, par sa vêture, par son abord, par ses pas et sa démarche, par sa suave gravité, par son parler exquis, par la splendide Cour qu'il maintenait, et par ses émerveillables libéralités. En ma conscience, rien ne lui ressemble aussi peu que celui-là ! Nous avons échangé un maître tout en or pour un maître tout en fer, lequel nous estime bien assez payés de nos labeurs guerriers, en nous promettant... une bataille ! Vertudieu ! Cela est bon pour les huguenots qui, étant ennemis de l'aise et des plaisirs, sont cousus dans leurs cuirasses comme des tortues !

— La grand merci pour les tortues, Monsieur mon gendre ! dit mon père en riant.

— Point d'offense, Monsieur, dit Quéribus en rougissant. Je respecte votre rude école, mais je n'ai pas été élevé ainsi. Quand à un homme de bonne étoffe, poursuivit-il en mettant les deux mains aux hanches et en faisant pivoter son torse élégant pour faire valoir sa taille de guêpe, le feu roi baillait cinq mille écus, il faisait mille excuses de ce chétif présent, élevant par mille suaves compliments la personne et les services dudit gentilhomme bien au-dessus du bon dont il le gratifiait. Mais Navarre, lui, n'a nulle honte à présenter cinquante écus à un gentilhomme de bonne maison tout en rabaissant ses services et en l'invitant même à mieux faire son devoir d'ores en avant.

— Le roi, dit mon père non sans gravité, garde le peu de pécunes qu'il a pour nourrir ses Suisses et ses armées. Et si Henri Troisième, au lieu de donner des centaines de milliers d'écus à Joyeuse, à d'Eper-non, et à tant d'autres de sa Cour, en avait gardé pour lever des troupes, il eût pu tuer la Ligue dans l'œuf, et bien des maux eussent été évités...

— Pour moi, mon frère, dis-je en jetant un bras par-dessus l'épaule de Quéribus, j'ai aimé le feu roi au-dessus de tout, mais j'aime celui-là aussi. C'est un soldat, et un soldat nous est bien nécessaire pour bien battre la Ligue.

— Vous aurez beau dire! dit Quéribus en secouant les bouclettes de ses blonds cheveux, lesquels grisaient quelque peu aux tempes, je ne serai jamais à lui que du bout du cœur. Cependant, poursuivit-il, observant que mon père l'envisageait d'un regard pénétrant, je lui demeurerai fidèle, l'honneur me commandant de rester en son camp pour venger l'assassination du feu roi.

— Voilà qui est bien dit et bien pensé, mon gendre! dit le baron de Mespech.

Là-dessus Quéribus prit congé de mon père et de moi, et voulut bien bailler à Fogacer un mot aimable et un sourire, tout roturier qu'il fût, Fogacer ayant soigné et curé sa Catherine d'une intempérie de la gorge.

— *Mi fili*, dit Fogacer dès que Quéribus fut hors, accompagné par mon père en ma grand'salle, je suis dans la désolation d'abuser de ta longue hospitalité, mais le haro n'ayant pas cessé contre moi en Paris — tant pour ma bougrerie que parce que je suis réputé athéiste —, je n'ai de présent d'autre toit que le tien.

— Où tu es, magister, le très bien venu, dis-je, jusqu'à la nuit des temps. Et d'autant que j'ai ouï que tu dispensais tes bonnes curations à ma famille, à mon domestique, à mes laboureurs. Le Chêne Rogneux ne peut faillir que d'être très honoré de se trouver curé par le médecin du feu roi.

— Lequel médecin, dit Fogacer, avec un rire aigu, et en arquant son sourcil diabolique sur son œil noisette, tue aussi bien qu'un autre...

— Et, dis-je après avoir souri un petit, étant impatient de mettre à profit l'absence de mon père pour le sonder, qu'en est-il de mon Angelina, et du mieux que tu as cru dans son comportement discerner ?

— Indubitable. Tant elle était exagitée, fébrile, irréfrénable, l'œil exorbité, les membres frénétiques, le visage enflammé, tant elle est, de présent, quiète et sereine. Tant elle était avec les hommes impudique, tant elle se montre avec eux de présent réservée — hormis avec moi, qui suis homme si peu. Tant elle battait ses chambrières, pieds et mains, les mordant et griffant, tant elle est maintenant avec les pauvrettes douce et patiente redevenue.

— Ha ! dis-je béant, voilà des nouvelles immensément confortantes ! Est-ce Alazaïs qui a accompli ce miracle ?

— Alazaïs, dans les premiers temps de son advenue céans, a imposé des bornes au furieux déportement d'Angelina. Elle ne l'a pas curée. La curation est venue de soi, sans que se puissent savoir le pourquoi et le comment.

— Du moins en as-tu quelque idée ?

— *Mi fili, hypotheses non fingo* [1], dit Fogacer, et en aucune province ni domaine du savoir. D'aucuns, pour exemple, disent : *Dieu a créé le monde*. Moi je dis : *Le monde est*. Et je n'en dis pas plus.

J'eusse répliqué à cette impiété, si mon père n'était rentré au même moment en la librairie. Quoi voyant, Fogacer qui imaginait bien qu'il avait à

1. Mon fils, je ne fais pas d'hypothèses. (Lat.)

m'entretenir en particulier, quit congé et de lui, et de moi. Et mon père, sur son départir, me trouvant rêveux et songeard, et en devinant la cause, me dit :

— Monsieur mon fils, n'êtes-vous pas un petit trop froidureux et rigoureux avec Angelina ? Durant votre longue absence, elle n'a eu que votre nom au bec, et votre pensée au cœur. A telle enseigne qu'ici depuis deux mois, je n'avais qu'à lui conter quelque menu fait de vos maillots et enfances pour que sa belle face s'éclairât. Je ne vois pas ce qu'on pourrait, de présent, trouver à redire à ses conduites. Pour moi, elle est telle que je la vis toujours.

— C'est, Monsieur mon père, que vous ne l'avez pas connue en ses folies.

— Toute femme, dit mon père, et se peut, tout homme aussi, a ses moments de déraison. Saviez-vous que votre mère, en son ire, avait tenté de poignarder Alazaïs ?

— Barberine me l'a conté.

Touchant Angelina j'aurais eu tant à dire et j'étais encore en tel doute rongeant quant à son identité, que je ne voulus pas en débattre plus avant et je dis :

— Qu'êtes-vous apensé, Monsieur mon père, de Quéribus et de son opinion sur le roi ?

— Les tortues mises à part, dit mon père, je dirais qu'elles reflètent la générale opinion de la noblesse catholique à l'égard de Navarre. Succéder au dernier Valois n'était pas facile, mon Pierre. Henri Troisième a fiché dans la noblesse une certaine idée du roi, point du tout aisée à éradiquer, et que je résumerais ainsi ; d'un côtel, le roi se doit d'être le parangon de toutes les élégances par la vêture, par les manières, par le langage, par le luxe de sa Cour ; et d'un autre côtel, il doit prodiguer son bien à tous et un chacun, dépassant tous les souverains de la chrétienté par d'immenses et continuelles libéralités, lesquelles, souvent, n'ont que peu de rapport avec les services rendus. Tant est que les nobles, comme des enfants gâtés, n'attendent du souverain maintenant que de perpétuels présents. Le Béarnais est trop huguenot pour l'entendre de cette oreille. D'où les deux griefs que vous avez ouïs : il est chiche-face et en son apparence et conduite, grossier.

— Grossier ? Le tenez-vous pour tel ?

— Cela me désole à dire, mon fils : il l'est parfois.

— Par exemple ?

— Ces deux nonnettes de Montmartre et Long-champ... Sachant que l'immense majorité de ce peuple est catholique, le roi devait-il l'affronter en commettant ce que ledit peuple tient à sacrilège ?

Ha ! m'apensai-je, je ne m'en étais pas avisé, mais certes il a raison. Et c'est fort délicatement senti pour un vieil huguenot qui eût pu, comme tant d'autres — comme moi-même — se gausser de l'aventure sans en apercevoir le côté offensant pour nos frères papistes. Je les appelle « frères », pour ce que je souhaiterais qu'ils deviennent à la parfin pour nous des Abels plutôt que des Caïns.

Je demandai alors à mon père ce qu'il en était de sa goutte.

— Vous connaissez, dit-il en riant, l'aphorisme d'Hippocrate : *L'enfant mâle n'a pas la goutte avant le coït ; la femme avant la ménopause ; l'eunuque ne l'a jamais*. Et moi, je tiens que la goutte est une intempérie qu'on se baille à soi-même par trop de viandes, trop de vin et pas assez d'exercitations. Mon Pierre, quand j'étais aux armées au siège de Paris, j'ai glouti et bu plus que de raison et encore que l'exercitation ne m'ait guère manqué, mon gros orteil dextre s'est mis tout soudain à enfler démesurément au point de me faire claudiquer comme votre oncle Sauveterre (à ce nom il détourna la tête et ses yeux bleus se remplirent de larmes). J'ai donc quis du roi mon congé et suis venu me mettre au vert en votre Chêne Rogneux, remplaçant vin par tisane et chapon par légumes.

— Et vous eûtes bonne curation de vos enflures ?

— Tout à plein, la Dieu merci. Je n'aimerais pas devenir goutteux, rogneux et podagreux comme le pauvre Mayenne...

A bien le considérer, il n'en prenait pas le chemin, étant droit comme un i, sans bedondaine aucune, l'œil clair, et cette gaîté de vivre au fond de l'œil qui rendait sa compagnie tant aimable qu'on oubliait, à s'entretenir avec lui, sa face burinée et son poil grison.

Je lui souhaitai la bonne nuit et du doigt allai heurter à l'huis d'Angelina, le cœur me toquant fort de l'appréhension que me donnait l'entretien qu'elle avait quis de moi. Je la trouvai debout en ses longues robes de nuit, lesquelles étaient de couleur azur et lui tombaient jusqu'à ses mignonnes pantoufles de velours bleu, le flot de ses épais cheveux blonds, dénoués, coulant jusqu'à ses reins, lesquels je vis en premier, pour ce que me tournant le dos, elle était accoudée, dans la douceur du soir à sa fenêtre grande ouverte sur la forêt des Mesnuls. La pleine lune l'éclairant quasi comme en plein jour, mais d'une lumière si suave qu'elle effaçait les quelques rides de sa maturité, et çà et là quelque gris égaré dans sa toison dorée, lui redonnant, par une miséricordieuse magie, le prime lustre de son âge verdoyant.

— Madame, dis-je en venant m'accouder à son côtel, le nœud de la gorge tant serré que je pouvais à peine parler, vous avez souhaité m'entretenir ?

— En effet, Monsieur, dit-elle sans me regarder et parlant d'une voix étouffée et trémulente. Ayant dit, incontinent, elle s'accoisa, comme si l'effort d'avoir prononcé ces paroles avait épuisé sa résolution.

— Parlez, Madame, dis-je, touché de quelque compassion, et par elle moi-même raffermi. Parlez sans crainte aucune.

— Eh bien, dit-elle en reprenant cœur, mais sans oser encore m'envisager, dès lors que je suis redevenue moi-même, j'aimerais que Florine, me pardonnant mes méchantises, revienne à mon service. Je l'ai toujours aimée, et elle me manque prou.

— Mais, Madame, dis-je, déçu assez de ce début, et ne pouvant croire qu'elle eût quis de moi cet entretien pour présenter une requête si modeste, êtes-vous tout à plein assurée de ne plus recommencer à la battre, à la piquer d'épingles et à la tabuster, comme vous le fîtes à la mort de Larissa ?

A ce nom, elle tressaillit violemment et à la clarté de la lune, je vis ses lèvres trembler et ses paupières battre. Cependant, elle se brida et dit :

— J'en suis tout à plein assurée.

Phrase qu'elle prononça d'un ton ferme, encore que sa voix fût trémulente.

— Je ne vois pas, dis-je, comment vous pouvez nourrir la pleine certitude dont vous vous prévalez.

— Monsieur, dit-elle en se redressant, comme piquée de mon doute, j'en suis assurée autant qu'on peut l'être, en ayant fait le serment au Dieu tout-puissant.

— Si j'en crois votre assurance, Angelina, dis-je d'un ton plus doux, cela voudrait dire que le temps de vos folies est passé.

— Mes folies ! dit-elle avec un haut-le-corps, et comme indignée, ha de grâce ! Monsieur mon mari, ne les appelez pas ainsi ! Ces folies n'étaient pas les miennes !

— Et de qui d'autre ? dis-je en haussant le sourcil.

— Mais de Larissa ! dit-elle en ouvrant tout grands les yeux, comme si elle se fût étonnée de mon aveuglement. De Larissa, reprit-elle, qui m'habita dès qu'elle fut morte et me dicta ma conduite.

Réplique qui me laissa béant, non pas tant par son contenu, que je connaissais jà, que par son ton d'entière et tranquille conviction.

— Angelina, dis-je avec patience, cela est pure déraison. Vous ne pouvez être à la fois vous-même et Larissa, ni dans le même temps, ni même en succession. Si vous êtes ce jour d'hui redevenue Angelina, c'est que vous n'avez été Larissa que par la plus calamiteuse des imitations.

— Que non ! Que non ! Que non ! cria-t-elle avec passion, je ne l'imitais pas. Elle m'habitait !

A quoi, voyant bien que je ne la ferais jamais branler de cette certitude, je réfléchis un petit, et me résignant à entrer dans son jeu (non sans quelque mésaise) je lui dis :

— Et quand Larissa a-t-elle cessé de vous habiter ?

— La chose, dit-elle avec un souci d'exactitude, qui ne laissa pas de me frapper, ne s'est pas faite d'un seul coup, mais par degrés. Et le premier degré fut atteint quand vous désunîtes nos sommeils.

— Ce fut, dis-je d'un ton froidureux assez, le lendemain du jour où vos avances à M. de Saint-Ange furent de moi connues.

— Mais ce ne furent pas *mes* avances ! cria Angelina avec indignation. Larissa porte seule la responsabilité de cette honteuse et déshonorée conduite !

— Poursuivez, Angelina, dis-je avec un sentiment d'impuissance et de lassitude. Poursuivez de grâce ! Vous n'en êtes encore qu'au premier degré de votre séparation d'avec Larissa. Quand vint donc le deuxième ?

— Quand vous plaçâtes Florine chez Gertrude. Et le troisième, quand à quelques mots que vous prononçâtes à votre départir, j'entendis à la parfin que vous me suspicionniez de n'être pas Angelina, mais Larissa.

— J'ai nourri en effet ce soupçon, dis-je lentement. Et pour dire le vrai, il m'échoit de le nourrir encore.

— Ha ! Monsieur ! dit-elle en m'envisageant d'un œil accusatoire, vous eussiez dû pourtant vous aviser d'un moyen bien simple de vous prouver à vousmême le contraire, et sur ce chef, de m'innocenter tout à plein !

À quoi, sans répliquer, je levai les sourcils, béant qu'elle eût su à ce point renverser les rôles que j'eusse dû, à l'en croire, quasiment battre ma coulpe d'avoir entretenu ces doutes à son sujet.

— Eh bien, dis-je d'un ton mal'engroin comme elle s'accoisait, ce moyen ? — pensant qu'il ne pouvait être autre que de passer le doigt sur sa mouche pour n'y point sentir de relief. Ce qui, comme bien le sait le lecteur, n'eût rien prouvé, la verrue de Larissa ayant été éradiquée en mon absence par un charlatan.

Mais derechef, la réponse d'Angelina me prit sans vert et me décontenança.

— Monsieur mon mari, dit-elle d'un air de grand embarras et en rougissant prou, j'ai grand'honte et vergogne à vous oser dire ce qui suit, tant je crains que vous n'estimiez que mon propos n'aille au-delà de ce qui est attendu de la pudeur d'une femme.

— Madame, parlez ! dis-je, étonné de ce début qui trompait fort mon attente. Parlez sans tant languir ! Parlez sans fard aucun ! Je ne faillirai de présent ni à la patience ni à la bénignité que je vous ai toujours montrées.

— Monsieur, dit-elle avec un petit salut de la tête et son grand œil noir fiché dans le mien, je vous rends mille grâces de vos bonnes dispositions. Voici donc ce qu'il en est, puisque vous me commandez de parler sans détour. Il vous ramentoit, se peut, que Larissa, maugré les désordres de sa conduite — et ils furent nombreux — ne put, par bonheur, jamais concevoir, étant atteinte d'une stérilité contre laquelle rien ne prévalut mie. Ce fut là, sa vie durant, sa grande et essentielle différence avec moi, sa jumelle, qui non seulement vous bailla six enfants, mais n'est pas si vieille qu'elle ne puisse à nouveau porter un fruit de vous, si vous jugiez à propos d'éprouver derechef sa fécondité.

— Angelina, dis-je, que ne m'avez-vous plus tôt lancé cette sorte de défi, j'entends, lors de mon dernier séjour céans ? Vous m'auriez épargné d'innumérables tourments !

— Mais je ne le pouvais alors, dit-elle en baissant la paupière. Larissa m'habitait !

— Ha ! dis-je d'un ton chagrin, nous en revenons toujours là !

— Nous y revenons toujours, parce que c'est vrai ! s'écria avec passion Angelina en m'envisageant œil à œil. Ha ! Je vous en supplie, mon Pierre, n'en doutez pas !

Ce regard, ce cri, cette véhémence ne furent pas sans effet sur moi et tout opposé que je fusse en ma raison raisonnante à l'incrédible thèse qu'elle soutenait, je connaissais trop Angelina pour douter plus avant de sa sincérité, et pour ne pas penser que, si peu véritable qu'elle m'apparût, c'était là sa vérité — ou dirais-je du moins, la vérité qu'elle avait façonnée après sa guérison, pour répondre de son intempérie.

— Madame, dis-je, tout ceci est si neuf pour moi que j'y vais rêver un petit encore, avant de vous dire ce que j'en pense et ce que j'aurai résolu. Soyez pourtant assurée que je ne désire rien tant que renouer avec vous ce doux commerce et cette fiance sans limites qui furent si longtemps les nôtres.

Quoi voyant, et la voyant fort frémissante de cet entretien, et les larmes au bord de l'œil, je lui pris la main, la pressai tendrement contre les lèvres, et lui souhaitant le bonsoir, la laissai à son repos ou, si j'en juge par ce qui fut la mienne — à une nuit désommeillée.

Le lendemain, je voulus voir en privé Alazaïs pour me faire une religion sur l'évolution d'Angelina, et dès la pique du jour, je la fis appeler en ma chambre par Miroul, lequel voyant bien à mon œil que je la voulais seule entretenir, s'ensauva.

— Alazaïs, dis-je, sachant que l'austère chambrière était femme de peu de mots, et qu'on lui pouvait parler sans préambule, qu'en était-il du déportement d'Angelina quand tu advins céans ?

A quoi Alazaïs, les mains derrière le dos et l'œil à terre, réfléchit un petit, ayant l'air de ruminer ma question en ses vigoureuses mâchoires, et sous son front têtu, forte huguenote qu'elle était, moustachue et carrée, vraie montagne de femme, haute de six pieds, mais sans le moindre contour : du tétin comme sur ma main, et à peine plus de fesse qu'un squelette mais l'âme plus garnie de vertus qu'un chien de puces.

— Moussu, dit-elle d'une voix rude et grave, Mademoiselle Angelina n'était point à la vérité si amalie que je croyais en arrivant céans. Car il se voyait à vue de nez qu'elle attentait de son mieux de se brider contre son démon, me faisant après coup excusations pour ses insultes, versant des larmes, priant prou et se mortifiant.

— Son démon ? dis-je, l'appelait-elle ainsi ?

— Nenni. Elle le nommait « ma sœur » ou « ma jumelle » ou « Larissa ». Elle disait qu'elle était par elle habitée.

— Et qu'en es-tu apensée, toi ?

— Se peut que ce soit bien un peu vrai, dit Alazaïs en soulevant ses larges épaules. Menteuse, elle n'est.

— La merci à toi, Alazaïs, dis-je en me levant, comprenant bien que je n'en tirerais rien de plus.

— Moussu, dit Alazaïs, sans du tout bouger son grand corps, que si Mademoiselle Angelina est remise dans ses gonds et la Florine pour revenir céans, plaise à vous de me renvoyer en mon Périgord ; je n'aime point tant les gens d'ici et mon pays me fait défaut.

— Je le dirai à mon père, Alazaïs, puisque tu es de son domestique.

Le soleil, en cette fin juillet, brillait le jour d'un vif éclat laissant place, la nuit, à une pleine lune dont la lumière suave, bien il me ramentoit, pénétrait fort avant dans la chambre d'Angelina, tandis que soulevé sur mon coude, je la regardai dormir, lasse de nos tumultes. Belle lectrice, si vous avez comme moi contemplé en son endormissou l'objet de votre amour, vous n'avez pu oublier quel pur ravissement gonfla alors votre tendre cœur ! Pour ce qu'il est là, l'être que vous aimez, accoisé, quiet, sans yeux et sans oreilles, tout ce qu'il a de vie ne vivant qu'avec vous, si faible, si doux, si désarmé, si innocent de ses erreurs, si inconnaissant de ses grâces, ignorant même le bonheur qu'il vous donne... Ha ! m'apensai-je, mon Angelina, où sont de présent les souffrances que notre estrangement t'a baillées et celles, innumérables, que tu m'as afflictées ? Où sont en allés ces mystères, ces doutes, ces anxieusetés et l'inintelligibilité de ton âme ? Où sont ces poulpes dans les profondeurs remuant ? Dieu bon ! Si j'avais deux sols de bon sens, ne devrais-je pas cesser ces interrogations infinies, et me contenter d'aimer — fût-ce en aveugle — l'Angelina que je vois là : une île de moi à demi déconnue...

Le plancher secret de mon coffre fort abondamment garni en vivres (lesquelles je n'eus pas à aller bien loin pour quérir) il me fallut, quoi que j'en eusse, sonner sans trop languir le boute-selle pour ce que je nourrissais alors le pensement naïf que si je délayais plus outre, il pourrait bien m'échoir d'advenir à Saint-Denis après la reddition de Paris. Tant aveugles sont les hommes, même au plus proche avenir!

J'endossais donc derechef ma défroque de marchand drapier et saillis de Mespech à la nuit tombante, mon père et Angelina m'accompagnant à cheval un bout de chemin, jusqu'à la sortie de Montfort. Et là, commandant à mon Miroul d'arrêter, je pris congé de mon père et Angelina, démontant, et me venant retrouver dedans la coche pour un adieu plus particulier, mon père tenant la bride de sa haquenée, elle me jeta les bras autour du col et me quit à l'oreille de lui donner une adresse à laquelle elle pût m'écrire, si elle se trouvait porter un fruit de moi du fait de nos retrouvailles.

— Angelina, dis-je, en Paris, cela ne se peut. Mais si vous voulez me dépêcher une lettre missive, adressez-la à M. de Rosny, Grand'rue en Saint-Denis. Je ne doute pas qu'il réussisse à me la faire parvenir. Mais, mon Angelina, repris-je, pouvez-vous donc derechef écrire? Votre pouce n'est plus travaillé de la goutte?

— Il ne le fut jamais, dit-elle avec vergogne, la paupière baissée, cette intempérie était un des mensonges où Larissa, morte, m'a contrainte.

Cette réponse me laissa béant, et pour plus d'une raison. Car bien je me ramentevais avoir appris le décès de Larissa par une lettre de Florine, laquelle me disait qu'elle avait pris la plume à la place de Mademoiselle Angelina, celle-ci pâtissant prou, du fait que la goutte lui gonflait et durcissait le pouce. A vrai dire, cette circonstance seule n'eût pas suffi à me faire dresser l'oreille. Mais quand j'eus revu Angelina et observé un déportement si semblable à celui de Larissa, le soupçon que celle-ci s'était substituée à mon épouse se trouva fortifié par cette prétendue goutte, fort improbable, au demeurant, chez une femme encore jeune, qui mangeait peu et buvait moins encore. Or, s'il est une chose où Larissa n'eût jamais pu imiter Angelina, et se faire passer pour elle, c'était bien son écriture, car son éducation avait été fort négligée dans les couvents où ses folies l'avaient tenue serrée. Tant est qu'elle pouvait à peine griffonner deux mots, et ceux-là illisibles, alors que sa sœur était maîtresse d'une écriture élégante et ferme, et d'un style excellent. Adonc la promesse que je venais d'ouïr des lèvres d'Angelina de m'écrire — ce qu'elle n'avait jamais fait tous ces mois écoulés — me parut aller de pair avec le défi que l'on sait d'éprouver sa fécondité.

Ces pensées que je viens de dire me traversant l'esprit dès qu'elle eut parlé et crépitant de plus de joies possibles qu'un orage d'éclairs, j'eusse pu, à ce moment même, quérir d'elle, par quel incrédible mystère Larissa, morte, avait pu la contraindre à mentir au sujet de son pouce. Mais mon père attendait, l'heure était tardive, la haquenée d'Angelina tirait fort sur sa bride, et surtout, je fus emporté par ma fiance nouvelle, et par l'anticipation brûlante que je sentais en moi et si proche, et à ma portée, de recevoir une lettre qui me donnerait tout ensemble l'inouï bonheur d'être de la main d'Angelina et de m'annoncer sa grossesse, double et décisive preuve qui soulageait infiniment mon cœur du poids écrasant de mes suspicions. Tant est que sans dire mot ni miette, mais versant des larmes, aux siennes sur nos joues mêlées, je couvris son cher, son beau visage, d'un million de baisers, avant de lui dire, d'une voix entrecoupée, qu'il était temps enfin, qu'elle me devait quitter et se remettre en selle.

En Saint-Denis, j'allai droit au logis de M. de Rosny qui par bonheur se trouvait là, immobilisé par sa gambe doulante, et à qui je demandai de nous bien vouloir héberger, ma coche, mon Miroul et moi, sous couleur d'échapper à l'hospitalité inquisitive de my Lady Markby, en réalité parce que j'avais quelque scrupule à boire derechef les philtres de ma Circé anglaise, maintenant que j'avais renoué mes liens avec Angelina.

— La Dieu merci, dit-il, Siorac, vous tombez du ciel! Ma gambe ce matin tant me tabuste que je ne peux ni marcher ni monter à cheval. Et sans votre coche, mon cher Siorac, je n'eusse jamais pu me rendre sur le coup de midi au cloître de Saint-Antoine-des-Champs.

— Ventre Saint-Gris! dis-je en souriant, allez-vous y faire vos dévotions?

— Quoi? dit-il, ne savez-vous pas? Paris nous envoie, pour traiter avec nous, son évêque, le cardinal de Gondi, et Pierre d'Epinac, l'archevêque de Lyon.

— *Babillebahou!* comme dit Mme de Nemours. Deux prélats! Ne risquent-ils pas d'être excommuniés à s'entretenir avec un excommunié, lequel, au surplus, est relaps?

— Ils ont obtenu du légat Cajetan dispense pour lui parler.

— Une dispense! dis-je, c'est merveille! Qui fait la loi la défait aussi! Et le cloître? repris-je, étant mis en joie par cette palinodie. Qui a choisi le cloître de Saint-Antoine?

— Mais le roi, dit Rosny avec un sourire entendu.

— J'imagine pour sanctifier l'entrevue.

— Se peut, mais se peut aussi pour convoquer la noblesse, voulant montrer aux prélats combien nombreux sont les gentilshommes catholiques qui combattent avec lui.

— Baron, dis-je, irez-vous seul avec ma coche, ou tout roturier que je sois, oserais-je vous accompagner?

— Oserai-je, Siorac, vous priver de cet immense plaisir de voir nos deux chats-fourrés aux prises avec le subtil Béarnais? Vous serez mon secrétaire! Cependant, bouchez-vous bas le front de votre grand chapeau : vous avez des yeux si parlants.

Nous fûmes les premiers du parti du roi à atteindre le cloître de Saint-Antoine-des-Champs où nous vîmes de loin nos deux grippe-minauds, magnifiquement vêtus qui de sa robe pourpre, qui de sa robe violette, et suivis de quelques clercs, mais sans hommes d'armes ni capitaines. Rosny leur fit de loin un grand salut, mais sans approcher, et lui devant, et moi humblement derrière, nous musâmes de l'autre côté du cloître, lequel était fort beau, et aussi fort vaste, circonscrivant par les quatre côtés de son déambulatoire une cour pavée d'une grande amplitude, mais qui, sur le coup de midi, parut soudain fort petite, quand elle fut envahie, non sans quelque noise et vacarme par la suite du roi, laquelle comptait bien un bon millier de gentilshommes, sinon plus, tous l'épée au côté, et arborant cuirasse, le roi qui marchait devant eux, fort pressé par cette multitude, portant seul un pourpoint pour lequel il avait été à quelques frais de toilette, car il me parut neuf assez, et sa couleur feuille morte, point trop passée.

A son advenue les deux prélats s'inclinèrent profondément mais sans se génuflexer, ni lui baiser la main, ce qui voulait dire, j'imagine, qu'ils ne le reconnaissaient point pour le roi de France. Henri, quant à lui, sans marquer le moindrement qu'il en fût piqué, leur ôta son chapeau avec quelque bonhomie et, se recoiffant, leur souhaita la bienvenue d'une voix enjouée en les priant de lui dire succinctement la matière de leur ambassade. Et comme à cet instant, il fut quasiment trop serré par sa suite de gentilshommes, lesquels se bousculaient quelque peu pour se pousser au premier rang, dans la curiosité qui les tenait d'ouïr et de voir ce qui s'allait passer, Henri sourit, et dit au prélat :

— Ne trouvez pas étrange, Monsieur le Cardinal, si je suis ainsi pressé par mes gentilshommes. Ils me pressent encore davantage aux batailles.

Quoi oyant, les gentilshommes cuirassés, fort contents qu'on louât leur vaillance, firent entendre, si j'ose m'exprimer ainsi sans disrespect, le gronde-

ment d'aise de chiens à l'attache qu'on va désenchaî-
ner. Quant à moi, me trouvant au coude à coude
avec M. de Rosny, et prenant des notes de cet entretien, comme il me l'avait commandé, je vis bien que
l'œil d'Henri eut un petit pétillement de plaisir et de
malice à voir ainsi étalée sa force aux yeux des ennemis.

— Messieurs, reprit-il de son même ton enjoué,
qu'avez-vous affaire à moi ?

— Sire, dit le cardinal de Gondi, qui fut le seul de
nos deux chats-fourrés à prendre la parole en cet
entretien, la robe pourpre ayant préséance sur la
robe violette (ce qui n'est pas à dire que le rusé et
avisé archevêque de Lyon n'avait pas eu son mot à
dire dans le façonnement de cette entrevue, tant en
matière qu'en manière), une Assemblée des plus
notables de Paris nous a délégués à vous pour tâcher
de rhabiller les grands maux qui visitent de présent
ce royaume tant désolé.

Henri eut ici un haussement de sourcil, comme
s'il voulait donner à entendre que ces maux n'étaient
pas de son fait, lui qui était le roi légitime de la
France, mais bien de ses sujets rebelles. Cependant,
sans donner voix au pensement que sa mimique
avait révélé, il se contenta de dire :

— Messieurs, voulez-vous me montrer le pouvoir
que ladite Assemblée vous a donné pour parler en
son nom ?

Ce qui prit quelque temps, car le roi voulut lire le
document d'un bout à l'autre, sans en omettre un
mot.

Et tandis que mon roi se trouve ainsi occupé, belle
lectrice, qui a bien voulu m'agréer comme son
régent et gouverneur en l'exposé des affaires politiques, peux-je vous dire, tandis que votre chambrière vous pimploche, et qu'une autre vous tend le
miroir où vous admirez vos grâces, que ce cardinal
de Gondi, qui traitait avec le roi quasi en égal, émanait d'une grande famille florentine qui, en France
comme en Italie, brillait, avait brillé et devait briller
jusqu'à la fin des siècles, dans les trois branches de

l'activité humaine qui requièrent le plus de sagacité : la Banque, l'Eglise et la Diplomatie.

Quant à ce Pierre de Gondi plus précisément, Pierre — comme Pierre d'Epinac, mais je doute que sur ces pierres-là, qui sont de complexion si changeante, on puisse bâtir une Eglise éternelle —, il était le neveu de Jean-Baptiste de Gondi qui fut à la fois le banquier et le maître d'hôtel de Catherine de Médicis, à la faveur de qui le Florentin dut, et sa fortune, et celle de son neveu, ici présent, et bien sûr, de sa famille entière, ces Italiens, comme on sait, ayant, même quand ils sont papes, un merveilleux attachement à la *gens* [1] dont ils sont issus.

Au contraire de Pierre d'Epinac, qui n'avait qu'un seul cœur tout entier attaché à la Ligue, Pierre de Gondi en avait trois : le premier pour la pécune, le second pour l'autel, le troisième pour les grandes affaires du royaume, ces trois cœurs s'accommodant entre eux comme ils le pouvaient, la tournure des choses n'étant pas si simple, ni l'avenir si clair, pour qui appétait avant tout à surnager, une fois qu'aurait pris fin, d'une manière ou d'une autre, la tempête de nos guerres fratricides. Et pour moi, à envisager sa physionomie fine, aimable et renardière, je me pris à penser que quiconque triompherait en cette guerre — Henri IV ou Philippe II d'Espagne — serait bien assuré de pouvoir employer à son service les talents si souples et si divers du cardinal de Gondi.

— Sire, dit le cardinal d'une voix suave, vous avez pu lire par le présent pouvoir que les plus notables de Paris nous ont délégués vers le roi de Navarre pour rechercher une pacification générale du royaume, et s'ils ont son agrément, iraient ensuite trouver le duc de Mayenne, pour l'induire à rechercher avec lui ladite pacification.

— Monsieur le Cardinal, dit le roi d'un ton roide assez, et en sourcillant quelque peu, je vous arrête

1. Famille au sens large du terme, y compris le domestique et la « clientèle ». (Lat.)

là. Vous ne parlez pas céans au roi de Navarre. Si je n'étais ici que le roi de Navarre, et si vous me considériez véritablement comme tel, je n'aurais que faire de pacifier Paris et la France, et vous n'auriez que faire de me demander cette paix.

A quoi, le cardinal de Gondi, qui ne pouvait, ni reconnaître à Henri la qualité de roi de France, puisque la Ligue dont il était l'ambassadeur la lui contestait, ni la lui refuser, puisqu'il lui demandait la paix (ce qui était bien, en quelque mesure, reconnaître *de facto* sa légitimité) prit un parti auquel les diplomates excellent, quand ils sont à l'impuissance réduits : Il se tut. Mais il se tut avec beaucoup de grâce, faisant à Henri une profonde révérence, accompagnée d'un sourire connivent et d'un brillement de son œil velouté, lesquels laissaient entendre qu'il était en son for d'accord avec son royal interlocuteur sans cependant pouvoir l'exprimer par des mots — ne fût-ce, de reste, qu'en raison de la présence à ses côtés de l'archiligueux d'Epinac qui, se peut, n'avait été à lui adjoint que pour le surveiller.

Ce que voyant Henri — dont la subtilesse gasconne valait bien la finesse italienne — et qui entendait bien que ce genre d'homme fluctuait au gré des marées, descendant avec l'une et remontant avec l'autre, il se radoucit prou et reprit avec son ton enjoué :

— Encore que ce terme de « roi de Navarre » que votre pouvoir emploie aille contre ma dignité, je ne m'amuserai pas plus avant à cette question de forme, si grand est mon désir de voir mon royaume en repos. Car j'entends bien que vous m'invitez à rechercher avec le duc de Mayenne une pacification générale au terme de laquelle Paris me serait rendue. Est-ce bien cela votre propos ?

— C'est bien cela, Sire, dit le cardinal de Gondi avec un nouveau salut.

Le roi s'éloignant alors de lui, et se tournant vers trois de ses principaux conseillers, Duplessis-Mornay, Rosny et le maréchal de Biron, les espincha d'un œil entendu et gaussant, et *sotto voce*, dit en oc à Biron, qui était périgordin :

— Tout ce que ces chattemites cherchent, c'est gagner du temps, pour permettre au duc de Parme de les secourir.

Ayant fait là-dessus un clin d'œil, il revint vers les ambassadeurs et se campa devant eux et dit d'une voix claire qui fut ouïe de tous :

— Messieurs, je ne suis pas dissimulé. Je dis rondement et sans feintise ce que j'ai sur le cœur. Je veux une paix générale. Je la veux. Je la désire, afin de pouvoir par elle acquérir les moyens de soulager mon peuple, au lieu qu'il se perde et se ruine, comme hélas je vois. Que si pour gagner une bataille, je donnerais un doigt, pour une paix générale, j'en donnerais deux ! Mais ce que vous demandez ne se peut faire.

Après cette dernière phrase prononcée d'une voix forte, Henri s'accoisa et tournant le dos aux deux prélats, marchait qui-cy qui-là dans le cloître.

— Sire, dit le cardinal de Gondi qui parut plus déconcerté qu'un chat qui a glouti une arête, et de toute manière, ne pouvait se consoler si vite de voir sa petite bulle de paix, toute trompeuse qu'elle fût, éclatée d'un seul coup d'épingle, plaise à Votre Majesté de nous faire entendre pourquoi ce que nous demandons ne se peut.

— Messieurs, reprit le roi, en revenant à eux et parlant à sa manière brève, abrupte et galopante, j'aime ma ville de Paris. C'est ma fille aînée. J'en suis jaleux. Je lui veux faire plus de bien qu'elle ne m'en demande. Mais je veux qu'elle doive ce bien à ma clémence, et non au duc de Mayenne, et non au roi d'Espagne. En outre, ce que vous requérez, à savoir de différer la capitulation de Paris jusqu'à une paix générale, ne se peut faire qu'après une multitude d'allées et venues entre Mayenne et moi, délai qui est très préjudiciable à moi et plus encore à ma ville de Paris, qui, étant si affamée, ne pourra attendre si longtemps.

Ayant dit, les larmes lui vinrent aux yeux, et

encore que je susse bien qu'Henri pleurait à volonté, étant un *commediànte* tout à plein accompli, je ne doutai pas que ces larmes-ci fussent sincères, ainsi que les paroles qui les accompagnaient.

— Messieurs, poursuivit-il d'une voix émue, il est déjà mort tant de personnes de faim que si Paris attend encore huit jours, il en mourra dix ou vingt mille de plus. Ha, Messieurs ! Quelle étrange pitié ce serait ! Messieurs, je suis cette vraie mère dans le livre de Salomon qui aima mieux abandonner son fils à la fausse mère que de le laisser couper en deux par la justice. Et je confesse que je préférerais n'avoir jamais Paris que de l'avoir toute ruinée, perdue et dissipée par la mort de tant de Français.

Ce discours compassionné embarrassa d'autant plus le cardinal de Gondi qu'il ne pouvait le réfuter sans paraître impiteux à l'égard des Parisiens, ce qui ne convenait ni à son ambassade, ni à sa robe, ni, se peut, à sa complexion. Mais ses mérangeoises (comme disait Henri, en parlant, je suppose, de sa cervelle) ne faillaient ni en souplesse, ni en ressort, ni en ressources, et après s'être accoisé un petit, il dit de sa voix suave :

— Sire, si bien je vous entends, vous tenez à ce que Paris à vous se rende avant une pacification générale, alors que nous pensons que ladite pacification devrait précéder ladite reddition de Paris ; la raison est que si la ville est rendue à vous sans une paix signée, le duc de Mayenne et le roi d'Espagne la viendront bientôt assiéger et la pourraient reprendre.

— Pardieu ! s'écria le roi en se retournant pour embrasser de l'œil le bon millier de gentilshommes qui, se pressant derrière lui, occupait le cloître et la cour, si ceux-là viennent s'y frotter nous leur montrerons bien que la noblesse française se sait défendre !

Puis tout soudain se reprenant et corrigeant, il dit :

— J'ai juré contre ma coutume. Mais je vous dis encore, par le Dieu vivant, ma noblesse et moi ne souffrirons pas cette honte !

Les gentilshommes cuirassés poussèrent alors tous ensemble une hurlade tant forte qu'elle eût pu déboucher un sourd, acclamant le roi pour ses paroles, d'aucuns disant qu'il n'avait pas juré sans cause, et que son propos valait bien un bon jurement...

Après cette noise et vacarme, Henri, tournant le dos aux prélats, jeta à ses conseillers un œil gaussant et goguelu comme pour les inviter à s'applaudir du bien joué de sa noblesse — laquelle il avait si bien mise à feu — et puis changeant de visage en un battement de cil, et faisant face aux ambassadeurs, il reprit du ton bonhomme qu'il affectionnait :

— Messieurs, afin de vous ôter l'opinion que vous pourriez avoir que je presse trop les Parisiens, je viens de m'aviser d'un moyen qui les pourrait satisfaire. Ils espèrent un prompt secours du duc de Mayenne. Eh bien, Messieurs, discutons ensemble un accord sous lequel Paris se rendra à moi au cas que, dans huit jours, elle ne sera pas secourue par le duc.

Je mettrais du désordre dans mes métaphores, si je disais que mis au pied du mur, le cardinal de Gondi recula. Mais c'est bien pourtant ce qu'il fit.

— Sire, dit-il, nous n'avons pas pouvoir de l'Assemblée des gens notables de Paris de dresser un tel accord avec vous. Et assurément, ladite Assemblée ne voudra pas non plus s'y résoudre avant d'envoyer à M. de Mayenne pour savoir ce qu'il en pense.

A quoi, Henri se tournant vers ses conseillers en levant un sourcil, le maréchal de Biron dit en oc :

— Sire, ils atermoient et nous veulent amuser.

— C'est clair, dit le roi *sotto voce*.

Mais revenant aux prélats, l'œil enjoué et le ton bonhomme, il dit fort civilement :

— Eh bien, Messieurs, faites comme vous l'entendez. Je vais vous faire reconduire dans les murs en toute dignité et considération. Et dites bien, je vous prie, aux Parisiens, que je ne leur refuse pas la paix, mais que bien au rebours je leur tends mes deux bras grands ouverts et que pour peu qu'ils acceptent mes conditions, je leur veux faire plus de bien qu'ils ne s'en sont fait à eux-mêmes jusqu'ici...

Cet entretien eut lieu, comme j'ai dit déjà, le 6 août entre midi et une heure dans le cloître de Saint-Antoine-des-Champs. Or, lecteur, le 8 août, me trouvant dedans les murs de Paris, j'allai à messe à Notre-Dame, pour ce qu'Héloïse m'avait dit que Boucher y devait prêcher. Et en effet, je ne fus pas déçu, car l'homme dont la bedondaine n'avait nullement décru avec la longueur du siège et de qui la face rougeoyait comme les fournaises de l'enfer, était tant plus sanguinaire que jamais, vomit un milliasse d'injures contre le Béarnais, appelant de nouveau de ses vœux ardents un « autre vénéré Jacques Clément » pour l'occire, et claironnant, au surplus, que lui, Boucher, curé de Notre-Dame, savait de source certaine (cette source étant celle, je suppose, qui coulait, charriant pécunes, de la bouche de la Boiteuse) que M. de Gondi et Mgr d'Epinac, ayant sailli hors pour encontrer ce bouc puant de Navarre dans les faubourgs, et l'ayant trouvé à peine réveillé du stupre où il s'était ventrouillé avec des nonnettes ravies au Divin Epoux (ici Boucher rougit davantage et se signa) lui avaient proposé une bonne et générale pacification, laquelle, tout de gob, ce fils de putain huguenote avait tout à plat refusé, disant, en jurant le saint nom de Dieu, qu'il n'appétait qu'à deux choses : la première, de détruire tout à trac nos églises. La seconde, de mettre la corde au col de tous les Parisiens.

CHAPITRE IX

Ce même jour, j'allais porter l'envitaillement du roi à la Montpensier, mais Franz m'ayant dit qu'elle était à visiter sa mère, je me rendis chez Mme de Nemours, qui me reçut fort gracieusement, et à qui, ma coche étant remisée hors vue en son écurie, je découvris ma cache et remis les cadeaux du roi. Je leur laissai, de reste, le soin de se les entredistribuer, incluant ou non dans le partage Mme de Guise, puisque Henri avait parlé de « ses bonnes cousines, les princesses lorraines ».

La Montpensier et sa mère parlèrent fort peu entre elles, et à moi, en cette occasion, n'étant pas certaines, à ce que j'entendis, d'être de la même opinion quant au donateur. La reine-mère, comme on s'en ramentoit, ayant deux fers au four — Nemours roi, ou gendre de Navarre — et la Boiteuse n'en ayant qu'un : Mayenne roi, ou rien.

Cependant, la Montpensier, après avoir engrangé sa part dans sa chaire à porteurs, tous rideaux tirés, ce qui je suppose, la devait contraindre à regagner à pied son hôtel, salissant ledit pied mignon en l'ordure des rues, me dit non sans quelque hauteur :

— Drapier, j'espère que Navarre ne se flatte pas du sot espoir que ses viandes m'auront cloué le bec, ni que mes prêcheurs, après cela, prêcheront moins roide contre lui.

— Madame la Duchesse, dis-je avec un de ces lassants et profonds saluts que m'imposait ma déguisure, le roi de Navarre n'a pas attaché à ces présents une quelconque condition. Tout ce que je lui ai ouï dire, c'est qu'il ne voulait pas que ses bonnes cousines, étant femmes, pâtissent trop de ce siège, ni qu'elles perdissent, de ce fait, leurs plaisants et féminins contours.

— *Babillebahou*! dit Mme de Nemours en s'esbouffant d'un rire clair et jeune de nonnette qui démentait ses cheveux neigeux, je reconnais bien là le Béarnais. Il tient de son père Antoine. Un tétin l'exagite! Un mollet le rend fol!

— Il est de fait, dit la Montpensier avec un sourire, que celui-là, au moins, n'est pas bougre et qu'il aime notre suave sexe (adjectif qui, dans sa bouche, et s'agissant d'elle, me parut peu approprié). Il est constant aussi que je ne le déteste point tant qu'Henri Troisième, assassin de mes frères. (A cette remembrance que la Boiteuse eût bien pu omettre en sa présence, Mme de Nemours cilla et les larmes lui vinrent aux yeux.) Mais, poursuivit-elle, je n'aurais garde d'oublier, même s'il me nourrit, qu'il est hérétique, relaps, ennemi renardier et souterrain de notre Sainte Mère l'Eglise.

— A laquelle toutefois, dit Mme de Nemours d'une voix douce et en me jetant un regard quasi connivent, il est fort poussé de se convertir par M. d'O et toute sa noblesse catholique.

— Même alors, dit la Boiteuse, le parpal houleux, l'œil jetant tout soudain des éclairs, nous n'en voudrons pas ! Sa conversion ne sera que ruse, déguisure, palinodie !

— Aimeriez-vous mieux un roi espagnol ? dit Mme de Nemours, en haussant le sourcil.

— Madame ma mère, dit la Boiteuse en s'inclinant, mais avec un clin d'œil point trop amène, nous savons fort bien, l'une et l'autre, qui nous aimerions voir sur le trône...

Sur cette flèche et lui ayant baisé la main, la Montpensier prit son congé de sa mère et me pria, ou plutôt me commanda, de la ramener en son hôtel en ma coche, ordre auquel je ne pus que je n'obtempérasse, assis à côté de mon Miroul sur le siège du cocher, aussi gracieux au-dehors que mal'engroin au-dedans, mais allant jusqu'à ouvrir la portière à la dame, quand nous fûmes advenus à l'huis de son logis, et de ma main dépliant le marchepied : soins de laquais, que j'eusse pu laisser à Miroul mais auxquels, tout grand marchand que je fusse, je condescendis, et qui me valurent, à ma grande surprise, un merci et un souris, tant est grand l'empire des petites attentions sur les femmes, si hautes qu'elles soient, ou se veulent être. Que si on me demande pourquoi j'ai agi alors si courtoisement envers cette peu courtoise dame, je pense que je ne peux répondre qu'en disant que ce fut en raison d'une invétérée habitude de politesse et de tendresse envers les personnes du sexe, qui me fait leur vouloir toujours du bien, même quand elles m'en font peu. Toutefois, de cette gentillesse que je viens de dire, et que la Boiteuse reconnut d'un souris et d'un merci, la fortune voulut que je fusse en moins d'une demi-heure fort merveilleusement récompensé.

Comme ma coche approchait du palais (le chemin le plus court pour regagner mon logis passant par la cité) j'ouïs une grande noise et vacarme, et commandant à Miroul de brider les chevaux assez loin de là, je descendis seul pour reconnaître la raison de ce tohu-vabohu, et gagnant à pied jusqu'aux grilles, j'aperçus un grand nombre de bourgeois — je dis bien, des bourgeois et des premiers de la ville, et des plus apparents — qui, en brandissant pique ou épée, huchaient à tue-tête et à oreilles étourdies :

— La paix ou du pain ! La paix ou du pain !

Je n'en revins pas de l'audace de ces bonnes gens et les envisageant plus curieusement que je n'avais fait en mon approche, je reconnus là la meilleure partie de la cour du Parlement, et en outre, bon nombre de grands marchands qui m'étaient connus au moins de visage, tous réputés *politiques*, y compris Maître Jean Prévôt, curé de Saint-Séverin, un des rares prêtres de la capitale qui ne prêchât pas l'Evangile selon la Boiteuse.

A vrai dire, ces bonnes gens ne faisaient rien d'autre que crier : « La paix ou du pain ! » en brandissant leurs armes, sans apparence qu'ils eussent envie de s'en servir, n'étant ni ordonnés ni commandés, à ce que je vis. Je ne les trouvai pas non plus d'une corpulence et charnure à être eux-mêmes fort affamés, étant clair que des deux peuples qui en ce temps-là se partageaient Paris — le peuple des gras et le peuple des maigres —, il y avait bonne évidence qu'ils appartinssent au premier. Et j'augure que si on les avait laissés crier tout leur saoul, comme ce tumulte ne visait à rien d'autre qu'à vociférer sans ordre, ni plan, ni commandement, ils se fussent, leur gorge lasse, retirés de soi, chacun en sa chacunière, contents d'eux-mêmes et rengainant.

Mais, c'eût été compter sans les *Seize*, ce seul mot de paix étant pour eux hérétique, et permis aux seuls Gondi et d'Epinac, afin de piper et d'endormir Navarre. Tant est que dès l'instant où cette puante paix fut venue offenser les narines de nos archiligueux, ceux-ci, avec ce qu'ils purent sur l'heure ramasser de milice, se ruèrent au palais et firent si bien qu'un de leurs capitaines, Robert Legois, fut tué au cours de la confuse échauffourée qui s'ensuivit.

Tout aussitôt ce Legois, un des plus malotrus des *Seize*, devint pour eux un martyr de la foi, qu'il fallut sans tant languir venger. Là-dessus les arquebusiers du chevalier d'Aumale étant advenus, et ayant en un instant rompu les *politiques*, on les cerna, et tout grands bourgeois qu'ils fussent, on commença incontinent à leur faire battements et frapperies, à les rançonner, à les emprisonner, et même, sans autre forme de procès, à les pendre.

Je crus bien que j'allais être de ce lot infortuné, étant appréhendé, comme je me retirais, par trois ou quatre furieux, à la tête desquels je reconnus Louchart qui était un des *Seize* et des plus méchants larrons et meurtriers qui fussent, lequel, m'accusant tout de gob d'être un *politique*, alors qu'il n'avait à ce jour jamais jeté l'œil sur moi, me fit tout de gob fouiller et découvrant les deux dagues à l'italienne que je porte habituellement sous mon mantelet, voulut y voir la preuve que j'avais été partie au tumulte que les *Seize* et le chevalier d'Aumale venaient de dissiper, et ce disant, me passa incontinent la corde au col.

— Maître Louchart, lui dis-je d'un ton ferme assez, quoique la sueur me ruisselât entre les omoplates, au contact de la hart, ces dagues sont pour ma personnelle sûreté en les rues de Paris, et serviraient de peu en un tumulte contre épée, pique, ou arquebuse. Et pour moi, je proteste que je n'en fus jamais, ne faisant que passer devant le palais, ayant raccompagné Mme de Montpensier en son logis dans ma coche pour ce qu'elle me l'avait commandé, étant son marchand drapier, et la duchesse s'encontrant sans sa chaire.

— Fable! Fallace! Menterie! s'écria Louchart, lequel avait une face à décourager un crapaud d'être laid, et au-dessus d'une lippe fort laide et d'un nez camus, montrait des yeux de basilic, froidureux et cruels.

— Que nenni! dis-je, Maître Louchart. Que si vous vouliez bien me mener sur l'heure à l'hôtel de Mme de Montpensier, cette haute dame voudra bien confirmer mon propos.

— Ce serait temps perdu! s'écria Louchart d'une voix forte. Je te connais, méchant. Tu es *politique*, séditieux, suppôt d'hérétique, et puisque tu as le front de réclamer la paix les armes à la main, je vais te bailler sur l'heure celle du gibet, laquelle est éternelle...

— Faites excusation, Maître Louchart, dit tout soudain un guillaume de sa suite, qui n'avait pas, me semble-t-il, mauvaise trogne, mais le marchand drapier dit vrai. Je l'ai vu de ces yeux que voilà, devant l'hôtel Montpensier, déclouir l'huis d'une coche et abaisser le marchepied, et saillant de ladite coche, j'ai vu Mme de Montpensier, laquelle, à descendre cette marche, étant claudicante, s'appuya de la main sur son épaule, et lui fit un merci, et même un souris, ce qui m'étonna, l'homme n'étant qu'un bourgeois, et la dame étant si haute...

A quoi voyant mon Louchart quelque peu pris de court et sans vert, mais étant toutefois fort réluctant à me relâcher, ayant eu l'œil dès la prime à mon escarcelle, je repris d'une voix forte :

— Maître Louchart, ma bonne foi est reconnue! Laissez-moi passer, je vous prie, sans me molester plus outre. De reste, mon curé de l'église des Filles-Dieu vous donnera de moi de bons renseignements, pour ce que je suis assidu à messe, à confesse et à prêche, et donne libéralement à quête et pour la Sainte Ligue.

Je vis bien qu'à ces paroles les hommes de Louchart me devenaient plus favorables, l'un d'eux, de son propre chef, retirant même la corde de mon col, mais Louchart me retenant toujours le bras dans sa forte poigne, dit :

— Si le décrois-je encore, maugré tout! et puisqu'il y a doute, j'opine qu'on l'embastille en attendant que l'affaire s'éclaircisse.

Ce qui eût été tomber proprement de Charybde en Scylla; j'entends de Louchart en Bussy-Leclerc, lequel était alors gouverneur de la Bastille, et un des plus encharnés des *Seize*.

— Maître Louchart, dis-je, sentant bien que je ne sortirais pas de ses griffes sans laisser de plumes, et plus disposé à me les enlever moi-même qu'à me les faire arracher. Plaise à vous de m'ouïr en particulier: j'ai choses à vous dire qui ne peuvent être dites en public.

Je n'avais pas plus tôt prononcé ces mots que Louchart, me lançant de ses yeux de basilic un regard connivent — l'archicoquin comprenant à mi-mot que ces choses à lui dire avaient un parfum de pécunes — m'entraîna à l'écart contre un chêne, radouci, mais me poignant toujours le bras.

— Maître Louchart, dis-je, il y a eu erreur. L'erreur est humaine, assurément et j'entends bien que la vôtre vous coûte la picorée que vous eussiez pu faire, si, au lieu de moi qui suis tout innocent, vous aviez arrêté un séditieux. Aussi vous vais-je conforter en toute bonne amitié du dépit et chagrin que vous avez pu en concevoir...

— Voire! dit Louchart, la narine friande et son œil cruel quasi s'humanisant. Combien me voulez-vous bailler?

— Dix écus.

— Vingt! dit Louchart.

— Tope! dis-je, et les lui comptai sur l'heure, le bargouin étant dissimulé par le paravent de son corps, du mien et du chêne — sur lequel, sans le témoignage du quidam, il m'eût fait pendre, les lois en ces temps-là étant comme mortes en Paris, et les *Seize* sur le pavé tout-puissants.

Là-dessus, il me raccompagna jusqu'à ma coche promptement, mais point si vite que je ne pusse voir que les séides des *Seize* et les arquebusiers d'Aumale étaient occupés à faire danser dans les airs, aux grilles mêmes du palais, d'aucuns de ces malheureux *politiques*.

— Moussu, dit Miroul tout innocent et ignorant de ce qui venait de se passer, étant resté avec les chevaux et m'ayant perdu de vue dans la foule, Moussu, où allons-nous ?

— Chez Mme de Nemours, dis-je me jetant sur le coussin, haletant, et du plus vite que tu le peux, Miroul, pour l'amour du ciel !

Mme de Nemours fut fort étonnée de me revoir si peu de temps après que je l'eus quittée, mais bonne et bénigne comme à son accoutumée, elle me reçut sur l'heure, et moi, hors de mes gonds encore de ce que j'avais vu et subi, dès que je la vis assise sur un cancan en son petit salon, si belle sous ses cheveux à frimas poudrés, je ne pus me tenir la bride plus longtemps et courant me jeter à ses genoux, avec autant d'amour qu'un papiste devant l'image de la Benoîte Vierge, j'eus l'incrédible audace, toute grande duchesse qu'elle fût, de lui saisir les mains et de les couvrir de baisers. A quoi elle rougit d'abord, puis elle rit, et dégageant ses mains, elle me donna sur la joue une petite tape qui était beaucoup plus caresse que soufflet, et me dit, contrefeignant la fâcherie, mais l'œil plus rieur qu'irrité :

— Eh bien, maître drapier, qu'est-cela ? Oubliez-vous qui je suis ? Relevez-vous, de grâce, et dites-moi la raison du grand émeuvement où je vous vois.

— Ha ! Madame, dis-je, la voix entrecoupée, je reviens du palais où les plus notables de Paris ont fait un tumulte pour la paix, lequel est si durement réprimé par les *Seize* et M. d'Aumale que si on les laisse faire plus avant, ils tueront tout !

— Vous ai-je bien ouï, maître drapier ? dit le jeune M. de Nemours en entrant à cet instant dans le petit salon, ils tuent ?

— Oui, Monseigneur, dis-je en le saluant, je l'ai vu de ces yeux, ils battent, ils tuent, ils pendent, et jusqu'à des membres du Parlement...

— Ho ! Ho ! cela va trop loin ! dit Nemours, son teint de lys rosissant et ses yeux bleu azur noircissant en son ire. Il faut bien avouer que ces *Seize*, si utiles qu'ils soient à maintenir le peuple dans le devoir, sont de rares canailles ! Quant à mon cousin d'Aumale, dès qu'il voit le sang, il ne se connaît plus. Madame ma mère, je vous fais mes plus humbles excuses de quérir de vous mon congé, à peine admis céans, mais je ne peux que je ne galope dans la minute au palais. La chrétienté entière me tiendrait pour turc ou barbaresque, si je laissais massacrer le Parlement de Paris, si mal avisé qu'il ait été de me faire un tumulte.

Paroles qui me donnèrent à penser (ce que L'Etoile me confirma le lendemain) que Nemours, par ses espions, avait tout su de cette folle entreprise, avant même qu'elle sortît de l'œuf, et qu'il avait donné ordre de la rompre et réduire, mais sans la cruauté qu'on y avait mise.

— Maître drapier, dit la duchesse de sa voix suave, je vous vois pâle et trémulent, asseyez-vous, de grâce, là, sur cette escabelle, à mes pieds. Avezvous encouru un personnel péril ?

Je lui en fis le conte qu'elle écouta avec de grands yeux, tant étonnée de l'adoration qu'elle lisait dans les miens qu'émue des dangers que j'avais traversés. Et quand j'en eus fini le récit, elle me dit d'un ton songeard :

— Il faut bien avouer que vous êtes une bien étrange sorte de drapier. Vous sortez des murs, vous y rentrez, sans craindre les arquebusades. A bien vous observer, la pécune n'est pas votre grande affaire. Vous portez dans le dos des dagues à l'italienne comme un *spadaccino*, et vous paraissez avoir, pour en user, le nerf et le muscle qu'il faut. Et quand, la minute écoulée, vous avez eu le front de me baiser les mains — belle impudence, maître drapier, que cependant je vous pardonne —, vous y avez mis une grâce et une audace que je n'ai jamais vues chez vos pareils. Il faut donc que vous vous soyez frotté fort au beau monde pour en singer si bien les manières.

— Ha ! Madame la Duchesse ! dis-je, « singer »

n'est pas aimable. Ne peux-je, sous l'effet d'un sentiment sincère, retrouver, sous la croûte d'une éducation négligée, une grâce qui, après tout, est naturelle
à l'homme?

— Un sentiment sincère! s'écria Mme de Nemours
en riant comme une nonnette, en ma conscience,
vous mignardez! Maître drapier, vous mignardez
comme un muguet de Cour!

Et moi, non point dépit de sa petite gausserie, car
elle n'y avait pas mis malice, ni méchantise, son œil
demeurant bénin, mais confus d'avoir à ce point
dépassé mon rollet et de mettre en péril ma déguisure même, je m'accoisai et dis, l'œil baissé:

— Madame la Duchesse, permettez-moi de quérir
de vous mon congé. Je n'ai que trop abusé de votre
émerveillable patience.

— Cependant? dit-elle, me voyant hésiter, et
m'envisageant d'une mine qui me parut tout
ensemble amusée et émue.

— Cependant, Madame la Duchesse, si je peux
vous être de quelque utilité privée, en quelque degré
ou guise que ce soit, je voudrais que vous sachiez
que si vous me voulez en rescous, je vous servirai du
bon du cœur.

— Cela, dit-elle avec un sourire, vous est-il
commandé par le roi de Navarre?

— Nenni, Madame.

— Cela vaut-il aussi pour ma fille Montpensier?

— Nenni, Madame.

— Voilà un bon « nenni »! dit-elle en riant. Roide
et franc! Comme vos yeux, Monsieur! reprit-elle en
me donnant du Monsieur pour la première fois,
vous me plaisez assez, étant homme de si bon métal.
Qui que vous serviez, reprit-elle avec un petit éclair
de son œil bleu qui me donna fort à penser, il ne
peut qu'il ne soit par vous très fidèlement servi. Et je
ne dis point que s'agissant d'affaires qui ne touchent
pas à l'Etat, car celles-là je les laisse à mon fils
Nemours (quoi disant, elle oublia tout à plein son
autre fils Mayenne, lequel était pourtant l'aîné), je
ne dis pas que je n'aurai pas quelque occasion de

vous appeler en rescous. En attendant, ne laissez pas de me visiter une fois la semaine, et davantage, si vous avez affaire à moi. Mon huis ne vous sera jamais clos.

Quand au soir de ce jour tracasseux où je faillis, tout noble que je fusse, être pendu tout botté par le dernier des gueux, je contai toute l'affaire à Miroul, il devint de prime comme enragé.

— Ha! Moussu! dit-il, jamais plus! Jamais plus je ne vous laisserai hors mes yeux! Vous prendrez Pissebœuf pour cocher. Et quant à moi, Ventre Saint-Antoine! je ne vous quitterai pas d'une semelle, où que vous alliez! Fût-ce dans le lit d'une ribaude!

Et moi le voyant pâle et quasi désespéré de ce que j'eusse pu sans lui affronter la plus ignominieuse des morts, je voulus lui faire, pour le divertir, le récit de mon entretien avec Mme de Nemours.

— En voilà-t-il pas d'une autre! s'écria-t-il en levant les bras au ciel. Vous voilà dans les rets et filets d'une duchesse et d'une duchesse du clan lorrain! poursuivit-il, et qui a vingt ans de plus que vous! Ha! Moussu! C'est folie! En quel cotillon vous allez-vous derechef fourrer! Et si imprudemment que la dame soupçonne jà votre déguisure! Et que vous servez Navarre! Elle vous l'a quasiment fait entendre!

— *Babillebahou!* dis-je, Miroul, que dis-tu? Jamais femme en ma vie ne m'a nui!

— Hormis La Vasselière!

— Celle-là était peu femme, il faut bien l'avouer! Et au surplus, je ne l'aimais jamais.

— Moussu, dit Miroul en m'envisageant avec de grands yeux, aimez-vous véritablement la duchesse de Nemours?

— Je ne sais, Miroul, dis-je en marchant qui-cy qui-là dans la pièce, tout rêveux et songeard, c'est un sentiment très étrange. Je ne l'aime pas, à proprement parler, comme une femme, et je n'ai pas appétit à elle, mais je suis d'elle autant raffolé qu'on peut l'être. Je lui trouve des grâces infinies...

— Moussu, dit Miroul plissant le front, je

n'entends goutte à ce discours. Comment un homme de votre complexion peut-il aimer une personne du sexe sans avoir appétit à la coqueliquer ?

— Nenni. J'ai appétit à la voir tous les jours, à lui parler, à lui baiser les mains, à ce que ses yeux me sourient et caressent.

— Il y a deux inconvénients à cela, Moussu, dit Miroul avec un petit éclair impertinent de son œil bleu. Le premier, c'est que Mme de Nemours n'est pas votre bonne nourrice Barberine ni Madame votre défunte mère, que si peu vous avez connue. Et l'autre inconvénient est que, si elle vous aime à son tour, elle voudra tout, comme Mme de Joyeuse.

— Nenni ! Nenni ! Elle est princesse très chrétienne, et au rebours de sa fille Montpensier, elle est connue pour être le parangon de toutes les vertus.

— Alors, Moussu, les femmes nous prenant toujours par quelque bout, si ce n'est par celui-là que j'ai dit, ce sera par un autre.

— Qu'entends-tu par là ? dis-je, quelque peu piqué.

— Qu'elle usera de vous en ses desseins.

— Et pourquoi non ? dis-je roidement, si ceux-là ne sont pas contraires à ceux de mon roi.

— Voire ! dit Miroul, non qu'il en doutât vraiment, mais pour me picanier, étant encore très encoléré de ce qu'il n'eût pas été présent, quand ma vie s'encontrait menacée.

Fidèle à son propos de ne me pas quitter d'une semelle (fût-ce dans le lit d'une ribaude), Miroul me suivit le lendemain au logis de Pierre de L'Etoile, rue de la Ferronnerie, où Lisette, envisageant nos têtes à travers le judas, nous bailla incontinent l'entrant, en disant de sa voix jeunette et clairette :

— Eh quoi, Monsieur mon maître ! Vous voilà deux, vous qui n'étiez qu'un !

— Celui-là, Lisette, est mon secrétaire, Miroul, lequel, pendant que j'entretiendrai ton maître, te tiendra compagnie, s'il plaît à toi.

— Voire mais ! s'écria Lisette, il a les yeux vairons. Et on dit que les hommes aux yeux vairons sont libidineux à l'excès.

— C'est qu'ils voient deux beautés là où il n'y en a qu'une, dit Miroul qu'aucune drolette n'avait jamais pris sans vert. L'une marron, l'autre bleue. La cause finale et suffisante en est que leur complexion se trouve doublement exagitée par les esprits animaux qui tourneboulent deux fois leur glande pinéale.

— Que voilà qui est doctement dit ! s'écria Lisette, bec bée. Monsieur Miroul, avez-vous été dans les études ?

— *Mira quaedam in cognoscendo suavitas et delectatio*, dit Miroul, prompt à pousser son avantage. Ce qui veut dire en latin, Mamie : qu'il y a dans la connaissance suavité et délices.

— Tu vois par là, Lisette, dis-je gravement, que tu peux avoir fiance en Miroul. C'est un homme d'un usage poli, et fort savant.

— Voire mais, Monsieur mon maître ! dit Lisette en ajustant le mouchoir qui cachait son tétin. Je connais des doctes qui ne laissent pas de chercher ailleurs que dans la connaissance les délices et les suavités.

A quoi je ris, m'avisant qu'en disant cela, elle ne pouvait qu'elle ne pensât à son maître.

— Riez, Monsieur, riez ! dit-elle de sa voix clairette, contrefeignant d'être piquée, mais je suis personne de bon lieu, et en les troubles du temps, je me désole d'être en ce Paris de disette, en danger constant, dès que je mets un pied hors, d'être pastissée, enlevée, coquéliquée, forcée et qui plus est, mangée.

— Mangée, Lisette ?

— Mangée, Monsieur ! Vramy ! Vous ne savez pas que les lansquenets qui sont de soi gens barbares et cruels...

— Quoi ? Sont-ils si méchants ?

— Pis, Monsieur ! Ignorez-vous qu'on dit communément qu'un lansquenet mort, et que saint Pierre repousse de son paradis, ne peut pas non plus entrer dedans l'enfer, pour ce qu'il ferait peur au diable. Et de présent, voilà ces maudits lansquenets qui, poussés par la verte faim, donnent la chasse dans les rues aux petits enfants et aux tendres fillettes, comme on a fait aux chiens les trois mois écoulés, et les dévorent jusqu'aux os, les ayant rôtis comme agneaux en broche en le cimetière des Saints-Innocents.

— Quoi? Lisette? Aux Saints-Innocents? Quasiment dans ta rue? De l'autre côté de ce mur! Le tiens-tu pour assuré? L'as-tu vu?

— Ha! Monsieur! Qui oserait s'aventurer la nuit dans l'enclos des Innocents? Ce ne sont que feux follets, succubes en gésine, démons en rut, squelettes dansant sous la lune, pleurs et grincements des âmes mortes. Vramy, je n'y mettrais pas l'orteil! Mais j'ai senti, venant de par-dessus le mur, juste à l'endroit où l'on dit qu'avait fleuri en août l'aubépine miraculée de la Saint-Barthélemy, une fumée de rôt qui pensa me raquer les tripes.

— Se pouvait être chapon chapardé! dis-je en riant. Pour moi, je ne le croirai que je ne l'aurai vu. Mais quant à Miroul, Lisette, tu peux accepter sa compagnie : il est si docte qu'il ne se nourrit que de latin. Il ne te mangera point.

— Hormis des yeux! dit Miroul, son œil bleu fort brillant.

— Ha! Je ne m'y fierais pas! dit Lisette de sa voix gaie et guillerette. Je connais les hommes. Leur œil n'est jamais que le héraut de la main.

— Gentil bec, dis-je, voilà qui est bien becqueté! Peux-tu de présent annoncer mon advenue à ton maître?

Lequel maître apparut à la porte de la grande salle et dit, la lippe amère, mi-figue mi-raisin, mais me donnant toutefois une forte brassée :

— Mon cher Pierre, est-ce Lisette ou moi que vous nous faites l'honneur de visiter?

— Vous, Monsieur mon ami! dis-je en riant.

— Monsieur le grand audiencier, je suis votre serviteur, dit Miroul.

— Ha! Miroul! dit Pierre de L'Etoile, entre! entre aussi, je te prie! Entre par tous les diables!

— Monsieur, dit Miroul avec une modestie peu

accoutumée, vous condescendez trop! Je connais ma place! Je peux demeurer en l'antichambre!

— Point du tout, dit L'Etoile en espinchant Lisette de côté, je n'ignore pas l'estime où te tient ton maître. Entre donc, je te prie, je n'accepterai pas de refus.

— Monsieur, je ferai comme vous voudrez, dit Miroul de l'air marri et patelin d'un gros chat qui voit s'échapper souris de sa patte, la grand merci à vous de cet honneur.

— Mon cher L'Etoile, dis-je en m'asseyant, est-il constant, comme le conte Lisette, que les lansquenets, de présent, font la chasse aux petits enfants pour s'en nourrir?

— Hélas! dit L'Etoile avec un grand soupir, je tenais la chose de prime pour fallace et cancan, m'apensant que *hoc erat atrocius vero* [1], mais le crime ayant été confessé par ceux qui l'ont commis, avant qu'on les envoyât tout bottés au gibet, il n'y a plus le moindre doute. Deux enfants ont été mangés à l'hôtel Palaiseau, et un troisième à l'hôtel Saint-Denis. Et le gibet dont ces crimes furent punis n'a point découragé d'autres lansquenets qui font, dit-on, sabbat de chair tendrelette dans le cimetière des Innocents où comme vous savez, pas un fils de bonne mère n'ose la nuit se mettre au hasard de sa vie.

— Et le guet?

— Le guet n'en aurait pas la force, étant si peu nourri. *O Tempora! O Mores!* reprit L'Etoile en levant les yeux au ciel.

Sur quoi, voulant couper court à ses habituelles homélies sur la décadence des temps, je dis:

— Fûtes-vous hier, mon cher L'Etoile, à la *journée du pain* au Palais?

— Dieu m'en garde! Dieu m'en garde! s'écria L'Etoile, plus véhément que jamais. Je ne fus pas de ces sottards, pas plus d'ailleurs que n'en fut l'instigateur de cette folle entreprise, lui qui en tira les

1. Cela était plus atroce que vrai. (Lat.)

408

ficelles, mais sans saillir de sa chambre, beau chat-fourré qu'il était!

— Et qui donc?

— Le président Brisson.

— Quoi! Le président Brisson! Ce très haut personnage! Autant dire le Parlement lui-même! Je le croyais grand homme de bien!

— Mais il l'est! dit Pierre de L'Etoile, ses yeux tout ensemble vifs, bénins et gausseurs regardant le long de son nez.

Ayant dit, il fit sa lippe coutumière, laquelle creusa deux longues, amères et bilieuses rides de chaque côté de ses lèvres.

— Il l'est, reprit-il, mais il est aussi le plus grand ménageur de chèvre et de chou de la Création. Quand la journée des barricades chassa Henri Troisième hors Paris, le président Brisson, au lieu de rejoindre Sa Majesté à Tours, comme firent d'aucuns membres du Parlement, demeura en Paris, se bornant à écrire au roi une lettre secrète, où il lui assura que tout ce que lui dictaient les *Seize* serait fait contre sa conscience. Ce qui fit que Brisson perdit la confiance du roi sans gagner celle des *Seize*.

— Et à quoi met la main de présent ce chatte-mite?

— Mais, à ce que vous vîtes! Croyant proche l'entrée de Navarre en Paris, il intrigue pour la favoriser. Et il intrigue mal! Mon Pierre, il n'est que de l'examiner un peu. Sa *journée du pain* fut tant mal conçue que mal conduite! Encore, si elle eût été pacifique! Mais pourquoi les armes? Qu'espérer de ces piques et de ces épées disparates contre les arquebuses du chevalier d'Aumale? Et qu'est-ce qu'une entreprise armée, si, au lieu que d'en prendre la tête, son chef reste douillettement chez soi? En bref, ce fut un désastre pour ces pauvres gens, et une aubaine pour les *Seize*, lesquels eussent d'un cœur léger tué tous ces grands *politiques*...

— Si? dis-je, faisant le naïf.

— Si le duc de Nemours n'était pas arrivé, ventre à terre, pour les en empêcher. Bon Nemours qui tant est bénin que vaillant! La meilleure moitié du Parlement de Paris lui doit ce jour d'hui la vie.

A quoi je brûlai d'ajouter qu'elle me le devait bien un petit à moi aussi. Mais voyant que L'Etoile, qui d'ordinaire savait tout toujours, ne savait rien de mon rollet en l'affaire, je résolus de m'accoiser, me voulant muet sur l'envitaillement des princesses lorraines, et le lien que j'avais noué avec Mme de Nemours, lequel, si j'y mettais de la circonspection, pourrait, se peut, être autant utile à mon roi qu'il était bienfaisant jà à mon cœur.

— Cependant, dis-je, si peu et si mal qu'ait fait le président Brisson, il a du moins attenté quelque chose.

— Moins que rien, dit L'Etoile en faisant sa lippe. Navarre, de l'autre côté des murs, ne fait pas davantage, coqueliquant d'une nonnette à l'autre, tandis que Gondi et d'Epinac l'amusent par l'appât d'une paix générale.

— Et croyez-vous que Navarre y morde?

— Se peut que non.

— Navarre, dis-je, a des forces assez pour prendre les faubourgs, mais point assez pour sauter les murailles. Il aura Paris par la faim, ou il ne l'aura pas.

— Alors il ne l'aura pas! dit L'Etoile, la lippe amère. Là où le bourgeois a failli, ce n'est pas le populaire qui va faire des tumultes, abêti qu'il est par la faim, tourneboulé par les prêchaillons, et terrorisé par d'Aumale. En outre, chaque jour il en meurt des centaines, vous l'avez pu voir, puisque vous fûtes hors logis. Les rues en sont jonchées. Ils meurent si vite qu'on n'a pas le temps de les mettre en terre.

— N'avait-on pas décidé que les couvents devaient nourrir les pauvres?

— Bah! dit L'Etoile, est-ce pas vous, mon Pierre, qui m'avez appris le proverbe périgordin:

Moines et poux ne sont jamais rassasiés:
Tout leur est bon, même le croûton.

— Cela veut dire?

— Que sommés par Nemours de nourrir les pauvres, les moines ont quis d'eux de leur apporter chiens et chats, lesquels ayant dépouillés et mis la peau soigneusement de côté, ils ont fait bouillir dans de grandes marmites, et chaque jour donnaient une louche de cette viande aux pauvres inscrits sur le rollet de leur paroisse, l'accompagnant parfois d'un croûton.

— Voilà donc qui fait mentir mon proverbe.

— Espérez un petit. Au bout de quinze jours, le croûton disparut. Au bout de trois semaines, bouillie de chien et chat aussi. Et au bout d'un mois, oyez-moi bien, les moines revendirent aux pauvres les peaux des chats et des chiens que lesdits pauvres leur avaient baillées.

— Vous entends-je bien? Revendirent? Moyennant pécunes?

— Vous m'avez ouï! Trente sols une peau de chien. Quinze sols une peau de chat. Ou moins, ou plus, selon grosseur. Les poils ôtés, bouillis et rebouillis, coupées en lanières, lesdites peaux furent la provende des misérables.

— Mon cher L'Etoile, dis-je béant, votre mauvaise dent contre la bure et la soutane vous trouble les mérangeoises! Vous inventez ce vilain bargouin des moines!

— Point du tout! Il est attesté par des dizaines de témoins. Et par Lisette elle-même qui en tâta avant d'entrer en mon emploi.

Et bien, m'apensai-je, sut-elle faire la différence entre la peau de chat à quinze sols et le bon pain à un écu la livre de mon cher L'Etoile, s'encontrant, après ses vaches maigrissimes, nourrie, rondie et cajolée par le meilleur des maîtres. Péché se peut (*O Tempora! O Mores!* dirait L'Etoile) mais en mon opinion péché véniel, au regard de celui qui, sous le couvert du zèle religieux, faisait mourir tout un peuple de faim, alors que le pays à l'alentour regorgeait de blés.

Le dimanche 12 août, personne, pas même L'Etoile, ne sachant où l'on en était des fallacieuses négociations entre Mayenne et Navarre par le truchement des deux chats-fourrés que l'on sait, j'allais ouïr le curé Boucher à Notre-Dame, dans l'espérance que j'encontrerais, se peut, deux ou trois grains de vérité dans la paille malodorante de son prêche. Mais pour tout pot et tout rôt, je trouvai le bien-nommé Boucher pareil à son pire lui-même, bedondainant de corps et rougeoyant de face, l'œil exorbité, toquant des deux poings sur le rebord de sa chaire, éructant des milliasses d'injures contre Navarre et faisant retentir les hautes voûtes de la cathédrale de ses hurlades sanguinaires. Mais de paix, peu de mots sauf pour dire en passant que ce bouc puant de Béarnais n'en voulait pas, entendant tout tuer : chanson que Boucher avait déjà chantée.

En revanche, il fit un conte que sur l'instant je décrus, mais qui me fut prouvé véritable du bec même de la malheureuse chambrière qui en fut tout ensemble l'agente et la survivante.

— Le lundi de la semaine écoulée, dit Boucher, l'air grave et baissant la voix pour forcer l'attention, mourut une dame parisienne, après le décès de laquelle on découvrit qu'elle avait mangé deux de ses enfants. Ceux-ci étant morts de faim, elle les avait fait enserrer devant ses voisins dans deux petits cercueils, mais tout aussitôt qu'elle se vit seule, elle les en ôta et les remplaça par des sacs de sable, puis fit porter solennellement les cercueils en terre selon la coutume et l'usance de notre Sainte Eglise catholique, apostolique et romaine (ici Boucher se signa). Retournée au logis, la dame appela sa chambrière et lui dit : « Ne me décèle pas, je te prie. La nécessité où tu vois que nous sommes m'a fait garder ces deux corps pour qu'ils nous envitaillent. Prends-les donc, et mets-les en pièces. Puis nous les salerons du reste de notre sel, et tous les jours en mangerons un morceau au lieu que de pain. »

« Ainsi fit la chambrière, mais à l'usance, ce fut plus que le cœur de la pauvre mère put supporter.

412

Elle mourut, non point d'inanition, mais de honte et de chagrin. Et ses héritiers, après son décès, fouillant son buffet pour y trouver provende, ayant pour une fois davantage d'appétit à pain qu'à pécunes, furent grandement ébahis d'y trouver en salaison une cuisse de ces enfantelets. Ayant alors rappelé la chambrière (à qui ils avaient donné congé) pour quérir d'elle ce qu'il en était, elle leur confessa tout de gob l'affaire.

« J'entends bien, poursuivit Boucher d'un air tout soudain doucereux, qu'il se trouve en Paris des façons fort diverses d'interpréter cet infortuné incident. Car d'aucuns en firent argument pour suggérer qu'on évite d'en venir à de telles et si tristes extrémités, en traitant avec le Béarnais. Et à l'un de ces chattemites — le président Brisson, pour ne le point nommer — qui mettait en avant la nécessité qui pressait les Parisiens, Bussy-Leclerc, notre gouverneur de la Bastille, fit cette fière réponse :

« — Nécessité ! Vous parlez de nécessité ! C'est la couverture de tout que cette belle nécessité ! Mais je vous dirai : je n'ai qu'un enfant. Eh bien, plutôt que de céder à la nécessité et de me rendre au Béarnais, je le mangerais plutôt à belles dents.

« Mais dira-t-on, poursuivit Boucher, il ne s'agit là que d'un homme dont bien se peut que l'entraille soit moins douce et le cœur moins piteux que celui d'une mère. Eh bien, oyez cette autre histoire que je tiens de source tout à fait certaine : Une certaine demoiselle de bon lieu ayant été visiter Mme de Nemours (Belle lectrice, bien devinez-vous que je dressai l'oreille à ouïr ce nom dans la bouche de ce scélérat), lui fit des plaintes infinies sur la *nécessité* (Boucher articula ce mot avec un grand déprisement) où se trouvait Paris, laquelle était telle, et si grande, et si énorme que, si l'on n'y donnait remède, il y aurait danger que les mères fussent contraintes à tuer leurs enfants pour les manger. Auquel discours Mme de Nemours fit tout à trac cette belle réponse : "Et quand même vous seriez réduite pour défendre la Sainte Religion, à tuer vos enfants, pensez-vous que cela tirerait à si grande conséquence ? De quoi sont faits vos enfants, non plus que ceux de tous les autres : de boue et de crachat ! Ma foi, voilà une belle matière pour en plaindre tant la façon !"

Oyant quoi, je faillis, enivré de male rage, me lever de mon banc, et crier à cet archiméchant qu'il en avait menti, que la bonne duchesse de Nemours n'aurait pu en aucun cas articuler ces paroles infâmes ; qu'il les avait inventées en rescous de sa thèse inhumaine ; et que j'allais les lui faire rentrer dans la gargamel, s'il ne les dédisait pas. Et j'eusse, se peut, cédé à la folie de cet emportement si Miroul ne m'avait d'un geste prompt, placé la main sur l'avant-bras et glissé dans l'oreille :

— *Cave canem. Lupis ipse canem metuit* [1].

En quoi, assurément, il avait raison, pour ce que si j'avais osé ouvrir le bec, le Boucher m'aurait tout de gob dénoncé comme *politique* à ses ouailles, lesquelles m'eussent incontinent traîné sur le parvis pour me mettre en pièces, comme cela, hélas, s'était produit peu de temps auparavant pour un malheureux qui avait osé rire au sermon. Tant fols et fanatiques étaient alors les Français devenus, sous l'effet des prêches frénétiques dont ils étaient nourris.

Je me rongeais les poings jusqu'à la fin de cette insufférable harangue, et la messe à peine finie, courus, suivi de Miroul, qui sur mes talons perdait vent et haleine, chez Mme de Nemours, laquelle, tout étonnée qu'elle fût que je lui rendisse visite un matin, et qui plus est un dimanche, voulut bien me recevoir en son cabinet, entourée de ses femmes, et me commanda de prime, de m'asseoir sur un tabouret à ses pieds et de m'accoiser, le temps que l'on finirait de la pimplocher et de lui testonner les cheveux, ces opérations retenant toute son attention.

La duchesse, qui venait de se lever, était vêtue, ou plutôt dévêtue, d'une longue robe de nuit de couleur mauve, laquelle était fort décolletée et montrait partie de ses tétins, auxquels, tout respectueux que je

---

1. Crains le chien ! Le loup lui-même craint le chien. (Lat.)

fusse, je ne faillis pas de jeter un œil, assez en tous les cas pour m'assurer que l'âge ne les avait pas défaillis, et que le corps qui, sous cette robe mauve (couleur qui allait si bien à la douceur de ses traits) se laissait deviner, gardait l'activité et la vivacité de la jeunesse. Cependant, je n'osais espincher Mme de Nemours trop ouvertement quant à ces parties que je dis, pour ce que je voyais bien qu'elle me lançait quand et quand des petits regards, non point directement, mais par l'intermédiaire du miroir que lui tendait une servante, et dont elle avait corrigé d'une main prompte et légère l'inclinaison, afin que de m'avoir tout à plein dans son champ. Pour moi, je me trouvai ravi de cette infinie coquetterie féminine qui, même chez une duchesse, ne faisait pas fi de l'admiration d'un marchand drapier. Et sans m'aventurer à trop envisager ce que sa robe mauve me laissait deviner de sa charnure (ce qui eût pu, à la longue, l'affronter) je me contentais de laisser errer mes yeux éblouis sur son visage, le plus fin, le plus doux, le plus beau de l'univers, ainsi que sur le long flot ondulant et soyeux de ses cheveux de neige qu'une jeune chambrière, elle-même fort accorte, brossait avec une lenteur, une amour, j'oserais même dire, une adoration que j'y aurais mises moi-même, si la duchesse m'en avait confié le soin.

Les trois chambrières qui entouraient Mme de Nemours étaient toutes trois tant fraîchelettes que plaisantes, mais contrairement à mon invétéré us qui, dès qu'un joli minois apparaît, où que ce soit, fût-ce à messe, me porte à béer devant lui et à y ficher l'œil, je ne jetai à ces drolettes à l'entrant que le plus rapide, et en apparence du moins, le moins appétant des regards, entendant bien que je ne pourrais les envisager davantage sans offenser mortellement Mme de Nemours. Cependant, assis muet sur cette menue escabelle, enserré dans l'enclos de ce cabinet parfumé, la face au niveau des virevoltants vertugadins des chambrières, et n'ayant d'yeux que pour la duchesse, je ne laissai pas de sentir, avec un plaisir infini, la suave douceur féminine qui pour moi émanait d'elle, et tout ensemble des filles qui la servaient, celles-ci ayant, par-dessus la duchesse, qui avait toutes les autres, la vertu de l'accessibilité.

Je m'avisai toutefois au bout d'un moment, encore que Mme de Nemours ne m'envisageât jamais, et alors très en bref, par l'intermédiaire de son miroir, qu'elle paraissait elle-même fort aise de posséder là, à l'âge où les frimas en rétrécissaient le cercle, un ardent soupirant : zélote d'autant plus précieux que sa roture le rendait aussi peu périlleux que s'il avait appartenu à une autre espèce. Aussi m'ayant là, à ses pieds, comme un second miroir, réfléchissant ses grâces et celui-là, maugré tout, plus vivant, vibrant et viril que le premier, trouvait-elle trop de charmes à ce moment ambigueux pour ne pas le prolonger autant qu'elle le pouvait, sans trop surprendre ses chambrières, ni leur mettre puce au poitrail du singulier soulas qu'elle trouvait en ma muette compagnie.

— Eh bien, mes filles, dit-elle à la parfin, d'une voix enjouée, mais sans bouger de son siège, voilà qui est fait ! Laissez-moi de présent ! J'ai affaire à mon maître drapier.

Si je n'avais pas su l'us de nos hautes dames qui, à leur toilette, et quasiment en leur bain, ne font pas plus de cas d'un marchand que d'un laquais, et d'un laquais que d'un chien dammeret, j'eusse été béant qu'elle me reçût bec à bec en son petit cabinet, dévêtue comme elle l'était. Il est vrai que l'us, ici, avait bon dos, et qu'il y avait, de la part de la duchesse, une fort charmante chattemiterie à contrefeindre d'ignorer les regards qu'elle avait surpris, mais que, cependant, je pris le parti d'éteindre, dès que je fus seul avec elle et que le miroir de la chambrière eut cessé de lui servir de relais. Et mon ire se rallumant alors des paroles odieuses que ce misérable Boucher lui avait prêtées *ex cathedra*, je les lui répétai tout crûment et œil à œil, fort content de la voir rougir sous son rouge, et de vergogne, et de colère.

— Benoîte Vierge ! s'écria-t-elle, indignée, j'eusse préféré que ma langue se flétrît et séchât, plutôt qu'elle articulât de si méchants propos! Monsieur, reprit-elle (me « Monsieurisant » derechef) je vous sais le plus grand gré d'avoir été le premier à m'apporter l'écho des cancans de ce prêchaillon. Je le ferai tancer par mon fils Nemours. Il est vrai, reprit-elle, que ce Boucher, grand impudent qu'il est, va plaider la confusion, et qu'il n'a fait que prêter à la mère ce que la fille a dit, car, Monsieur, il faut que vous le sachiez, la duchesse de Montpensier, hélas, a bel et bien tenu ces propos insensés, et le renardier Boucher bien le sait, mais sachant aussi qu'ils sont de petite conséquence dans la bouche d'une furieuse qui n'a pas d'enfant, il a préféré les mettre dans la mienne, moi qui suis mère et, en outre, connue pour ma modération.

Je m'accoisai à ouïr ceci, le blâme à la Boiteuse étant si peu déguisé que je ne pouvais ouvrir le bec sans renchérir dessus, comme l'envie certes m'en démangeait, « insensée » et « furieuse » me paraissant doux, appliqués à cette ménade. Mais voyant bien que Mme de Nemours elle-même ne voulait pas poursuivre, je quis d'elle mon congé, ce qu'elle ne voulut de prime m'accorder.

— Quoi, Monsieur? dit-elle, avec un soupçon de coquetterie, à peine vous voilà céans que jà vous vous sauvez! Est-ce que d'autres visites à d'autres dames vous requièrent ce matin, et est-ce ainsi que vous entendez me servir, comme vous m'en avez fait le serment?

— Hé! Madame! dis-je avec chaleur, vous n'ignorez pas que je suis tout dévoué à votre commandement dans toute affaire qui ne toucherait pas à l'Etat, comme vous l'avez si bien dit vous-même.

— Monsieur, dit-elle avec un rire gai, j'admire la prudence de cette restriction. Mais maugré toute votre présente réticence, n'êtes-vous pas, tout marchand drapier que vous vous dites, une façon de diplomate? ayant un passeport de mon fils Nemours pour saillir hors des murs, et un passeport de Navarre pour y rentrer?

— Madame, dis-je, la face imperscrutable, il a bien fallu que j'aie les deux pour vous envitailler!

— *Babillebahou*, Monsieur ! reprit-elle en riant de plus belle, vous êtes plus profond qu'il n'y paraît de prime ! Mais assez là-dessus : je ne voudrais pas découdre, poursuivit-elle avec un charmant et connivent sourire, une bouche si bien cousue. Mais me servir d'elle, toute cousue qu'elle soit, s'il plaît à vous.

— Madame, dis-je avançant une patte, mais l'autre jà sur le recul, je serai votre très dévoué, fidèle et secret serviteur dans les limites dont nous sommes convenus, ne voulant, quant à moi, ni nuire ni affronter les deux partis en présence.

— « Les limites dont nous sommes convenus » est une expression en tous points émerveillable ! dit-elle en riant, puisque ces limites, c'est vous qui les avez fixées. Mais laissons cela, reprit-elle la mine grave, et le regard attentif. Vous me pouvez servir en effet, Monsieur, et voici comment : J'ai ouï dire que le chevalier d'Aumale, à la tombée du jour, sort de Paris sous une déguisure, un faux nom et un passeport signé de sa main, passe la nuit à Saint-Denis et rentre en nos murs le matin.

— Et Saint-Denis, dis-je, étant dans les mains de Navarre, vous voudriez savoir ce que d'Aumale y fait ? Mais Madame, à supposer que M. d'Aumale y prenne langue en secret avec le gouverneur de Saint-Denis, M. de Vic, pour lui ouvrir une porte et lui livrer Paris par surprise, cela serait, à n'en pas douter, une affaire d'Etat.

— Cela le serait, en effet, si c'était crédible, dit Mme de Nemours, mais cela ne se peut. D'Aumale est un archiligueux, un furieux et un sanguinaire. Il a tué de sa main tant de bonnes gens du parti royaliste qu'il ne survivrait pas une heure, s'il voulait s'y faire recevoir, même au prix d'une trahison.

— Eh bien, Madame, dis-je après un moment de silence, qu'il plaise à vous que je vous laisse dans l'ignorance si je vais accepter, ou non, cette mission. De la sorte, s'il s'agit d'un secret d'Etat, votre oreille n'en saura rien, laquelle toutefois saura tout, s'il s'agit d'une affaire privée.

— Monsieur, dit Mme de Nemours avec un connivent sourire, j'augure bien du succès de votre mission, si vous l'entreprenez : vous êtes tant habile. De quoi toutefois je me plains un peu. Car il y a loin de votre présente réticence à l'élan qui vous jeta à mes genoux la dernière fois que je vous vis.

— Madame, dis-je, je m'y jetterais derechef, si je ne craignais de vous déplaire.

— Mais Monsieur, dit-elle avec une petite moue, c'est à vous d'en courir le risque : êtes-vous si peu vaillant ?

Voilà, m'apensai-je, un demi-mot qui vaut bien un mot entier, et ma vaillance, puisque ainsi elle l'appelait et à laquelle elle ne fit pas appel en vain, fut récompensée, au moment où je fus à ses genoux, comme elle l'avait été de prime.

— Monsieur, dit-elle avec quelque tardive confusion, réelle ou contrefeinte, je ne saurais dire, j'ignore à la vérité pourquoi je tolère ces façons chez vous, sinon qu'elles m'amusent. Mais c'est assez, rendez-moi mes mains, poursuivit-elle avec un délicieux sourire, avant que vous les ayez dévorées toutes. Ensauvez-vous, je vous commande, et ne faillez à me venir fidèlement visiter, comme vous me l'avez promis, et aussi à me servir, si du moins votre prudence vous le permet.

Mon pauvre Miroul, de tout le chemin jusqu'à ma rue des Filles-Dieu, avait les joues toutes gonflées de questions, sans pouvoir s'en décharger d'aucune en raison de la roide barrière de mon œil. Mais advenus à la parfin au logis, bec à bec dans le clos de ma chambre, je lui dis tout.

— Moussu, dit-il effaré, autant dire que vous voilà espionnant le chevalier d'Aumale pour le compte de Nemours ! Autant dire aussi que si vous avisez M. de Vic des escapades du chevalier en Saint-Denis, et si celui-ci est capturé ou occis par les royalistes, les Nemours, mère et fils, ne peuvent qu'ils ne pensent qu'il l'a été par votre intervention.

— Se peut, dis-je tout rêveux, que les Nemours me gardent une mauvaise dent du dépêchement de leur cousin. Mais se peut aussi qu'ils m'en sachent gré. Nemours n'est de présent que le gouverneur de Paris. D'Aumale tué, il en commanderait aussi les troupes. C'est là une belle avancée, et qui le mettrait quasi à égalité avec son demi-frère Mayenne pour revendiquer le trône.

— Moussu, dit Miroul avec un petit brillement de son œil bleu, voilà qui est si clairement raisonné que je doute fort que vous soyez autant amoureux de la duchesse que vous le fûtes.

— En quoi tu erres, Miroul, dis-je avec un sourire. Je gage que Mme de Nemours n'est pour rien dans ces machiavéliens calculs que je viens de dire. Je crois que c'est Nemours seul qui, par le naïf intermédiaire de sa mère, tâche d'user de moi.

— Adonc, qu'allez-vous faire ?

— Ce que je vais faire est clair, mon Miroul. Mais quand ce sera fait, c'est ce que je vais dire, et à quelle personne, qui ne l'est pas.

— J'entends bien, Moussu, que vous serez en grand doute de savoir à qui vous devrez impartir vos connaissances sur l'activité de d'Aumale en Saint-Denis : A M. de Vic ou à Mme de Nemours ? Mais, Moussu, n'aurez-vous pas alors pour vous guider l'intérêt du roi ?

— Lequel, toutefois, dis-je, est à peser dans de très fines balances. Se peut qu'il vaut mieux pour le roi que le chevalier meure. Se peut aussi qu'il vaut mieux qu'il vive, et que Nemours ne grandisse pas tant. Les troupes de Paris montent à trente mille hommes, et Nemours est un bon capitaine, plus aimé et moins fol que d'Aumale.

Le soir de cet entretien si ambigueux avec la duchesse de Nemours, oyant sur les cinq heures du soir quelque noise en ma rue, je sortis sur mon seuil, où, pourtant, je ne vis rien d'autre que le coutumier cortège de fantômes trébuchant qui-cy qui-là sur le pavé, car c'est un fait que les mourants d'inanition en le siège de Paris ne demeuraient mie chez eux, mais poussés par l'espérance de trouver provende hors logis, faisaient leurs derniers pas chancelants avant que de s'écrouler, la bouche ouverte dans un cri muet pour réclamer des viandes, et le bras étendu et la paume déclose comme s'ils allaient saisir enfin le vivre que personne, jusque-là, ne leur avait tendu.

Je ne pus acertainer du tout l'origine de la vacarme qui m'avait fait saillir sur mon seuil, mais comme j'allais rentrer, attristé du spectacle si habituel de ces spectres que je verrais le lendemain joncher ma rue, j'eus mon attention attirée par une femme vêtue comme une demoiselle de qualité mais sans masque sur le visage et sans suivante, laquelle portait dans ses bras un enfantelet qui paraissait avoir trois ans, et si étique qu'on voyait les os de son petit visage quasi percer la peau, laquelle femme, comme je l'envisageais, étant fort étonné de voir une dame de ce rang cheminer dans la rue démasquée et sans chambrière, ses yeux, lesquels étaient du bleu le plus profond, mais du fait de la maigreur de sa face, fort enfoncés dans l'orbite, croisèrent les miens, y lisant, je suppose, beaucoup de compassion, pour elle-même et pour son fardeau, tant est qu'elle se dirigea à pas incertains vers moi, et d'une voix très ténue et très faible, me demanda du pain pour son fils. Je fus béant d'ouïr cette requête de la bouche d'une dame de cette distinction, et articulée comme elle le fut, non pas du tout humblement, mais avec une sorte de dignité désespérée.

— Madame, dis-je, lui prenant le bras, car elle trébuchait, étant elle-même au bout de ses forces, entrez, je vous prie, en mon logis, je donnerai non du pain, mais du lait, à votre enfant.

— Monsieur, dit-elle, s'affaissant quasiment sur ma poitrine, tant est qu'appelant Miroul et Pissebœuf, je la fis porter dans ma chambre sur mon lit, pâmée plus qu'à demi, mais conservant toutefois assez de conscience pour enserrer son enfant dedans ses maigres bras.

J'ordonnai à Pissebœuf d'aller me quérir dans nos

réserves du lait, lequel lait il avait troqué la veille contre chair salée, à un vacher qui, avec ses trois frères, tous quatre remparés et armés jusqu'aux dents, faisaient paître leurs bêtes dans l'île aux Vaches — grande île en amont de l'île de la Cité — que Charles IX eût voulu coudre à l'île Louvier pour n'en faire qu'une seule [1]. Mais l'instant où Pissebœuf revint, portant un pichet et un gobelet, le corps étique du pauvre pitchoune fut secoué de convulsions et il jeta les derniers sanglots.

Je crus que la mère qui, à cet instant, déclosait ses yeux creux, allait se laisser aller au plus fol désespoir, mais elle n'en eut pas seulement la force, et envisagea son enfant avec des yeux secs et une contenance si figée qu'on eût dit qu'elle était elle-même à demi morte. Et dans l'effet, elle ne valait guère mieux. On lui ôta son enfant des bras sans qu'elle opposât de résistance et elle but docilement quelques gorgées de lait, mais aussitôt les raqua, et avec des hoquets si forts que je crus qu'elle allait passer.

Je commandai alors à Héloïse, qui était accourue, d'étendre le lait de moitié d'eau et d'y ajouter du miel, et administrai moi-même le mélange à la pauvrette à la becquée avec un petit cuiller. Pour le coup, elle garda ce breuvage qui fut sa seule nourriture jusqu'à la nuit. Après quoi, elle s'ensommeilla profondément. Au matin, j'ordonnai à Héloïse d'émietter du pain dans ce lait coupé d'eau, ce qui parut conforter prou la patiente, et retrouvant alors quelque connaissance, elle réclama son fils et apprenant qu'il était mort la veille, dit ce seul mot : « Hélas ! » mais sans verser une seule larme, étant, en mon opinion, trop faible et trop prostrée pour ressentir encore son pâtiment.

Ne voulant pas délayer l'enterrement en raison de la chaleur de ce mois d'août, je dépêchai Pissebœuf

1. L'île Louvier, « cousue » à l'île aux Vaches et à l'île Notre-Dame (la plus proche de l'île de la Cité) devint au XVIIᵉ siècle l'île Saint-Louis. (Note de l'auteur.)

commander un petit cercueil au menuisier de la rue des Filles-Dieu, lequel toutefois ne le promit que pour le soir en raison des demandes dont il était accablé. Ce qui m'aggrava prou, le cimetière des Saints-Innocents étant si mal famé dès la tombée du jour. Je m'avisai alors qu'en ce pays chrétien, la terre, même pour un petit mort, n'était pas gratuite, et qu'il fallait en payer l'ouverture aux moines, auxquels ledit cimetière avait été concédé. Je leur dépêchai Miroul qui revint me dire que ce serait deux écus, mais qu'il fallait savoir de prime le nom du mort, et surtout s'il avait été baptisé.

— Madame, dis-je en pénétrant dans la chambre où Héloïse lui tenait compagnie ne l'ayant pas quittée de la nuit (bonne et bénigne fille qu'elle était), si votre état vous permet de parler, j'aimerais que vous me disiez votre nom, lequel m'est nécessaire pour enterrer dignement votre enfantelet.

A ces mots, elle versa pour la prime fois des larmes, preuve qu'elle reprenait des forces et avec elles, la capacité de souffrir.

— Je me nomme, dit-elle d'une voix ténue et détimbrée, mais cependant distincte, Doña Clara Delfín de Lorca. Je suis veuve d'un capitaine de la suite de Bernardino de Mendoza, tué il y a trois semaines dans l'attaque des faubourgs, et depuis cette date, étant réputée bouche inutile par l'ambassade espagnole en Paris, je n'ai pu obtenir pour mon enfant et moi-même le plus petit morceau de pain. J'ai d'abord subsisté sur mes très maigres réserves, mais quand vous m'avez secourue, Monsieur, il y avait trois jours que nous n'avions rien mangé.

Ceci fut dit sans amertume, mais avec une sorte de roideur qui m'étonna.

— Madame, dis-je, tout le monde céans pense que le siège est pour cesser bientôt, d'une manière ou d'une autre. Et jusqu'à sa terminaison, je vous prie de considérer que mon pain est le vôtre, et ce logis aussi.

A quoi elle fit un merci très faible et ferma les yeux, étant encore trop épuisée pour supporter la fatigue d'un entretien.

Les moines des Saints-Innocents à qui Miroul courut dire ce que j'avais appris se jugèrent assurés, au seul nom espagnol de la mère, que l'enfantelet ne pouvait être ni barbaresque ni hérétique, et que la terre chrétienne des Saints-Innocents pouvait donc s'ouvrir pour lui, sans se mettre au hasard d'être profanée par ses petits os. En conséquence, ils voulurent bien accepter nos deux écus et désignèrent à Miroul un emplacement où pour trente sols (dont je vis que les moines lui retinrent le tiers) leur fossoyeur assermenté creusa, à peu de profondeur, cette tombe si bien payée, mais à charge pour nous de repeller la terre dessus, une fois le cercueil enfoui.

En revenant des Innocents, je m'avisai de passer par la menuiserie où je vis un bien triste amoncellement de cercueils, faits ou se faisant, ou en pièces préparés, et une dizaine de compagnons taper fort gaîment sur le bois, s'étant trouvés au début du siège désoccupés et à la faim, avant que le maître, par nécessité, les embauchât et les nourrît. Tant est que la mort des autres leur avait autant la vie sauvée qu'elle avait rapporté pécunes aux moines, aux fossoyeurs et aux menuisiers.

— Tudieu! me dit celui-là, Monsieur, vous avez grande hâte de porter en terre un si petit mort! Cependant, comme je ne pourrai vous livrer le cercueil qu'à la nuit, vous ne le pourrez mettre en terre que demain.

— Point du tout, dis-je, maître menuisier; je le porterai en terre cette nuit même, craignant l'infection en mon logis et les intempéries qui pourraient résulter d'ycelle.

— Eh quoi? dit-il, vous oseriez mettre le pied la nuit en le cimetière des Saints-Innocents? Monsieur, ne craignez-vous pas les spectres et les démons?

— Nenni, je ne crains que les hommes, et nous irons en nombre, et bien armés.

— Vramy! voilà qui est chié chanté! dit le menuisier, lequel était grand et gros, l'œil fort vif, et la face rouge comme un jambon. Monsieur, l'envie me démange fort de m'armer moi-même et de vous accompagner. N'est-ce pas grande honte qu'un Parisien de Paris fasse dans ses chausses à l'idée de hanter nuitamment un cimetière ? Se montrant tant ignare, et couard, et sottard qu'un laboureur du plat pays ? Monsieur, viendrai-je ? poursuivit-il d'un ton résolu.

— S'il plaît à vous, maître menuisier, dis-je en lui tapant sur l'épaule, étant fort content de ce renfort. Et dans ce cas, repris-je d'une voix forte, amenez aussi vos compagnons (lesquels, à m'ouïr, cessèrent leur tapage et restèrent comme en suspens, le marteau à la main) si du moins, ajoutai-je, ils sont hommes assez pour suivre leur maître.

Cette flèche du Parthe, outre qu'elle ravit le menuisier, porta aussi sur ses ouvriers, à ce que je crus voir, tant il est facile d'amener les bonnes gens à courre péril, si on les met au défi de leur virilité. C'est là chose étrange, toutefois, dès qu'on y rêve un peu : le courage serait-il lié aux bourses ? Et comment le croire, quand tant de femmes sont vaillantes ?

Rentré au logis, j'appris de la bouche d'Héloïse que Doña Clara ne faisait que dormir, manger, dormir, et que c'était, ajouta Héloïse, bonne et benoîte providence qu'elle dormît tant, car dès qu'elle se trouvait désommeillée, elle se ramentevait la mort de son fils et pleurait des larmes grosses comme des pois. A vrai dire, je l'ouïs moi-même en ses pleurs à travers l'huis, tandis que j'examinais nos armes et nos amorces, avec Miroul, Pisseboeuf et Poussevent. Mais ceux-ci, nous quittant l'après-midi, « s'en allèrent à la moutarde », lequel marché était alors fort secret et les fournisseurs, fort cachés. De ce marché, à vrai dire, j'eusse pu me dispenser, m'étant à ma dernière saillie de Paris à tout le moins aussi bien envitaillé que les princesses lorraines, mais je pensai qu'il était prudent, aux yeux de mes voisins, de poursuivre, comme tout un chacun, cette continuelle chasse aux vivres, laquelle était en ces temps-là, en cette Paris, l'unique occupation du peuple des gras.

Je fus fort étonné quand quelqu'un ayant toqué à l'huis, Miroul me vint dire que c'était Franz, car je n'avais mie donné mon adresse au géantin laquais de la Montpensier, tout amical que je fusse, et lui à moi.

— Franz, lui dis-je, sois le très bien venu céans, mais d'où vient que tu saches où je loge ?

— Monsieur, dit Franz avec quelque confusion, je vous ai suivi.

— Suivi, Franz ?

— D'ordre de ma bonne maîtresse, dit Franz, qui n'appelait jamais autrement la Montpensier, et parlait ainsi par décence, étant si à même de juger de la bénignité de cette haute dame, qui l'avait fait fouetter pour avoir osé toussir en sa présence.

— Quoi ? dis-je roidement, Franz, tu m'as suivi ? à mon insu ?

— Monsieur, dit Franz avec simplicité, ce n'est plus à votre insu, puisque je vous le dis. Et si je vous le dis, c'est, bien à rebours, à l'insu de ma bonne maîtresse, laquelle vous suspicionne d'être un agent de Navarre.

— Et depuis quand m'as-tu suivi, Franz ? dis-je, béant.

— Depuis que vous nous avez envitaillés.

— Que voilà, dis-je, de la bonne et belle gratitude de la part de ta bonne maîtresse ! Et qu'as-tu découvert, Franz ?

— Que vous visitiez fort souvent Mme de Nemours.

— Tiens donc !

— Justement, Monsieur, dit Franz, faut-il le dire à ma bonne maîtresse ?

Cette question m'étonna, mais je n'eus pas le loisir d'y répondre incontinent, car on toqua derechef à l'huis, et Miroul introduisit un petit « vas-y-dire », maigre comme un cerceau, qui m'apportait un billet de Pierre de L'Etoile dont voici la teneur :

« Mon Pierre, je ne sais plus à quel saint me vouer

426

dans l'infamie des temps, dont la coupe déborde. Lisette, autour de qui tournaient plus de galants que de guêpes autour d'un pot de miel, m'a quitté hier sans crier gare, se peut bien pour suivre l'un d'eux, me laissant en grand embarras, sans servante aucune, pris au pied d'une mauvaise goutte et ne pouvant marcher. Comme je sais que vos gens et vous-même êtes sans cesse à courre les rues, mon Pierre, peux-je vous demander, si vous encontrez ma Lisette, de la persuader de revenir au bercail sans tant languir. J'ai fait crier son signalement hier en tous quartiers par le crieur de ville avec très forte récompense à qui la ramènera, mais en vain. Je suis fort marri pour elle, la garce étant si naïve qu'un mauvais garçon pourrait la mettre au bordeau ou ès étuves sans même qu'elle entendît son vilain propos. *O Tempora! O Mores!* Et que penser aussi de son ingratitude, elle que j'ai tirée quasiment du cercueil, la recueillant, alors qu'elle était au bout de son pain. Je suis, mon Pierre, votre bien embarrassé et désappointé serviteur. Pierre de l'Etoile. »

Cette lettre tout ensemble m'amusa et m'attrista, mais j'écrivis sur l'heure un mot à l'Etoile pour le conforter et lui promettre mon rescous, dès que j'aurais terminé une affaire que j'avais sur les bras et ayant confié le poulet au petit « *vas-y-dire* » et lui ayant donné une piécette et un croûton, je crus qu'il allait avaler la première dans sa hâte à gloutir le second. A la réflexion, mais tardive, à peine fut-il parti que je dépêchai Pissebœuf porter à Pierre de l'Etoile de la chair salée et du pain, craignant qu'il ne fût un peu à court, ne pouvant saillir hors, vu sa goutte, et Lisette n'étant plus là pour aller à la moutarde.

— Franz, dis-je, dès que le petit « *vas-y-dire* » fut envolé (et bien le pouvait-il, pesant à peine au sol, tant il était léger), que quiers-tu donc de moi ?

— Si je dois ou non révéler à ma bonne maîtresse que vous visitez si souvent Madame sa mère ?

— Pourquoi non ?

— Monsieur, il pourrait y avoir là quelque danger pour vous.

— Un danger, Franz ? dis-je en levant le sourcil.

— Ma bonne maîtresse vous suspicionnant jà d'être un agent de Navarre, se pourrait apenser que Madame sa mère vous confie le soin de lui porter ses messages.

— Des messages, mais touchant quoi ?

— Touchant un mariage entre Nemours et la sœur de Navarre.

— Projet lointain et fort peu consistant.

— Lequel, toutefois, inquiète fort ma bonne maîtresse, à telle enseigne qu'étant la femme des chemins raccourcis, elle se pourrait bien aviser de supprimer le messager.

— Franz, dis-je en riant, voilà qui est bien pensé et bien dit. Donc, s'il te plaît, bouche cousue sur mes visites à Mme de Nemours.

— Là, Monsieur, dit Franz gravement, c'est moi qui encourrais péril.

— Comment cela ?

— Ma bonne maîtresse a bien pu placer un second espion à votre queue et s'il lui va dire ce que je lui cache, où en serai-je ?

Ceci me laissa si rêveux et songeard que je demeurai un long temps bec cloué, sans pouvoir rien résoudre. A la fin, donnant de l'œil à Miroul, je fis quelque excusation à Franz et passai dans la chambre attenante, où Miroul, closant l'huis sur nous, me vint rejoindre.

— Qu'en es-tu apensé, Miroul ?

— Qu'il faut lui dire que Mme de Nemours vous a mis sur la queue du chevalier d'Aumale.

— Miroul, c'est trahir la duchesse !

— Point du tout ! La duchesse est toute à Nemours, la Boiteuse toute à Mayenne, mais je gage que la Boiteuse n'adore pas plus que sa mère, son cousin d'Aumale : Ces trente mille hommes dans la main du chevalier en font un rival pour Mayenne. Et Moussu, vous savez bien que ces gueux de Guise s'entrehaïssent encore plus que nous les détestons. Je me permets de dire ceci, ajouta Miroul avec un sourire fort malicieux, pour ce que Mme de Nemours n'est pas née Guise, mais d'Este. Cependant, elle n'est point manchote non plus en intrigue.

A cette remarque je restai autant muet que sourd. Miroul m'ayant toutefois convaincu, je repassai dans la grande salle et dis tout de gob à Franz ce qu'il en était de la mission que Mme de Nemours m'avait confiée.

— Et moi, comment l'aurais-je su ? dit Franz.

— Par l'on-dit d'une chambrière de Mme de Nemours à qui tu aurais donné le bel œil.

— Monsieur, dit Franz, sa face carrée reluisant de vertu, je ne baille le bel œil qu'à ma *liebchen*.

— Aussi ne sera-t-il pas nécessaire que tu le bailles à ladite chambrière dans la réalité des choses. Mais que tu dises que tu l'as baillé.

— C'est mentir, dit Franz.

— Mentir vaut mieux qu'occire. Me voudrais-tu daguer sur l'ordre de ta maîtresse ?

A neuf heures, après que nous eûmes dîné, et désespérions quasiment de le voir, advint le menuisier, suivi de cinq de ses compagnons tous armés, encore que de bric et de broc, le menuisier lui-même portant pique, cuirasse et pistolet à la ceinture — et sous le bras, quasi comme un jouet, le petit cercueil qu'il déposa à l'entrant sur la table à manger en nous requérant d'admirer que c'était là ouvrage bien faite, bien chevillée et bien polie, tant peu de temps qu'on lui eût laissé pour la faire.

Avec des gestes doux et quasi maternels, Héloïse déposa le pauvret dedans avec des larmes et eût voulu désommeiller Doña Clara pour qu'elle jetât un dernier coup d'œil à son enfantelet avant qu'il départît d'elle, mais je lui ordonnai de n'en rien faire, craignant que l'émeuvement de la mère fût trop fort pour son faible cœur. Incontinent que le pitchoune qui se prénommait Alfonso fut enclos entre ces quatre planches, Miroul, Pissebœuf et Poussevent et moi-même nous nous armâmes en guerre, le menuisier fort ébahi de nos belles armes et posant des questions si embarrassantes que je décidai de donner de l'occupation à sa langue en faisant déboucher par Poussevent deux flacons de bon vin, et en faisant passer de l'un à l'autre des gobelets. J'y ajoutai du pain, me doutant bien que les compagnons du menuisier n'étaient point par lui aussi bien nourris que mes gens.

Je fis bien, pour ce que de pâles et quasi trémulents que je les avais vus à l'entrant, ils devinrent, étant revigorés par le pain, le vin et la convivialité, quasi autant gaillards que nos deux arquebusiers, lesquels, quant à eux, se sentaient quasi renaître à la pensée d'en découdre. Et moi, me ramentevant comment Sauveterre et mon père y étaient allés de leur harangue avant les petits combats en Périgord auxquels ils avaient mené nos gens, je tâchai de ranimer plus avant leur courage en en faisant un éloge prématuré, et en les faisant reluire de toute la piaffe qu'ils pourraient tirer auprès de leurs voisins de rue, d'avoir osé seuls, en Paris, mettre le pied la nuit dans le cimetière des Saints-Innocents.

— Vous n'y encontrerez, dis-je avec force, ni spectres, ni démons, mais se peut des lansquenets dont on dit qu'ils y font rôtir des enfantelets. N'ayez cure de les craindre, mes amis : ils sont tant couards que cruels, mais que ceux d'entre vous qui ont des bâtons à feu se gardent bien de muser, s'ils les voient appuyer leurs mousquets sur leurs estomacs, car c'est ainsi qu'ils sont accoutumés à tirer, sans mettre en joue comme nous faisons, ce qui leur donne l'avantage de la surprise, de la rapidité, mais non de la précision.

— Mais, dit le menuisier, le recul de l'arme ne leur navre-t-il par prou l'estomac, quand ils tirent ?

— Non point, pour ce que leur estomac, à l'usage, s'est caparaçonné de muscles. Que si donc vous les voyez appuyer leur mousquet comme je dis, tirez de prime, ou mettez-vous derrière une tombe et n'en saillez qu'ils n'aient lâché leur coup.

— Monsieur, dit le menuisier, il ne se peut que

vous ayez servi dans les armées du roi : vous êtes si connaissant.

— J'y fus, dis-je, quelques années en mes jours verdoyants, m'étant querellé avec mon pauvre père, mais étant revenu au logis, il voulut bien me pardonner et me laisser sa boutique et commerce, lesquels, mon compère, je mets bien au-dessus du métier de soldat pour ce qu'on y prospère sans tant risquer.

— Voilà qui est chié chanté ! dit le menuisier. J'ai toujours opiné, poursuivit-il en se tournant vers ses compagnons, et j'opine toujours, à l'adresse de ceux qui, non contents de leur quotidienne pitance, rêvent plaies et bosses, qu'il vaut mieux avoir bosse en son escarcelle que plaie à sa membrature. Toutefois, conclut-il en se redressant, il est bon de prouver quand et quand qu'on est un homme, afin que d'y puiser gloire auprès des garces et des voisins.

Lorsque je me ramentois, à ce jour où j'écris, cette expédition, je me dois à moi-même avouer et au lecteur confesser, que s'il est bien vrai, comme je l'ai dit, que la règle des meilleurs maîtres de la médecine veut qu'un mort soit enterré au plus tard une nuit et un jour après son décès, en raison des risques d'infection et même de peste qu'une longue présence du corps putréfiant ferait courir au logis, j'étais mû mêmement tant par un besoin invétéré d'action que par l'appétit à voir de mes yeux ce qu'il en était de ces contes effrayants que l'on faisait sur le cimetière des Saints-Innocents la nuit. Car le jour, c'était un lieu paisible, planté de quelques arbres, et parcouru de sentiers herbeux entre les tombes sinuant, où d'aucuns même aimaient se promener avec l'assentiment du moine qui gardait la porte et qui la gardait inutilement, car en plus d'un endroit, la muraille qui circonscrivait le cimetière était à demi écroulée et des enfants même l'eussent pu franchir.

Toutefois, ledit portier, cette nuit même, fit de grandissimes difficultés à nous bailler l'entrant, nous disant que lui-même, armé de son crucifix, n'oserait mettre le pied en l'enclos, tant la nuit il s'y perpétrait d'horreurs. Et moi voyant que ses paroles risquaient d'ébranler la neuve vaillance des compagnons menuisiers, et sentant bien que sa résistance et ce refus ne tendaient qu'à un but, je lui graissai la paume de quelques sols : graisse qui fit tourner l'huis sur ses gonds le temps de dire Amen.

A vrai dire, le cimetière, quoique obscur et sans lune (celle-ci étant pleine, mais sous de gros nuages se cachant) et éclairé de nos seules lanternes, nous parut, aux premiers pas que nous y fîmes, quasiment aussi innocent que les saints dont il portait le nom. Et Miroul ayant trouvé l'emplacement de la tombe par le fossoyeur creusée, le menuisier lequel, lecteur, s'appelait Tronson (ce qui fit dire à Miroul *sotto voce* : si ce n'était là qu'un tronçon, que devait être le tronc ?) se déchargea du petit cercueil qu'il avait porté comme plume sur son épaule, et mettant un genou à terre, le plaça de ses grosses mains, mais non sans quelque délicatesse et dévotion de geste, dans le creux de la terre.

— Benoîte Vierge ! dit-il en se relevant et en se frappant le front du poing : Monsieur, qu'allions-nous faire ? Nous ne pouvons laisser départir ce frère nôtre, tant petit qu'il est, sans les prières d'usance ! Il faut quérir le moine !

— Il ne voudra point venir ! dit un des compagnons menuisiers, lequel jà se paonnait prou d'avoir osé pousser jusque-là. Rien qu'au pensement de se trouver céans, il chiera dans sa bure !

— Si le crois-je ! dit Tronson. A force de vivre sans femme, ces moines sont tout à plein escouillés. C'est un fait que les bourses grossissent par le dégorgement et se vident par le défaut d'usance. Après quoi, que voit-on ? La vaillance enallée, et la bure devenue cotillon.

— Maître menuisier, dis-je, voilà qui est chié chanté ! (expression dont je lui fis compliment, puisqu'il en usait prou). Mais à défaut de bourse, une escarcelle fera merveille. J'y vais, et gage vous le ramener en un battement de cil.

Ce que je fis en effet, et jamais prières, lecteur, ne furent plus bredi-bredouillées que celles-là, tant le moine avait hâte de s'en retourner au logis, se sentant dans ce cimetière, la nuit, comme un escargot sans sa coquille. Miroul lui tenant la lanterne haute tandis qu'il paternostait avec une célérité incrédible, j'observai qu'il n'était ni vieil ni laid, mais la face quasi écrasée comme celle d'un lapin, le bout du nez agité par ses oraisons en même temps que ses lèvres, et roulant en tous sens des yeux noirs, effarés et craintifs. Je n'oserais affirmer qu'il avait les oreilles rabattues en arrière comme un lièvre, et décrois, ici comme peu vraisemblable, l'image qu'a gardée de lui ma remembrance. Quoi qu'il en soit, le dernier *ave* mâchonné, et sa paume à peine graissée par mon confortant écu, il escampa.

— Benoîte Vierge! dit Tronson, voilà de l'ouvrage de bon Dieu faite à la diable! Bredin-bredac! Viens-tu! vas-tu! Ce n'est point parce que le mort est petit, qu'il faut le petitement prier! Ventre Saint-Antoine! Si je façonnais mes cercueils, comme ce moine ses prières, la terre et les vers les déferaient en six mois. Guillaume, pellète-moi cette glèbe dessus le pauvret et doucement.

Mais comme Guillaume achevait, le gros Poussevent vint me dire à l'oreille :

— Moussu, je vois des feux follets.

Si bas qu'il eut parlé, il fut ouï et il y eut soudain parmi les compagnons menuisiers trémulation et commotion, suivies d'un grand silence, témoignant d'une grande envie d'être ailleurs, tant est que même Tronson, tant bien fendu de gueule qu'il fût, s'accoisa, et s'il eût osé, je gage, eût de soi sonné le boute-selle.

— Ha bah! dis-je, compagnons! Des feux follets! Voilà qui est étrange! Des feux follets qu'on dit l'œuvre du diable sur une terre bénie et consacrée, je le décrois! Et pour en avoir le cœur net, j'y vais jeter un œil. Espérez un petit.

— Moussu, je vous suis, dit Miroul.

— Moi aussi, dirent d'une voix Pissebœuf et Poussevent.

— Que nenni vous deux ! Vous resterez en renfort de Maître Tronson, lequel en mon absence je nomme mon lieutenant !

L'ayant ainsi décoré de ce titre afin qu'il ne s'ensauvât pas — la vanité étant le meilleur auxiliaire du courage — je pris de prime avec moi une lanterne, laquelle, un coin de lune apparaissant, du fait des vagabonds nuages, je laissai là, après coup, ne voulant pas qu'elle décelât mon approche, ayant pour me guider cette tant faible lueur dans le coin le plus reculé du cimetière où Poussevent avait cru voir des feux follets. Toutefois, comme nous avancions parmi les tombes, cheminement difficile — les racines et les ronces nous prenant malignement les pieds — la lueur grandit jusqu'à devenir flamme devant laquelle des ombres humaines s'exagitaient, nous la cachant quand et quand.

Il me sembla bizarre qu'on eût allumé du feu pour se chauffer en un tel lieu, et au mois d'août, par une nuit si tiède. Les contes de L'Etoile me revenant alors en mémoire, je décidai d'avancer plus outre, maugré que Miroul me serrât le bras à deux reprises pour m'aviser de n'en rien faire. Et ce que je vis, quand je fus à bonne portée, les ombres s'étant écartées de devant le feu pour le mieux arranger, tant me glaça le cœur de pitié et d'horreur que je fus un moment sans branler, des frissons me parcourant le dos, la sueur ruisselant sous mes aisselles et mon cheveu se dressant sur le chef — expression que je cuidai très exagérée avant d'avoir éprouvé à cet instant même, pour la prime fois de ma vie, la sensation qu'elle décrit.

Miroul derechef me serra le bras sans mot piper et lui cédant cette fois, je répondis à sa pression et nous commençâmes, de compagnie, une retraite dans des dispositions d'esprit si troublées qu'elle ne se fit pas, cette fois, sans quelque noise. Laquelle, la Dieu merci, n'attira pas l'attention de ces misérables, leur feu, à ce moment, s'étant mis à grésiller.

Comme nous allions atteindre nos gens, que dominait la massive silhouette de Tronson, Miroul me requit de m'arrêter un petit. Ce qu'ayant fait, je le vis, à la clarté de la lune, allongé à demi sur une tombe, occupé à raquer ses tripes. A cette vue, j'en eusse fait bien autant, à ce que je cuide, si je n'avais eu sur moi un petit flacon d'eau-de-vie qu'au combat j'emporte toujours et que je passai à Miroul après en avoir bu une gorgée. Après quoi, je vis mon pauvre Miroul qui se frottait les joues, se peut pour chasser sa pâleur, ayant vergogne à paraître si décomposé devant nos arquebusiers, lui qui les commandait.

Dès que j'apparus, le cercle de nos gens se referma autour de moi, tous fort accoisés et qui s'accoisèrent, si faire se peut, davantage, dès qu'ils m'eurent ouï. Mais ce silence épouvanté, me tirant tout soudain de ma torpeur et redonnant force et couleur à ma résolution naturelle, j'envisageai Tronson œil à œil et lui dis tout de gob, à voix basse, mais nette, qu'ayant rempli son rollet qui n'était que de mettre en terre le fils de Doña Clara, il était libre de se retirer avec ses compagnons menuisiers. Quant à moi, j'étais tout à plein décidé à ne pas tolérer que se perpétrât, quasiment sous mes yeux, un acte si cruel, mais à y mettre fin, s'il le fallait, par la mort des perpétrants.

— Monsieur, dit Tronson, ils sont six, à ce que vous avez vu. Vous ne serez que quatre. Je viens donc avec vous, sans contraindre toutefois mes compagnons à me suivre, s'ils décident de demeurer céans.

— Monsieur mon maître, dit Guillaume promptement, la main sur le bras musculeux de Tronson, et non sans quelque émeuvement dans sa voix, pour moi, je vous suivrai, tant pour rétablir à plein l'égalité du nombre que pour l'amitié de vous, qui m'avez nourri, quand j'étais désoccupé.

A quoi les autres, d'une seule voix, dirent qu'ils viendraient aussi, ayant pesé, à ce que je crois, les deux peurs en leur for, et ayant trouvé que celle de rester seuls, sans chef et déshontés, pesait plus lourd que celle de suivre leur maître. Tant il est vrai que vaillance de soldat n'est jamais que vergogne, et celle-ci une sorte de couardise encore, mais tenue partout comme honorable.

Je me mis alors à quelque peine pour expliquer à ma troupe qu'il fallait advenir sur les lieux sans noise aucune pour avoir le profit de la surprise, se bien déployer pour non point se tirer les uns sur les autres, bien abriter soi derrière les tombes, attendre le premier coup de feu soit de moi, soit de l'ennemi, avant que de tirer, ne point tirer bredin-bredac, mais en prenant quelque visée, préparer à côté de soi son arme blanche à nu pour s'en saisir si l'ennemi attentait le corps à corps, ne point branler surtout sans mon commandement.

Ayant dit, je divisai mes gens en trois groupes, l'un que j'avais le propos de placer au centre, composé de Miroul, de Tronson, de Guillaume et de moi. Le second, qui serait mon aile dextre, comptant Pisseboeuf et deux compagnons menuisiers. Le troisième qui ferait mon aile senestre, avec les deux autres et Poussevent. Mes deux arquebusiers, dont je louai très haut l'expérience pour conforter mes fraîches et plus incertaines recrues, leur furent au surplus baillés comme capitaines.

Le miracle, c'est que cela se fit à peu près sur le terrain comme dans mon discours, sauf pour la noise, laquelle fut forte assez, mais à ce que je vis, ne troubla guère les lansquenets, pour ce qu'ils étaient ivres comme des lords anglais, et au surplus chantant, vociférant et fort animés à leur infâme besogne. Je laissai un assez long temps aux miens pour se mettre en place, ne faisant que les deviner confusément parmi les tombes, encore que la lune fût tout à plein dévoilée et fort claire, employant ce temps à ruminer les bribes d'allemand que j'avais apprises aux armées pour ce que je voulais m'adresser à ces gens dans leur langue.

Le coeur me toquant fort et les gambes trémulant sous moi, comme toujours dans le prime du péril, je me dressai à la parfin bien à découvert sur une tombe et criai d'une voix forte :

— *Meine Herren, geht euch Weg und so fort!*

Ils m'ouïrent, et se retournèrent, et furent bec bée à me voir debout sous la lune sur ladite dalle, armé en guerre de cap à pié, l'estoc au côté et tenant à chaque main un pistolet. Tel, et si grand, fut alors leur étonnement qu'ils s'accoisèrent, tandis que la vision que j'eus de leur effroi raffermissait tout soudain mes gambes.

— *Wer da ?* dit soudain l'un d'eux.

— *Ein Hauptman Nemours*, dis-je d'une voix menaçante, *und seine Truppe* [1].

S'ils n'avaient point été si saoulés de leur vin, ni si appétant à leur abominable rôt, dont l'odeur jusqu'à nous parvenait, ils eussent fui je gage, par la partie écroulée du mur, qui leur avait baillé l'entrant, mais la mâle rage de faim les tenaillait trop. Il leur sembla, en leurs confuses cervelles, que je venais leur rober leur pitance et sans prononcer un mot, mais grondant comme chiens dévorants à qui on dispute un os, ils se jetèrent sur leurs arquebuses et nous firent face, l'arme appuyée au creux de leur estomac. Je tirai sur le plus proche une fois et tout aussitôt sautant à bas de la tombe, je m'abritai derrière elle tandis qu'éclatait autour de moi une assourdissante escopeterie.

Quand la fumée s'en fut dissipée, je risquai un œil au-dessus de la tombe et ne vis que deux corps étendus et au-delà, le feu flambant et grésillant et rien d'autre. Mais craignant quelque ruse, je criai en oc à Pissebœuf et Poussevent de ne bouger mie et d'espérer.

— Quelle étrange parladure est-ce là ? dit Tronson, qui s'était de moi rapproché.

— C'est patois de pays, dis-je, bien connaissant l'ignorance des Parisiens touchant nos provinces du Midi, et ne voulant pas prononcer le mot *oc* qui pour eux était quasi synonyme de huguenot, afin, ajoutai-je, de n'être point entendu des lansquenets qui, se peut, auraient compris mon français.

1. — Messieurs, allez-vous-en et tout de gob !
   — Qui est là ?
   — Un capitaine de Nemours, et sa troupe.

— C'est bien pensé, dit Tronson gravement.

— Moussu, cria Pissebœuf en oc, peux-je aller reconnaître?

— Va, brave Pissebœuf! criai-je, et recommande à tes galapians de ne point faire feu, quoi qu'il advienne.

Recommandation que je répétai en français à haute voix pour le bénéfice de tous, ne voulant pas qu'on me tue mon Pissebœuf par des tirs hasardeux. Mais quant à moi et Miroul qui avait rechargé, et je gage aussi quant à Poussevent sur mon aile senestre, nous restâmes fort vigilants, l'œil fiché sur les corps immobiles et le doigt sur la détente. La Dieu merci, il ne se passa rien, et pas d'autre noise que le glissement furtif de Pissebœuf parmi les tombes et le feu sinistrement grésillant de toute la graisse qu'il recevait.

— Ville gagnée! cria Pissebœuf, qui aimait à tout grossir.

Même alors je ne voulus point que personne branlât avant d'y aller voir moi-même, et Miroul me suivant, je lui dis de se poster avec Pissebœuf sur le mur écroulé afin d'éviter un retour des quatre lansquenets enfuis, toute cette grande mousqueterie des nôtres n'ayant fait que deux morts et cette « ville gagnée » se réduisant à un grand feu qui rôtissait, que je le dise enfin, le cœur au bord des lèvres, non point un enfantelet, mais une garce.

Sur un signe, le reste de la troupe me vint rejoindre et je leur dis de ramasser les armes par lesquelles il se pourrait faire que le capitaine des lansquenets identifiât ces scélérats. Cependant, comme ils obéissaient, on entendit tout soudain une faible voix de femme crier dans l'ombre :

— A moi! A mon rescous!

Ce qui frappa mes compagnons de male peur et terreur.

— Monsieur, dit Guillaume, les lèvres tremblantes, la garce a parlé, toute rôtie qu'elle est!

— Sottise, Guillaume! dis-je, comment parlerait-elle, ayant la tête coupée? Et cette broche enfoncée par le mitan du corps!

— Monsieur, oyez! dit un autre qui me parut si pâle sous la lune que je crus qu'il allait pâmer.

— Monsieur, dit Guillaume à Tronson, ne voilà-t-il pas d'un autre miracle! Ramentez-vous l'aubé-pine de la Saint-Barthélemy qui fleurit en août! La morte parle, la tête coupée!

— Paix-là, coquefredouille! dit le maître menuisier Tronson, paonnant, mais à ce que je vis, fort mal assuré en son assiette. Si femme de Paris a bon bec, peut-elle parler sans bec du tout?

— Voire mais! dit Guillaume, se peut que la pauvrette se croie jà en enfer, étant par les flammes rôtie, et appelle au secours!

— Monsieur, dit un autre en me poignant le bras d'une main fort trémulente, elle parle derechef, oyez!

Et en effet, s'élevant de l'ombre une voix de femme, distincte, pressante, encore que fort faible, et comme étouffée, appelait au rescous et cette fois sans discontinuer.

— Cela ne vient pas de la morte, dit un compagnon menuisier, mais de la terre.

— Monsieur mon maître, dit Guillaume, la voix blèze et bégayante, avec votre bénigne permission, je m'en vais! Miracle se peut, mais de Satan! Si une voix de femme peut saillir de terre, alors c'est que la terre se peut déclore tout soudain et nous engloutir tous!

— Paix-là, pendard! dit Tronson, pâle mais piaffant, es-tu si déshonté? Ventre Saint-Antoine, qui a peur céans d'une petite voix de garcelette le dise! Et qu'il s'ensauve la queue entre les gambes et la chausse foireuse! Je ne le connais plus!

A quoi tous s'accoisèrent qui tous, pourtant, tremblaient, sauf mon Miroul et se peut, nos deux arquebusiers qui ne se voulaient pas moins vaillants que lui. Et toute la troupe tendit l'oreille, autour de Tronson et de moi-même serrée, et comme transie.

— *Cap de Diou!* dit tout soudain Pissebœuf, cela ne vient pas de la terre, Moussu, mais de ce coin-là, derrière cette haute tombe!

— C'est ma foi vrai, dit Poussevent, lequel s'étant signé, reprit, ne se voulant pas moins couillard que Pissebœuf, qui avait reconnu le premier le champ de bataille et crié « Ville gagnée ». Moussu, irai-je ?

— Va, brave Poussevent, dis-je, tenant entre eux la balance égale.

Sur quoi Poussevent se signa, émit une longue suite de ces peu bienséantes noises qui lui avaient mérité son surnom, dégaina et brandissant une lanterne de sa main senestre, s'en fut, l'estoc pointé devant lui.

— Moussu, cria-t-il au bout d'un instant d'une voix fort trémulente, cela vient d'un grand sac dans lequel s'exagite je ne sais quel démon. Le vais-je transpercer de prime ?

— Nenni ! Nenni ! Nenni ! cria tout soudain, fort stridente, la voix de femme, ce qui fit reculer mon Poussevent d'un bon pas, la bedondaine tressautante.

— Garde-t'en, fils ! criai-je, et courant à son côté m'agenouiller, de mon poignard commençai à fendre le sac, pressentant ce que j'y allai trouver.

— Poussevent, dis-je, tailladant délicatement le jute, ce sac, je gage, est le garde-mangeoir des lansquenets. Ni diable ni diablesse, mais comme tu vois, une fille bien vive et frétillante ! De chair et d'os ! Provende pour demain !.

Et en effet, le bâillon quasi tombé du bec, les mains liées derrière le dos et les gambes attachées, apparut une garce de la face de qui Poussevent approcha sa lanterne.

— Lisette ! criai-je béant.

— Ha ! Monsieur ! dit-elle, c'est vous !

Et elle pâma.

Ce fut toute une affaire, l'ayant dégagée de ses liens, de la dépâmer, de prime par mon eau-de-vie, de suite par quelques petits soufflets. Mais à elle revenue, et l'œil déclos, apercevant la pauvrette et les flammes, et se voyant par l'imaginative à sa place, elle poussa une grande hurlade et perdit vie et mouvement de nouveau. Je commandai alors qu'on mît la morte hors feu et hors vue, ce que nul n'avait pensé à faire, et glissai à Lisette une bonne goulée d'eau céleste dans le bec, laquelle fit tant d'effet que reprenant couleur, la tête sur ma poitrine, elle se mit tout soudain à frétiller excessivement de la langue.

— Ha ! Monsieur ! dit-elle, bien punie je suis pour avoir écouté un galant, tout bel homme et bien membré qu'il fût, lequel j'ai encontré, tandis que j'allais à la moutarde, et qui, me contant fleurette et me promettant de me marier, m'a attirée hors logis à l'heure où les mourants eux-mêmes se font rares par les rues. Et là, le vaunéant m'a en un tourne-main liée, bâillonnée et vendue, je dis bien vendue, pour deux écus à ces bêtes brutes de lansquenets dont il était le rabatteur. « Lisette, me dit le traître en riant, et en faisant sauter dans sa paume ses deniers de Judas, tu vas gagner à ce bargouin ! Pour ce qu'au lieu d'un mari, tu vas en avoir six, lesquels te mangeront de baisers ! » Ha ! Monsieur, je crus ma mort venue à cette cruelle gausserie, mais la fortune voulut que ces lansquenets me fourrèrent dans un sac pour se jeter de prime sur une autre pauvrette déjà en leur possession, la forcer tous les six, lui couper le col, et la mettre en broche : ce que je ne vis pas, mais ouïs, étant dans le garde-mangeoir, comme vous avez dit si bien, et ne reprenant vent et haleine que par un trou que ces monstres avaient ménagé pour ma bouche, me voulant garder vive pour leurs ébats.

Le moine, qui se tenait serré en son logis comme lièvre en son gîte, n'en crut pas ses yeux effarés, nous ayant vus en l'enclos pénétrer avec un petit cercueil, de nous voir saillir hors, après cette grande escopeterie, avec une garce, et voulut y discerner de prime je ne sais quelle peccamineuse sorcellerie. Tant est que ne voulant pas perdre de temps à l'en dissuader et remettant la vérité au lendemain, je pris le raccourci de lui graisser derechef la patte, graisse qui oignit si bien sa conscience que de sorciers que nous étions, devenus bons chrétiens, il nous voulut bien bénir en nous laissant passer.

Je me proposai de ramener tout de gob Lisette à Pierre de L'Etoile, mais elle ne voulut rien entendre, arguant que son bon maître jamais n'ouvrait à qui toquait nuitamment à son huis, tant il était prudent et qu'on ne le pouvait pas non plus réveiller par des cris, sa chambre ne donnant pas sur la rue, mais sur la cour. Je pris donc le parti — Tronson et ses compagnons m'ayant quitté après d'infinies brassées, chacun rentrant en sa chacunière — de bailler à Lisette le gîte d'une nuit, la confiant comme compagne de lit à Héloïse.

Celle-ci, à l'ouvrant, nous voulut avec des cris couvrir de poutounes, tout cuirassés que nous fussions, s'étant fait, dit-elle, à nous espérer « un sang d'encre à tourner le lait de dix mille nourrices ». Et moi lui disant d'approprier et de nourrir Lisette, je les laissai toutes deux dans les délices d'une jaserie infinie, clabaudant à perdre haleine, l'une ayant tant à dire et l'autre tant de questions à poser. Pour moi, je m'allai coucher sans tant languir en ma chambrette (ayant abandonné ma chambre à Doña Clara), me sentant rompu à ne plus pouvoir branler bras et gambes, mon dos creusant la coite, et ma tête toute tourneboulée et résonnante de ces horribles événements.

Je dormis peu et mal, me désommeillant tout en eau à la pique du jour, ayant eu l'âme rongée d'un songe qui me faisait cheminer la nuit dans le cimetière des Saints-Innocents, seul, sans arme, ni cuirasse, et me cachant de tombe en tombe, pour ce que, non pas six, mais cent lansquenets y faisaient rôtir des garcelettes de place en place, et moi sans rien y pouvoir faire, oyant les gémissements à me tordre le cœur saillant des corps sans tête, faisant écho aux hurlades des filles vives qu'on forçait sur les tombes et aux plaintes étouffées de celles qu'on gardait dans les sacs. Je doutai, réveillé, que mon réveil même ne fût pas un songe, pour ce que j'avais l'oreille bourdonnante encore des cris que j'avais ouïs et pour ce que je gardais encore dans la narine l'abominable odeur de la chair brûlée. Mais reprenant par degrés, à toucher ma coite, mon oreiller et mon corps même, le sentiment de la réalité des choses, je tombai dans un grand pensement sur la brute méchantise de notre espèce, lequel me fit grand mal pour la raison que je voyais bien que les hommes n'étaient que d'un degré distants de l'animal, au niveau duquel le besoin les faisait quand et quand retomber ; et pis encore, que la sainte religion même n'y pouvait rien, mais bien le rebours, y était connivente pour ce que, pervertie par le zèle des fanatiques, elle ne voulait voir dans les corps humains, fussent-ils grands et petits, que « boue et crachat » — matière vile dont « il n'y avait pas tant à plaindre la façon », comme avait dit la Montpensier.

CHAPITRE X

Tronson me vint dire le lendemain qu'avec ma permission, il n'apporterait pas les mousquets des lansquenets occis à leur capitaine, pour ce qu'il les voulait garder pour lui, comme sa juste et légitime part de picorée, s'étant mis au hasard de sa vie et ayant de reste appétit à garder quelque trophée de notre grand exploit. Et moi acquiesçant, il m'offrit incontinent de me remettre la moitié du butin, ce que je noulus, lui disant que j'avais des armes assez et que sans le renfort de lui-même et de ses compagnons, je n'eusse pu défaire les lansquenets sans y laisser de plumes. Il s'en fut donc, jubilant, la crête haute, fort content de moi, plus encore de soi, et chantant son propre los et en mineur le mien à tous les échos de la rue des Filles-Dieu, tant est que du jour au lendemain, l'odeur de mes vertus se répandit chez mes voisins et que je fus par eux quasi autant considéré qu'un Parisien de Paris.

Le 15 août, si ma remembrance est bonne, mon Miroul lia connaissance en une auberge, où il l'avait suivi, d'un nommé Rapin, lequel était valet du che-

valier d'Aumale et avait coutume, son maître étant à
ses affaires, de boire là tristement un gobelet de vin,
y trompant deux fois sa faim, celle du ventre, et celle
de l'alberguière, laquelle tenait boutique et commerce de ses appas, qu'elle vendait aux chalands dix
sols, fortune que Rapin ne pouvait rêver de posséder, ne vivant que de petits larcins, son maître ne lui
payant mie ses gages. Mon Miroul observant que le
pauvret, l'œil fiché à'steure sur les tétins de la
ribaude, et à'steure sur sa croupe, mangeait son rôt
à la fumée (comme on dit en Périgord), partagea
avec lui un croûton qu'il avait en ses chausses, et faisant semblant d'être ivre, lui prêta un écu qu'il
contrefeignit ensuite d'avoir tout à plein oublié lui
avoir jamais prêté. Ce qui rendit le bon Rapin, une
fois qu'il fut satisfait des deux bouts, si affectionné à
Miroul et si grand jaseur en ses coupes et boissons
qu'il lui conta par le menu sa vie et lui fit, baissant la
voix, ses plaintes sur « celui que vous savez », personnage dont il n'osait prononcer ni le nom ni le
titre, si grande était la terreur où il vivait de lui.
Mais l'oreille étant fort attentive en laquelle il déver-
sait ses récriminations, Rapin en vint à dire que le
pis de la chose était de se rendre en Saint-Denis tous
les lundis, entre chien et loup, et là de demeurer en
une certaine rue garder les chevaux la nuit durant,
ne revoyant son maître qu'à potron-minet.

— Et dans quel état ? dit Miroul.

— Vramy ! dit Rapin avec un rot, dans l'état tout
juste que me voilà : la tripe à l'aise et l'estomac
chantant.

— Quoi ? Gaillarde-t-il en cette maison ?

— Comme fol, j'en suis bien assuré ! Et durant
qu'il se ventrouille en délices, moi, pauvre chrétien,
je conte fleurette dans la rue à mes chevaux.

— Dans la rue ? Dites-vous bien dans la rue ?
Cette maison n'a donc pas d'écurie ?

— Si crois-je qu'elle en est bien garnie, vu qu'une
chambrière en saille à chaque fois pour bailler botte
de foin à nos bidets.

— Te parle-t-elle ?

— Pas un mot et pas un croûton non plus. Les chevaux sont mieux traités que moi. Je serais turc ou barbaresque, je ne serais pas plus déprisé.

— Ton maître est-il seul à visiter ce logis?

— Que nenni! J'ai vu deux ou trois guillaumes y entrer après lui à pied et très bouchés dans leur manteau, encore qu'il fît une chaleur à crever.

— Mon Miroul, dis-je quand il m'eut conté tout ceci, cela sent le bordeau, ou l'intrigue. L'un ou l'autre ou, se peut, l'un et l'autre. Il faut y aller voir.

Nous y fûmes le lundi 20 août à la tombée du jour, sans encombre ni traverse aucune, mes deux passeports n'étant pas soupçonnables, et nous étant mis à Saint-Denis sur la queue du chevalier d'Aumale, moi dans la coche et Miroul sur le siège (le chapeau très rabattu sur l'œil pour n'être pas, même au crépuscule, reconnu de Rapin), nous vîmes le chevalier entrer dans une maison de bonne apparence, avec une belle verrière en petits carreaux de diverses couleurs derrière laquelle brillait une bonne douzaine de chandelles.

— Bride, Miroul, dis-je, dès que nous eûmes tourné le coin de la rue.

— Ventre Saint-Antoine, Moussu! dit Miroul, en descendant de son siège et en se venant accoter à la fenêtre de ma coche, on ne plaint pas la dépense dans cette maison! Vous ramentez-vous comment votre oncle Sauveterre picaniait Monsieur votre père de ce que Dame Gertrude du Luc, à Mespech, usait deux ou trois chandelles pour son pimplochement? Vous en avez là tout un bouquet, brûlant pécunes à la fenêtre. Moussu, où allons-nous de présent?

— Chez M. de Vic.

— Quoi? Connaît-il votre nom véritable?

— Nenni. Mais il sait que je sers le roi. Et le doit savoir, étant gouverneur de Saint-Denis.

— Moussu, allez-vous dire à M. de Vic sur la queue de qui nous sommes?

— Nenni.

— Moussu, vous êtes profond.

— Et avec toi plus que patient.

— Moussu, vous devez bien avouer que je suis de bon conseil.

— C'est bien pourquoi je t'ois. Départons sans tant languir.

— Moussu, dit-il, avec un petit rire, si le chevalier est entré dans la maison aux chandelles pour user de la sienne, nous avons la nuit devant nous.

— Et si nous délayons plus outre, nous trouverons M. de Vic au lit.

Il n'y était point, mais allait s'y mettre, étant jà en chemise, mais voulut bien pourtant nous recevoir, dès que son valet lui vint dire que le maître drapier Coulondre avait mot à lui dire.

— Maître drapier, dit-il en venant à moi, la mine ouverte et enjouée, avez-vous affaire à moi ? Allons, point de cérémonie ! poursuivit-il tandis que je lui faisais un profond salut, mettez dret le mousquet à l'épaule et tirez ! De quoi s'agit-il ? Je sais que vous servez le roi et le servez fort bien...

Et il continua dans cette veine pendant deux bonnes minutes, étant de ces grands jaseurs qui vous somment de vous expliquer en deux mots, et ne vous en laissent ni le temps ni l'occasion, tant leur langue est parleresse, pressée et frétillarde. Au reste, beau et grand gaillard de six pieds de haut, la poitrine bombée comme le dessus d'un coffre, le cheveu dru et noir, l'œil de jais, le nez agréablement gros, la lèvre épaisse et friande, et la bouche excessivement fendue, tant, je gage, pour la clabauderie que pour la table. Il était seigneur d'Ermenonville, mais à l'armée se faisait appeler, chose étrange, le capitaine Sarret, du nom de sa mère, la comtesse de Sarret, et ayant bien servi, sa vie durant, Henri IV, il finit vice-amiral, ce qui était un bel et beau titre pour un gentilhomme qui n'avait jamais mis le pied sur un bateau. Pas plus, de reste, que l'amiral de Coligny. Raison pour quoi, lecteur, la marine d'Elizabeth, bien que petite, vaut deux fois la nôtre. Elle est commandée par des marins : Il n'était que d'y songer.

— Monsieur le gouverneur, dis-je, dès que la marée de ses paroles eut amorcé un léger reflux, je voudrais savoir qui loge en une maison de bonne apparence, montrant en façade une belle verrière de diverses couleurs, derrière laquelle brille une bonne douzaine de chandelles.

— En quelle rue ? dit M. de Vic en levant un sourcil, et la lèvre gaussante.

— Cette rue tout juste qui est parallèle à celle-ci.

— La rue Tire-Boudin, la bien-nommée, dit M. de Vic, la gueule fendue d'un large sourire. Le logis aux douze chandelles appartient à La Raverie.

— Est-ce une ribaude ?

— C'est trop dire. La Raverie donne à souper, à jouer et à coucher, mais seulement aux plus grands, aux plus apparents et aux plus étoffés. Elle est belle et ses chambrières sont accortes.

— Pourrais-je me présenter tout de gob à son huis et être reçu ?

— Oui-da ! Avec un mot de moi et cent écus en votre escarcelle.

— Ventre Saint-Antoine ! Cent écus !

— C'est, dit M. de Vic en riant, qu'il faut perdre à la table de jeu avant que de gagner la coite.

— Monsieur le gouverneur, complote-t-on contre le roi en ce logis si bien réglé ?

— Si ne le crois-je, dis M. de Vic gravement, et je doute que vous me l'appreniez.

— C'est donc que vous y avez mouche à votre dévotion.

— Oui-da, dit M. de Vic sèchement, sa large gueule se fermant comme une huître.

Après quoi nous nous accoisâmes tous deux, œil à œil et le sien point trop bénin, pour ce qu'il cuidait apparemment que je voulais lui en remontrer sur son métier.

— Monsieur le gouverneur, dis-je à la parfin avec un salut, Dieu garde que je veuille vous donner leçon ! Je désire, bien au rebours, dans mon présent embarras, en recevoir de vous, si vous condescendez à m'en bailler, étant comme moi si dévoué à Sa Majesté.

— Monsieur, dit-il, fort radouci, mes plus avisés avis sont vôtres, si vous y appétez.

— J'y appète fort. Car voici où le bât me blesse : j'ai vu entrer chez La Raverie un quidam dont je ne sais le nom, mais que je crois être un archiligueux, et dont je ne sais s'il y complote, ou s'il y coquelique. Que me conseillez-vous ?

— Ma mouche chez La Raverie se nomme La Goulue, dit M. de Vic. Si vous lui glissez à l'oreille : *ad augusta per angusta* [1], elle vous bourdonnera à l'oreille tout ce qu'elle sait. Et Monsieur, un autre conseil. Avant que d'y courir, remisez votre coche en mon écurie et allez-y discrètement à pied.

À quoi je consentis, avec des mercis à l'infini, mais entendant bien que M. de Vic ne donnait l'hospitalité à mes chevaux que pour être assuré de me revoir et d'ouïr mon conte, après que j'aurai encontré La Goulue.

Lecteur, le huguenot sanglota en mon très peu papiste cœur, quand je perdis stoïquement au jeu cent beaux et bons écus non rognés, sonnants et trébuchants, avant que d'être admis dans le saint des saints — *ad augusta per angusta* —, j'entends dans la chambre de La Goulue, La Raverie n'étant nulle part au logis visible, lequel logis, et laquelle chambre, pour les commodités et l'élégance, n'avaient rien à envier aux hôtels parisiens des plus hautes dames du royaume. Tant est que j'eusse pu trouver une consolation à considérer cette bonne usance de mes écus, s'ils n'avaient laissé derrière eux une tant âpre plaie.

Je crus que La Goulue s'allait jeter sur moi, dès que la chambrière eut fermé l'huis sur nous, étant de ces garces qui ne font qu'une bouchée d'un homme. Mais bridant son impétuosité naturelle, j'emprisonnai sa tête de mes deux mains et lui glissai à l'oreille le *shibboleth* [2] de M. de Vic.

— En voilà-t-il pas d'une autre ! dit-elle, morose et

1. Vers les choses augustes par les voies étroites. (Lat.)
2. Mot de passe. (Hébreu.)

rechignante. Pour une fois que j'ai un vigoureux guillaume à me mettre sous la dent, il ne veut de moi que paroles! Et paroles qui lui ont coûté cent écus! C'est cher payé!

Lecteur, ne va pas croire que La Goulue était une grande et forte femme, excessivement fendue de gueule comme M. de Vic. Bien au rebours, plus menue qu'elle, quoique rondelette, on ne vit oncques, mais le corps tout animé et exagité d'une vivacité inouïe.

— Je verrai bien, dis-je, et je m'assis sur un cancan qui était là. Voyant quoi, La Goulue sauta sur mes genoux, s'y lova comme une chatte et se mit à jouer avec ma barbe. Mamie, poursuivis-je, verrai-je La Raverie cette nuit?

— Ma grande mouche, dit La Goulue qui parlait comme le feu crépite, tu n'en verras ni l'oreille ni la queue. Le lundi, La Raverie entre en religion avec M. de Lundi à la chute du jour, et n'en saille qu'à l'aube, en même temps que lui, et tous deux fort moulus, ayant coqueliqué, la nuit durant, comme rats en paille.

— Quoi? Pas de répit? Pas de visite?

— Sauf la mienne pour apporter repue, M. de Lundi, nu en sa natureté, prenant grand soin alors de me tourner le dos, lequel dos étant jeune et musculeux, me fait bien augurer de son devant.

— M. de Lundi, est-ce son nom?

— Si le décrois-je. Il porte sur l'épaule senestre, gravées indélébilement à l'encre, les initiales entrelacées R et A, et R étant La Raverie, cet A le doit, en mon opinion, désigner.

Ce que j'ouïs sans battre un cil, tout béant que je fusse que d'Aumale, qui était si bien né, descendît à de telles pratiques avec une fille d'amour, et mît, en outre, sa vie en si grand hasard que de la venir mignoter en plein mitan du camp ennemi.

— Je gage, dis-je, que La Raverie en veut surtout à ses pécunes.

— Point du tout! dit La Goulue, comme indignée. Elle l'aime de bon cœur, de bon foie, de bonnes cuisses et de bon ventre.

— Mamie, La Raverie est-elle tant belle que son cœur est large ?

— Ma mouche, dit La Goulue, l'œil déprisant, ne te hausse pas du col : il te faudrait être au moins baron pour prétendre à sa coite.

— Se peut que je le sois !

— Se peut que tu te gausses ! Mais pour sa beauté, sache, ma mouche, que si tu pilais en un mortier les dix plus belles dames de la Cour, tâchant, avec ces beautés mises à tas, d'en façonner une seule qui les dépassât toutes, tu n'atteindrais pas encore à la cheville de ma maîtresse ! Je te le dis tout dret, ma mouche : La Raverie, c'est un morceau de roi.

Avec mon Miroul, fourbu d'avoir dormi en la cuisine les bras sur la table et la tête sur les bras, je départis dès la pique du jour, mon Miroul étant plus mal'engroin, maussade et marmiteux que je le vis jamais, toutes les garces en ce logis doré, fût-ce la plus humble, faisant pécunes de leur devant : Bargouin auquel, à Dieu ne plaise que mon Miroul consentît jamais, se prisant lui-même tant haut qu'il se cuidait être une sorte de gracieux présent de la Providence au sexe féminin.

A M. de Vic, je dis ce que j'avais appris sur M. de Lundi du bec déshonté de La Goulue, y compris les initiales R et A entrelacées sur l'épaule — ce que le gouverneur ignorait, mais qui lui apporta peu de lumière, ne sachant pas que le « A » désignait le chevalier d'Aumale : nom que je retins encore dans l'enclos de mes dents pour les raisons que l'on sait, me demandant même si je l'allais dire au roi, M. de Vic m'emmenant tout de gob voir Sa Majesté chez M. de Rosny, en le logis de qui Elle tenait conseil à cette heure matinale.

Il y avait là, outre M. de Rosny et le roi, le maréchal de Biron, le vicomte de Turenne et le brave et courtois La Noue, que d'aucuns, même dans le camp ligueux, appelaient le « Bayard protestant ». Tous portaient des mines graves et allongées, à part le roi, qui me parut, comme à son accoutumée, fort enjoué, ou à tout le moins contrefeignant de l'être. A me voir, il dit : « Ha ! Barbu ! », mais n'en dit pas plus, me faisant signe de la main de m'asseoir sur un coffre qui se trouvait un peu en retrait dans une encoignure de fenêtre, s'asseyant quant à lui, ainsi que ses conseillers, autour d'une table de noyer qui se trouvait là, mais pour peu de temps, car retrouvant sa naturelle impatience, dès que la conversation vint à s'animer, il se leva et sur ses courtes et musculeuses gambes, marcha qui-cy qui-là dans la pièce comme il faisait toujours, à'steure les deux mains liées derrière le dos, à'steure se tirant de la dextre le nez, qu'il avait courbe et long, comme s'il eût voulu l'allonger encore, et parlant par-dessus son épaule, la plupart du temps en saillies, encore que son œil soucieux démentît sa lèvre gaussante.

— Sire, dit le maréchal de Biron, qui parla le premier, il n'y a plus à en douter : ce que nous redoutions depuis trois mois a fini par échoir. Le duc de Parme, laissant là les Flandres, sur l'ordre répété de Philippe, est venu apporter le secours d'une armée espagnole au duc de Mayenne à Meaux.

— Nous verrons donc à la parfin, dit le roi avec un sourire moqueur, si le gros duc a du sang aux ongles, car jusque-là, sans le rescous des Espagnols, il n'osait pas nous attaquer. A-t-on reconnu combien Parme avait d'hommes ?

— 13 000 environ, Sire, dit Biron, dont 3 000 cavaliers et 10 000 fantassins.

— Pour l'infanterie des Espagnols, dit le roi après un moment de silence, elle est bonne et brave. Ils y ont tout leur cœur, et pour ne vous en mentir point, je la crains. Mais leur cavalerie est faible. Et je me fie en Dieu et en ma noblesse et cavalerie française, que les plus grands diables même craindraient d'affronter.

Il y eut parmi les présents de grands hochements d'approbation à ouïr cela, nul d'entre eux n'ignorant que si le duc de Parme était le meilleur stratège de son temps (encore qu'il commandât ses troupes de sa litière, étant perclus de douleurs), Navarre savait mieux que personne entraîner et enlever sa cavalerie, comme il avait fait si bien à la bataille d'Ivry, où, à elle seule, elle avait fait la décision.

— Il faut donc, dit le maréchal de Biron, lequel était fort noir d'œil, de poil et de peau, et parlait d'une voix brève et décisoire, il faut donc lever incontinent le siège, et rassemblant nos troupes éparpillées tout autour de Paris, courir sus au duc de Parme et au gros duc.

La silence qui suivit ces paroles fut longue et lourde, car aux vaillants qui étaient là le cœur pesait comme plomb à la pensée de lever le siège et de perdre toutes les grandes peines auxquelles on s'était mis, ces quatre mois écoulés. N'allait-il pas, en effet, sans dire qu'à peine le roi départi de devant Paris, la bonne ville serait, et par eau, et par terre, de toutes parts envitaillée, tant est qu'il faudrait un nouveau siège, et hélas! une nouvelle famine, pour en venir à bout.

— Eh bien, La Noue? dit le roi, comme pour inviter à parler à son tour le grand capitaine, lequel je dévorais de l'œil, car, chose étrange, combien qu'il eût combattu comme moi à Ivry, je ne l'avais jamais approché de si près. Se peut aussi pour ce qu'au temps où j'étais à la Cour de Henri III, il avait été prisonnier des Espagnols.

La Noue avait alors quarante-neuf ans, la membrature sèche et carrée, la face mâle et des yeux francs où se lisait son pur et simple cœur dont la fidélité à la cause huguenote et au roi était connue de tous, aussi ferme et impénétrable que son bras senestre, lequel était façonné de fer lorrain, son bras de chair ayant été emporté à Fontenay-le-Comte.

— Sire, dit La Noue d'une voix douce après un salut courtois à Sa Majesté et à Biron, avec tout le respect que je dois à M. le Maréchal, j'opine tout le rebours de son opinion : à savoir qu'il ne faut pas déloger de devant Paris, de peur de perdre tout le bénéfice de ce long et pénible siège, mais attendre que l'armée des ducs se soit engagée dans le passage d'une rivière pour l'attaquer.

— Hérésie! s'écria le maréchal de Biron dont on voyait bien à son ton abrupt et à son œil enflammé, qu'il se souciait, lui, fort peu de courtoisie; hérésie, Monsieur de La Noue, que condamnent toutes les lois de la guerre! *Primo*, pour ce que c'est un principe sacro-saint que nous devons toujours aller chercher notre adversaire au plus loin, afin que de l'empêcher de prendre pied trop avant sur notre sol! *Secundo*, pour ce que si le roi reste devant Paris, ses troupes étant éparpillées au long de sa circonférence, il n'aura guère le temps de les rassembler, s'il se trouve attaqué. Et comment ne pas craindre, enfin, qu'il s'expose alors, par-dessus le marché, à être pris entre l'armée des ducs et une sortie des assiégés?

C'étaient là de fort bonnes raisons, et contraignantes, et qui me convainquirent, mais non, à ce que je pus voir, La Noue Bras-de-Fer, non plus que le vicomte de Turenne, lequel venait d'amener au roi 3 000 arquebusiers gascons et 300 cavaliers, et qui, fort de l'autorité que lui donnait ce renfort, opina, quand son tour fut venu, de partager l'armée royale en deux, l'une restant sous Paris et l'autre courant sus aux troupes du duc.

— Si est-il pourtant, dit le roi avec un sourire, en arrêtant sa marche pendulaire et en parlant par-dessus son épaule, que si je veux battre le duc de Parme qui est un grand capitaine, je n'aurai pas trop de toute mon armée. Monsieur de Rosny? poursuivit-il en se remettant en branle.

— Sire, dit Rosny sobrement, je partage l'avis de M. le Maréchal de Biron.

— Je demeure ferme en le mien, dit alors La Noue, en saisissant avec une légère grimace son bras de fer de sa main dextre pour le poser sur son genou. Sire, si le duc de Parme a mis si longtemps à obéir au commandement de Philippe II, c'est qu'il rechignait fort à courre deux lièvres à la fois, abandonnant la pacification des Flandres à laquelle il a mis son cœur, à seule fin de venir en France vous déloger de devant Paris. Mais Sire, s'il vous voit abandonner de vous-même le siège de la capitale, alors il se dérobera à vos attaques, estimant sa mission accomplie à peu de frais et il s'en retournera, intact, dans ses Flandres.

Je dois confesser que je fus fort ébranlé par les arguments de La Noue, lesquels, de reste, s'avérèrent prophétiques et je vis bien qu'ils auraient, se peut, mis la puce au poitrail du roi, si Sa Majesté n'avait pas tant désiré en son for d'en finir une fois pour toutes avec l'armée espagnole et son glorieux chef sans le secours desquels il savait bien que la Ligue et Mayenne ne pourraient longtemps lui faire pièce. En quoi il avait raison à longue assignation, et tort à bref délai. N'est-ce pas, pourtant, le piège ambigueux de toute politique que d'aucunes décisions ne sauraient être bonnes à la fois à court et à long terme ?

Il y eut un long silence après que La Noue eut parlé, mais belle lectrice, bien savez-vous en vos joutes matrimoniales, que tout bon raisonnement ne peut qu'il n'irrite votre mari, et d'autant qu'il n'y trouve rien à reprendre. Le roi, à ce que je vis, fut de la même guise fort encoléré par les remarques de La Noue, pour ce qu'elles contrariaient, sans qu'il pût les réfuter, une résolution déjà prise. Et ne voulant ni montrer son ire ni rester bec cloué, il tourna la chose, comme il faisait souvent, en gausserie, mais en gausserie si méchante et si mal venue, qu'elle laissa tous les présents pantois.

— Je vois bien, dit-il, faisant allusion à la longue captivité du grand capitaine, que M. de La Noue n'est pas encore rassuré et qu'il lui semble que les Espagnols le tiennent déjà aux fesses pour le ramener en Flandres prisonnier.

— Sire, dit La Noue, en rougissant sous son hâle, personne n'a jusqu'à ce jour douté de ma vaillance.

— Et personne, à ce jour, n'en doute, dit le roi, qui faisant un tour abrupt sur ses talons, sortit de la pièce sans rien ajouter, étant fort marri d'avoir à lever le siège, fort peu certain d'avoir raison de le faire, fort mal content de l'opposition de La Noue, et fort peu heureux, je gage, de la peu gracieuse réplique qu'il lui avait baillée.

Je crus que le roi, abandonnant les faubourgs de Paris afin de rassembler son armée, allait quitter aussi la ville de Saint-Denis, mais il n'en fit rien, y laissant bien au rebours une forte garnison sous les ordres de M. de Vic, lequel commença aussitôt à se remparer, dans la crainte que, le gros des forces royales départi, la Ligue parisienne ne vînt à l'attaquer. Je n'eus pas non plus à me demander si j'allais dire au roi qui était M. de Lundi, car le roi, tout au lever du siège et préparation de sa grande bataille, ne put me donner audience, se bornant à me faire dire par M. de Rosny d'avoir à demeurer dedans Paris, où il aurait, certes, l'occasion, derechef, de se servir de moi.

Je rentrai donc *intra muros*, et fort tristement, voyant mon roi privé comme devant de sa capitale, et les Français comme devant désunis. Du moins eus-je l'agrément de retrouver en mon logis de la rue des Filles-Dieu Doña Clara saine et rebiscoulée, laquelle je convainquis de ne pas s'en retourner tout de gob en ses Espagnes, ce voyage n'étant pas sans grand péril, dans le trouble des temps, et la guerre flambant de nouveau partout en France entre ligueux et royalistes.

Je courus le lendemain de mon retour visiter Mme de Nemours, laquelle me recevant en son petit cabinet, vêtue en ses robes de nuit, me tança de n'être venu la voir de huit jours, mais s'apazima, dès que je lui eus dit où j'étais et pourquoi, lui en contant aussitôt ma râtelée.

— Ainsi, Monsieur, dit-elle, mon cousin d'Aumale ne complote pas en Saint-Denis. Il coquelique ! N'est-ce pas étrange ? Ne dirait-on pas que Paris est si vide de femmes qu'il doive en aller chercher une en Saint-Denis dans le camp des royaux ! L'avez-vous dit à Navarre ?

— Madame, dis-je, je ne l'ai dit à personne, et si je le dis à vous, c'est que m'en tenant à nos conventions, je me suis acertainé qu'il s'agissait d'une affaire privée, et non point d'un secret d'Etat.

— Je gage, Monsieur, dit-elle avec un sourire tout à la fois doux et moqueur, que c'est guidé par cette même prudence que revenant de Saint-Denis, vous omettez de me dire que Navarre y fait ses paquets.

— J'ai vu, en effet, Madame, dis-je, des préparatifs qui me l'ont donné à penser, mais outre que j'imagine que M. de Nemours l'a su aussi bien et aussi tôt que moi, il n'entre pas dans mon rollet de colporter ce genre de nouvelles d'un camp à l'autre.

— Monsieur, dit-elle en m'envisageant l'œil fort pétillant, vous possédez un mérite insigne : vous êtes constant en vos pensées. Cependant, afin que de connaître la vérité sur les nuits de mon cousin, vous vous êtes mis à quelques dépens, lesquels j'ai dans le propos de vous rembourser.

— Ha ! Madame ! dis-je, fi donc ! Cela ne se peut !

— Monsieur, dit-elle avec un sourire mi-figue mi-raisin, est-ce à dire que vous vous tenez assez payé de vos débours par la nuit que vous passâtes dans la chambre de La Goulue ?

— Madame, dis-je quelque peu béant de cette inattendue attaque, en aucune guise ! cette nuit ne m'apporta pas d'autre commodité que le sommeil.

— Eh bien, Monsieur, reprit-elle gaîment, en ce cas, je vous dois cent écus !

— Madame, dis-je, je n'ai cité ces cent écus que pour vous amuser. Pas plus que mon dévouement à vous ils ne sont repayables.

Ceci parut lui donner quelque émeuvement, car elle fut un moment à m'envisager de ses beaux yeux sans dire mot ni miette. Après quoi elle sourit d'une façon douce et connivente et dit *sotto voce* :

— Monsieur, ne craignez-vous pas que votre émerveillable libéralité me baille le soupçon que vous n'êtes pas vraiment le marchand drapier que vous prétendez être ?

— Mais, Madame la Duchesse, dis-je en me mettant à ses genoux, si vous n'aviez eu depuis long-temps ce soupçon, m'auriez-vous laissé vous baiser les mains ?

— Est-ce un aveu ?

— Non, Madame, dis-je en couvrant lesdites mains de baisers. C'est un paiement.

— Allons, Monsieur ! dit-elle avec un petit rire. Vous êtes fol ! Cessez donc ! Vous me fâcheriez ! Si même vous étiez baron ou comte, déjà je condescendrais prou ! Ensauvez-vous, Monsieur ! Et me revenez visiter fidèlement deux fois la semaine. Il se peut, ajouta-t-elle, se servant quasiment des mêmes mots que le roi, que j'aie de vous derechef quelque usance.

Je dormais fort profondément à l'aube du 30 août, quand mon huis sur la rue fut ébranlé de grands coups, et cette noise ne cessant point, j'allai quérir Miroul en sa chambre où ne le trouvant point, j'augurai qu'il était si occupé avec Héloïse qu'il n'oyait rien au-delà de ses propres soupirs. J'allais donc voir moi-même par le judas la raison de cette grande vacarme et l'ayant déclos, aperçus par les barreaux la bonne trogne réjouie du maître menuisier Tronson.

— Alléluia, compère ! cria-t-il, si tôt qu'il m'eut vu, Navarre est départi au diable de Vauvert ! A la pique du jour, comme je montais la garde sur les murailles, que vis-je, sinon que son armée s'était envolée, sauf toutefois en Saint-Denis ! Alléluia, compère, alléluia ! Nos souffrances sont finies ! Que Jésus et la Benoîte Vierge en soient à jamais bénis ! Il y aura grande procession sur le coup de neuf heures qui, des Filles-Dieu se rendra à Notre-Dame afin que d'y ouïr le *Te Deum* chanté en actions de grâces ! Ventre Saint-Bleu, soyez-y !

J'y fus, au milieu d'un grand concours de peuple en liesse, et y vis, fort rayonnants, l'ambassadeur Mendoza, le légat Cajetan, Pierre d'Epinac, archevêque de Lyon, la Montpensier, Nemours, mais non point sa mère, la duchesse n'aimant point la presse. Et jouant des coudes et m'approchant assez près de la chaire, j'ouïs un prêche du fameux Italien Paniga-role, lequel était adoré des dames, tant hautes que populaires, pour ce que sa voix était comme ses yeux : de pur velours, son sermon ne descendant mie aux insultes ni aux imprécations comme les harangues de Boucher, mais demeurant, bien le rebours, dans les suavités, au point, disait Héloïse, que « rien que de l'ouïr, c'était déjà le paradis ».

Sinon déjà en Eden, le peuple, dans tous les cas, se trouvait aux portes du tiers ciel et ce jour-là, et les jours suivants, il y eut grandes prières et mercis fervents prodigués à Notre-Dame de Paris pour la levée du siège. A telle enseigne que notre pauvre Dame de Lorette fut tout à plein oubliée, alors même qu'en cette même cathédrale, deux mois plus tôt, promesse formelle lui avait été faite, en présence de ce même peuple, par Boucher, de lui bailler une lampe et un navire d'argent pesant trois cents marcs [1], si, par son intercession auprès du divin fils, elle déli-vrait Paris. Hélas ! Vœu exaucé, mais promesse non tenue, l'homme n'étant guère fidèle à sa parole, y compris, comme j'ai dit, dans sa superstition. J'écris « superstition », parce qu'il m'apparaît que croire Notre-Dame de Lorette mieux en cour auprès des puissances célestes que Notre-Dame de Paris, relève d'une fantaisie sottarde et populaire, et non pas de la foi.

Si je voulais ajouter à cette fantaisie, je dirais que Notre-Dame de Lorette, se trouvant ainsi tout à trac déprisée, se vengea sur les Parisiens en leur envoyant la maladie des fièvres chaudes qui, dans les faits, en tua autant en quatre mois, selon le dire des médecins et apothicaires, que la peste de 1580 en avait occis en six mois. Tant est qu'à la parfin, on perdit autant de monde après le siège que pendant, soit, par le calcul qui en fut fait par les échevins, environ 30 000 personnes, ce qui porte à 60 000 au total la mortalité dedans Paris du fait de la guerre. Chiffre énorme et infiniment piteux, même si l'on

1. Le marc pesait 245 grammes environ. (Note de l'auteur.)

songe que la bonne ville — la plus conséquente de la chrétienté — comptait alors 300 000 âmes.

Cette maladie des fièvres chaudes venait des mauvaises nourritures — d'aucunes infâmes et nauséeuses — que les bonnes gens avaient glouties de par la male rage de faim qui les avait travaillées. Les plus âgées en furent le plus souvent victimes, leur corps ayant moins de forces et défenses naturelles à opposer aux intempéries et à la famine. Cependant, la mort d'Ambroise Paré, chirurgien du roi, qui survint le 20 décembre 1590 en Paris ne fut due qu'à son grand âge — il avait quatre-vingts ans — étant un des rares huguenots, sinon le seul, qui fût toléré en Paris pendant le siège par les prêtres et les *Seize* et auquel ils n'osèrent toucher du tout, étant si respecté pour sa sagesse, son savoir et son franc-parler, et de reste si protégé par tous les Grands qu'il avait soignés. Le lecteur, se peut, se ramentoit que j'avais dîné chez Pierre de L'Etoile avec lui et le grand mathématicien Ramus fort peu de jours avant le massacre de la Saint-Barthélemy, auquel, comme moi, il réchappa, mais non hélas ! le pauvre Ramus.

Le 20 décembre, il y avait déjà un mois que Parme s'en était retourné dans les Flandres, s'étant dérobé sans cesse devant Navarre, comme La Noue l'avait si bien, et prévu, et prédit. Qui pis est, par d'habiles manœuvres il avait pris au roi, à sa barbe, ou comme il avait dit lui-même *jusque sur sa moustache*, Lagny, Corbeil, Saint-Maur et Charenton, villes par quoi il avait ouvert aux Parisiens les vallées de Seine et de Marne, mais pour fort peu de temps, car Parme sitôt retourné en ses Flandres, le roi reprit lesdites villes, et d'autres encore tout autour de Paris, tant est que n'ayant plus assez de forces pour recommencer le siège (la noblesse royaliste, après sa levée, s'étant retournée en ses châteaux, pour y prendre ses quartiers d'hiver), le roi ne laissait pas cependant d'investir la bonne ville, mais pour ainsi parler à distance, ne pouvant supprimer tout à plein son envitaillement, mais y mettant des traverses assez pour qu'on y souffrît encore, sinon de famine, du moins de faim.

La principale épine dans la pauvre charnure de Paris cet hiver-là, c'était bien la ville de Saint-Denis que M. de Vic, à sa porte même et à son nez, tenait bien remparée avec une garnison royale, dont il faisait partir çà et là des troupes pour surprendre les convois de vivres qui tâchaient d'entrer dans la capitale. Lui-même n'admettait plus personne en Saint-Denis, et pas même moi, comme il me le dit bec à bec, quand j'y fus, la veille de Noël, pour la dernière fois, afin d'y faire ma provende pour envitailler les princesses : résolution que je trouvais fort sage, encore qu'elle me gênât. En cet ultime séjour je pus voir La Goulue, non point au logis, mais dans la rue, comme elle allait à la moutarde, et m'étant fait d'elle reconnaître, elle me dit que La Raverie se baignait quasiment dans ses pleurs et maudissait à toute heure, et M. de Vic, et la guerre, pour ce que son M. de Lundi s'était vu défendre l'entrant de Saint-Denis dès la levée du siège : Ce qui me donna fort à penser.

— Mon Miroul, dis-je, quand je fus avec lui rentré dedans nos murs, n'étais-tu pas accoutumé à encontrer le Rapin du chevalier d'Aumale en l'auberge de l'Epée Royale ?

— La malnommée, dit Miroul, car l'épée du roi, de Montmartre à Longchamp, a plus d'un fourreau, tandis que celle de Rapin n'en a qu'un, et encore lui en coûte-t-il dix sols pour rengainer.

— Trêve de ces gaillardies. M'ois-tu ?

— Comme oreille de mouche ligueuse.

— Il va te falloir retourner à l'Epée Royale pour retrouver ce Rapin.

— Et perdre encore un de vos écus ? Rapine que ce Rapin !

— Il le faut. Devines-tu pourquoi ?

— Au quart de mot, Moussu. Le chevalier d'Aumale, ne pouvant plus mettre le pied, ni le vit, en Saint-Denis, va prendre le diable au corps de ne pouvoir plus étreindre sa diablesse, et au lieu que de passer muraille en douceur par passeport et déguisure, va attenter de la sauter en force.

— Et d'autant, Miroul, que les *Seize* poussent comme fols à cette expédition, Saint-Denis étant une grosse écharde en leur paume.

— Toutefois, Moussu, Saint-Denis est entourée de murs, lesquels baignent dans l'eau sale et noirâtre des douves.

— Mais il gèle, Miroul. J'ai vu jà des glaçons flotter sur ces eaux-là.

— Moussu, je vous entends. Je cours à l'Epée Royale prendre langue avec ce petit Rapineux, mais sans rengainer ni dégainer moi-même, ayant le souci de ma santé.

— Et bien le peux-tu, ayant bonne garce au logis.

— Moussu, ceci est amer. Moussu, savez-vous bien que vous m'inquiétez ? Vous refusâtes Héloïse. Vous ne prîtes pas Lisette, quand vous pouviez la prendre. Vous aimez Mme de Nemours, mais non au-delà du baisemain. Et vous contrefeignez de ne pas apercevoir que Doña Clara vous donne le bel œil. Que vous voilà changé !

— Doña Clara est noble. Elle ne voudra pas d'un marchand drapier.

— Moussu, la preuve d'une chose est dans l'essai.

— Donc, Miroul, la preuve de mon hypothèse est dans le nez de Rapin. Cours lui en tirer les vers.

— Moussu, ceci est une parade.

— Miroul, ne parade pas ton esprit davantage. Va, mon Miroul, montre-moi tes talons !

Belle lectrice, ce qu'il y a de bon dans mon gentil secrétaire, c'est que ne pouvant qu'il n'outrepasse, il n'outrepasse pas deux fois. Et qu'il suffit de lui taper légèrement sur les cornes pour qu'il les escargote. Cependant, comme il a, se peut, éveillé en vous quelque curiosité sur le présent désert de ma vie, laquelle en d'autres temps se trouva si peuplée, j'aimerais confier à votre tendre oreille ce que je n'ai pas distillé en la sienne et vous dire les sentiments qui m'exagitaient en ce début de 1591 où j'allais entrer dans ma quarantième année.

Je sais bien que cet âge effraye et les hommes et les femmes, les premiers, passé cette borne, renonçant quasiment à aimer et les secondes, assez souvent, à plaire. Telle n'était pas alors ma personnelle déquiétude. Mon corps, la Dieu merci, est aussi robustueux, mon entendement aussi vif et je ne vois pas que mon âme ait perdu d'un pouce, d'un liard, ou d'un degré, sa capacité d'émeuvement. Je dirais davantage et que je me tiendrais pour une personne assez basse de poil et fort peu estimable, si je renonçais à l'amour avant qu'elle renonçât à moi.

Mais depuis mon retour du Chêne Rogneux, me poignaient à nouveau mes doutes touchant Angelina, pour ce qu'en décembre, j'avais reçu d'elle un mot me disant qu'elle était grosse, et qu'elle attendait un enfantelet pour le mois de mai 1591 : nouvelle qui eût résolu à jamais mes dubitations concernant son identité et m'eût, à la vérité, comblé de joie, si le billet avait été écrit de sa main. Hélas, il ne l'était pas, tout au rebours de la formelle promesse qu'elle m'avait faite à mon départir, mais de la main de Florine, et sans qu'une seule phrase expliquât pourquoi. Ainsi sa grossesse m'apportait une preuve de son identité, laquelle était, dans le même temps, démentie par la lettre qui me l'avait mandée.

Belle lectrice, dont je voudrais à moi intéresser le cœur, ne trouvez-vous pas excessivement cruel que maugré tant d'efforts dépensés en vain, j'en fusse encore réduit à ignorer qui était, dans la réalité des choses, la femme que j'aimais, ni même si dans ce doute je la pouvais chérir encore. Or, peut-être savez-vous, de par votre expérience, combien il est malaisé de s'attacher à une amitié nouvelle, alors qu'on ne sait même point si l'on est de l'ancienne détaché ou, qui pis est, si on a des raisons de l'être. Je me suis souvent apensé, quant à moi, que le royaume de l'amour était le plus souvent le royaume de la confusion. Car pourvu qu'on ait l'esprit clair, il est toujours facile de savoir ce qu'on pense, mais savoir ce qu'on sent, quand il s'agit d'aimer, ou de ne plus aimer, ou d'aimer derechef, est pour soi-même une imperscrutable énigme.

J'avais rebuté Héloïse par jaleuseté d'avoir à la

partager, et Lisette, par fidélité à L'Etoile. Petits sacrifices, l'appétit étant seul en cause. Non que je veuille affecter de n'accorder point à cet appétit-là autant d'importance qu'à celui qui nous maintient en vie, n'ayant jamais, pour moi, fait profession de cette chattemitesse philosophie, et opinant, bien au rebours, que famine de mignonneries ne vaut guère mieux, à la longue, que disettte de pain. J'oserais dire qu'on en meurt moins vite, et que c'est là la seule différence.

Mais enfin Doña Clara me posait un problème malcommode, pour ce qu'elle était une haute dame, et fort belle, et savante, et de beaucoup d'esprit, et animée d'une si grande générosité de cœur que, se donnant, elle ne pouvait qu'elle ne se donnât toute, attendant, en retour, pas moins de moi, qui ne pouvais cependant songer à m'engager si avant, ni si profond, ni en si irrévocable guise, alors que je n'étais point désengagé de mon Angelina. Raison pour quoi, comme avait si bien observé déjà mon Miroul, je n'y allais que d'une fesse, un pied déjà sur le recul, contrefeignant de ne pas apercevoir que Doña Clara dépassait avec moi — le voulant, le noulant — le seuil de l'amitié, ce que son bel œil d'un bleu profond, bordé de cils noirs, m'avait dit plus d'une fois. Quant à ma déguisure en marchand, là n'étaient pas la traverse ni l'encombre. Vivant dans mon quotidien, possédant un tel usage du monde, et en outre entendant, étant espagnole, l'oc de mes gens, elle l'avait incontinent percée, sans m'en rien dire, ayant reçu en partage tant de quant-à-soi et de hautesse castillane.

— Moussu, me dit Miroul, quand il revint de sa mission, jamais écu ne fut mieux placé par juif ou Lombard qu'en ce Rapin. Oyez les nouvelles dont mes joues sont gonflées! Le chevalier d'Aumale, avant-hier soir, a reçu à souper les *Seize*, Rapin servant à table. Et en ce repas, fut exagitée, comme vous l'aviez prévu, une expédition nocturne, et par surprise, contre Saint-Denis. Après quoi, si elle réussit, on fera céans une belle Saint-Barthélemy du Parlement et des *politiques* avec grande et juteuse pillerie des meilleures maisons de Paris.

— Quoi? Sans l'aveu de M. de Nemours?

— M. de Nemours est bien trop respectueux du Parlement pour être mis dans ce complot. On attendra qu'il soit départi de Paris.

— Va-t-il donc s'en aller? dis-je, béant.

— Sur le commandement de Mayenne, Nemours doit rejoindre sous peu son gouvernement de Lyon.

— Après tous les services que Nemours a rendus à Paris pendant le siège! Quel gentil frère que ce Mayenne! Point jaleux pour un sol! Et si reconnaissant!

— M. de Belin remplacera Nemours.

— Belin? Je ne le connais pas.

— Personne ne le connaît, Moussu, et d'après Rapin, les *Seize* le tiennent pour nul.

— Ce Rapin a de longues oreilles.

— Et la langue plus longue encore, quand il est dans ses coupes.

— Est-ce là tout?

— Nenni. La Chapelle-Marteau n'est plus prévôt des marchands. Il va céder la place à... Boucher.

— Boucher! Le curé Boucher! Le sanguinaire Boucher! Dieu juste!

— Moussu, si je ne devais être accusé derechef par vous de parader mon esprit, je dirais...

— *Diga me.*

— Qu'après avoir été martelés par la Chapelle, les Parisiens vont être écorchés par Boucher...

— Miroul, je répéterai ce *gioco* à L'Etoile. Se peut qu'il le couche en ses cahiers.

— Mais hélas, sans mon nom, Moussu. Je poursuis. Pour la date de l'attaque nocturne contre Saint-Denis, vous aviez raison. On attendra que les douves gèlent assez pour supporter des échelles.

— Cela s'est dit à ce repas?

— Oui-da!

— Qui se fut apensé que le très haut chevalier d'Aumale, cousin des Guise, se serait acoquiné avec les *Seize* ?

— Ha ! Moussu ! D'après Rapin, il est avec ces marauds cul et chemise ! Au sortir de table, les quittant, il but à leur santé, en disant ces mots : « Messieurs, voilà le dix-septième qui boit aux *Seize* ! »

— « Le dix-septième ! » Il s'est assimilé à ce ramassis !

— Rapin l'affirme, qui en fut le premier étonné.

— Miroul, dis-je, fort songeard de ce que je venais d'ouïr. Je n'aime pas cela. Nemours, qui ne manquait pas d'entrailles, s'en va. L'encharné Boucher devient prévôt des marchands. Et d'Aumale se ligue avec les *Seize*. Miroul, tout cela annonce du sang !

— Si le crois-je, Moussu. Et le pis, c'est que nous ne pouvons même pas prévenir M. de Vic, n'ayant plus l'entrant en Saint-Denis.

A quoi, sentant bien la difficulté de la chose, je rêvais tout le reste du jour, et la nuit qui suivit, et dis le lendemain à Miroul :

— Miroul, pour prévenir M. de Vic, il n'est que d'être parmi ceux-là qui sauteront la muraille de Saint-Denis pour ouvrir la porte à d'Aumale. Ce qu'au lieu de faire, nous irons, nous, désommeiller M. de Vic.

— C'est bien rêvé, mais, Moussu, comment être de ceux-là que vous dites ?

— Mais par Tronson.

Lequel Tronson, après notre exploit du cimetière des Saints-Innocents avait tant fait le fier, le fendant et le mangeur de charrettes ferrées, que le *colonel* de son quartier l'avait nommé *capitaine*, car ces messieurs de la boutique, du petit négoce et de la basoche, depuis que les *Seize* leur avaient donné des armes pour monter la garde sur les remparts, se donnaient entre eux ces titres militaires. Non qu'ils fussent incapables, bien remparés derrière les murs, de les défendre, mais entendez qu'à cela se limitaient leur usance et leur vaillance. En rase campagne, devant des troupes éprouvées, ils n'eussent pas tenu deux minutes, étant lents et balourds à l'estoc ou à la pique, pour n'avoir point été émoulus à leur pratique dès l'enfance.

Je dépêchai donc au « capitaine » Tronson un petit « vas-y-dire » pour le prier de venir boire un flacon avec moi en mon logis, et dès qu'il fut advenu, assis, le gobelet en main, et l'huis clos sur nous, je lui dis :

— Capitaine Tronson, vous n'avez pas laissé d'apercevoir que maintenant que le Béarnais est départi au diable de Vauvert, la présence d'une garnison royale à Saint-Denis est pour la capitale un insufférable défi.

— Oui-da ! dit Tronson, hochant la tête gravement sur son gobelet, lequel dans sa large poigne paraissait à peine plus gros qu'un dé à coudre, je n'ai pas failli de le remarquer.

— Et qu'il gèle.

— C'est un fait, il gèle fort, dit Tronson, prenant un air entendu.

— Et qu'on peut donc appuyer sur la glace des douves de Saint-Denis des échelles et sauter les murailles la nuit et courre ouvrir la porte à qui voudra entrer.

— Voilà qui est chié chanté, dit Tronson.

— Si un coup de main de cette sorte est envisagé, maître Tronson, ce que vous saurez avant moi, assurément, je serais, moi, volontaire pour monter sur une de ces échelles — à une condition...

— Je vous ois, compère, dit Tronson.

— C'est que vous usiez de votre grande force pour tenir ferme en bas cette échelle et que vous veilliez à ce qu'elle demeure en place jusqu'à mon retour, pour ce que je compte me retirer par le même chemin.

— Pourquoi ne pas vous retirer par la porte de Saint-Denis, puisqu'elle sera ouverte ? dit Tronson.

— Capitaine, c'est que nous pouvons faillir à la déclore.

— C'est bien pensé. Cependant, ajouta-t-il la crête haute et l'œil sourcilleux, ce n'est pas chose très glorieuse pour le capitaine Tronson que de poigner une échelle sur la glace pour la retenir de glisser.

— Capitaine, dis-je en baissant la voix (encore que nous fussions seuls), qui saura lequel des deux a tenu l'échelle, la chose se passant de nuit? Irai-je me paonner à votre détriment? Vous ai-je, ou non, laissé le plus gros de la gloire pour notre exploit du cimetière des Saints-Innocents? Et vous ai-je disputé ma part de picorée?

— Que nenni! Cependant, touchant la picorée future, dit Tronson, envisageant si mélancoliquement le fond de son gobelet que je le remplis derechef, touchant justement la picorée, compère, il n'en viendra pas prou de mon côté, si je me borne à maintenir l'échelle sur la glace.

— J'y pourvoirai, capitaine.

— Compère, dit Tronson, sans vous chagriner, vous pourriez en Saint-Denis être occis. Et moi, alors, outre que je serais bien marri de votre mort, je serais couillasse comme devant, touchant la picorée!

— Capitaine, dis-je, voilà qui est bien avisé! Que penseriez-vous de 25 écus le pié sur le premier barreau et 25 écus à mon retour, le pié à nouveau sur la glace?

— Qui sera dans le secret?

— Miroul, moi et vous.

— Miroul sait-il clore son bec?

— Comme une tombe.

— Tope donc! dit Tronson avec gravité. D'ores en avant, je vous compte tous deux comme soldats en ma compagnie. Compère, reprit-il en asséchant son gobelet, et en se levant de l'air fendant qu'il affectionnait depuis la nuit des Saints-Innocents, je vais y songer et en parler. En attendant, je prends congé de vous. Mes cercueils m'espèrent. Et la Dieu merci, ils ne sont pas moins nombreux que du temps du siège, les fièvres chaudes ayant pris le relais des famines.

— Hélas! dis-je.

— Hélas! dit-il en écho, oubliant qu'il venait de dire le rebours.

Une semaine plus tard, le 2 janvier au soir, alors qu'il gelait à pierre fendre, Tronson me revint trouver, et me parlant bec à bec, me dit que l'affaire se ferait le lendemain, d'Aumale l'ayant prise en main, lui, Miroul et moi étant les seuls du quartier des Filles-Dieu à vouloir monter aux échelles, y ayant que cinq échelles grandes assez pour atteindre les murs de Saint-Denis, et que vingt hommes qui se fussent portés volontaires pour monter dessus, vingt seulement de toute l'armée des bourgeois de Paris, laquelle comptait trente mille hommes.

— De quoi nous tirerons grande gloire, dit Tronson sans battre un cil. Et, ajouta-t-il aussitôt, grand profit, si nous triomphons. Car Saint-Denis prise et mise à sac, il y aura céans, à la suite, une belle Saint-Barthélemy des *politiques* les plus étoffés de Paris avec grande pillerie de leurs belles maisons.

— Capitaine, dis-je, vous allez mépriser mes cinquante écus.

— Pot assuré vaut mieux que rôt rêvé. Qui tient tienne, compère. J'ai dit « tope ».

Dans la journée du 3 janvier, par un temps si froidureux que si j'avais eu des larmes (comme je l'eusse pu à la pensée que des Français allaient s'entre-tuer) elles eussent gelé dans mes yeux, je m'allai promener avec Miroul sur nos remparts de la porte Saint-Denis (où je trouvai pour tout potage une seule sentinelle, laquelle d'ailleurs se plaignait qu'on l'y avait oubliée depuis l'aube), et je pus ainsi envisager les murs de Saint-Denis, sur lesquels, à dire vrai, je ne vis pas un chat. J'augurai donc que, dans la nuit, leurs murs seraient tout aussi dépeuplés que les nôtres, personne ne pouvant imaginer qu'on pût avoir à ce point diable, ou diablesse, au corps que de chercher bataille par un froid à vous geler l'humidité du souffle sur votre propre moustache — une bise aigre, glaçante et coupante vous sifflant, au surplus, aux oreilles, en particulier sur les murailles, où nulle maison ne la venait couper.

Le ciel étant clair assez, quoique plombé, je tâchai de me reconnaître dans les pignons et bretèches des maisons qui dépassaient les murs de Saint-Denis (nos murailles étant plus hautes que les leurs) et crus reconnaître celui (je parle du pignon) qui coiffait le logis de La Raverie, lequel, comme je l'avais noté à la pique du jour, en quittant sa maison de la rue Tire-Boudin, était coloré en rose vif. Et dans l'hypothèse où, non loin d'elle, un viret ou des degrés descendissent de leur muraille dans la rue, je calculai qu'il me faudrait franchir ladite muraille cent toises environ sur la dextre de leur porte de ville, qui portait le nom de la capitale pour la même raison que la nôtre, qui lui faisait face, s'appelait la porte de Saint-Denis.

Le soir venu, je me vêtis pour la nuit le plus chaudement que je pus, et Miroul aussi, mais en prenant soin que nos mouvements n'en fussent pas pour autant entravés. Ainsi poussai-je la précaution jusqu'à mettre sous mes moufles de laine des gants de soie, afin que de préserver l'agilité de mes doigts, au combat si précieuse. Pour la même raison, je ne revêtis ni corselet, ni cotte de mailles, ni morion, mais un bonnet de laine sous un grand chapeau, et comme armes, ne pris qu'une épée et un pistolet, sans compter mes dagues à l'italienne que je portais si coutumièrement dans mon dos qu'elles ne me gênaient point.

Tronson, cuirassé de fer de cap à pié — ce qui était proprement prendre un marteau pour écraser une mouche, vu que toute sa peine serait de tenir mon échelle — nous vint trouver sur les onze heures du soir et nous dit d'un air terrible en baissant sa grosse voix — encore que l'huis sur nous fût clos — que d'Aumale avait rassemblé mille hommes et deux cents cavaliers à la porte de Saint-Denis (chiffre dont l'importance tant me glaça que je préférai le décroire); et qu'il fallait départir sans délayer, vu que les assaillants ne sailliraient de nos murs que lorsque les volontaires des échelles, s'étant introduits dans la place, leur auraient ouvert du dedans la porte.

Advenus à notre propre porte de Saint-Denis,

Tronson ouvrant la marche et se dindonnant en sa cuirasse, je vis à vue de nez, autant que la demi-obscurité me le permît, que le maître menuisier n'avait point menti et que les mille hommes y étaient bien, et au-delà se peut, et parmi eux une bonne moitié de lansquenets : Ce qui me serra le cœur, pour ce que leur férocité après le combat était aussi connue que leur fruste vaillance à se battre, tant est que si l'affaire ne faillait pas, il n'y aurait pas de limite aux excès auxquels ils se livreraient, la ville prise, sur les infortunés habitants, sans distinguer, de reste, entre les ligueux et les royalistes, cette distinction ne leur venant même pas en cervelle.

Je ne vis pas les cavaliers et comme je m'en étonnai à voix basse, Tronson me dit qu'on les avait retirés par la grand'rue Saint-Denis jusqu'au cimetière, pour la raison que, si l'on pouvait retenir les gens de parler, on ne pouvait retenir deux cents chevaux mis ensemble de hennir et de taper du sabot, ce qui pourrait donner l'éveil prématurément à l'ennemi, les murs étant si proches.

Ce mot « ennemi », appliqué par un Français à des Français qui à cette heure dormaient paisiblement, tout à plein ignorants des atrocités qui les menaçaient : — leurs biens pillés, leurs femmes et filles forcées devant eux, leurs fils passés au fil de l'épée, et eux-mêmes à la fin moqués et massacrés —, me fit courre un frisson d'horreur le long du dos, d'autant que j'avais pu voir que M. de Vic gardait assez mal ses murailles, confiant en cette tradition guerrière qui veut qu'on ne se batte pas l'hiver, en raison de la difficulté du maniement des armes par grand froid, confiant aussi en sa garnison qui n'était pas petite, se montant à cinq cents hommes et cent chevaux, chiffre qui ne devait pas être déconnu du chevalier d'Aumale, puisqu'il avait rameuté, pour assurer son succès, le double de ces forces.

Tronson, prenant des mains de Miroul la lanterne sourde, nous mena jusqu'au pied de la porte Saint-Denis, et me montra du doigt les cinq échelles que je ne vis pas de prime, tant elles luisaient faiblement dans l'ombre, étant couchées sur le pavé et me dit très bas à l'oreille qu'il fallait de présent attendre d'Aumale, et comme tous céans, s'accoiser.

Ha ! lecteur ! Sauf en les deux jours et deux nuits que je passai en 1572 — presque vingt ans plus tôt — à fuir dans les rues de Paris, avec Miroul, Fröhlich et mon pauvre Giacomi, les massacreurs de la Saint-Barthélemy, je ne pense pas avoir jamais vécu une heure plus torturante que cette heure d'attente en cette nuit du 3 janvier — assurément la plus froide de l'hiver — à telle enseigne que contraints à l'immobilité, nous ne laissions pas que d'être transis jusqu'aux os, les pieds glacés dans nos bottes, la moustache et les sourcils gelés. Cela n'eût rien été, toutefois, si ce déconfort ne s'était pas ajouté à l'angoisse qui nous poignait, Miroul et moi, face à ce millier d'hommes qui se pressaient dans la grand'rue Saint-Denis, à peine éclairée de loin en loin par des lanternes sourdes et qui se tenaient sous les armes, serrés les uns contre les autres par l'étroitesse de la rue, observant une immobilité et un silence d'autant plus effrayants qu'on ne pouvait faillir à imaginer que toutes leurs pensées étaient tendues vers le sang. Tout cois et quiets qu'ils fussent, je ne sentais que davantage l'impatience sinistre qui les tenaillait, dans l'attente du Grand Veneur qui de présent allait d'un moment à l'autre surgir, déchaîner leur meute sanguinaire et la lancer sur ces malheureux qui goûtaient de présent dans leurs paisibles coites un sommeil dont ils ne savaient pas encore qu'il serait le dernier.

L'horloge des Filles-Dieu sonna la demie de onze heures et sans attendre la minuit (heure que d'après Tronson il avait lui-même fixée), le chevalier d'Aumale apparut, monté sur un cheval noir, vêtu d'une cuirasse sombre, ou qui du moins me parut telle, lequel, seul et sans suite aucune d'officiers ou de domestiques, avança dans la partie laissée libre entre la Porte et le millier d'hommes que j'ai dit, et fit, sans se soucier aucunement de la noise, caracoler sa monture sur les pavés, comme s'il eût voulu s'offrir à l'admiration de ses troupes avant de les jeter sur Saint-Denis endormie. Et de fait, sa haute, mince et vigoureuse silhouette — il entrait alors dans sa vingt-huitième année — était fort belle, et fort beau aussi, l'étalon qu'il montait, et qui était si vif et si vaillant qu'il paraissait cracher le feu par ses naseaux.

Ayant ainsi fait étalage par lui-même et par son cheval de sa virilique puissance devant ses hommes — lesquels grondèrent comme chiens à l'attache qui, la gueule et le cou en avant, tirent sur leurs colliers, impatients de courre à curée — d'Aumale, face à eux sur sa superbe et piaffante monture, sans prononcer un seul mot, montra de la dextre, au-delà de nos murs, la ville de Saint-Denis, et fit ensuite des deux mains un geste excessivement grossier et peuplacier pour désigner cette proie inerte et endormie à la saillie de ses soldats et à la sienne.

Je fus béant de cette bassesse, encore qu'elle n'eût pas dû m'étonner venant d'un homme qui avait livré les femmes de Saint-Symphorien à Tours au stupre de ses soldats et forcé lui-même une fillette de douze ans, le cotel sur la gorge ; mais la meute rassemblée dans la grand'rue Saint-Denis trouva la gausserie fort à son goût, et n'en osant rire tout haut en raison des consignes qu'elle avait reçues, fit entendre un ricanement sourd et prolongé qu'on eût dit sorti de l'Enfer.

— Compère, me dit Tronson à l'oreille, je commence à être marri d'avoir passé bargouin avec vous pour tenir cette échelle.

— Capitaine, dis-je, tant promis tant tenu. Et qui vous empêche, moi revenu, d'entrer dans la ville à la suite des lansquenets ?

— C'est ma foi vrai ! dit Tronson qui se voyait jà profiter grandement, et des deux côtés. Pourvu, compère, ajouta-t-il, que vous ne restiez des heures dedans Saint-Denis.

— N'est-ce pas promis ainsi ?

Cependant, l'ordre étant venu d'ouvrir doucement la grande porte sur ses gonds bien huilés et de saisir les échelles, je dis à Tronson que Miroul prenant la nôtre à un bout, lui au milieu, et moi-même en tête, il me voulut bien la laisser porter à l'endroit que j'avais envisagé, et qui en toute probabilité, serait loin assez des quatre autres échelles. Ce qui lui agréa d'autant plus qu'il ne se souciait pas d'être vu par les autres volontaires dans l'utile, mais peu glorieux rollet qu'il avait accepté moyennant pécunes.

La porte franchie par eux et par nous dans un émerveillable silence, nous fûmes, pour notre incommodité, assaillis par le vent le plus aigre et le plus glacial que j'eusse jamais à subir, et si violent au surplus que, par moments, il arrêtait quasiment notre marche, déjà très entravée par le ballant de l'échelle laquelle, quant à moi, je ne pouvais porter que de la main dextre, brandissant de l'autre la lanterne sourde, puisque je marchais le premier. Le poids de l'échelle me tiraillait horriblement l'épaule droite, combien que nous fussions trois à la porter, et plus encore les à-coups et secousses de notre marche par grand vent sur un champ inégal et gelé, la pensée, au surplus, me lancinant qu'ayant en main la lanterne qui, certes, m'éclairait mieux qu'elle n'éclairait le chemin, je ferais une cible excellente pour un arquebusier qui aurait eu la bonne idée de veiller dans une poivrière sur les murailles de Saint-Denis. Et à la vérité, je pâtissais si cruellement du froid inhumain, de la bise, de la terre glacée, de l'échelle et de notre marche cahotante et trébuchante, que j'en vins presque à souhaiter qu'une escopeterie m'atteignît, laquelle, si elle m'eût navré, eût du moins donné l'éveil à la garnison de M. de Vic.

Dieu bon! j'espère que pour la punition de mes péchés, dont le plus capital fut de chair (et on sait combien Vous êtes là-dessus sourcilleux) Vous ne me condamnerez pas à porter éternellement en Enfer cette échelle dans le noir par un froid glacial, et dans mon cœur, cette mortelle appréhension du massacre des miens — ces miens étant aussi les Vôtres, comme j'ose l'espérer.

D'incommode qu'elle était sur le sol gelé, la marche devint sur la glace des douves — liés que nous étions par la rigidité de l'échelle — quasi une exercitation à se rompre le col. Et m'apensant, au nombre de mes pas (lesquels j'avais comptés, dès que notre cheminement devint parallèle aux remparts), que je ne devais pas être loin de l'endroit que j'avais envisagé pour notre escalade, je fis signe d'arrêter notre périlleux progrès et de gagner à pas petits le mur contre lequel Miroul, Tronson et moi, après que j'eus posé la lanterne sourde (ainsi appelée, j'imagine, pour ce qu'on la peut rendre aveugle), nous réussîmes à appuyer l'échelle, non sans faillir de très peu d'être par elle déséquilibrés. Cela ne se fit pas toutefois sans quelque noise, et la chose faite, on s'accoisa, tendant l'oreille dans la demi-obscurité, et fatiguant nos yeux à tâcher de scruter le haut du mur.

— Allons, dis-je à la parfin, n'ayant rien ouï d'inquiétant.

— Compère, dit Tronson à voix basse en appuyant son large pied sur le premier barreau, vous vous ramentevez notre petit bargouin ?

— Lequel n'était pas si petit, dis-je, grinçant des dents en mon for, non point au pensement de me séparer de tant d'écus, mais pour ce que j'avais, par ce terrible froid, à m'ôter mes moufles de laine et mes gants de soie pour les compter.

Ce que je fis pourtant, et qui me parut prendre un temps infini, étant cependant très aux aguets de la moindre noise qui me pouvait parvenir des remparts sur lesquels je m'avisai soudain que les autres volontaires avaient jà pris pied, ayant fait moins de chemin et n'ayant pas eu à bailler pécunes à qui leur tenait l'échelle sur la glace. Tant est qu'à la parfin, je me sentis quasi tenu à quelque gratitude envers Tronson de m'avoir délayé, puisque au silence qui continuait à régner dans la nuit glaciale, je me confirmais dans l'idée que le rempart n'était pas gardé.

— Moussu, dit Miroul à mon oreille, baillez-moi

la lanterne sourde. J'en aurai besoin pour lancer mon grappin, si l'échelle se trouve trop courte pour le mur.

— J'entends surtout, dis-je, *sotto voce*, que tu veux passer le premier, afin que de prendre le premier mauvais coup, si coup il y a. Mais ne peux-je pas lancer moi aussi le grappin ?

— Et tenir la lanterne sourde ? Moussu, êtes-vous jà monté sur une échelle longue de cinq toises [1] ?

— Jamais.

— Alors, vous aurez tant besoin de vos deux mains que vous regretterez de ne pas en avoir une troisième — surtout au beau milieu de l'escalade, quand l'échelle, sous l'effet de votre poids, se mettra en branle.

— Adonc va, mon Miroul, et que Dieu te garde !

— Voilà qui est chié chanté, dit Tronson à voix basse, dès que les agiles talons de Miroul se furent éloignés de barreau en barreau, vous avez là un bon commis, et qui connaît les échelles et qui vous aime. Compère, poursuivit-il à voix basse, en me saisissant par le bras, une brassée, je vous prie, une forte brassée, avant votre départir !

Laquelle il me bailla incontinent à la façon des ours, avec grand toquement sur les épaules et baisers rugueux sur la joue, geste qui m'émut et me surprit, pour ce qu'il paraissait témoigner, que maugré qu'il fût paonnant, chiche-face et grand appéteur de picorée, Tronson ne faillait pas d'avoir du cœur, comme jà il l'avait montré en envitaillant son commis Guillaume, quand celui-ci était désoccupé.

Il est de fait, lecteur, comme Miroul avait dit si bien, que parvenu au milieu de l'échelle, celle-ci, en raison de la flexibilité que lui donnait son excessive longueur, se mit à se balancer sous moi avec une grande amplitude et une malignité surprenante, comme si elle eût voulu me jeter hors selle comme un cheval rétif, tant est que je regrettai, en effet, que Dieu ne m'eût pas baillé trois mains : aucune des

1. Environ dix mètres. (Note de l'auteur.)

trois n'aurait été de trop pour m'accrocher aux montants, et poursuivre ma route en dépit du vertige et, se peut, du danger de ce branle nauséeux. Remembrance qu'à ce jour encore je garde fort vive, et qui m'a donné quelque considération pour la piétaille (et autres « enfants perdus ») dont le destin obscur est de grimper aux murailles afin que d'ouvrir les portes des villes « ennemies » aux nobles cavaliers qui les gagnent.

L'échelle, la Dieu merci, n'était pas trop courte pour la muraille, mais parvenu à son sommet, je fus accueilli par un coup de vent si violent qu'il m'eût se peut arraché aux montants et jeté bas sur les douves glacées, si Miroul ne m'eut pas attrapé par le bras et hissé en sûreté sur le chemin de ronde, où je restais un moment assis à l'abri du parapet à reprendre mon vent et haleine, et chose étrange, encore que je me fusse livré à une si vive exercitation, trémulant encore de froid de la tête aux pieds.

— Moussu, un coup d'eau céleste ? dit Miroul en me mettant mon propre flacon au bec et en buvant lui-même.

Ce coup-là, en effet, me rebiscoula assez pour que je reprisse et mon souffle et la capitainerie de mon âme, et Miroul, ayant tracé à la craie une croix sur le parapet à la hauteur de l'échelle pour la retrouver à notre départir, je me mis à la recherche d'un viret qui descendît dedans la ville, lequel, ayant failli à trouver à dextre sur le chemin de ronde, je trouvai à la parfin à senestre, Miroul ne manquant pas au dernier degré de faire une croix sur le mur à l'aplomb du degré pour guider notre retour, et moi, à mettre le pied dedans Saint-Denis ensommeillée — chacun remparé en sa chacunière, et toute chandelle éteinte — éprouvant le sentiment fort étrange d'y pénétrer en intrus et en ennemi — traité assurément comme tel, si j'encontrais une patrouille — alors que justement je n'étais là que pour attenter de sauver Saint-Denis du sac et du massacre et la garder à mon roi.

Nous fûmes quelque temps à démêler les rues et plus par chance que par méthode, nous tombâmes à la parfin sur la rue Tire-Boudin que nous reconnûmes dès le premier pas, pour ce que le chandelier à douze bras de La Raverie éclairait gaillardement la verrière multicolore comme pour témoigner devant tous qu'en ce logis du moins le sommeil était moins honoré que le jeu, la boisson et la coquelicade. A partir de là, il fut facile de retrouver la rue de M. de Vic (dont je ne me ramentois pas le nom) puisqu'elle était à celle-ci parallèle, et de frapper à son huis à coups redoublés — la seule noise que pour l'instant on pût ouïr en Saint-Denis dans le silence de la nuit glacée.

Le cœur me toqua comme fol tout le temps — qui me parut long — qu'on mit à me répondre, la crainte m'assaillant que M. de Vic, comme L'Etoile, fît le sourd la nuit par prudence à qui le voulait désommeiller. Mais la Dieu merci, au bout d'une éternité, j'ouïs un bruit de pas, puis un déverrouillage, et le judas s'ouvrant, je me trouvai confronté par le canon d'un pistolet derrière lequel, levant ma lanterne sourde, j'aperçus la face camuse d'un valet effaré, auquel je ne laissais pas le temps d'ouvrir le bec.

— Maraud, dis-je d'une voix forte, va dire tout de gob à M. de Vic que le maître drapier Coulondre — je dis Coulondre — le veut voir dans la minute, s'agissant d'une question de vie et de mort pour lui, pour sa garnison et pour la ville.

Sur quoi le judas se reclouit avec un bruit sourd, et quelques secondes plus tard se rouvrit, et ma lanterne sourde éclairant ma face à plein, M. de Vic apparut, suivi de cinq à six valets tous armés, et m'ayant reconnu, me donna l'entrant, l'huis se refermant sur nous en un battement de cil.

— Maître drapier! dit M. de Vic, fort sourcilleux et plus grand jaseur que jamais, son ire ayant ouvert grandes ses écluses, que faites-vous céans, après que je vous ai interdit, comme à tous les Parisiens, l'entrant en Saint-Denis? Croyez-vous servir le roi en désobéissant à ses officiers?

Ceci fut dit avec grand bombement du poitrail,

grosse voix, éclair dans les yeux de jais et grimace de gueule : accueil qui tant me déconcerta par sa stupidité que je restai coi.

— Et Vertudieu ! poursuivit M. de Vic, sa voix se gonflant encore, comment vous a-t-on laissé passer à la porte de Paris, contrevenant à mes plus formels commandements ? Monsieur, avez-vous mot à dire avant que je vous baille votre congé ? Qui êtes-vous pour me venir désommeiller dans mon premier sommeil ? Et qu'avez-vous affaire à moi ?

Quoi dit, il mettait déjà la main sur le loquet de son huis sans m'ouïr le moindre pour me bouter hors, étant comme entraîné et submergé par le flot irrésistible de ses propres paroles, quand Miroul, me voyant interdit par cet insensé verbiage, dit avec un profond salut :

— Monsieur, nous avons sauté votre muraille pour venir jusqu'à vous.

— Quoi ? Vous avez sauté ma muraille ! tonna M. de Vic, son gros nez blanchissant en sa colère. Vous avez sauté ma muraille ! Vertudieu ! Mais c'est crime capital et de mort en temps de guerre puni ! Et si mes sentinelles vous avaient trouvés à ce faire, elles auraient eu mille fois raison de vous arquebuser.

— Par bonheur, dis-je sèchement et redressant la crête, étant au bout de ma patience, de sentinelles, nous n'avons pas encontré la queue d'une. Ce qui nous a permis d'arriver jusqu'à vous afin que de vous prévenir.

— Me prévenir, Monsieur ! hucha M. de Vic au comble de son ire. Et me prévenir de quoi, je vous prie ? Avez-vous la prétention de m'en remontrer sur mon métier et de me donner leçon derechef ? Vertudieu ! Je n'ai jamais ouï pareille impertinence ! Et de la bouche d'un maître drapier !

— Que je ne suis pas, Monsieur, dis-je avec la dernière froidure, et ce que je suis, je vous le pourrai dire bec à bec sans la présence de vos gens. Monsieur, poursuivis-je en haussant la voix et en levant la main pour arrêter un nouveau déluge de paroles, nous perdons du temps! A cette minute où je parle, vingt volontaires ligueux ont sauté vos murailles et sont en train de déclore la porte de Paris à mille hommes et deux cents cavaliers, commandés par d'Aumale.

— Mille hommes, deux cents cavaliers et d'Aumale! cria M. de Vic, son gros œil d'un noir de jais saillant quasiment de l'orbite. En êtes-vous sûr?

— Je les ai vus de ces yeux que voilà!

— Vertudieu! Que ne l'avez-vous dit plus tôt! cria M. de Vic! Mille hommes! Deux cents cavaliers! Et d'Aumale! Marauds! cria-t-il à ses gens, sellez les chevaux et armez-vous en guerre! Et toi, Normand, va quérir mon trompette! Arrachez-le de sa coite où il s'apparesse et qu'il soit céans dans deux minutes sous peine de la hart! Monsieur, dit-il en se retournant vers moi, suspicionneux, mais me parlant sur un autre ton, en êtes-vous sûr? M'allez-vous donner le ridicule de me ruer sur la minuit à la porte de Paris contre un ennemi que vous avez rêvé?

— Monsieur, dis-je avec la dernière véhémence, me serais-je mis au hasard de ma vie par une nuit glaciale...

Je n'achevai pas: une violente escopeterie éclata dans le lointain, mais cependant fort distincte, et quelques instants plus tard, comme nous tendions l'oreille, on toqua à l'huis à coups redoublés et M. de Vic ouvrant le judas, mais en dérobant prudemment sa face, une voix fort faible dit:

— Monsieur, c'est Balavan. Ouvrez, je vous prie. J'ai grande et mortelle navrure.

M. de Vic déclosant alors, le nommé Balavan s'affala sur le sol de son long, un flot de sang jaillissant de sa poitrine à chaque souffle, que c'était miracle qu'il eût pu courre jusque-là.

— Monsieur, dit-il d'une voix ténue, la porte de Paris est aux mains des ligueux!

Il se pâma sur ce dernier mot, fort près d'expirer, à ce que je vis:

— Vertudieu, Monsieur, vous disiez vrai! s'écria M. de Vic. Je vais m'armer en guerre et rameuter ma garnison. Vous joindrez-vous à moi?

— Non, Monsieur, dis-je d'un ton froidureux assez, son premier accueil m'étant fort resté sur l'estomac. J'ai une autre mission à accomplir avant que de retourner d'où je viens.

Mais jà il ne m'oyait pas et quittait la chambre en courant pour aller prendre ses armes. Voyant quoi, je m'agenouillai auprès de Balavan, mais n'eus pas à approcher mon oreille de son cœur. Balavan avait laissé ses bottes, comme on dit en Paris.

— Moussu, où allons-nous? me cria Miroul, dès que nous eûmes plongé derechef dans le vent glacial de la rue.

— Chez La Raverie!

— Qu'y faire?

— Attendre d'Aumale, le défier et l'occire.

— Quoi! En duel! Moussu, c'est fol! Il a vingt-huit ans. Vous en avez quarante. Il vous dépasse fort en allonge, étant plus grand! Et à dix ans, il était l'élève du grand Silvie!

— Et moi de Giacomi. En outre, il n'est pas ambidextre, et je le suis: grosse incommodité pour lui qu'une fausse garde de gaucher.

— Moussu, je n'ai jamais rien ouï de plus insensé! Nous avons prévenu M. de Vic! Cela est bastante! Nous n'avons plus rien à faire céans! Notre échelle s'ennuie!

— T'ai-je dit que j'ai défié d'Aumale le soir de la bataille d'Ivry touchant le forcement de Mlle de R. à Saint-Symphorien après l'embûche de Tours?

— Moussu, Mlle de R. est heureuse et mariée! Que lui chaut ce méchant?

— Que nous chaut le « *dix-septième* »? et les *Seize*? et la *Ligue*? D'Aumale occis, la Ligue n'en sera-t-elle pas plus faible?

— Moussu, l'allez-vous défier à la face de son armée?

— Nenni! Raison pour quoi je l'attends chez La Raverie, où il ne manquera pas d'accourir, dès qu'il croira avoir ville gagnée.

— Moussu, nous ne pouvons l'attendre chez La Raverie et le défier devant elle: c'est dire *urbi et orbi* que vous êtes le baron de Siorac. Et si vous taisez votre nom, d'Aumale voudra-t-il se battre avec un maître drapier ?

— C'est bien pensé. Nous l'attendrons dehors.

— Dès lors, dit Miroul à qui même le pire péril et la plus âpre bise n'ôtaient pas son goût pour les *giochi di parole* : Dès lors, Moussu, que nous l'espérons dehors, mettons-nous dans une encoignure de porte piétonnière, afin que non pas servir de cible aux deux partis. Nenni, Moussu ! Point celle-ci, devant laquelle d'Aumale ne peut qu'il ne passe pour aller chez La Raverie, mais celle-là, tout après. Et assourdissons la lanterne. Moussu, de toutes les folies que je vous ai vu commettre, celle-ci est la plus folle ! Quelle pitié que je ne peuve vous gouverner !

— Si tu voulais me gouverner, il te fallait naître noble !

— Si je l'étais, je ne serais pas si sensé !

— Miroul, tu es impertinent.

— A maître fol, valet goguelu. Moussu, nous n'oyons plus d'escopeterie. Méchant signe. Ce Balavan devait être un des hommes à la garde de la porte de Paris et, cette poignée de pauvres gueux occis, le flot des ligueux, toutes écluses ouvertes, envahit de présent Saint-Denis.

— Je fais fiance à M. de Vic pour repousser le flot.

— M. de Vic ! Autre fol ! Pourquoi quérir trompette ?

— Pour ce que, la nuit, trompette qui sonne la charge fait trémuler l'ennemi, lequel ne sait pas combien d'hommes ledit trompette lance sur lui.

— C'est bonne ruse. Ce grand jaseur aurait-il de l'esprit ?

— Il a l'esprit de son état.

— Moussu, oyez-vous ce galop ?

— Oui-da ! dis-je dans un souffle en risquant un œil hors l'encoignure, les douze chandelles de La Raverie projetant à travers la multicolore verrière quelque clarté dans la rue. Miroul, c'est lui, sur son étalon noir. Allons, Miroul ! repris-je, le cœur me toquant fort.

— Nenni, Moussu, dit Miroul dans un souffle, en me serrant le bras avec force, laissons-le de prime manger, boire et se ventrouiller en délices. Sa main et ses gambes en seront moins fermes au saillir du logis.

Mon Miroul avait raison comme à l'accoutumée, et se peut raison aussi de penser que naître noble, c'est naître fol, comme M. de Vic en donnait l'exemple en ne veillant pas à ce que ses sentinelles demeurassent la nuit sur les remparts, et comme M. d'Aumale en donnait un autre, en laissant ses hommes sans chef, croyant avoir ville gagnée, parce que Vic n'attaquait pas.

Et qu'il tardât à cette contre-attaque, lui qui était si vaillant, cela voulait dire qu'il avait quelque peine à rameuter ses hommes, et à trouver son trompette.

L'huis de La Raverie refermé sur d'Aumale, une grande demi-heure s'écoula à ne souffrir que le grand froid, sans ouïr la moindre escopeterie, ni d'autres noises que celles d'huis ou de verrières brisés du côté de la porte de Paris, ce qui nous parut signifier que ligueux et lansquenets, sans leur général, couraient à leurs habituels exploits : le sac, la picorée, et le forcement des filles.

— Moussu, dit Miroul, Tronson sera départi et l'échelle glissera sur la glace : Ne délayons pas davantage.

— Nenni. Ranime la lanterne, Miroul, et vérifie l'amorce de ton pistolet. Et moi, la mienne.

— Vous ne cuidez donc plus que d'Aumale voudra tirer l'épée ?

— Je cuide qu'il trouvera plus expédient de m'abattre.

— Pourquoi le défier dans ce cas ?

— Par point d'honneur.

— Lequel vous fera une belle gambe, si d'Aumale vous loge une balle dans l'œil !

— Je suis prêt. Il ne l'est pas. Je compte bien le prendre sans vert.

Comme j'achevai, paraissant tomber sur nous du haut de la nuit glaciale éclatèrent les accents guerriers d'une trompette sonnant la charge, puis la fanfare cessant, elle recommença après une minute écoulée, mais plus proche, et après une nouvelle minute de silence, plus proche encore. Tant est que nous entendîmes à la parfin que M. de Vic faisait courir son trompetteur sur le chemin de ronde du rempart vers la porte de Paris avec mission de s'arrêter de place en place pour sonner son air menaçant, tandis que lui-même et ses hommes allaient en toute probabilité converger en ce même point par les rues qui y menaient et tomber dru sur les picoreurs, lesquels déjà la charge répétée de la trompette avait dû mettre hors leurs gonds. Et en effet, à la charge succédèrent un grand bruit de sabots de chevaux sur le pavé et une fort violente escopeterie.

— M. de Vic, dit Miroul, n'y va pas que d'une fesse. Je commence à aimer ce grand jaseur.

A cette noise et vacarme que je dis, l'étalon noir que d'Aumale avait attaché à un anneau dans le mur à deux toises de l'huis de La Raverie se mit à tirer comme fol sur sa bride et le mors lui dolant la bouche, à hennir à cœur fendre.

— Voilà, dis-je, qui va faire saillir hors notre coqueliqueur mieux que trompette et mousqueterie! Miroul, poursuivis-je d'un ton résolu, encore que mon cœur battît la chamade, Miroul, le moment est venu. Va te mettre en cette encoignure après le logis de La Raverie, et éclaire-moi, dès que j'ouvrirai bec. Pour moi, je vais me placer une toise plus loin et surgirai entre la monture et d'Aumale, dès que l'huis de La Raverie sera reclos.

— Pour lui couper retraite?

— Pour qu'il balance à me tirer sus, craignant d'atteindre son cheval.

— Ha! Moussu! dit Miroul, la voix soudain trémulente, puissiez-vous être prompt assez!

Gentil lecteur, qui avez, se peut, été émoulu à la pratique des armes quasiment dès vos maillots et enfances, et attendez ici un duel de haute graisse, entrelardé de rebondissements et farci de péripéties, vous n'allez pas manquer de tordre un peu le nez devant le plat froid et sec que je m'en vais vous servir céans. Car tout se passa — Hélas pour vous! La Dieu merci pour moi! — en un battement de cil, et sans prononcer une parole et fut fini en beaucoup moins de temps que je prends pour écrire la présente phrase.

Dès que Miroul m'eut recommandé d'être « prompt assez », je dégainai, passai sans mot dire, mon épée dans ma main senestre et mon pistolet dans ma dextre. L'attente qui suivit me parut insufférablement longue, mais à la parfin, le cœur me toquant fort, j'entendis les chaînes et les barres de fer qu'on ôtait à l'huis de La Raverie. L'huis s'ouvrit et se reclouit aussitôt, le chevalier d'Aumale ayant sailli hors et pris sa course vers sa monture avec tant de rapidité que pour me mettre entre elle et lui, je fus contraint de me jeter quasiment à la traverse sur l'épaule avant de son étalon, lequel me contre-lança en avant sur le chevalier. Trois pistoletades éclatèrent alors quasi dans le même temps, et je me retrouvai au sol, étalé en long, étourdi mais sauf, Miroul m'éblouissant l'œil de sa lanterne, l'étalon hennissant lugubrement, le sang coulant en longues traînées de son flanc dextre, et le chevalier — comme je le vis m'étant soulevé sur un coude — étendu à côté de moi, sa belle face n'étant plus qu'un trou sanglant.

— Miroul, dis-je, l'œil quelque peu trouble et d'une voix qui me parut à moi-même fort grêle, aide-moi à me relever : que fais-tu donc?

— Je détache l'étalon, pour le renvoyer tout en sang aux ligueux : Vous entendez bien pourquoi!

Je me ramentois cette phrase de Miroul dans les termes où elle fut prononcée, et un peu plus tard, une autre de Tronson que je vais dire, mais ces deux phrases sont quasiment deux collines qui émergent du brouillard, le reste de cette nuit étant pour moi enseveli dans un irrémédiable oubli, d'où rien, absolument rien, ne revient hanter ma remembrance, sauf toutefois que dans la course qui suivit la mort du chevalier, je ressentis, avec un sentiment inouï de réconfort, la main de Miroul serrer avec force mon poignet dextre, tandis que nous courions côte à côte sur le chemin de ronde. Mais je ne me revois assurément pas descendre la longue échelle, ce qui se dut faire fort mécaniquement, et de reste sans peur aucune, ma tête étant encore excessivement brumeuse. Toutefois, en mettant le pied sur la glace, cette brume se déchira en bref instant : j'ouïs derechef la male rage de la proche escopeterie et plus proche encore à mon oreille, la voix de Tronson. Et à ce jour, me ramentois non seulement ses paroles, mais l'accent tout ensemble bonasse, ferme et exigeant avec lequel il les prononça :

— Compère, vous vous rappelez notre petit bargouin ?

Ce fut Miroul qui dut lui compter le reste des écus et dut aussi combler le surlendemain, quand à la parfin mon esprit s'éclaira, les trous de ma mémoire.

— Moussu, me dit-il, quand je l'eus de questions assailli, ce fut le cheval qui tout à la fois vous sauva la vie et manqua vous l'ôter. Car vous jetant entre lui et d'Aumale, et toquant l'étalon à l'épaule, il vous contretoqua si fort qu'il vous précipita sur d'Aumale, lequel, tirant comme fol, comme il faisait tout, vous manqua, pour ce que vous tombiez si vite, votre coup partant en même temps que le mien, celui-ci l'atteignant à la nuque et le vôtre, j'imagine, au nez, car oncques ne vis jamais un trou si grand fait par une seule balle. Quant au cheval, il vous heurta le chef de son sabot quand étant étendu sur le pavé, vous vous soulevâtes sur un coude pour envisager le chevalier. Ventre Saint-Antoine ! Je vous crus assommé, et ne repris cœur qu'à vous voir ouvrir le bec pour quérir de moi ce que je faisais de l'étalon, et mieux encore quand je vous vis courir sur le chemin de ronde, quoique fort titubant, et moi-même, quasi délirant d'appréhension quand je vous dus lâcher le poignet et vous laisser vous engager seul sur l'échelle. Je me fis là, comme dirait Héloïse, un sang d'encre à tourner le lait de dix mille nourrices...

— Et Saint-Denis, Miroul?

— Ha! Moussu! dit-il, son œil bleu s'allumant, tandis que son œil marron contrefeignait la gravité. Comme eût prononcé avant coup le grand Nostradamus, et comme je prononce moi-même, plus sûrement, après coup...

— Quoi? Une prédiction? Après l'événement?

— Moussu, oyez plutôt:

Victoire de Vic vicinalement Paris
Victimera nuitamment la Ligue abominable.
Fausse face drapière de baron véritable
Détruira eau male en rêverie.

— Ha! Miroul! m'écriai-je, pour le coup, excellentissime!

Sur quoi, je ris plus fort et plus longuement que la faiblesse de ma tête ne m'y inclinait, mon rire étant le meilleur merci que je pusse adresser à son émerveillable dévouement. Mieux: je lui fis répéter son pseudo-quatrain de Nostradamus aussi souvent que ce fut nécessaire pour que je pusse le retenir en ma mémoire revenue. Ce qui le jeta dans le ravissement. Je le dis sans lui jeter la pierre: nous avons tous nos petites vanités d'auteur. Et moi-même, qui écris ces Mémoires sans art, ni méthode, mais comme la remembrance m'en vient, et « en tirant tout dret de l'épaule », comme dirait M. de Vic, il m'arrive de ronronner passablement fort pour le seul fait qu'une phrase que j'avais lancée un peu haut est bien retombée sur ses pieds.

— En bref, repris-je, mon Miroul, et pour parler plus clair, *que pasó* en Saint-Denis?

— Les ligueux en l'absence de chevalier se mirent, comme nous l'avions apensé, à la picorée, et Vic avec cinquante cavaliers à peine leur tomba sus avec une telle intrépidité qu'ils se mirent à la fuite par la porte de Paris, faisant refluer, dans le plus irrémédiable désordre, les troupes qui n'étaient pas encore entrées. Sur quoi la charge du trompetteur, répétée, leur faisant accroire que toute la garnison allait leur faire le poil, changea le désordre en panique, et d'après ce que j'ai ouï dire, l'apparition du cheval noir sanglant et ses étriers vides changea la panique en déroute...

— C'est fort galamment dit.

— Quant à d'Aumale, je pris le temps de saisir sa bourse, laquelle j'ai brûlée hier, mais non point les sept cent cinquante écus qu'elle contenait.

— Ils sont à toi !

— Nenni ! Ils sont à vous ! Pour en revenir au chevalier, nos pistoletades lui ayant emporté la face, seules les initiales A et R entrelacées sur son épaule permirent à La Raverie de l'identifier. Toutefois, touchant son décès, j'appète à ajouter ceci...

Là-dessus, mon gentil Miroul sourit avec malice et laissa en suspens une de ces jolies phrases dont il m'avait jusque-là nourri, les ayant, je gage, mignardement léchées, pendant tout le temps qu'il avait veillé sur mon sommeil.

— Toutefois ? répétai-je docilement, lui ayant trop de gratitude pour ne point jouer mon rollet dans cette comédie.

— J'ai partout ouï dire en Paris que M. de Vic avait tué de sa main le chevalier d'Aumale...

— Tiens donc ! dis-je, faisant bonne figure, mais la crête, cependant, fort rabattue sur l'œil.

— Moussu, reprit Miroul avec une gaîté contenue, eussiez-vous préféré qu'on crût que ce fût vous ?

— Que nenni ! dis-je, assez mal'engroin, et tu sais bien pourquoi.

— *Vox populi, vox dei*[1] Le peuple a parlé, Moussu. C'est M. de Vic qui a occis de sa main le « *dix-septième* ».

1. La voix du peuple, c'est la voix de Dieu. (Lat.)

— Amen.

— Moussu ?

— Quoi encore ?

— Gageons !

— Gageons quoi ?

— Que Vic lui-même finira par l'accroire.

CHAPITRE XI

Or, lecteur, si j'avais eu le cœur à gager, Miroul eût gagné sa gageure. Je l'appris vingt-huit mois plus tard, le 27 avril 1593, ayant sailli hors Paris à la faveur de la trêve qui avait été conclue entre les deux partis, pour permettre à d'aucuns des délégués des Etats Généraux de se rendre à Suresnes, afin de converser avec les catholiques royaux touchant une bonne et générale pacification.

A vrai dire, il n'y avait là des deux parts que chattemitesse ruse, les ligueux se proposant de détacher les catholiques royaux de Navarre pour les mettre au service du roi que les Etats Généraux devaient élire afin que de faire pièce au nôtre — et d'un autre côtel, Navarre n'ayant accepté la conférence que parce que la trêve allait détendre les ressorts de la Ligue et donner au peuple une telle friandise de la paix qu'il serait bien difficile, ensuite, de le remettre au noir brouet de la famine et de la guerre. Et qu'alors il y eut aussi en l'esprit de Navarre l'idée de profiter de la conférence de Suresnes pour avancer d'un grand coup de dés sa diplomatie, c'est ce que je n'allais point tarder à apercevoir dès le premier entretien que j'eus avec lui.

J'accompagnai Rosny (confondu avec ses secrétaires) au lever du roi, alors qu'il avait cent importuns sur les épaules (qu'il appelait en son privé des « *Dieu-gardes* », pour ce que ces fâcheux commençaient, ou concluaient, invariablement leurs discours par « Dieu garde Votre Majesté ») et encore que ces beaux courtisans ne fussent que soie, brocart, perles et parfums, et qu'en mon humble vêture de marchand drapier je me confondisse presque avec la tapisserie, je n'échappai pas à l'œil vif et perçant que le roi dardait de tous les côtés : regard non moins aigu que sa merveilleuse oreille qui lui permettait d'ouïr ce qui se disait à voix basse à l'autre bout de la chambre, alors même qu'il écoutait ou contrefeignait d'écouter un « Dieu-garde » lui présenter requête, lequel « Dieu-garde » — un grand sottard fort chamarré et paonnant — quérait de Sa Majesté de lui bailler pour prix de ses services (que sans doute il exagérait) l'abbaye du Bec, en Normandie, dont le défunt titulaire était le chevalier d'Aumale. Hé oui, belle lectrice ! Vos beaux yeux ont bien lu ce que je viens d'écrire : le chevalier d'Aumale, ce pilleur de ciboires et ce forceur de filles était abbé du Bec ! Et étant vif, j'imagine, apportait moins de prières en son abbaye qu'il n'en tirait pécunes.

— Ventre Saint-Gris, mon ami ! dit le roi au « Dieu-garde » à sa manière goguelue et gaussante, ne savez-vous pas que M. de Vic n'a tué M. d'Aumale que pour avoir l'abbaye du Bec ?

M. de Vic tuer M. d'Aumale ! J'en fus béant ! Mais n'en pipai mot à Rosny, lequel, au sortir de ce temple — où les courtisans, comme dans tous les temples, ne priaient leur Dieu que pour qu'Il leur donnât quelque rayon de son soleil — me dit à l'oreille que le roi nous enverrait quérir vers le soir, pour ce qu'il nous voulait ouïr sans qu'aucune oreille traînât dans les alentours. Tant est que je ne quittai Rosny de tout le jour, le trouvant fort rêveux et songeard, ses yeux clairs perdus dans le vide, beaucoup de pensements divers, en mon opinion, s'agitant sous son vaste front, et ses belles lèvres — lesquelles trahissaient à l'accoutumée tant d'appétit à vivre — fort closes sur de rongeants soucis. Si bien que me doutant bien que ces soucis n'étaient pas les siens — car il me parut de sa personne sain et gaillard, tout à plein rebiscoulé de ses navrures d'Ivry et à ce que j'ouïs, caressant même le dessein de se remarier — j'osai à la parfin lui demander ce qui le travaillait au point de le rendre si triste et si marmiteux.

— Mes craintes, Siorac! dit-il. Mes craintes! Car Philippe II presse les Etats Généraux d'élire un roi, et d'aucuns catholiques royaux inclinent à former un tiers-parti qui appuierait tel ou tel des candidats au trône : qui le jeune cardinal de Bourbon, qui Nemours, qui le petit Guise, qui le fils de Mayenne, lequel — quel qu'il soit — épouserait l'infante Claire-Isabelle-Eugénie, ce qui réconcilierait tout le monde — y compris l'Espagne — sur le dos de Navarre et de ses huguenots.

— Mon cher Rosny, dis-je en souriant, j'oserais dire en médecin que de même que le pléthore du sang en le cerveau cause l'apoplexie et, concentré dedans la poitrine, amène la congestion du poumon, la surabondance des candidats au sceptre suscite tant de prétentions qu'elles ne peuvent que s'entrechoquer, le roi ne pouvant qu'il n'en profite. En outre, qu'est-ce qu'un roi élu? La France n'est point la Pologne! Qui en France a jamais ouï que les Etats Généraux de France aient la capacité et suffisance de façonner un roi? En France, un roi n'est pas fait. Il est! Il est par droit de primogéniture à la minute même où meurt son prédécesseur. Le mort saisit le vif, comme dit si bien l'adage.

— Cela est bel et bon, dit Rosny, mais si les Etats Généraux nous fabriquent un roi, fût-ce au rebours et au mépris des lois fondamentales du royaume, ce roi aura derrière lui la puissance et l'or de Philippe II.

— Et contre lui tous ceux des Français naturels, dis-je, qui n'ont pas la tripe espagnole, et ils sont prou, si j'en crois le mal'engroin des Parisiens à l'endroit de la garnison espagnole, laquelle est censée pourtant être dedans leurs murs pour les défendre.

— Que Dieu vous oie, mon cher Siorac! dit Rosny, encore très troublé.

Il était fort tard dans la soirée, je dirais même dans la nuit, quand le roi nous envoya quérir, Rosny et moi, par le secrétaire Feret, lequel nous mena tout dret à sa chambre, Sa Majesté étant au lit et ayant jà donné le bonsoir à chacun, une seule chandelle brûlant à son chevet (en quoi je me ramentus, non sans tendresse, l'oncle Sauveterre) et le roi, à sa faible lueur, lisant quelques papiers qu'il avait en main.

— Mes amis, dit-il de sa voix ronde et chaleureuse, soyez les bienvenus, et ne soyez pas étonnés de me voir si tôt en ma coite (le temps ne lui durait pas ; il était quasi minuit). Vous savez bien que je ne suis pas accoutumé à m'apparesser, ni à faire l'accouchée au lit. Mais je me dois lever demain à l'aube, et les gambes et le cul me font mal d'avoir ce jour tant galopé. Holà, valet, deux carreaux, céans ! Vite ! Pour ces gentilshommes !

Par carreaux, le roi entendait deux coussins carrés sur lesquels il nous fit signe de nous agenouiller contre son lit, à distance commode de son oreiller, n'y ayant dans cette chambre — à part le lit qui n'était pas une grande affaire — que deux méchants coffres, et pas le moindre cancan, ni la plus petite escabelle, en revanche, une grande quantité d'armes appuyées au mur, tant bâtons à feu qu'estocs, piques et cuirasses — le seul luxe, à mon sentiment, étant le panache, non pas blanc, mais multicolore qui décorait le chapeau de Sa Majesté, lequel était négligemment jeté sur un coffre, au chevet du lit (le même qui portait le bougeoir) et me parut, à dire vrai, fort poussiéreux.

— Mes amis, dit le roi, en se soulevant sur son coude, et en nous envisageant avec un sourire enjoué, vous voilà, tous les deux, en posture de confessés. Mais, Ventre Saint-Gris, la confession ira dans les deux sens ! Car si j'attends de vous que vous me vidiez votre sac, je vous parlerai, moi, très découvertement de mes craintes et de mes épines. Rosny, poursuivit-il, ne trouvez pas mauvais, puisque le Barbu nous vient d'advenir de Paris, que je quières de lui de prime ce qu'il veut de moi comme récompense de ses peines.

— Rien d'autre, Sire, dis-je vivement, que le privilège de vous servir ! Dieu sait, je ne viens pas en quémandeur ! Et repris-je avec un sourire, je fais même volontiers abandon des droits que je pourrais avoir, d'après ce que j'ai ouï de votre bouche ce matin, sur l'abbaye du Bec.

— L'abbaye du Bec ? dit le roi en levant le sourcil, tandis que Rosny à mon côté m'envisageait, béant. Comment cela, Barbu ?

— Sire, c'est moi et mon secrétaire Miroul qui avons occis M. d'Aumale, et non M. de Vic.

— Comment se peut-il ? dit le roi. Tu étais alors en Paris !

— Nenni, Sire. Cette nuit-là, je m'encontrais en Saint-Denis.

Sur quoi, je lui en contai ma râtelée, brève, rapide et forte, comme il aimait qu'on fît les récits, et que je ne vais pas répéter céans, mon lecteur la connaissant.

— Barbu, dit-il en se grattant le chef quand j'eus fini : M. de Vic sait-il que c'est toi qui as tué d'Aumale ?

— Non, Sire.

— Et qui d'autre le sait ?

— Personne, Sire, hormis, de présent, vous-même et M. de Rosny.

— Eh bien ! dit le roi rondement, nous ne le dirons à personne. Barbu, M. de Vic est comme le maréchal de Biron, et tant d'autres capitaines : il en fait prou, mais il en dit encore plus qu'il n'en fait. Cependant, c'est un bon serviteur. Toi aussi ! Et je ne veux pas que mes bons serviteurs s'affrontent. J'ai assez des traverses que me font les mauvais. Ainsi, Barbu, bouche cousue ! Je te compenserai, poursuivit-il en souriant, tes droits sur l'abbaye du Bec !

— Vous le pouvez, Sire, dis-je promptement, sans qu'il vous en coûte rien !

— Ha ! dit le roi en riant, sans qu'il m'en coûte rien ! C'est merveille ! Et comment cela ?

— En faisant mon secrétaire Miroul écuyer.

— Quoi! En est-il digne?

— Ha! Sire! Personne davantage. Il est instruit. Il se pique de beau langage. Il escrime finement. Il s'est battu pour vous à la bataille d'Ivry. Et il a partagé avec vaillance et prudence les périls de mes missions.

— A-t-il du bien assez pour s'acheter une terre?

— Oui, Sire.

— En ce cas, la paix revenue, qu'il l'achète! Et je le nommerai écuyer. Nous aurons grande disette alors d'hommes de ce métal pour tenir le plat pays! Et beau temps s'écoulera, hélas! avant que les bons ventres de France nous en façonnent d'autres! Barbu, comment se portent nos cousines les princesses lorraines?

A laquelle question Rosny sourcilla quelque peu.

— A merveille, Sire, Mme de Montpensier mange votre pain et continue comme devant de faire prêcher contre vous ses vipères ensoutanées.

— Sire, ne vous en avais-je pas prévenu? dit Rosny d'un air mal'engroin.

— En revanche, dis-je, Mme de Nemours ne pipe mot contre vous, et Sire, vous savez bien pourquoi.

— Femme, dit le roi, ne peut qu'elle ne pense au mariage, et mariée, à marier fils ou fille.

— Mais Sire, saviez-vous que Mme de Guise voudrait *aussi* marier le jeune Guise à Madame votre sœur?

— Il me semble l'avoir ouï, dit le roi avec un fin sourire. Eh bien, Madame ne manquera pas de prétendants! ajouta-t-il en envisageant M. de Rosny d'un air entendu, ce qui me donna à penser que le bruit n'était pas faux, qui courait à la Cour : à savoir que Rosny avait été chargé par le roi de rompre les promesses de mariage entre son cousin le comte de Soissons et Madame. Mais Barbu, poursuivit le roi, tu ne me parles pas de la duchesse de Guise?

— C'est que, Sire, je trouve inutile de l'aller voir, la sachant à vous affectionnée.

— Et je le lui rends bien! dit le roi. Elle est ma

cousine germaine et il n'est personne dedans Paris dont le commerce m'agrée davantage. Elle n'a pas, comme tant d'autres, l'esprit malin, médisant ni brouillon, et les naïvetés et simplicités qu'on remarque en ses propos proviennent plutôt de gentillesse et du désir de plaire que de lourderie ou dessein d'offenser.

— Sire, dit Rosny, qui avait ouï cet éloge avec quelque impatience, n'aviez-vous pas le propos de demander à M. de Siorac ce qu'il en était de la Ligue en Paris ?

— Si fait, dit le roi qui aimait trop Rosny pour se piquer de ses petites groignes. Eh bien, Barbu, qu'en est-il ?

— C'est que, Sire, parlant si généralement, je cours le hasard de dire des choses qui ne vous soient pas déconnues.

— Dis toujours.

— *Primo*, le gouverneur de Paris, M. de Belin, vous veut du bien pour l'avoir si bien traité quand vous le capturâtes après la bataille d'Arques.

— Passe, fils. Je connais Belin. Et sous le manteau j'ai pris langue avec lui.

— *Secundo*, le bourreau pleura quand une poignée des *Seize* lui ordonna de pendre le président Brisson. Mme de Nemours pleura, quand je lui appris la nouvelle. Elle en écrivit la nouvelle à son fils Mayenne, lequel vint à Paris et pendit les pendeurs.

— Hors les pleurs, je sais cela. Qu'en conclus-tu ?

— Qu'après l'exécution du président Brisson se produisit une sorte de scission et dans les *Seize* et dans la Ligue, y ayant maintenant en Paris des ligueux encharnés comme devant, et qui sont peu, et des ligueux modérés, qui sont devenus prou et qui pensent quasiment comme des *politiques*. Ceux-là — la plus grande part, de présent, de la noblesse, de la commune, du Parlement, et des marchands (lesquels pâtissent excessivement de ne plus commercer) — veulent la paix, rejetant comme insufférable l'idée d'un prince espagnol, et vous accepteraient comme roi pour peu que vous vous convertissiez...

494

A quoi le roi lançant un vif regard à Rosny, qui tenait l'œil baissé et s'accoisait, dit avec un profond soupir :

— Ha ! Rosny ! Mon cher et vieil ami ! C'est de toi que je veux maintenant quérir avis et conseils, lesquels me furent toujours si précieux. Car bien m'aperçois-je, non seulement qu'on tâche de me fabriquer en Paris un contre-souverain, mais que d'aucuns, dans mon propre camp, attentent de persuader mon cousin le cardinal de Bourbon [1] de se rendre chef de ce *tiers-parti* dont on bruit tant, afin d'épouser, avec une dispense du pape, l'infante d'Espagne, et se faire déclarer roi. Ceux-là, ces mauvais serviteurs, que tant plus j'ai obligés, tant plus me font d'algarades, ne sont plus retenus, je le sais bien, que par une seule difficulté : qui est de savoir ce qu'ils feront ensuite de ma personne, les uns disant qu'il s'en faut saisir et s'en assurer, les autres, plus méchants et plus audacieux, qu'il me faut dépêcher, car, opinent-ils, tels oiseaux que moi ne valent rien à garder en cage !

Une longue et angoissée silence suivit ce discours, lequel me laissa pantois, tant Navarre me parut exagérer les complots qu'on tissait contre lui dans son propre camp, lesquels ne pouvaient être le fait que de quelques brouillons, Henri étant si aimé et respecté par sa noblesse et ses soldats. Et comme je m'en étonnai en mon for, il me sembla, cependant, entendre, à une certaine lueur que je surpris dans l'œil de Sa Majesté, tandis qu'Elle envisageait Rosny, que cette exagération ne laissait pas d'être voulue, comme si le roi, en plongeant son plus fidèle serviteur dans les craintes et alarmes, eût désiré l'amener à se prononcer plus nettement sur le sujet de sa conversion que Rosny n'avait fait jusqu'à ce jour. Si c'était bien là l'adroit propos de Sa Majesté, il faut bien avouer qu'Elle réussit à merveille, car

---

1. Le cardinal de Vendôme, à la mort du vieux cardinal de Bourbon, avait pris son nom, voulant marquer par là qu'il état de sang royal. (Note de l'auteur.)

Rosny, ayant de prime pâli, puis rougi, dit avec une véhémence assez éloignée de sa coutumière circonspection :

— Ha! Sire! De vous conseiller d'aller à messe, c'est chose que vous ne devez pas, ce me semble, attendre de moi, étant huguenot!

Ayant fait cette déclaration à seule fin de rassurer sa propre conscience, et celle-ci se trouvant apazimée, pour le moins verbalement, Rosny poursuivit en donnant au roi le conseil même qu'il venait de refuser si hautement de lui bailler.

— Mais, Sire, reprit-il d'une voix nette et résolue, si vous dirais-je bien, cependant, que la messe est le plus court, le plus prompt et le plus facile moyen pour dissiper en fumée les méchants projets qu'on tisse contre vous. Car, Sire, il le faut dire clairement à la parfin : vous ne parviendrez jamais à la paisible jouissance de votre royaume que par deux moyens : par le premier, qui est la force des armes, il vous faudra user de sévérités, violences et rigueurs qui sont toutes contraires à votre inclination; passer, en outre, par un milliasse de périls, de peines et de travaux; avoir continuellement le cul sur selle, le corselet sur le dos, le pistolet au poing et, qui plus est, dire Adieu repos! Chiens! Chasse! Amours! Maîtresse! (A quoi Henri Quatrième sourit.) Au lieu, Sire, que par l'autre voie, qui est de vous accommoder, touchant la religion, à la volonté du plus grand nombre de vos sujets, vous ne rencontrerez pas tant de traverses, du moins en ce monde-ci.

— Et dans l'autre? dit le roi en levant le sourcil d'un air mi-sérieux, mi-gaussant.

— Ha! Dans l'autre, dit Rosny en riant, je ne vous en réponds pas!

A quoi le roi rit à gueule bec, puis se mettant sur son séant il se gratta la tête (geste qu'il avait accoutumé à faire, quand il balançait ou contrefeignait de balancer, en son esprit) et dit à la parfin :

— Tout ce que vous dites est vrai, mon ami. Il n'empêche que touchant les deux moyens que vous envisagez, je vois tant d'épines des deux côtés qu'il ne se peut que quelques-unes d'ycelles ne me piquent bien serré. Car d'une part, les seigneurs que vous savez, et qui sont dans mon camp, me pressent incessamment de me faire catholique, faute de quoi ils menacent, de façon voilée ou découverte, de former un tiers-parti. Mais d'autre part, Turenne et La Trémoille, et autres seigneurs huguenots menacent de remuer prou, si je me fais catholique. Pis même : Ils feraient, disent-ils, par une assemblée, élire un protecteur de l'Eglise réformée : Contre-pouvoir que je ne saurais souffrir. Et s'il me fallait leur déclarer la guerre, ce me serait le plus grand dol que je saurais jamais recevoir, mon cœur ne pouvant souffrir de faire mal à ceux qui ont si longtemps couru ma fortune et employé leurs biens et leurs vies à défendre la mienne.

Ce discours, qui était à la fois ferme et habile — car tout en disant qu'il ne tolérerait pas une rébellion huguenote, le roi témoignait d'un grand attachement à ses coreligionnaires — produisit sur Rosny un effet inouï. Saisissant les mains du roi, il les baisa à plusieurs reprises en versant les pleurs (lesquels n'étaient pas chez lui si faciles que chez son maître) et dès qu'il put retrouver sa voix, s'écria avec les accents du plus profond émeuvement :

— Ha ! Sire ! Je me réjouis du bon du cœur de vous voir si bien intentionné envers vos huguenots, mon appréhension ayant toujours été que si vous veniez à changer de religion, comme c'est chose que je vois bien qu'il vous faudra faire, l'on vous persuadât à haïr et maltraiter vos vieux compagnons. Or, ceux de nous autres, Sire, qui, vous ayant aimé protestant, vous aimeront catholique, seront infiniment plus nombreux que les quelques factieux et ambitieux qui voudront vous faire alors des brouilleries, et ceux-là seront vite ramenés par nous dans le devoir, soyez-en assuré !

Je vis bien que cette déclaration de loyalisme sans restriction ni condition aucune, que Sa Majesté avait si adroitement suscitée, la satisfit grandement, et d'autant que Rosny n'était pas un petit sire à la

Cour, étant fort respecté et écouté par l'entourage protestant du roi.

— Cependant, mon ami, dit Henri avec un semi-sourire sur ses lèvres friandes, mais son œil aigu fiché dans l'œil de Rosny, vous ne me répondez pas de mon salut, si je me fais catholique...

— Ha! Sire! dit Rosny, j'ai dit cela en gaussant! Car bien le rebours, je considère comme tout à plein aberrante cette croyance des zélés des deux bords qui veut que tout homme qui prie dans une autre Eglise que la leur soit damné... Pour moi, quelle que soit la religion dont un quidam fait profession extérieure, s'il avoue le Christ et observe le décalogue, adore Dieu de tout son cœur, aime et sert son prochain, je tiens qu'il ne peut faillir d'être sauvé.

— Ha! Rosny! dit le roi, j'opine de même depuis longtemps en mon for et je suis fort aise que votre excellent sens conforte mon opinion. Hé bien, Barbu! reprit-il, en se tournant abruptement vers moi qui avais suivi, sans oser battre un cil, ni gloutir ma salive, ce débat de si grande conséquence pour l'avenir du royaume. Hé bien, qu'es-tu apensé de tout ceci?

— Sire, dis-je, je me suis moi-même converti à la religion catholique à seule fin de servir Henri Troisième, quand je le vis déployer tant d'effort pour contrarier la politique d'absolue éradication des protestants, préconisée par la Ligue et le Guise. Et si, comme j'en suis bien assuré, vous parvenez, Sire, par votre conversion à faire vivre ensemble sans qu'ils se molestent, les huguenots et les papistes, je tiens que vous aurez rendu un émerveillable service, non seulement à ce pays que voilà, mais aussi au ciel, puisqu'il n'est pas imaginable que le Christ que nous adorons consente à ce que les chrétiens s'entre-tuent.

— Bien prononcé, Barbu! dit le roi.

Là-dessus, rejetant sa tête en arrière sur l'oreille de sa coite, il nous donna notre congé, un peu las peut-être, mais ayant selon moi quelque raison d'être satisfait de cet entretien, par lequel il s'était fait donner par l'irréprochable Rosny la caution qu'il attendait.

Las, nous ne l'étions pas moins, quand Rosny me raccompagna au logis de my Lady Markby, n'ayant pu lui-même me bailler l'hospitalité, du fait que ses parents l'étaient venus visiter en Saint-Denis. Mon Rosny, derechef songeard, bien que rasséréné, gardait le bec clos, et l'on n'entendait pas d'autre noise que le bruit que faisaient les pas de notre escorte sur le pavé, car Rosny, toujours fastueux, n'avait pas emmené avec lui moins d'une douzaine de valets armés de porteurs de torches, combien que les rues de Saint-Denis la nuit fussent infiniment plus sûres que celles de Paris.

— Monsieur de Rosny, dis-je à la parfin, si Henri suit votre conseil, vous-même suivrez-vous son exemple ?

— Nullement, dit Rosny en levant haut la crête. Je n'ai pas, moi, d'étranger à bouter hors, ni de pays à pacifier, ni de trône à raffermir. Ma conscience ne me contraint donc pas de contraindre ma conscience.

Partie de cette phrase, Rosny me l'avait déjà dite, et du diable si je me souviens où et quand. Pour le savoir, il me faudrait relire ces présents Mémoires, ce que je ne veux faire, ne désirant pas avoir la tentation de les corriger, et moins encore de les pimplocher. Mais comme ladite phrase me convie à faire sur moi un retour — m'étant converti au papisme — j'aimerais dire ici qu'il est plus facile à un homme qui jà a dû changer de religion sous l'effet de la contrainte (comme moi-même et mieux encore comme Navarre, qui n'avait pas subi moins de cinq conversions) à en changer derechef, les circonstances lui en faisant un devoir. Au lieu qu'un homme comme Rosny qui, de ses vertes années jusqu'à l'âge d'homme, n'a professé qu'une seule et même Eglise, éprouve d'ordinaire une grande répugnance à l'abandonner. Cela tient à ce que *primo* : la fidélité à une foi se fortifie par la rigueur, l'étroitesse et la durée de son propre exercice ; *secundo* : que n'ayant pas professé successivement deux credos, et n'ayant pas été dans l'obligation de décroire ce qu'il avait cru, ni de croire ce qu'il avait décru, cet homme-là n'aura pas pu puiser dans ces variations le sentiment de leur relativité. J'en veux pour exemple qu'ayant appris de ma mère catholique qu'il fallait adorer Marie, mère de Dieu, puis de mon père huguenot, qu'il ne fallait pas l'adorer, puis derechef de mon confesseur papiste qu'il fallait lui rendre un culte, mon sentiment intime n'a pu subir ces fluctuations sans que se dégradât l'importance que j'avais attachée à leur objet.

Retourné en le logis de my Lady Markby, retiré en ma chambre et sur ma coite me jetant, Miroul reposant jà dans un petit cabinet qui jouxtait la pièce, je n'eus pas le loisir de m'ensommeiller, pour ce qu'on toqua à l'huis, et Miroul qui, comme les chats, ne dort jamais que d'un œil, bondissant alors comme esteuf en la paume, courut déclore, non sans dissimuler un pistolet derrière son dos. Apparut alors my Lady Markby en ses robes de nuit, un bougeoir à la main, son long cheveu noir dénoué, laquelle quit de Miroul si je m'encontrais dans les bras de Morphée.

— My Lady, dis-je promptement, soyez bien assurée que, faite comme je vous vois, le chef entouré de l'auréole de vos cheveux, et votre œil noir luisant à la chandelle, je les quitterais volontiers pour les vôtres.

— Voilà bien, dit my Lady, les Français ! on les désommeille et au lieu de groigner comme nos bons Anglais, ils cajolent !

Sur quoi, posant son bougeoir à mon chevet, elle me prit incontinent au mot, laissa choir ses robes à ses pieds, et dans ma coite me vint rejoindre, Miroul ne perdant pas une œillée de ce spectacle.

— Moussu, dit-il en oc, je me retire. D'ores en avant, vous aurez davantage l'usance de votre pistolet que du mien.

— Mon Pierre, que veut dire ce jargon ?

— Que Miroul, my Lady, vous présente ses respects et vous souhaite une bonne nuit.

— Traître, je n'en crois pas un traître mot ! Il gaussait !

— C'est que la langue d'oc est, à l'ouïe, gaillarde. Même le bonsoir s'y dit d'un ton goguelu.

— Il vous plaît à dire.

— Comme il me plaît à faire.

— Monsieur, de grâce, retenez votre main. Suis-je ribaude ès étuves ou Lady Markby, comtesse de Markby ?

Mais encore qu'elle me rebuffât, la chandelle mettait telle lueur au coin de son œil, et telle étincelle sur ses dents blanches et carnassières, que l'une et l'autre apportaient un démenti à ces paroles.

— My Lady, dis-je, il n'y aurait pire disconvenance que de demeurer souche devant tant de beautés.

— Paix-là, Monsieur ! dit-elle, mon humeur n'est point à folâtrer !

— Vramy !

— Mais aux questions sérieuses.

— Tiens donc ! Des questions sérieuses ! En ma coite ! Nue dans votre natureté !

— Peu importe, dit-elle d'un ton superbe, l'appareil où je m'encontre ! Mon Pierre, oubliez-vous que vous êtes « la petite, française et particulière alouette d'*Elizabetha Regina* » ? Et que la plus grande reine de la chrétienté vous donna sa main à baiser ?

— Je me ramentois son infinie gracieuseté, dis-je, l'oreille tout soudain dressée et la moustache épiante.

— Et les prodigieux secours qu'elle n'a cessé d'apporter à votre maître en hommes et en pécunes.

— Oui-da ! dis-je. Dans leur commune lutte contre Philippe II. My Lady, n'avez-vous point dit vous-même que le sort de l'Angleterre se jouait à Paris ?

— Donc, point de gratitude ?

— My Lady, tout le rebours! Elizabeth, touchant mon roi, agit en sœur.

— Si Henri Quatrième change de père, Elizabeth ne sera plus que sa sœur bâtarde et en concevra un fort grand et sourcilleux dépit.

— Henri changer de père? My Lady, comment l'entendez-vous?

— D'aucuns pensent qu'abandonnant son père de Genève, votre roi ira adopter un père à Rome...

— My Lady, est-ce bien l'heure, le lieu et l'occasion de débattre de la conversion du roi?

— Nulle occasion meilleure. Nous parlons entre quatre yeux.

— Et même entre huit membres.

— Ne vous flattez pas d'être si proche. Vous ne le serez jamais plus, si ma reine devient la sœur bâtarde de votre roi.

— Je ne sais si mon roi ira à Rome s'inventer un père. S'il le fait, ce sera très à contrecœur et seulement pour apporter la paix à son peuple, pour lequel, comme vous savez, il nourrit une violente amour.

— Il est dangereux de mal faire pour faire du bien.

— Cette phrase est-elle de vous?

— De ma reine. Elle dit encore que mieux vaut être Jacob qu'Esaü.

— Qu'est-ce à dire?

— Pierre! Huguenot renégat! As-tu oublié ta Bible! Esaü vendit à Jacob son droit d'aînesse contre un plat de lentilles, et Jacob, quoique cadet, s'arrangea pour avoir la bénédiction de son père mourant.

— Cependant, my Lady, cette bénédiction, il l'eut par piperie. Et mon roi, lui, ne trompera pas sa bien-aimée sœur. Soyez bien assurée que même s'il change de père, et achète trop chèrement son plat de lentilles, deux choses ne changeront jamais en son âme: l'alliance avec Elizabeth, la lutte contre Philippe II.

Je prononçai ces paroles avec tant de chaleur et de

véhémence que my Lady Markby parut en recevoir, à ce qu'il me sembla, une confortante impression.

— Cependant, dit-elle au bout d'un moment, pour s'assurer de la bonne foi d'Henri, il faudra un gage à Elizabeth, si toutefois il désire qu'elle lui continue ses secours.

— Tiens donc! Un bargouin! Qui dit anglais, dit marchand.

— Qui dit français dit serpent.

— Comment cela?

— Vous changez de religion comme un serpent de peau.

— Touché! dis-je en riant. Voyons le gage!

— Calais!

— Quoi! Calais! Calais derechef ès mains anglaises! Ha! my Lady, *never! Never! Never!*

— Par bonne heure, ce n'est pas vous, Monsieur, qui en déciderez.

— J'entends bien que je serai en cette affaire votre truchement. Mais pourquoi un truchement? Je vous ai connue plus fendue de gueule et parlant à mon roi bec à bec, et fort effrontément.

— Je ne peux lui parler de gage, sa décision de changer de père n'étant pas prise.

— C'est bien avisé, et j'aviserai moi-même si je dois ou non l'en informer.

— Non, Monsieur, je vous quiers et requiers de lui en toucher mot sans retard, comme c'est, de reste, votre devoir.

— Eh bien donc! Dès demain!

— Tiendrez-vous cette promesse?

— Tant promis tant tenu. Le roi saura demain cet entretien, et de ma bouche, et *verbatim* [1]. Mais my Lady, que faites-vous? Vous m'enlacez? Me flatterais-je d'être de vous si proche? Quoi! Un huguenot renégat! Et sans gage?

— Monsieur, dit-elle. J'ai assez pensé à ma reine. Il est temps que je pense à moi.

— Pensez à moi aussi, de grâce.

1. Mot pour mot.

— J'y tâcherai, dit-elle, montrant, dans son rire, ses fortes dents et sa mâchoire carrée. Toute la question, Monsieur, sera de décider si le cheval va manger l'avoine, ou l'avoine le cheval...

C'était là une petite gausserie à la mode anglaise, laquelle veut que ce peuple, si raisonnable dans la défense de ses intérêts, débite, quand il a la tripe folâtre, des absurdités incrédibles.

Grâce à Rosny, je pus voir le roi le lendemain soir après son coucher, et lui contai par le menu cet entretien.

— Ventre Saint-Gris, Barbu! dit-il avec un soupir, de toutes les épines qui me piquent serré, Elizabeth est de beaucoup la pire! Quel siège elle me fait! Quel torrent de reproches! Que d'admonestations! Elle m'a écrit! Elle m'a dépêché un prêcheur! Elle me fait tâter par la Markby! Ha! fils! Mieux vaut être mordu par un lion que par une lionne! Il y a moins de venin! Mon « Père » de Rome! Ma sœur « bâtarde »! Observe, je te prie, comme la maligne tire incontinent avantage de cette bâtardise supposée, *primo* en me menaçant de couper court à ses secours et subsides. *Secundo*, en m'enjoignant de lui donner Calais, si je désire qu'elle me les continue. Calais! Elle prend prétexte de ma conversion pour réclamer Calais! Je n'en crois pas mes oreilles! Barbu, reprit-il en souriant soudain, il serait temps, en effet, que j'apprenne à croire aux saints papistes, afin qu'ils m'enseignent la patience envers mes amis huguenots! Turenne et La Trémoille qui me font des brouilleries! Duplessis-Mornay qui me boude à Saumur! Elizabeth qui me morigène en ses lettres, comme si j'étais son écolier et elle, ma régente!

Sur quoi, impatient comme toujours d'agir (car chez Navarre, le soupir et la plainte, quand ils n'étaient pas gausserie, n'étaient que le commencement d'un projet) le roi, ses secrétaires étant jà couchés, me dicta une lettre pour Elizabeth, dont par malheur je ne pus conserver copie, et dont je me ramentois seulement à ce jour que le miel, de toutes parts, y coulait à flots, chaque phrase n'étant que compliment extravagant sur la beauté, la jeunesse, les ineffables charmes et les grâces exquises qui éclataient en la destinataire — laquelle en 1593 avait tout juste soixante ans, mais pour dire le vrai, se voyait à jamais belle et verdoyante, exigeait qu'on le lui répétât à l'infini, se voulait toujours blonde et qu'on ravalât en sa présence les brunes plus bas que boue ; enfin, se proclamait vierge et dans le même temps coquelicait avec Essex. Si — comme le lecteur bien le sait — je tiens que pour ce qui est de complimenter les dames, il faut y aller, non au petit cuiller, mais à la truelle, Navarre, lui, dans cette lettre, y allait à la pelle. Car je n'avais jamais vu le roi entasser autant de mignardises, de caresses, de protestations et de cajoleries, même en ses hyperboliques missives à Gabrielle d'Estrées, lesquelles couraient la Cour, Dieu sait comment. Jamais Louis XI, écrivant à son pire ennemi pour le séduire ou le désarmer, n'avait poussé la flatterie à cette extrême enflure de rhétorique. Cependant de concession sur le fond — la conversion et Calais — pas la moindre. Le roi, là, se bornait à remontrer à « sa sœur bien-aimée » qu'il y avait peu apparence que, même converti, il s'alliât jamais à Philippe II, qui depuis vingt ans, par le moyen de la Ligue et des Guise, l'avait si cruellement persécuté.

La dictation de cette suave lettre, que j'écrivais, assis sur un coffre, l'écritoire sur les genoux, était, à ce qu'il me sembla, bien loin d'être arrivée à son terme quand on heurta à l'huis d'une certaine sorte qui fit dresser le roi sur son séant et courre le valet pour déclore.

— Ha ! mon cœur ! Je vous baise les mains un million de fois ! s'écria le roi, tandis que Gabrielle d'Estrées, s'avançant dans un fort joli balancement de son vertugadin, vint s'asseoir avec grâce sur la coite, superbement attifurée de cap à pié, l'unique bougeoir éclairant sa face angélique. Eh oui, lecteur! Son beau prénom ne mentait point! Mme de Liancourt, née d'Estrées, avait, non peut-être le cœur, mais assurément la face d'un ange, étant, de fait, étrangement semblable au Gabriel de Léonard de Vinci dans le tableau de l'*Annonciation*. S'étant assise, non pas tout près, mais à quelque distance du roi, elle fit un geste empreint d'une bonne grâce véritablement royale pour lui tendre ses belles mains, lesquelles le roi baisa, sinon un million, du moins une bonne dizaine de fois, avec une ferveur d'adoration qui me frappa, comme me frappa aussi le fait que si nous, ses sujets, nous étions tous aux genoux d'Henri à lui baiser le bout des doigts (considérant comme insignes honneur et faveur qu'il voulût bien nous les bailler) il rendait, lui, le même hommage à une femme qui, en apparence du moins, régnait sur lui aussi absolument qu'il nous gouvernait.

— Sire, dit-elle, d'une voix plaintive en faisant la plus délicieuse petite moue que je visse jamais, tant plus j'ai à l'esprit votre présent déportement, tant plus je suis contre vous dépité.

— Contre moi, ma chère maîtresse? dit Henri que ravissaient les mines et mignardements de Gabrielle et qui mourait d'envie, à ce que je crus voir, d'imprimer ses lèvres sur la petite moue que j'ai dite. Madame, vous me feriez tort, si vous croyiez que personne au monde vous puisse servir avec autant d'amour que moi.

— Si cela était, dit Gabrielle, vous ne diriez point: « Je ferai », mais « je fais »...

— Touchant quoi, mon cœur? dit le roi en lui souriant toujours tendrement, mais une ombre de défiance passant dans ses yeux.

— Mais, Sire, votre conversion!

— Ha! ma conversion! dit le roi et, toujours souriant, s'accoisa.

A quoi, je n'osais gloutir ma salive, ni toussir, ni branler, me trouvant tout ensemble fort gêné d'assister à cet entretien, et fort curieux de sa tournure, mais ne pouvant rêver de l'interrompre pour demander mon congé au roi, celui-ci ayant oublié tout à plein ma présence, et Gabrielle ne faisant pas plus attention à moi qu'au coffre sur lequel j'étais assis — ou qu'au valet, qui voyant le train où allaient les choses, s'était recouché dans son coin, sa coite, qu'il roulait pendant le jour, étant posée à même le parquet.

— Oui-da, Sire, votre conversion ! dit Gabrielle, laquelle vous avez, ces quatre ans écoulés, maintes fois promise, et à chaque fois remise.

— C'est qu'il y avait, dit le roi avec un fin sourire, de bonnes raisons pour promettre et de bonnes raisons pour remettre...

— Mais plus maintenant, Sire ! s'écria Gabrielle avec la dernière véhémence. Sire, comme dit si bien le marquis d'O, il ne faut plus tortignonner ! Sans cela, dans huit jours, vous avez en France un roi élu !

— J'entends bien, mon cœur, dit le roi en attachant sur elle un œil aigu, mais d'où vient que vous preniez tant à cœur ma conversion ? Vous n'êtes pas catholique si zélée. Il me souvient même qu'au début de nos amours, vous étiez à ce point entichée de mes huguenots que vous ne vouliez qu'eux comme servantes et serviteurs.

— Sire, dit Gabrielle en battant du cil, je n'ai pas épluché la bonne opinion que dès l'abord j'ai conçue d'eux ; ils reluisent de vertus bien rares. Mais, Sire, ce n'est pas moi qui ai changé. Ce sont les temps. Et les temps requièrent que vous fassiez à la paix et à votre trône le sacrifice de votre huguenoterie.

— Mon ange, dit le roi, l'envisageant œil à œil, je vous vois tant me presser en cette affaire de conscience, laquelle est aussi une affaire d'Etat, que je ne peux faillir à imaginer que vous pensez, se peut, tirer quelque avantage pour vous de mon abjuration.

— Sire, cela est vrai ! dit Gabrielle avec un air de franchise naïve admirablement contrefeint. Mais à qui la faute, sinon à vous qui m'avez marié à M. de Liancourt, lequel est au lit plus inerte que souche ?

— C'est bien pourquoi je vous l'ai choisi comme mari, mon cœur, dit le roi en souriant. Mais Ventre Saint-Gris! qu'est-ce que M. de Liancourt a affaire avec ma religion?

— C'est que, Sire, tous vos ministres huguenots mis bout à bout ne sauront jamais défaire mon mariage avec lui, tandis que le pape, lui, le peut, si vous vous accommodez à Sa Sainteté en vous convertissant.

— Mon cœur, je ne vous entends pas, dit Navarre. Vous voulez donner son congé à M. de Liancourt, lequel a le grand mérite de vous soustraire à l'autorité de votre père sans l'exercer le moindre sur vous, rendant ainsi à vous-même, et à moi, un inappréciable service.

— Sire, dit Gabrielle avec son air le plus angélique, que peut faire une femme de sa liberté reconquise sinon aspirer à d'autres chaînes?

— Madame, dit le roi en sourcillant, si en disant cela, vous pensez à vous remarier avec *Feuille Morte*, je me couperai plutôt la langue qu'elle vous dise « oui ». *Feuille Morte* vole au gré des vents, à'steure dans mon camp, à'steure dans celui des ligueux, à'steure dans le lit d'une belle, à'steure sous le vôtre, du moins quand je suis dessus... Il n'est ni à vous, ni à moi.

— Ha! Sire! dit Gabrielle avec un air de grand déprisement, qui pour une fois ne me parut pas joué, M. de Bellegarde m'a trop offensée par ses infidélités et ses perfidies pour que je puisse lui pardonner jamais. Et vous-même, Sire, vous m'offenseriez en ranimant à son endroit vos anciennes suspicions. Laissez *Feuille Morte*, je vous prie, pourrir dans le terreau de mes oublis. De reste, Sire, bien folle je serais, étant aimée par le premier Français, d'appéter à plus bas que lui.

— Hé quoi, Madame! dit le roi beaucoup plus raisin que figue, et ce « Madame » marquant quelque distance, vous me feriez l'honneur et le bonheur de penser à moi comme époux? Mais Madame, je suis marié!

— Oh! Sire! Si peu! Avec une reine qui, non contente de rejoindre le camp de vos pires ennemis, a tâché de vous empoisonner, et pour cette raison, s'étiole en prison.

— Mon cœur, elle ne s'y étiole pas le moindre, dit Navarre qui détenait ce grand art de deviner les pensées les plus inavouées, et les moins avouables, de son interlocuteur. Margot, mon bel ange, est saine et gaillarde. Elle le restera! Elle vivra cent ans! Quelques justes griefs qu'Henri Troisième et moi-même avons nourris contre elle, nous sommes convenus de ne la jamais traiter inhumainement...

— J'admire votre chrétienne clémence, dit Gabrielle qui, à la voir articuler ces mots, ne me parut ni chrétienne ni clémente, mais en de si longues années de mariage, Margot ne vous a pas donné d'enfant, et le roi de France ne peut qu'il n'ait un héritier, faute de quoi il encourage et la brigue, et l'intrigue.

— Ventre Saint-Gris, ma chère maîtresse! dit le roi en riant. Je ne suis, la Dieu merci, ni vieil ni mal allant. Et j'ai d'autres affaires de présent que celle de ma succession.

— Néanmoins, Sire, un héritier raffermirait votre trône au moins autant que votre conversion, et si, à la queue d'ycelle, vous vous adressiez au pape, afin qu'il vous délie de votre lien avec Margot, croyez qu'il ne vous le pourra refuser, d'autant que votre mariage ayant été infécond, vous pourrez plaider qu'il n'a pas été consommé.

— Voilà, dit le roi en riant, qui sera plus facile à décroire qu'à croire! Je n'ai pas la réputation de M. de Liancourt! Tout le rebours!

— Sire, vous savez bien que le pape et les cardinaux sont ainsi faits qu'ils croient ce qui les arrange et décroient ce qui les dérange.

— C'est là parlé en huguenote, mon cœur! dit le roi en riant de plus belle, mais pour que la blancheur de mon mariage soit par le pape reconnue, il y faudrait le témoignage connivent de Margot.

— Lequel, Sire, elle baillera avec joie, si vous en

faites la condition pour la tirer de sa geôle et la remettre en la Cour.

— Mon âme, vous avez pensé à tout, dit le roi qui, se donnant l'air de dire « oui » en ne disant pas « non » — ce qui au dire de Rosny était, avec les dames, son échappatoire coutumière, quand elles le pressaient trop — saisit les belles mains de son « ange », les baisa derechef et se serait se peut arrêté là, si Gabrielle se penchant, ne lui avait tendu ses lèvres complaisamment — appât sur lequel Navarre se jeta comme le brochet sur le gardon.

— Barbu, dit le roi en reprenant son vent et haleine, et se ramentevant de moi tout soudain. Laisse là cette lettre, je la poursuivrai demain.

J'allai le lendemain, dès la pique du jour, visiter M. de Rosny, le sachant très matineux, me sentant quelque obligation d'amitié et de fiance à lui conter mon entretien avec my Lady Markby au sujet d'Elizabeth et l'entretien de Gabrielle avec le roi.

A quoi, il rit d'abord à gueule bec, ses larges pommettes remontant, et ses yeux bleus fort gais.

— Nul symbole plus approprié ! dit-il. Deux femmes se disputent la religion du roi, l'une anglaise, l'autre française, l'une tirant à hue ! et l'autre à dia ! Mais ni l'une ni l'autre désintéressées ! Elizabeth avait fait ce rêve de faire de la France une marche protestante la protégeant de Philippe II et du pape. Et quant à Gabrielle, dès lors qu'elle a renoncé à *Feuille Morte*, elle ne songe qu'à raffermir le trône du roi, pour la seule raison qu'elle veut y asseoir son cul à côté du sien, celui-là devant tant à celui-ci !

Ayant dit, il s'esbouffa derechef, aimant comme fol les gaillardies, tout bon huguenot qu'il fût.

— Quant à Gabrielle, poursuivit-il, peu importe que son intention ne soit pas bonne. Elle pousse de présent dans le bon sens et y emploie, comme dit Agrippa d'Aubigné qui parle en poète, *les heures commodes des jours et des nuits*. Surtout des nuits.

510

— Vous l'aimez peu.

— Je l'aime sans excès, dit Rosny en levant un sourcil. Elle en a donné à porter au roi avec *Feuille Morte*. Et c'est tout juste si elle n'a pas exigé de lui des excuses pour l'avoir suspicionnée.

— Je la trouve, cependant, fort belle.

— Ha! Siorac! Défiez-vous des faces angéliques et des moues infantines! Gabrielle possède tous les arts de séduction et de persuasion propres aux femmes, et en plus quelques-uns qui lui sont propres. Au surplus, elle a les dents aiguës. L'an passé, elle s'est fait bailler par le roi cinquante mille écus pour son mariage avec Liancourt.

— Ha, dis-je, ne nous plaignons pas! Henri Troisième donna quatre cent mille écus au duc de Joyeuse pour son mariage. La mignonne coûte moins cher que le mignon.

— Mais elle coûte! dit Rosny, soudain rembruni. Le cœur me saigne encore de ces cinquante mille écus dont on eût pu avoir, certes, une meilleure usance, ne serait-ce que pour nos armées.

— Monsieur de Rosny, dis-je, me permettez-vous de changer de sujet, appétant à en savoir davantage, si vous le trouvez opportun, touchant — je vous cite — « le grand, le magnifique projet » que caresse le roi, une fois qu'il sera raffermi sur son trône et en possession de sa capitale.

— Siorac, dit Rosny d'un ton si paonnant qu'il me parut abrupt, j'ai juré au roi d'être là-dessus bouche cousue. Cependant, ajouta-t-il, me voyant rougir à cette quasi-rebuffade, Sa Majesté, comme moi-même, ayant toute fiance en vous, je ne faillirai pas de quérir d'Elle si je peux là-dessus vous satisfaire, y ayant quelque apparence qu'Elle emploiera à son grand dessein vos talents ès missions secrètes.

Je lui demandai là-dessus mon congé, fort béant qu'il me voulût bien donner, au départir, une forte brassée, lui qui était de sa complexion si peu embrasseur. Ma petite offense pansée, curée et apazimée par cette marque d'affection, je saillis hors, et vis venir à moi dans la rue mon Miroul, élégant et fluet, lequel me saluant à peine, et l'œil marron autant glacé que l'œil bleu, me dit d'un air excessivement mal'engroin :

— Moussu, si vous n'avez plus l'usance d'un secrétaire, je vais employer mon bien à acheter la terre de La Surie, qui jouxte votre seigneurie du Chêne Rogneux et m'attacher à la faire valoir, ce qui me confortera d'avoir vu mes services déprisés par le plus ingrat des maîtres.

— Ventre Saint-Antoine, Miroul ! dis-je en le prenant par le bras, voilà une ire qui s'est levée bien matin !

— Moins que vous, Moussu, qui avez quitté votre chambre aux aurores sans me daigner désommeiller.

— Tu dormais comme souche.

— Depuis fort peu de temps pour la raison que notre hôtesse anglaise, quand elle dort à vos côtés, a le sommeil bien vacarmeux !

— Bref, tu dormais. Allais-je te secouer ?

— Vous l'eussiez dû. Passe encore de me laisser au logis quand vous visitez le roi. Mais M. de Rosny !

— Comment as-tu su que je l'allais voir ?

— Par don magique et divinatoire.

— Et comment as-tu su que la terre de La Surie était à vendre ?

— Par ma Florine qui m'en a écrit.

— C'est donc qu'elle y a un œil.

— A tort, Moussu. C'est trop gros morcel pour ma petite mâchoire.

— Voyons cela.

— Ma picorée de la Saint-Barthélemy, à quoi mon honnête juif de Bordeaux a donné du ventre, ces quinze ans écoulés, se monte ce jour à quatre mille écus.

— A quoi, dis-je, s'ajoutèrent il y a deux ans, les sept cent cinquante écus du chevalier d'Aumale. Avec les usances, se peut mille écus. Et les économies de Florine sur ses gages. Et les tiennes sur les tiens.

— Moussu, ne calculez pas plus outre. Le tout ne

va pas à la moitié de la somme que le vidame exige pour La Surie.

— Je te pourrais prêter l'autre moitié.

— Tant vous avez appétit à vous défaire de moi! dit Miroul en me lançant un regard de si amer reproche que j'en fus confondu.

— Nenni, mon Miroul, dis-je, le nœud de ma gorge se nouant, et m'arrêtant, je lui pris les deux mains et les serrai avec force. Je n'aurai jamais d'autre secrétaire que toi, je t'en fais ce jour le serment! Mais pour ta Florine et pour toi-même, il te faut à la parfin t'établir, la paix revenue.

— Comment trouverai-je le temps d'être votre secrétaire, Moussu, dit-il très à rebrousse-poil, si je dois m'ensevelir dans l'agriculture?

— Il n'est pas nécessaire que tu t'enseveilisses. Tes terres et les miennes étant mitoyennes, il ne me sera pas malcommode de te prêter mes gens et mon majordome pour ménager le labourage et le pâturage de ta petite seigneurie.

Ce mot de « seigneurie » — encore que je jugeasse inopportun de lui parler de ma requête au roi, le concernant — le toucha fort, à ce que je crus voir, pour ce qu'il s'accoisa un moment et prit prou sur lui, quand il déclouit le bec derechef, pour parler d'un ton rechignant :

— La grand merci à vous, Moussu, mais nous avons le temps d'y songer : la paix n'est pas pour demain. Et croyez-vous que vous saurez jamais vous passer de moi, qui suis tout ensemble vos yeux, vos oreilles et votre bras?

— Dois-je entendre que je suis sourd, aveugle et manchot?

— Non point, Moussu, mais que mes sens et organes doublent les vôtres. Ainsi, pendant que vous confériez — sans moi! — avec M. de Rosny, j'ai promené mes moustaches dans les rues de Saint-Denis surpeuplée — sa population ayant triplé depuis que le roi s'y trouve — et j'y ai découvert un gentilhomme, lequel est de retour à peine de sa province.

— *Diga me.*

— Et lequel vous aurez, à voir, un plaisir extrême.

— Son nom ?

— Tant vous avez amitié à lui...

— Son nom ?

— Et tant aussi, il vous affectionne...

— Son nom, Cornedebœuf !

— Jean de Siorac, baron de Mespech.

— La Vertudieu ! Sais-tu où il loge ?

— Sais-je encore si je le sais ?

— Ha ! Miroul, quelle tyrannie ! Suis-je encore ton maître ?

— Qu'est-ce qu'un maître qui se hasarde ès rues sans son serviteur ? Ramentez-vous, de grâce, que l'unique fois que vous sortîtes seul dans Paris, le sinistre Louchart faillit vous pendre.

— Lequel fut ensuite pendu par Mayenne pour avoir trempé dans l'exécution du président Brisson.

— Ce qui ne vous eût pas ressuscité.

— Miroul, encore une fois, ce logis !

— Moussu, suis-je sans cœur ? N'avez-vous pas observé notre allure ? Nous y courons.

Je ne sais plus quel vieux poète a écrit, parlant d'une rencontre de gens l'un à l'autre très affectionnés :

> *On s'entrebaise ! On s'entrecolle !*
> *On jase ! On caquète ! On bricolle !*

Je suppose que « bricolle » n'est là que pour la rime, car le verbe décrit d'ordinaire le vol zigzagant d'un oiseau dans l'air, ce qui est loin assez de l'agitation bien plus lourde que donne aux humains l'émeuvement des retrouvailles. En fait de comparaison animale, mon père et moi, en nos brassées, et barbe contre barbe, eussions davantage ressemblé à deux ours qu'à deux hirondelles, et quant au « caquetage », le baron se borna à me donner nouvelles de nos gens à Mespech, ce qu'il fit avec enjouement, ce que je n'ouïs pas sans tendresse, mais qui fut bref, car Jean de Siorac était trop bon huguenot pour ne pas passer incontinent à sujet plus substantiel.

— Mon Pierre, dit-il, avez-vous coupé vos blés du Chêne Rogneux ?

— Les blés, Monsieur mon père, dis-je en souriant, ne se coupent point céans si tôt qu'en Périgord.

— Ce que j'ai vu, en effet, en ma chevauchée. Mais que ferez-vous de vos blés, une fois coupés, battus et mis en sac ?

— J'en vendrai la plus grande part à un honnête courtier de Montfort l'Amaury.

— Erreur, Monsieur mon fils ! Il faudra (hélas, ce que je n'ai pu faire, vu la distance) commander à votre majordome de venir vendre vos blés en Paris, pour ce que la trêve ayant redonné la liberté de commerce à la bonne ville, celle-ci, instruite par les nécessités et disettes passées, tâchera de se munir de telle sorte qu'elle n'y retombe plus. Adonc, le débit de vos blés sera fort bon, et le prix fort élevé. Il faudra seulement armer vos gens pour le chemin, bien remparer votre charroi et veiller vous-même à ses sûretés.

Ayant ainsi ménagé mes affaires au mieux de mes intérêts — comme assurément il avait fait des siennes en Périgord avant son départir — il me demanda ce qu'il en était de la conversion du roi, dont on parlait partout en France, même en Sarlat et aux plus lointaines provinces. Je lui en contai aussitôt ma râtelée qu'il ouït avec l'attention la plus grande. Et moi, tandis que je lui parlais, l'envisageant et ne lui trouvant ni bedondaine ni courbure, mais l'œil si vif au milieu de ses rides, le teint si rose maugré son poil maintenant beaucoup plus sel que poivre, le dos droit, le jarret tendu, la tête redressée, et cette manière de mettre les mains aux hanches et les coudes en arrière qui sentait le soldat, j'admirais qu'à soixante-dix-sept ans, il eût affronté les fatigues de cet immense voyage de Sarlat à Paris pour voir son roi, embrasser mon frère Samson, ma petite sœur Catherine et moi-même. Chose étrange, au moment précis où lui parlant, je m'émerveillais de sa verdeur, laquelle me parut indestructible, l'idée de son inévitable mort me poigna avec plus de force qu'elle ne l'avait jamais osé faire jusque-là. Et le nœud de ma gorge se nouant, tandis que je continuais avec peine mon discours, et le poursuivais même sur le ton enjoué qu'il affectionnait, l'envie me tenaillait, cependant, de le serrer avec emportement dans mes bras, et de lui dire à l'oreille : « Ha ! mon père ! Mon père ! Moi vivant, ne me quittez jamais ! »

— Le roi, dit-il, dès que j'eus fini, n'est pas, se peut, un aussi brillant général que le duc de Parme, mais il possède le premier don d'un grand homme d'Etat : il sait agir au bon moment. Il a refusé d'abjurer à son avènement en août 1589. Il a eu raison. Les esprits n'étaient pas mûrs. Il se serait discrédité pour rien. Quatre ans plus tard, il va le faire. Pourquoi ? Assurément pas pour complaire à Gabrielle, encore qu'il le lui donnera à accroire, pour s'assurer de ses fidélités futures, mais parce que le monde entier aspire à la paix et parce que son abjuration va lui donner ce qu'il n'a pas pu obtenir au bout de quatre ans de guerre atroce : la soumission de ses sujets.

— Et nos huguenots ?

— Nos huguenots se seraient accommodés d'Henri III, qui était zélé catholique, pour peu qu'il ait pu leur donner la liberté de conscience et du culte, comme ce grand prince en avait l'intention. S'ils les obtiennent d'Henri IV, ils s'accommoderont à lui, papiste ou non.

— Et Elizabeth ?

— Ho ! Elizabeth ! Elle rebique, elle picagne, elle rechigne et avant tout barguigne ! Mais sa groigne et son bargouin ne changeront rien à ses nécessités. Elle a besoin d'un lieutenant en France pour lutter contre Philippe II.

— Mais vous-même, Monsieur mon père, dis-je avec un sourire, êtes-vous devenu sur le tard huguenot si tiédissant ?

— Point du tout. Mais je tiens pour peu raisonnable d'imaginer qu'un roi de France puisse professer une religion qui est honnie par l'immense majorité de ses sujets.

— Tout du même ! Que j'aimerais peu me trouver à sa place dans les jours qui viennent !

— Mais Monsieur, dit le baron de Mespech, son œil bleu brillant de malice au milieu de ses rides, à sa place, vous vous y êtes mis...

— Mais je n'étais pas, moi, le point de mire de tous les yeux dans le royaume. Et vous qui connaissez le roi, Monsieur mon père, comment cuidez-vous qu'il prenne sa conversion en son for ? Comme une amère médecine ?

— Nenni. Comme un « saut périlleux ».

— A-t-il employé ces termes ?

— Oui-da !

— Voilà qui ne marque pas grand respect pour la religion.

— Nenni. Le roi ne l'envisage pas ainsi. Il n'envisage pas tant le saut que le péril.

— Monsieur mon père, d'où savez-vous tout cela, vous qui êtes à peine advenu céans ?

— Mon Pierre, j'ai quelques amis à la Cour, et M. de Rosny n'est pas l'unique confident du roi.

— Encore, dis-je, qu'il s'en paonne prou et qu'il fasse le mystérieux sur un certain « grand projet » que nourrit le roi, quand il aura conquis sa capitale et consolidé son trône.

— Mais je connais ce « grand projet » ! dit mon père. Rosny n'est pas le seul devant qui le roi en a rêvé. Il s'agit de prime de vaincre l'Espagne, et l'ayant réduite à quia, de détacher d'elle l'Autriche et les Pays-Bas. Ayant ainsi détruit la tyrannie qu'elle fait peser sur les royaumes voisins, le roi tâchera de créer une Confédération des Etats d'Europe — tant protestants que papistes — composée de quinze nations, chacune d'elles déléguant cinq membres à un Sénat, lequel siégerait à Metz ou à Nancy, résoudrait les litiges territoriaux entre les Etats membres, favoriserait leurs commerces respectifs, et lèverait une armée commune pour contenir, à leurs frontières de l'Est, les Turcs, les Tartares et les Moscovites [1]. En bref, assurerait à l'Europe une paix durable.

— C'est un magnifique projet, dis-je, après l'avoir ruminé un instant. Y croyez-vous ?

— Je crois que l'ambition des Habsbourg de mettre la main sur la France par les moyens d'un roi élu, de conquérir l'Angleterre par une nouvelle Armada, et d'éradiquer partout le protestantisme par l'Inquisition, ne peut que prolonger sans fin les guerres religieuses, les guerres civiles et les guerres entre Etats. S'il veut la paix, un roi de France ne peut que travailler à démanteler cette odieuse oppression.

— Et le reste ?

— Le reste ! Ha ! le reste ! dit le baron de Mespech, levant les bras au ciel.

— Plaise à vous, mon père, dis-je, après un regard à la grosse montre-horloge que je portais en sautoir à la façon des marchands, que je quière de vous mon congé ; je dois aller à messe.

— Ho ! Ho ! Monsieur mon fils ! Seriez-vous devenu papiste si zélé ?

— Pas plus que vous n'êtes huguenot tiédissant. Mais les moines et les prêtres ont des espions partout et logeant chez my Lady Markby, qui est anglaise, et partant hérétique, je serais marqué comme elle sur les listes noires de la Ligue, si je manquais messe. Ce qu'en honnête marchand drapier je ne veux, ne sachant si le roi ne désire pas me renvoyer en Paris pour ses affaires.

— Quoi ? Vous logez céans chez my Lady Markby ! Le roi dit qu'elle est fournaise...

— Il se pourrait.

— En ce cas, mon fils, ne fondez pas !

— Mon père, je saurai, comme Gargantua, tirer mon fer du four.

A quoi le baron de Mespech, les deux mains sur les hanches et la tête en arrière, s'esbouffa à rire : gaillarde gaîté qui me fit grand bien à espincher chez un homme de son âge.

1. A la fois, l'ONU, la CEE et l'OTAN. (Note de l'auteur.)

— Mon Pierre, reprit-il, savez-vous que si à cette heure vous allez à messe, vous y verrez Fogacer?

— Quoi! m'écriai-je au comble de la joie. Fogacer! Fogacer céans!

— *Ipse* [1]. Et qui plus est, flanqué en tous lieux, en tous temps, d'une jeune et jolie garce.

— Quoi? Une garce? dis-je, béant.

— Je conçois votre étonnement, dit le baron de Mespech qui n'avait mie percé à jour la bougrerie de Fogacer. Vous vous ramentevez combien votre pauvre oncle Sauveterre avait loué la vertu de Fogacer, quand il préféra demeurer à Mespech en sa compagnie et celle de son petit page plutôt que de s'aller folâtrer avec vous, Samson et Catherine à la grande fête de Puymartin.

— Je m'en ramentois, en effet, dis-je, imperscrutable.

— Il faut croire, reprit mon père que, la quarantaine passée, sa vertu s'est fissurée, pareille à celle de certaines veuves que l'infécondité de l'âge pousse à courre les galants.

Combien que cette comparaison m'ébaudît prodigieusement en mon for, je n'en laissai rien paraître, et quittai mon père, non sans qu'il eût arrangé de prendre avec moi la repue du soir.

J'ai bien peur d'avoir prié assez peu à cette messe-là, tant je dardais mes yeux de dextre et de senestre dans l'espoir d'apercevoir Fogacer, lesquels yeux étaient doublés de ceux de Miroul qui, pour être vairons, n'en sont pas moins perçants. Mais la presse en l'église s'encontrait si grande que c'eût été chercher un fer d'aiguillette dans une botte de foin, tant est que Miroul et moi décidâmes de demeurer dans le fond de la nef, et dès l'*ite missa est*, d'aller nous poster, chacun, à l'une des deux portes par où s'écoulerait le flot des fidèles.

Des deux le plus heureux fut Miroul, lequel me rejoignant une heure plus tard au logis de my Lady Markby, me dit qu'il avait vu Fogacer saillir de son

1. Lui-même. (Lat.)

côté, mais sans qu'il osât l'aborder pour ce qu'il se trouvait fort entouré de gentilshommes qu'il connaissait bien et qui se peut l'eussent lui-même reconnu, même avec ses lunettes; cependant que, l'ayant suivi de loin, il se faisait fort de m'amener à son logis. Mais celui-ci, auquel incontinent je courus, me parut de si noble et imposante apparence que je n'y voulus pas toquer de prime. En quoi je fis bien, car Miroul, ayant demandé à un guillaume quel grand personnage demeurait là, il lui fut répondu que c'était Mgr Jacques Davy du Perron, évêque d'Evreux. Miroul, toutefois, jurant ses Dieux que Fogacer était bien entré par cette même auguste porte, je revins chez moi, si j'ose appeler ainsi la maison où je recevais gîte si généreux, et là écrivis à Fogacer un poulet circonspect que je lui fis porter par un petit « vas-y-dire » :

Révérend Docteur Médecin Fogacer,

Si vous êtes dans vos grandeurs présentes, toujours affectionné à celui que vous appeliez *mi fili* et que vous avez nourri en Montpellier aux stériles mamelles d'Aristote, venez de grâce, le retrouver sur le coup de cinq heures à l'auberge de l'Ecu, rue de la Dévalade.

Pierre.

Parmi les « vas-y-dire » il en est des musants qui limacent par les rues, et d'autres au rebours qui volent, comme si les petites ailes de Mercure étaient attachées à leurs talons. Celui-là, qui hantait ma rue en Saint-Denis, se prénommait Barnabé, avait le cheveu couleur de flamme, et sans que je veuille assurer qu'il y ait là cause à effet, bondissait d'un logis à l'autre comme un incendie par grand vent. Le temps pour Fogacer de m'écrire ce qui suit, il fut de retour à mon huis en un battement de cil :

Mi fili,

Honestus rumor alterum est patrimonium [1]. Raison pour quoi, servant qui tu sais, je ne peux être vu ès auberge douteuse en rue infâme. *Adhuc sine crimine vixi et fama mea clara est* [2]. Adonc, point de taverne. Que si pourtant sur les cinq heures, tu toques à l'huis du 25 rue des Cordonniers, *ancilla formosa* [3] te conduira jusqu'à moi, qui suis de présent et à jamais ton très fidèle et affectionné serviteur.

Révérend Docteur Fogacer.

Ce billet me titilla par son ironie autant qu'il m'émut par sa chaleur. Et quand je le lus à Miroul, il rit à gueule bec des citations latines si appropriées, en effet, au genre de vie qu'avait vécue jusque-là mon régent ès Ecole de médecine de Montpellier, lequel avait consumé ses jours à fuir de ville en ville le bûcher dont ses mœurs étaient menacées. Raison pour quoi, comme se peut on s'en souvient, il avait passé de longs mois, y compris en mon absence, dans mon refuge du Chêne Rogneux.

Quand la *formosa ancilla* nous ouvrit son huis, vous pouvez bien penser, belle lectrice, que je la dévorais des yeux de l'orteil au sourcil, pour la raison que je ne pouvais douter que ce fût là la jeune et jolie garce dont le baron de Mespech avait dit que Fogacer était de présent flanqué « en tous temps en tous lieux », ses anciennes vertus, au tournant de la quarantaine, se trouvant, selon mon père, fissurées.

La mignote, en mon opinion, avait à peine passé quinze ans, un teint d'abricot, l'œil azuréen, l'épaule forte, mais le parpal rondi, quoique fort boutonné dans un corps de cotte sans décolleté aucun, le cou mollet et blanc, la hanche quelque peu maigri-

---

1. Une bonne réputation est un deuxième patrimoine.
2. Jusqu'ici j'ai vécu sans crime, et mon bon renom est sans tache.
3. Une belle servante.

chonne, mais l'arrière-train rondi, se peut par un de ces faux culs que nos Parisiennes affectionnent, le cheveu blond coiffé en tresses virginales, et la joue merveilleusement rosissante sous le feu des quatre yeux (Miroul étant de la partie) dont la pauvrette se trouvait, en son antichambre, accablée.

— *Mi fili*, dit Fogacer en pénétrant dans la pièce avec une grâce anguleuse et arachnéenne, le corps interminablement mince en sa vêture noire, et dès la porte détachant vers moi un long bras qui me saisit à l'épaule, je ne t'ai point requis céans, pas plus que ton Miroul, fidèle Castor de ce Pollux, pour que vous dévoriez de l'œil, sinon de la dent, ma pauvre Jeannette, laquelle est céans la fée du logis, courant, court vêtue, à la moutarde, bouillant mon pot, cuisant mon rôt, servant et desservant, lavant et blanchissant, chassant poussières, tuant insectes, piégeant souris, nettoyant verrières, lavant mon dos, peignant mon cheveu, taillant ma barbe; parmi tous ces inestimables offices, le dernier, mais non le moindre étant, *mi fili*, pour te citer, qu'elle fait et défait mon lit...

A quoi, campé sur une gambe et déhanché, une main sur ladite hanche, il rit, arquant son sourcil diabolique sur son œil noisette. Rire qu'il coupa court sans raison apparente, refermant brusquement ses lèvres tant rouges qu'une cicatrice, et ensuite les allongeant, bouche cousue, en un très particulier sourire, long, lent, et sinueux, comme s'il se fût gaussé de lui-même autant que de vous, et de la terre entière.

— Jeannette, poursuivit-il, remettant une main sur mon épaule et l'autre — à une bonne toise de là (tant son envergure était grande) sur l'épaule de mon Miroul, as-tu en ton garde-mangeoir quelque substantifique moelle à donner à gloutir à nos amis pour notre commune cène?

— Monsieur mon maître, dit Jeannette que ce langage n'étonnait plus, j'ai des œufs du jour, du jambon de Bayonne originaire de Normandie, du fromage de chèvre et une grande tarte aux fraises, laquelle j'ai cuite ce matin.

— Et du vin?

— Du vin de messe, Monsieur, dit Jeannette avec une petite moue.

— Du vin de messe? dit Fogacer en contrefeignant de sourciller. L'aurais-tu, friponne, robé à Mgr l'évêque?

— Que nenni, Monsieur mon maître! dit Jeannette, son teint d'abricot virant délicieusement au rose vif, le sacristain de Mgr Du Perron me l'a baillé, moyennant clicailles.

— Benoîte Vierge! dit Fogacer en joignant dévotement les mains, espérons que ce vin-là me sanctifiera la langue, laquelle en a vu d'autres.

A quoi son sourcil noir qu'on eût dit dessiné au pinceau, se relevant vers les tempes, il rit derechef d'un rire qu'il coupa sec comme devant, et qu'il fit suivre de ce sourire lent et connivent, par lequel il semblait laisser entendre plus de choses qu'il ne disait.

— Mon ami, dis-je, suivant de l'œil Jeannette qui saillait de la pièce d'un pas allègre et sautillant, je suis bien aise de vous voir aussi bien installé en la vie que rat en paille ou goupil au poulailler, vous que j'ai vu pourchassé par le bras séculier de l'Eglise.

— Laquelle Eglise de présent me protège, dit Fogacer, et c'est justice pour ce que j'ai curé un de ses membres — je ne dirai lequel — d'une intempérie qui étonne chez un homme de Dieu. Ainsi ai-je ascendé du bûcher auquel j'étais promis jusqu'au rang de médecin personnel et conseiller particulier du très auguste évêque lequel, à dire le vrai, monta, en son ascension, bien plus vite et bien plus haut que ma sulfureuse personne, étant entré dans les Ordres en 1593 et quelques mois plus tard, ayant pris fort opportunément le parti du roi, nommé par lui évêque d'Evreux.

— Ciel! D'abbé promu évêque! En quelques mois!

— Dieu bon! Quel bond! dit Miroul.

— Mais, dis-je, me trompé-je pas? Du Perron n'était-il pas autrefois huguenot?

— Si fait, *mi fili!* Mais comme vous, *il cala la voile.* Et dès qu'il se fut fait catholique, Henri Troisième fit de lui son lecteur, prisant fort son esprit, son savoir et son rare talent d'écrivain.

— Ha! dis-je, rien de tel, quand on est petite barque, que de s'amarrer au navire amiral et d'épouser son sillage! On n'y peut que grandir!

— Pour moi, dit Fogacer en arquant son sourcil satanique, je m'apensai que si le bras puissant de l'Eglise pouvait d'un huguenot faire un évêque, l'évêque, à son tour, pourrait, d'un athéiste doublé d'un sodomite, faire un très passable chrétien. J'écrivis donc à Du Perron, lequel j'avais connu lecteur du roi à la Cour d'Henri Troisième, lui disant que j'aimerais devenir son médecin. Or, il était mal allant. Sur l'heure, il me dépêcha un passeport de Navarre. Je vins, je le vis, je le guéris. Il me guérit à mon tour, car dès que je l'aperçus, archisublime en ses soutanes violettes, je compris la haute puissance de la robe, et que non seulement, elle fait le moine : elle fait la femme aussi.

— Mon ami, qu'entendez-vous par là? dis-je, béant.

— Rien de plus que ce que j'ai dit! dit Fogacer avec son rire éclatant et bref, suivi d'un sourire tant sinueux et tant insinuant qu'il démentait sa négation.

Cependant, la Jeannette, sur laquelle je ne pouvais me retenir d'attacher l'œil, chaque fois qu'elle entrait et saillait hors la pièce, vint dire à la parfin à son seigneur et maître, avec une assez gauche révérence, que la repue était prête, la table dressée et l'omelette, baveuse. On s'y mit donc gaîment, les dents bien aiguës et les gorges bien sèches, gloutissant non seulement ladite omelette, mais le jambon le plus moelleux que j'eusse mangé depuis celui que nous séchions, pendu au plafond de la grand'salle de Mespech, le tout arrosé de ce petit vin de messe qui n'était pas des pires, comme le fit observer Fogacer.

— Dieu, dit-il, bénisse Mgr Du Perron d'avoir choisi un vin si délectable, pour ce que son bouquet, assurément, doit aider prou à convertir ledit vin en le sang de Notre Seigneur Jésus-Christ, ce que notre Eglise catholique appelle le miracle de la transsubstantiation, quand on célèbre à messe le sacrement de l'Eucharistie.

— Eh quoi Fogacer! dis-je, athéiste et théologien!

— C'est que, *mi fili*, Mgr Du Perron m'a dicté le serment que les évêques royalistes comptent exiger du roi pour l'admettre dans le giron de l'Eglise catholique. Et comme Monseigneur m'a demandé de faire des copies de ce document pour les prélats qui instruiront demain à huis clos Sa Majesté...

— Quoi! m'écriai-je, demain? Vous avez dit demain?

— Demain, 23 juillet, de l'aube à la nuit.

— Et personne à la Cour ne le sait?

— La Cour le saura après la repue de ce présent midi. Raison pour quoi, ajouta-t-il avec son sinueux sourire, j'ai pu vous annoncer la nouvelle sans trahir le secret. Quand vous saillirez de mon logis, *mi fili*, il n'est pas un fils de bonne mère en Saint-Denis qui n'en sera instruit.

— Et, dis-je, qu'en est-il du brouillon de ce serment qu'on veut exiger du roi?

— Comme vous l'avez deviné, *mi fili*, je l'ai gardé par-devers moi.

— Et y peux-je jeter un œil?

— Pas le quart de la moitié d'un, *mi fili*. Encore qu'il n'ait rien de secret, étant un magistral résumé en quatre pages de la confession catholique. Mais, si vous le jugez à propos, je peux vous en lire les passages les plus savoureux, mais non sans les faire suivre de mes commentaires.

— Vos commentaires? Les commentaires d'un athéiste? Cornedebœuf! Ne peux-je en être dispensé?

— Nenni, vous aurez, *mi fili*, le texte et les commentaires, ou rien du tout.

— Quelle tyrannie! Suis-je une oie pour que vous me gaviez de blasphèmes?

— Suis-je une oie, dit Fogacer en arquant son

noir sourcil, pour qu'on me gave de miracles, de mystères et d'absurdités !

— Sauf votre respect, dit Miroul, si vous êtes une oie, révérend docteur, je vous ois.

— Voici, dit Fogacer en tirant de son pourpoint deux feuilles pliées en quatre, où je reconnus les sabres et les boucles de sa grande écriture. Le roi y est requis de croire en Dieu le père tout-puissant, créateur du ciel et de la terre.

— Où est la difficulté ? dit Miroul qui aimait à débattre.

— Aucune, dit Fogacer, sinon qu'on n'a jamais vu sur terre qui que ce soit créer quoi que ce soit à partir de rien.

— Mais, dit Miroul, cela devrait être facile à Dieu, puisqu'il est tout-puissant.

— Comment sait-on qu'il est tout-puissant ? dit Fogacer.

— Parce qu'il a créé ciel et terre.

— Emerveillable raisonnement ! La conclusion se trouve déjà dans les prémisses ! Comment Dieu a-t-il créé ciel et terre ? Parce qu'il était tout-puissant. Et comment sait-on qu'il était tout-puissant ? Parce qu'il a créé ciel et terre. Peux-je poursuivre ?

— J'allais vous en quérir, dis-je avec un soupir, en faisant signe à Miroul de ne point controverser plus outre.

— En même temps qu'à Dieu, le roi est requis de croire en Jésus-Christ son fils unique, *engendré du Père avant tous les siècles, engendré, non pas créé et consubstantiel au père.*

— Eh bien ? dis-je, tombant dans le piège à mon tour.

— Hé ! c'est cet « engendré », qui me trouble, dit Fogacer. Dieu n'a pas engendré le fils unique à la façon des hommes, puisqu'il n'a pas d'épouse. Il ne l'a pas créé non plus.

— Dieu est tout-puissant, dit Miroul.

— Assurément, dit Fogacer, avec ce « tout-puissant », tant il est commode, on se donne toujours tout. Observez cependant, je vous prie, que le fils est distinct du père et se confond toutefois avec lui puisqu'il lui est consubstantiel. Qu'est-ce que cela veut dire?

— Ces mystères échappent à notre raison, dis-je.

— Si c'est Dieu, dit Fogacer, qui nous a donné notre raison, sa révélation devrait la satisfaire au lieu de la contrarier.

— Mais, dis-je, cette révélation est attestée par les Saintes Ecritures.

— Elles ne sont saintes, que parce que nous les tenons pour telles, dit Fogacer, et seulement depuis Clovis. Plus exactement, depuis la femme de Clovis. Nous n'y croyons qu'en raison de sa crédulité. En outre, il y a deux façons d'interpréter les Ecritures. La huguenote et la catholique. Laquelle choisir? Ha! Pauvre roi!

— Pourquoi « pauvre roi » ? dis-je.

— Pour ce que, dit Fogacer en brandissant ses feuilles manuscrites, voici ce qu'il devra jurer demain : *Moi, le roi, j'admets et reçois la Sainte Ecriture selon le sens que lui attache notre Sainte Mère l'Eglise, à laquelle appartient seule de juger de la vraie intelligence et interprétation de ladite Ecriture.* Ici Siorac, poursuivit-il en levant son gobelet, ici meurt piteusement cette grande idée des protestants : le libre examen des Saintes Ecritures. Je bois, *mi fili*, à son décès et au fruit d'ycelui.

— Quel fruit?

— L'intolérance! Oyez derechef. *Moi, le roi, j'approuve sans doute aucun et professe tout ce qui a été décidé par les conciles, et en conséquence, rejette, réprouve et anathématise toutes hérésies, condamnées, rejetées et anathématisées par notre Sainte Eglise.* Ici, Siorac, les Cathares, les Vaudois, les Hussites, les Luthériens, les Calvinistes, et les Indiens des Amériques, sont brûlés ou massacrés pour la deuxième fois. Ici le pauvre roi — car j'ai de lui pitié — reconnaît l'absolue justice de la persécution que lui et les siens ont subie depuis un demi-siècle.

— Mais, dis-je, le roi n'accepte l'intolérance que pour lutter contre l'intolérance.

— En se mettant à genoux devant ses bourreaux ?
Je doute qu'il prenne la bonne voie, ceux-ci ne lui
épargnent rien, car le roi, Siorac... Holà, Jeannette,
reverse-moi de ce bon vin de messe ! Le roi devra
confesser aussi le Purgatoire *d'où les âmes détenues
ne peuvent être tirées que par les prières des fidèles,
leurs oboles et les messes qu'ils feront dire*. Ici, *mi fili*,
vous pourriez ouïr en prêtant l'oreille, le tintinnabulement joyeux des clicailles dans les saintes escar-
celles. La merci à toi, Jeannette, je sens que ledit vin
va se convertir en moi...

— En sang pas du tout divin, dit Miroul.

— Si l'espéré-je : je ne tiens pas à être crucifié.
Mais je poursuis. Après le Purgatoire, Henri devra
confesser les saints et les saintes — culte éminemment populaire, païen et superstitieux — et vénérer,
vous m'avez bien ouï, les saintes reliques desdits
saints, dont nul n'ignore qu'on en façonne chaque
jour davantage ; admettre que *le Rédempteur a laissé
à son Eglise la puissance des indulgences et que
l'usage en est très salutaire au peuple chrétien* — et
aussi, oserais-je ajouter, aux prêtres qui les distri-
buent et non point *gratis pro Deo*. Enfin, il va sans
dire que notre pauvre Henri s'engage aussi à vénérer
les *images* que l'on dresse ès églises de Jésus-Christ,
de sa bienheureuse mère perpétuellement vierge et
des autres saints et saintes, bref, ces mêmes images,
tableaux, statues et vitraux que nos bons huguenots
brisaient dans les églises — en quoi l'art, parfois,
perdait prou, mais non la pureté du culte, la Bible
ayant condamné si formellement l'idolâtrie. En bref,
poursuivit Fogacer en étendant devant lui, la paume
ouverte, son bras interminable comme s'il allait pro-
phétiser, tandis que d'une autre main, il roulait une
tranche de son délectable jambon et la fourrait tout
entière dans sa large bouche, ce qui le contraignit au
silence pendant une bonne minute, en bref, dit-il,
quand il l'eut gloutie, notre pauvre Henri va, par son
abjuration, conforter tous les abus, ajouts, inven-
tions, piperies et charlatanesques pratiques dont le
papisme, au cours des siècles, a corrompu la beauté

et simplicité du christianisme primitif, lequel, de source claire et cristalline qu'il était de prime, devint à la parfin à Rome un large fleuve, charriant des flots boueux et perdant prou en pureté ce qu'il avait gagné en puissance... Ha ! mon Pierre, pour le roi quelle chute ! Quel reniement ! Quel lâche acquiescement à l'erreur !

Sur la queue de cette tirade, Fogacer fit entendre son rire éclatant et hennissant et le coupant court, sourit, lequel sourire, je le dis encore, n'était point fixe ni figé, mais sinuait et ondulait comme un serpent, tandis que, penchant la tête de côté, il m'envisageait avec un petit brillement de son œil noisette, son sourcil noir arqué remontant vers les tempes.

— Fogacer, dis-je à la parfin, je suis béant. J'entends bien que sous votre coutumière gausserie se cache ici quelque gravité, laquelle me touche fort, pour ce que j'ai gardé mon huguenoterie profond assez dans ma poitrine, tant est qu'applaudissant pour les raisons que vous savez à la conversion du roi, je ne laisse pas que d'en être fort marri. Mais vous, Fogacer, vous qui professez le plus sacrilégieux athéisme, comment se fait-il que vous le preniez tant à cœur ?

— C'est que les huguenots sont mes frères, dit Fogacer, puisqu'ils furent, comme moi, persécutés. Et je n'aime pas que le premier d'entre eux se renie, *urbi et orbi* [1], pas plus que je n'aimerais, moi, si peu que ce soit, me renier en mes mœurs. Dieu merci, bougre je suis et bougre je demeurerai jusqu'à la fin des temps, ou tout du moins jusqu'à la fin de ma corporelle enveloppe !

A quoi ouvrant la bouche, je restai bouche bée, puis la clouant, je restai bec cloui, jetai un œil nouveau sur Jeannette, laquelle (mais dois-je encore dire *laquelle* ?) baissa ses naïves paupières sur sa joue abricot, puis je regardai Miroul qui me contre-regarda, puis j'envisageai Fogacer qui, contr'envisa-

---

1. Dans la ville et par le monde.

geant Jeannette, Miroul et moi tour à tour, paraissait immensément s'ébaudir en son for.

— Baron drapier du Chêne Rogneux, dit-il à la parfin en se levant, si vois-je à la montre-horloge que vous portez si gracieusement en sautoir, qu'il est presque midi, heure à laquelle je dois me rendre auprès de Mgr Du Perron afin d'envisager sa langue, de lui regarder le blanc de l'œil, de lui prendre le pouls, de m'informer avec anxiété de ses selles, me livrant, en bref, à toutes les grimaces que commande mon état. Plaise à vous de me donner mon congé.

Le soir de ce jour, je rapportai à mon père, lors de notre repue, les propos de Fogacer, en prenant soin toutefois de jeter le manteau de Noé sur son athéisme et sur sa peu pénitente bougrerie — choses que mon père n'aurait pu souffrir, et moins encore la seconde que le premier, ne montrant aucune indulgence pour les péchés charnels qui ne le tentaient pas. Ce qui n'est point à dire qu'il n'était pas très sourcilleux aussi sur le sujet de la négation de Dieu, au point de me blâmer jadis à mi-mot d'avoir mis fin aux abominables souffrances de l'abbé Cabassus en l'arquebusant sur son bûcher, tandis qu'il y brûlait à feu petit.

— Il est étrange, dit mon père d'une voix grave, que Fogacer qui est catholique (phrase qui me fit sourire en mon for) ait senti mieux que Rosny et moi-même l'aspect infiniment déplorable de cette abjuration. Pour nous, notre strident appétit de paix nous a dérobé de prime son caractère funeste. Mais, à y regarder de plus près, et d'un œil clair, et quoique la conversion de Navarre doive, à court terme, entraîner la défaite de la Ligue, à longue échéance, elle apporte à Rome une victoire éclatante et marque, pour la cause huguenote, j'oserais dire, pour l'esprit humain, un prodigieux recul.

— Mon père, dis-je, n'est-ce pas faire trop de cas

d'une adhésion donnée du bout du bec au Purgatoire, au culte de Marie, au pullulement des saints, aux fausses reliques, aux idoles bariolées, aux vénales indulgences, et autres piperies et fallaces ?

— Nenni, mon fils, nenni, dit mon père avec force, le protestantisme ne se borne pas à la dénonciation de ces impudents ajouts du papisme à la pureté du christianisme primitif; c'est avant tout une façon nouvelle de conduire son pensement, un refus cohérent de céder à l'erreur, à la superstition, à la tradition; en bref, une vaillante volonté d'examiner librement toute chose, de rhabiller les abus, et d'avancer, partout où faire se peut, vers des solutions meilleures. Raison pour quoi le huguenot n'est pas seulement le chrétien le plus conséquent. Jusque dans la conduite de sa fortune, et la poursuite de son état, il apporte son esprit de critique et de réforme. Il sera, s'il est riche en pécunes, le plus habile ménager de ses biens. S'il a une terre, le plus habile agriculteur. S'il tient boutique, le marchand le plus entreprenant. S'il est roi, le souverain le plus soucieux de la prospérité de son royaume, et du bien-aise de son peuple. Mieux encore, appétant de sortir, comme notre Henri, des ornières sanglantes de l'Histoire, il caressera le projet magnifique d'établir une confédération des Etats chrétiens d'Europe, pour établir une paix durable.

Je n'eusse jamais cru le baron de Mespech capable d'une telle ivresse de rhétorique, et encore que son portrait du peuple huguenot en tant que peuple élu me parût dangereusement paonnant, la justesse du trait ne m'échappa pas et j'en fus tout ensemble amusé et touché.

— Mais, Monsieur mon père, dis-je, ce n'est pas parce que le roi orra la messe, qu'il cessera pour cela d'être en son cœur et en son esprit le huguenot que vous savez.

— Oui-da, mais quand il aura un fils, mon Pierre, ce fils ne peut qu'il ne soit élevé par les prêtres papistes, lesquels le modèleront si bien qu'il y a grand danger qu'après la mort de Henri Quatrième, son héritier ne défasse son œuvre.

— Etes-vous donc de présent, mon père, hostile à la conversion du roi?

— Ho! que nenni! dit mon père en levant les bras au ciel, la légitimité d'Henri ne sera jamais reconnue par l'immense majorité de son peuple s'il n'est sacré roi de France, et il ne peut l'être, s'il ne se fait catholique. Son abjuration est donc une nécessité, mais cette nécessité est pour l'avenir infiniment périlleuse. Votre fournaise avait raison, mon Pierre, « il est dangereux de mal faire pour faire du bien ».

— Ce n'est pas my Lady Markby, mon père, qui a dit cela, c'est la reine Elizabeth.

— Cornedebœuf! La vieille lionne y a vu clair!

Je gardai les paroles de la reine Elizabeth bien présentes en mon esprit, quand le 25 juillet, je suivais, vêtu de noir comme ses secrétaires, M. de Rosny, lequel faisait cortège au roi, fort pressé par les princes, les seigneurs, les officiers de la Couronne, et ses gentilshommes, flanqué en outre, de tous les côtés, de ses gardes et de ses Suisses, et précédé par les tambours battants et par douze trompettes fanfarant — la triomphale noise attirant un grand concours de peuple. Combien qu'il ne fût pas encore neuf heures du matin, la chaleur en Saint-Denis était extrême et je ne sais qui, possédant le sens du théâtre, avait, non content d'aligner d'autres gardes le long des rues, jonché le pavé de fleurs odorantes, lesquelles fleurs je voyais aussi une multitude de gens brandir aux fenêtres, et jusque sur les toits où ils s'étaient juchés. Les plus avisés, cependant, n'avaient pas manqué de se glisser, maugré le repouss is des gardes et au prix de quelques horions et platissades dans l'église abbatiale de Saint-Denis où le plus beau du spectacle devait avoir lieu.

Le roi s'étant arrêté devant elle, Rosny poussant hardiment des coudes et du poitrail, et moi le suivant comme son ombre, arriva à quelques toises de Sa Majesté, laquelle se détachant des dignitaires qui l'entouraient, s'avança seule et à pas lents vers le portail.

Je le vis fort bien alors, et bien qu'il portât sur la

face cet air enjoué et joyeux qui lui était coutumier, il me parut que c'était là un masque et qu'une sorte de pâleur se laissait deviner sous le hâle qui recouvrait ses traits. Comme le jour de son mariage avec Margot, en 1572, auquel, vingt et un ans plus tôt j'avais assisté, le roi avait soigné sa mise, s'étant revêtu d'un pourpoint de satin blanc chamarré d'or, ses chausses, ses bas et ses souliers étant de mêmes étoffe et couleur, mais non point son manteau, son chapeau et le panache d'ycelui, lesquels étaient noirs. Je ne sais si le roi avait voulu ce contraste entre ce blanc éclatant et ce noir marmiteux et si pour lui, il symbolisait les sentiments mêlés et contraires qui l'agitaient à cet instant. Pour moi, je fus frappé d'abord par le noir du panache, cette occasion étant bien la seule où je vis le roi, dont c'était la seule coquetterie, arborer sur son chapeau, des plumes de cette sorte, Sa Majesté en changeant souvent et les aimant à s'teure blanches, à s'teure multicolores, à s'teure de la couleur de la dame qu'il aimait, mais jamais jusque-là de cette encre mélancolique.

Au moment de son mariage avec Margot, le roi, étant huguenot, n'avait pu pénétrer dans l'église (qui était Notre-Dame de Paris) tant est que la cérémonie s'était faite sur une estrade dressée sur le parvis, au milieu de milliers de manants qui grondaient comme chiens à l'attache, étant fort hérissés par cet *exécrable accouplement* entre une princesse catholique et un suppôt d'enfer. Ce dimanche, toutefois, que je conte, le roi entra bel et bien en l'église abbatiale par le portail grand ouvert, mais n'y pénétra pas plus avant qu'une toise, se trouvant confronté par Mgr l'évêque de Bourges, Primat des Gaules, lequel, entouré d'une bonne douzaine de prélats, faisait face audit portail comme s'il en défendait l'entrée, majestueusement assis sur une chaire de damas blanc, la mitre en tête et la crosse en main. Le roi ôta alors son chapeau d'un geste ample, le panache noir balayant le sol, et attendit debout le bon plaisir de l'archevêque, lequel, assis et mitré, dut, à mon avis, savourer infiniment ce moment où l'Eglise de France faisait sentir au roi l'étendue de son pouvoir.

Le silence dura bien une pleine minute sans que le roi donnât le moindre signe d'impatience et sans que l'archevêque ouvrît la bouche. Quand enfin il parla, ce fut d'une voix pleine et forte, qui résonna sous les voûtes de l'église abbatiale et fut ouïe jusque sous le parvis.

— Mon fils, demanda-t-il, qui êtes-vous?

— Je suis le roi, dit Henri.

— Que demandez-vous? dit l'archevêque, sans l'appeler « sire » le moindrement, se peut pour montrer qu'il ne le deviendrait, pour l'Eglise, qu'après son abjuration.

— Je demande, dit Henri, d'être reçu en le giron de l'Eglise catholique, apostolique et romaine.

— Le voulez-vous sincèrement? dit l'archevêque, la face imperscrutable.

— Oui, je le veux et le désire, dit le roi.

Se détachant alors du groupe de prélats qui se tenaient debout, Mgr Du Perron s'avança et posa à terre près de la chaire de l'archevêque un carreau de satin cramoisi, et sur un signe qu'il fit à Sa Majesté, celle-ci s'y agenouilla. Agenouillement qui me ramentut celui de Rosny et de moi auprès du lit royal, lequel, à la réflexion, me parut plus naturel que celui d'un roi aux pieds d'un de ses sujets, celui-là fût-il un prince de l'Eglise.

— Mon fils, dit Mgr de Bourges, faites votre profession de foi.

— Je proteste et je jure, dit le roi d'une voix forte et ferme, devant la face de Dieu tout-puissant, de vivre et de mourir en la religion catholique, apostolique et romaine, de la protéger, et de la défendre envers tous et au péril de mon sang, renonçant à toutes hérésies contraires à ladite Eglise.

Ayant bu ce calice, le roi prit en son pourpoint un papier plié en deux qui était, je gage, l'abjuration *in extenso* dont Fogacer nous avait lu des passages, et que le roi avait signée de sa main. L'archevêque, sans se lever ni ôter sa mitre, se pencha, saisit ledit papier, y jeta un œil, le serra dans ses robes, et saississant un goupillon que lui tendait un clerc, bénit le roi. Après quoi, il lui tendit à baiser la croix — la première idole que le repenti eût à baiser — et se levant à la parfin, lui bailla l'absolution et la bénédiction.

Notre pauvre Henri n'avait point, cependant, atteint le terme de ses épreuves. Dès que l'archevêque l'eut absous, les prélats le relevèrent et l'emmenèrent, non sans grande peine et traverses, en raison de l'immense concours de peuple, jusque dans le chœur — où le roi répéta son serment dans un silence d'autant plus étonnant que pour le voir et l'ouïr, des fidèles s'étaient juchés en grappes jusqu'en haut des confessionnaux et envisageaient cette scène bouche bée, leurs yeux leur saillant presque de l'orbite.

Sa deuxième profession faite, et toujours précédé des gardes, des religieux de l'abbaye et des clercs, le roi passa derrière l'autel où l'archevêque, l'ayant fait agenouiller à ses pieds, ouït sa confession, lui bailla l'absolution de ses péchés, et l'ayant ramené dans le chœur, lui fit prendre place sous un dais de velours cramoisi semé de fleurs de lys. Le roi se mit à genoux derechef, mais cette fois sur un prie-Dieu. Et là, il ouït la messe et communia.

Revenu au palais abbatial pour dîner, le roi ordonna de laisser entrer le peuple, lequel, dans sa liesse, le pressa tant qu'il faillit renverser la table devant laquelle il se trouvait assis. Toutefois, la dernière bouchée avalée, le pauvre Henri dut retourner à son dais et son prie-Dieu en l'église pour ouïr de la bouche de Mgr de Bourges un longuissime sermon à l'éloge de l'Eglise dans le giron de laquelle — pauvre brebis galeuse ramenée, guérie, dans le saint troupeau — il avait demandé à être admis. Après quoi, il ouït les vêpres, les mains jointes et sans trahir la moindre impatience, lui qui, dans l'ordinaire de la vie, ne pouvait rester assis plus de trois minutes. Après les vêpres, toutefois, il prit congé des prélats après qu'il les eut l'un après l'autre baisés sur les joues. Il ne s'en fallait que d'un qu'ils ne fussent douze, comme les apôtres. Je les cite : Le cardinal de Bourbon, cousin du roi et qui eût voulu lui-même saisir le sceptre si on l'avait laissé faire, l'archevêque de Bourges qui avait officié, et les évêques de Nantes, de Sées, de Digne, de Maillezais, de Chartres, du Mans, d'Angers, de Bayeux et d'Evreux. Sous le prétexte d'aller prier dans l'église de Montmartre, le roi monta à cheval et piqua si promptement que M. de Rosny et sa suite (dont je fus) n'eussent jamais pu le rattraper, si nous n'avions su où le portait son furieux galop.

Et encore n'arrivâmes-nous devant l'église de Montmartre (à laquelle s'attachait pour le roi le charmant souvenir de la nonnette) que pour l'en voir saillir, salué par les acclamations d'un grand concours de peuple qui, pendant qu'il était à ses brèves dévotions, avait allumé des feux de joie sur la place.

Sautant à cheval, le roi piqua derechef comme fol et nous le suivîmes, sans savoir où il allait. Mais il n'allait qu'à la plus proche boucle de la rivière de Seine où, bridant sa monture, il démonta, se dévêtit en un battement de cil, et nu dans sa natureté, plongea dans l'eau, aussi heureux de s'y ébaudir qu'un écolier qui a échappé à ses régents.

Ses gentilshommes, sans oser le rejoindre, se rassemblèrent alors sur la berge herbue, pour le considérer, et il eût été facile alors, rien qu'à leur apparence, de distinguer les seigneurs catholiques des seigneurs huguenots : Les premiers jasant haut et portant un air rieur, les seconds muets et la face fort longue. Un de ceux-ci s'approchant de Rosny qu'apparemment il connaissait bien, lui dit à voix basse et d'un air mal'engroin :

— Savez-vous ce que fait le roi ?

— Vous le voyez comme moi : il nage, dit Rosny.

— Nenni ! Il se lave du péché qu'il a commis en oyant sa belle messe.

CHAPITRE XII

Le lendemain de l'abjuration du roi, je reçus une lettre du majordome de ma seigneurie, me mandant qu'il moissonnait mes blés du Chêne Rogneux et qu'il m'attendait pour que j'en disposasse selon ce que je jugerais bon. La trêve continuant entre les ligueux et royalistes — tant est qu'un grand nombre de Parisiens saillait des murs chaque dimanche pour venir voir le roi à messe — au grand déplaisir des *Seize*, du légat et du duc de Feria — j'envoyai Miroul à mon logis de la rue des Filles-Dieu afin qu'il me ramenât Pissebœuf, Poussevent et mes chevaux. Là-dessus, mon père, oyant que j'allais départir pour Montfort l'Amaury, voulut à moi se joindre, afin que d'embrasser non point seulement Samson, toujours fort heureux à ce qu'il me dit, en ses bocaux et en sa Gertrude, mais aussi ma petite sœur Catherine qui s'encontrait chez moi avec Quéribus. Je fus fort aise, et de sa compagnie, et du renfort de sa petite escorte que commandait le géantin Fröhlich, mon bon Suisse de Berne, sur lequel je ne pouvais jeter l'œil sans me ramentevoir notre fuite désespérée par les rues de Paris à l'aube de la Saint-Barthélemy. Là-dessus, Fogacer, qui était fort affectionné à Angelina, faisant en sa présence l'enfant et le petit espiègle, et n'aimant rien tant qu'être tancé par elle, quit de moi d'être de la partie, ce à quoi volontiers j'acquiesçai, mais non point Mgr Du Perron, qui, se cuidant au moindre pet à deux doigts de la mort, se fit énormément tirer l'oreille pour se passer de son médecin. Il y consentit enfin, et moi à ce que Fogacer emmenât Jeannette avec lui.

— Hé quoi ! dit mon père, une garce en ce périlleux voyage ! Cornedebœuf ! Emmenez-vous par les chemins votre fournaise anglaise ou votre drapière de Châteaudun ?

— My Lady Markby, dis-je, ne peut quitter la Cour, ni ma belle drapière, sa boutique. Et ferais-je à Angelina l'affront de les amener chez moi ? Jeannette voyagera en ma coche.

— Tout du même, dit mon père.

Cependant, il changea quelque peu d'avis, quand il vit Jeannette, fort bien attifurée en damoiselle de bon lieu, et tant belle que coite : deux qualités qui ne pouvaient manquer de lui plaire.

— Mon fils, me dit-il, tandis qu'il chevauchait avec moi quelque peu en avant de la troupe et au botte à botte, *crede mihi experto Jehanno* [1], rien ne passe en commodité une garce qui n'ouvre le bec que pour manger et pour vous mignonner. Fi des intarissables jaseuses ! Il faut bien avouer que votre Fogacer, pour se dévergogner sur le tard, a eu la main heureuse. La mignote est cette sorte d'abricot qu'on aimerait cueillir à même la branche pour s'en régaler.

— Bah ! dis-je en faisant la moue (encore qu'ébaudi assez en mon for) je ne sais qui prétend que la robe ne fait pas que le moine : elle fait la femme aussi. Jeannette a, certes, un fripon minois, mais vous savez tout ce que nos élégantes s'ajoutent d'artifices qui-cy qui-là, pour se rondir, tant est qu'on ne peut juger d'elles que nues en leur natureté. Dévêtue, Jeannette vous décevrait.

— Mon instinct me dit que non ! dit mon père.

— Mon instinct me dit que si ! dis-je en riant. Mais, Monsieur mon père, repris-je, gardez-vous de lui donner le bel œil, Fogacer se montre ès amours d'une jalouseté de Maure.

A peine avions-nous mis le pied dedans le Chêne Rogneux que Florine submergea mon Miroul, et de ses poutounes, et d'infinies jaseries sur la terre de La Surie, laquelle mon voisin le vidame, étant vif mais mal allant, ne voulait vendre que d'une fesse, tortognonant dès qu'on lui en parlait, haussant les prix dès qu'acheteur se présentait, étant travaillé du secret désir d'y terminer ses jours : ce à quoi il réussit plus tôt qu'il ne le pensait, étant archiligueux et se trouvant pris de saisissement à la nouvelle de l'abjuration de Navarre. Ses héritiers, dès le sèche-

1. Fiez-vous à moi, Jean, qui en ai fait l'expérience.

ment de leurs larmes, ne rêvèrent que de vendre en courant la poste, pour ce qu'ils n'appétaient à rien tant qu'à pécunes pour un plus prompt partage, et leur hâte étant telle à palper les clicailles que le prix pour cette belle terre (et un manoir point du tout mesquin, et au surplus, meublé) descendit à vingt mille écus.

J'avais trop à faire à mignonner ma famille, tant femme qu'enfants, frère, sœur et beau-frère, à user délicieusement mes oreilles à les ouïr, mes bras à leur bailler brassées, et mes lèvres à les poutouner, pour occuper tout de gob mon pensement à la râtelée de Florine, mais retiré après la repue du soir en ma librairie (comme c'était jà la coutume à Mespech) avec mon père, Samson, Quéribus, Fogacer et Miroul, je soulevai le point et dis à mon Miroul qu'ayant comme moi passé quarante ans, le moment était venu pour lui d'acheter une terre qui lui apportât, tout ensemble, profit et renom sans cependant relâcher du tout le lien qui l'unissait à moi; que je connaissais ces terres de La Surie, qu'elles étaient bonnes du temps du vidame, qu'elles deviendraient meilleures par son plus avisé ménage, que j'avais les laboureux, les charrues, les charrois, les chevaux et un bon majordome, desquels il pouvait disposer, que je lui avancerais du bon du cœur dix mille livres pour l'épauler à cet achat, lesquelles il me repaierait sans usance aucune, au fil des ans, sur ses récoltes.

Mon Miroul fut tant interdit que j'envisageasse l'achat de cette terre devant un tel aréopage qu'il demeura coi, et coi si longtemps que mon père, se méprenant sur le sens de ce silence, dit d'une voix grave :

— Miroul, j'ai un million de fois mercié le ciel du jour où tu t'es introduit dans ma maison de Mespech, car encore que cette irruption m'irritât prou sur le moment (phrase qui fit rougir fort Miroul car étant alors un pauvre galapian affamé, orphelin de surcroît, il n'avait escaladé nos murs que pour nous rober un jambon)... Ce n'était là, poursuivit mon père, qu'une de ces bénédictions déguisées que le

Seigneur nous envoie parfois en ses imperscrutables desseins, mon fils Pierre te devant, depuis vingt-cinq ans, tant de sages conseils et d'inestimables services.

— Et qui plus est, la vie ! dis-je avec feu. Et non point une fois, mais dix ! Mais vingt ! Au-delà même de tout compte que je pourrais faire !

— Aussi, Miroul, reprit mon père, suis-je disposé, pour te prouver ma gratitude, à t'avancer cinq mille écus pour l'achat de La Surie.

— Et moi, dit Samson promptement, deux mille.

— Et moi, dit Quéribus, deux mille.

— Et moi, dit Fogacer, mille. Il est vrai, ajouta-t-il, avec son sinueux sourire que de cette somme, je n'ai pas le premier sol vaillant, mais voilà bien le bon et le commode de servir une soutane violette : Je suis, de présent, quasiment d'Eglise, et on me fera crédit.

A quoi mon père rit à gueule bec, et Quéribus, et Samson, et moi : rires auxquels se joignit mon Miroul, combien que les larmes lui ruisselassent au même moment sur la face de par le soudain émeuvement que notre grande amour lui avait baillé. Cependant, nos rires ayant cessé, et le nœud de sa gorge s'étant dénoué, il dit d'une voix de prime faible assez, mais qui peu à peu s'affermit :

— Ha ! Messieurs ! Que de grâces je vous dois ! Et de prime à Monsieur le baron de Mespech, sans la bénignité de qui j'eusse pu finir mes jours mon col dans un nœud coulant, une tranche de son jambon au bec. Ensuite, au baron de Siorac, auquel je n'ai fait, en lui sauvant la vie, que rendre tout ce qu'il m'avait donné, pour ce que je lui dois tout, ces années écoulées : pain, toit, vêture, cheval, voyage et le gai savoir qu'il m'a imparti : *gratum hominem semper beneficium delectat* [1]. Adonc, j'accepte du bon du cœur et en toute affection et reconnaissance le prêt de quinze mille écus, par quoi l'un et l'autre ont voulu faire la différence avec la somme qui m'est

1. Pour l'homme reconnaissant un bienfait est une joie à jamais.

demandée pour la Seigneurie de La Surie (sur ces derniers mots, sa bouche friande se rondit comme s'il mâchellait le plus délectable des fruits) mais que M. de Quéribus, M. Samson de Siorac et le révérend docteur Fogacer ne me gardent point mauvaise dent de ne point tirer bénéfice de leur émerveillable libéralité. Je me trouve, poursuivit-il, non sans un certain air de pompe, avoir quelque bien, mon maître ayant laissé, à ma seule usance, la picorée qu'il aurait pu, pour ce que je servais sous lui, revendiquer pour soi. Je suis donc, d'ores en avant, assuré de La Surie.

Nous sourîmes tous à ce *giòco*, non point qu'il fût hors pair, mais pour ce que nous attendions tous de Miroul qu'il le fît. Et que nous pouvions voir qu'il était heureux d'avoir trouvé cette chute-là à son petit discours.

— Monsieur mon fils, dit le baron de Mespech, comme je le raccompagnai à sa chambre, le bougeoir au poing, personne, hormis votre père, et se peut quelques dames, ne peut vous aimer davantage que Miroul, ni se trouver en position, étant votre quotidien compagnon, de vous faire plus de bien. Vous agîtes donc très bien en l'établissant, et mieux encore, en quérant du roi de l'anoblir.

— Quoi ? Le roi vous l'a-t-il dit ?

— Avec de grands éloges de vous, ayant trouvé fort bon que, ne demandant rien pour vous, ni pécunes ni titres (alors qu'il est plus mangé de quémandeurs qu'un chien de puces) vous l'ayez prié pour Miroul.

Mon bougeoir allumé au bougeoir paternel et ma barbe frottée contre la sienne, et le quittant, fort content de lui, de Miroul et de moi, je gagnai ma chambre, où trouvant une lettre sur mon lit, je posai ma chandelle dessus mon chevet et la lus.

Monsieur mon mari,

Combien qu'il soit mal, prétend-on, de se plaindre, et que ce soit péché chez une femme — mais c'est le curé Ameline qui dit cela, et c'est un homme —, j'oserais confier à ce papier combien je suis marrie que, depuis votre retour au logis, nos sommeils soient désunis, vous contentant, quant à vous, d'une coite fort roide, alors que vous pourriez avoir en la mienne tant de commodités. Comme je ne suis pas, que je sache, tant vieille et décrépite, ni épouse si acariâtre que vous deviez me faire l'injure de me fuir, couchant sous le même toit que moi, j'augure que vos suspicions touchant ma personne ne sont pas en votre pensement tout à plein résolues, ce qui ne laisse pas de m'étonner prodigieusement, puisqu'en mai 1591 je vous ai donné un fils, preuve éclatante que je n'étais pas, moi, frappée de stérilité comme le figuier de l'Evangile, ou comme la personne avec laquelle vous m'avez trop longtemps confondue. Je vous supplie donc de ne dépriser point les efforts que je fais présentement pour effacer vos doutes, cette présente lettre ayant beaucoup coûté à ma fierté. Je vous prie de me croire, Monsieur mon mari, quoi que vous décidiez et jusqu'à la fin des temps, votre très humble et très dévouée servante.

Angelina.

Si j'avais reçu cette lettre en 1590 au moment où Angelina m'avait annoncé, par la plume de Florine, qu'elle était grosse, j'eusse été le plus heureux des hommes : le lecteur se ramentoit sans doute qu'au rebours de Larissa qui écrivait avec dol et labour un informe gribouillis sans grammaire et sans orthographe, Angelina m'avait, dès sa première lettre, ravi par l'élégance de son écriture et les mignardes tournures de son style : tant est qu'une lettre d'elle — plus encore que sa fécondité — m'eût apporté l'irréfutable preuve qu'il n'y avait pas eu substitution, et que la maîtresse du Chêne Rogneux était bien l'épouse que je chérissais et non la malheureuse fille dont j'avais appris à détester la conduite. Mais que cette preuve, Angelina ne me l'eût pas administrée plus tôt, se cantonnant, bien au rebours, ces trois années écoulées dans un silence qui n'était rompu que par des petites lettres écrites de la main de Florine, voilà qui me laissait béant. On eût dit qu'elle avait désiré par une bizarre sorte d'orgueil me punir impiteusement de mes doutes à son sujet, alors même que ses folies et son déportement à la mort de Larissa les rendaient si naturels.

Je m'assis sur mon lit, et tombai un long moment dans le pensement de ces années de tourments et de doutes, lequel me fit grand mal, puisque je voyais bien qu'Angelina eût pu me les éviter et sans pâtir elle-même du contrecoup de mon pâtiment. Je demeurai béant — et en ma béance infiniment triste et marmiteux — que l'être que j'aimais le plus, et dont j'étais le plus aimé, m'eût infligé, et eût reçu de moi, tant de mortelles navrures, toutes inutiles : il eût suffi d'une plume et d'un papier. Et me demandant comment j'allais de présent en agir avec elle, lui faire, ou ne lui point faire, reproches, courir, ou non, le risque d'affronter sa fierté sourcilleuse, et de raviver nos plaies en les mettant nues, je m'avisai que le mieux que je pusse faire, c'était de la rejoindre en sa chambre et de la prendre dans mes bras, mais sans dire mot, ne sachant pas si les paroles, quelles qu'elles fussent, n'allaient pas gâter notre précaire accommodement. Ce que je fis à la parfin, m'avisant combien elle était de moi déconnue, après tant d'années passées à son côté, et me disant aussi que tant plus on est proche par le cœur d'une personne — et le temps apportant entre elle et vous d'inévitables malentendus — tant plus il devient impossible de les éclaircir avec elle. Et que ce soit là sagesse ou, à rebours, lassitude et lâcheté, à ce jour je n'ai pas tranché.

Encore que la somme requise par les héritiers du vidame pour vendre La Surie ne pût être d'un seul coup rassemblée et versée, l'affaire put se conclure la semaine suivante au nom de Miroul, moi-même donnant ma garantie que le reste serait payé sous trois mois, et les héritiers, en leur hâteté, leur insouciance, ou ignorance des choses de la terre, laissant à Miroul les blés, ceux-ci, au prix où était le setier de grains en Paris, montant, à ce que je calculai, à la moitié de notre dette, sans que nous eussions d'autre peine qu'à les moissonner en même temps que ceux du Chêne Rogneux : ce qui toutefois mit sur le pied de guerre, et sur selle, et mes gens, et ceux de mon père et ceux de Quéribus, pour ce que les voleries étaient telles par les temps de famine et les blés si rares, et si renchéris qu'à peine les épis coupés étaient-ils rassemblés en gerbes que des bandes armées de vaunéants couraient sus aux laboureux et les en dépouillaient. Ces brigandeaux, maugré leur nombre, n'eussent pas eu le front de s'attaquer à nous, mais la pique à la main, ils visitèrent nuitamment un de nos métayers et se saisirent de tout son gerbier encore entassé sur son char, du char lui-même et même des bêtes qui le traînaient : ce qui les perdit, car un de ces courtauds n'ayant plus que trois fers sur quatre, leur trace fut suivie, le char retrouvé, les chevaux reconnus et ces méchants remis au sénéchal de Montfort qui les envoya tout bottés au gibet. Il fut alors décidé que tous les gerbiers — les miens, ceux de La Surie et ceux des métayers — seraient rassemblés dans la cour du Chêne Rogneux à l'abri de nos murs, afin que de les soustraire à l'appétit des caïmans.

Mon Miroul, la moisson faite et tandis que nos gens battaient les gerbes dans ma cour, voulut avec moi parcourir à cheval les terres et les bois de La Surie, ce qui nous prit une longue journée de l'aube à la tombée de la nuit, et nous laissa le cul navré et les gambes trémulentes, mais toutefois, le cœur content, la mariée étant plus belle encore que nous ne l'avions pensé. La repue prise, et comme j'étais retiré dans un petit cabinet où je suis accoutumé à ménager les comptes de mon domaine, on toqua à l'huis et mon Miroul, à mon invite, me demanda permission de s'asseoir, tant il était fourbu, encore qu'il me parût, à la lumière de la chandelle, plus rayonnant que las.

— Ha ! de grâce, Moussu ! dit-il, si vous devez après vos comptes retourner en la librairie, remettez votre fraise. Il faut que le roi déteigne sur vous. Je ne vous ai jamais connu si peu coquet...

— Bah! dis-je, la peste soit du cruel tailleur qui inventa la mode de ce carcan, si malcommode en hiver, si insufférable en été. Mais, mon Miroul, je gage que tu n'es point venu céans pour jaser de cet affiquet.

— Nenni, Moussu, dit-il d'un air grave, un problème m'exagite dont je voudrais vous entretenir.

— Voyons cela.

— C'est que, Moussu, dit-il avec une réticence fort peu dans sa complexion, j'ai quelque vergogne à vous en toucher mot, craignant que vous ne vous gaussiez de moi.

— Cornedebœuf! La fraise d'abord! La vergogne ensuite! Que de préfaces! Parle, mon Miroul!

— Eh bien, Moussu, voici : est-il coutumier et bienséant, quand on a acheté une terre, de prendre son nom?

— Mon Miroul, dis-je avec une gravité imitée de la sienne (encore que cet entretien, que j'avais prévu, me titillât fort), je ne sais pas si cela est bienséant, ne possédant pas en mon esprit les balances qu'il faut pour peser ces sortes de nuances. Mais c'est à coup sûr, coutumier. En veux-tu des exemples?

— Rien, Moussu, ne me ferait plus plaisir, dit Miroul d'un ton dévot.

— En voici trois : Quand mon grand-père, Charles Siorac, apothicaire à Rouen, fut étoffé assez pour s'acheter le moulin de la Volpie, il s'appela Charles *de* Siorac, seigneur de la Volpie. Combien que mon père se gaussât de ce *de*, il ne laissa pas que de le conserver. Et combien qu'il ne fût pas légitime, il le légitima en étant lui-même promu capitaine dans la légion de Normandie [1].

— Moussu, dit Miroul qui buvait mes paroles et de l'ouïe, et de ses yeux vairons, il ne s'agit point pour moi de glisser un *de* avant Miroul, mais de m'appeler Monsieur de La Surie. Le peux-je?

1. Titre qui entraînait l'anoblissement.

— Assurément, tu le peux, mon Miroul.

— Je ne voudrais, cependant, pas qu'on rie de moi.

— Les rieurs ne riront qu'un temps. Quand mon très regretté maître en médecine de Montpellier le révérend docteur Salomon acheta sa vigne de Frontignan, il prit le nom de ladite vigne et s'appela M. d'Assas. Tant est que les gens qui ne l'aimaient point, voulant rappeler qu'il était marrane, l'appelaient malicieusement le Dr Salomon, dit d'Assas. Mais ces méchants étant désarmés avec le temps par son savoir et sa bénignité, c'est le d'Assas qui prévalut.

Après quoi, envisageant mon Miroul, je me tus.

— Moussu, dit Miroul que ces histoires laissaient irrassasié, vous avez mentionné trois exemples.

— Il est vrai.

— Quel est donc le troisième ?

— Michel de Montaigne.

— Quoi ? N'était-il pas noble ?

— Il le devint quand, sur les instances d'Henri Troisième, il accepta d'être le maire de Bordeaux, lesquelles fonctions conféraient l'anoblissement. Mais il ne l'était pas de prime. Son père, qui était marchand, s'appelait Eyquem, et achetant la terre de Montaigne, en prit le nom, et laissa le « Eyquem » choir dans un oubli, d'où son fils n'eut garde de le tirer.

— Moussu, dit Miroul qui paraissait de présent fort pressé de me quitter, ayant hâte, je gage, de répéter mes exaltants propos à la Florine, je ne voudrais vous déranger plus outre. Plaise à vous de me bailler mon congé.

— Du bon du cœur, dis-je.

Et me levant, je lui donnai une forte brassée et le baisai sur les deux joues. Après quoi je le raccompagnai jusqu'à ma porte, et l'ayant ouverte, et devant lui m'effaçant pour lui livrer passage, je lui dis avec gravité :

— Bonsoir, Monsieur de La Surie.

Avec mes gens, ceux de mon père et ceux de Quéribus — les plus nombreux — je rassemblai une si forte escorte pour mener mes charrois de grains en Paris qu'il n'y avait guère à craindre que nous fussions attaqués par les brigandeaux qui battaient le pays. Aussi bien passai-je d'abord par Saint-Denis où je quis et obtins de my Lady Markby de laisser mon chargement en ses remises, ne voulant pas le hasarder au passage de la porte Saint-Denis sans être assuré qu'il y passerait sans encombre, la trêve empêchant les actes de guerre, mais non point les voleries. Raison pour quoi, à peine eus-je mis le pied dedans Paris que je courus visiter le capitaine Tronson et lui dis qu'ayant du blé à vendre, je ne le passerai que peu à peu, par modeste charroi, et seulement le jour où il serait de garde à la porte Saint-Denis.

— Et où serait mon profit ? dit Tronson, sa prunelle se rétrécissant.

— Un sac de blé par charroi.

— Mon compère, il y a sac et sac. Je dirais un setier.

— Va pour le setier.

— C'est bien, mais ce n'est pas bastante, dit Tronson. Il faudrait aussi que vous ne le vendiez qu'aux personnes que je vous désignerais.

— Pourquoi ?

— Pour qu'elles me graissent à leur tour le poignet, le blé étant si rare.

— Capitaine, dis-je en riant, vous voulez toucher à toutes mains ! Cependant, j'ai mes amis, à qui je veux vendre sans les soumettre à ce péage.

— Combien sont-ils ?

— Trois.

— Je n'aime point cela, dit Tronson en hochant la tête et sa bedondaine se gonflant. C'est tout perte pour moi.

— Capitaine, je pourrais passer par une autre porte que la porte Saint-Denis, et conclure bargouin avec un autre capitaine.

— Point du tout. Vous topez avec moi. Je vous concède vos amis.

— Tope donc, capitaine.

— Et trinquons. Holà, Guillaume! Apporte céans un flacon de mon vin de Cahors! Mon compère! Vous avez le bon œil! Je gage que j'ai davantage gagné en dix minutes de jaserie avec vous qu'à façonner dix cercueils.

Ne voulant point apparaître en ces bargouins en ma qualité de marchand drapier, je les laissai régler et conclure par mon majordome, me contentant pour moi d'alimenter en blé ma petite mouche d'enfer Alizon, Pierre de L'Etoile et Mme de Némours, tous trois *gratis pro Deo*, encore que seule la condition d'Alizon requît cette gratuité pour ce que son commerce de bonnets, de corps de cotte, de faux culs, de fraises et autres affiquets était tombé quasi à néant du fait du siège et de l'appauvrissement de tous, les biens ne circulant plus.

Mon pauvre Pierre de L'Etoile me parut pâtir prou du fait qu'avec la trêve, son épouse était revenue au logis, ce qui fit que la pauvre Lisette en fut chassée en un tournemain. Ce qui eut aussi pour double effet et de vieillir le bon L'Etoile, et de gonfler sa bouche de plus belle de discours moraux sur la corruption des temps. Cependant, Pierre de L'Etoile, me prenant à part, me supplia de prendre sa Lisette à mon service pour ce que, disait-il, la pipaient si aisément les mignardies des hommes qu'elle se pourrait, étant si naïve, se laisser à nouveau appâter par un de ces vaunéants qui, faisant boutique de son corps, la mettrait en état de villité publique. Fortune, à ses yeux, à peine moins déplorable que d'être mangée rôtie par les lansquenets.

Je pris donc Lisette en mon logis de la rue des Filles-Dieu, ce qui ravit Héloïse, qui eut là, sous la main, quelqu'une de sa condition à qui jaser tout au long de ses travaux, tout en les allégeant, mais non point Doña Clara, qui me soupçonna de vouloir faire de la mignote un plat de ma façon. Et à dire le vrai, lecteur, la galapiane me gardait une telle gratitude de l'avoir sauvée de la broche, et elle était de sa personne tout à la fois si mince et si rondie, l'œil si clair, le teint si fraîchelet que j'eusse, se peut, succombé à la friandise que j'avais d'elle sans la crainte d'encombrer ma vie davantage qu'elle n'était déjà.

Je fis livrer dix sacs de blé à Mme de Nemours par mon majordome, avec une missive où, protestant de mon éternel respect, je la suppliai de me bien vouloir recevoir dans l'après-midi. Ce à quoi elle consentit dans un billet si roide que j'en augurai qu'elle avait pris à mauvaise dent ma longue absence. Et en effet, à peine fus-je admis en son salon que, sourcillant, elle m'épia de son haut, la bouche fort serrée, ce qui me désola, car dès qu'elle se déclosait, elle était si belle.

J'observai, cependant qu'elle avait fait quelque toilette pour me recevoir, étant vêtue d'un corps de cotte et d'un vertugadin de satin bleu pâle très emperlé, et le cou qu'elle avait long, flexible, et délicat, non point engoncé dans une fraise, mais laissé libre dans un décolleté, sa nuque étant appuyée sur une grande collerette brodée au point de Venise, comme en portait la reine Elizabeth quand je fus la voir à Londres. Ses admirables cheveux, épais et foisonnants, étaient d'un blanc qui se ramentevait de leur blondeur d'antan et, dernière coquetterie, elle avait jeté dessus eux, afin que de les couvrir en partie, une gaze bleue qui répondait au bleu azur de ses immenses yeux. Ses mains, couvertes de bagues, reposaient sur ses genoux avec un abandon que démentait sa taille qu'elle redressait fort et la mâchoire qu'elle tenait haut levée, tant pour roidir, je gage, un menton qui, sans être double, eût pu montrer quelque mollesse, que pour m'écraser de sa contrefeinte hauteur.

J'entends bien que céans, pour satisfaire tout à plein ma belle lectrice, je devrais pousser le détail plus outre, touchant en particulier les bagues et la coiffure, les premières fort grosses et fort belles, et la seconde, comme disait Michel de Montaigne en parlant de ses coupages de vin, fort sophistiquée. Mais ce n'est pas connaître l'homme. Combien que le soin que prennent nos élégantes de leur beauté ne soit pour lui jamais perdu, il voit l'ensemble plus que le particulier et la femme davantage que l'attifure qui la met en valeur. Cependant, il ressent le tout. Et n'est-ce pas au fond ce qu'on veut? Mais puisque j'entretiens ici ma belle lectrice, avec la familiarité qu'elle veut bien me permettre, je la voudrais avertir que, dans la scène qu'elle va lire, la duchesse de Nemours va se révéler à elle d'une façon qui ne laissera pas de la surprendre et se peut, de la scandaliser, si furieuse y apparaissant l'amour qu'elle portait à Nemours que même son petit-fils Guise ne trouvait plus grâce à ses yeux, dès lors qu'on le donnait comme rival à ce fils trop aimé. Cependant, faite comme nous tous d'un tissu de contradictions, étant dans son particulier comme dans les affaires publiques à la fois pénétrante et aveugle, je voudrais dire qu'elle ne laissait pas d'aimer, comme plus tard je m'en aperçus, ce petit-fils que dans cet entretien elle graffigna avec tant d'allégresse. Mais c'est assez parlé de son être substantifique et revenons à elle, puisqu'elle est là, assise sur son cancan, son ample vertugadin bouillonnant si joliment autour de sa taille droite et m'adressant en même temps deux regards, l'un, d'écrasante hauteur, et l'autre (embusqué derrière le premier) par lequel elle guettait dans mes yeux l'effet qu'elle produisait sur moi. En quoi elle dut être contente, car elle eut quelque mal à maintenir son accueil à son prime niveau de froidure.

— Monsieur, dit-elle à la parfin, le sourcil et le menton levés, j'espère bien que cette fois vous n'aurez pas le front de vous jeter à mes genoux ni de me dévorer les mains, comme vous ne craignez pas ordinairement de faire, façons qui ne conviennent ni à mon rang ni à votre état.

— Madame la Duchesse, dis-je avec un profond salut, ce n'est pas l'appétit qui défaille, c'est l'audace, car je vois bien à votre œil impiteux que j'ai encouru le déplaisir de votre Grâce et j'en suis infiniment marri.

— Mais, Monsieur, vous ne le paraissez guère et

pour que je le croie, il faudrait apprendre à votre parlant œil bleu à mentir en même temps que vos lèvres. J'y vois, bien au rebours, un petit brillement de plaisir que je trouve de la dernière impudence.

— C'est que mon plaisir est double, en effet, Madame. Et de contempler, après tant de temps votre indestructible beauté et d'être, au surplus, tancé par vous de mon absence.

— Votre absence ! s'écria-t-elle, qui a parlé de votre absence ? Peu me chaut votre absence, maître drapier ! Elle eût pu durer un siècle qu'elle ne m'eût pas incommodée.

— Madame, dis-je d'un ton contrit, pardonnez-moi, j'ai moi-même tant pâti d'être privé de la vue de vos charmes.

— Monsieur, dit-elle, vous vous gaussez ! Votre vie n'est pas privée de charmes, je me suis informée : Elle en déborde, tant à Paris qu'à Saint-Denis et en Châteaudun. Raison pour quoi vous n'avez pas trouvé le temps, ces trois mois écoulés, de visiter une dame qui, si haute soit-elle, on pourrait, si on était méchant, qualifier de vieille.

— Vieille, Madame ! m'écriai-je, mais sachant bien qu'avec les femmes, il y a un moment pour leur obéir et un moment pour leur désobéir, je me jetai à ses genoux et m'emparant de ses mains, je les couvris de mes baisers furieux. Et, belle lectrice, dois-je le dire, sans me forcer le moindre : la comédie n'y était pas. On ne pouvait, à cet instant, aimer Mme de Nemours plus que je ne l'aimais et bien le sentit-elle par cette profonde et subtile sympathie qui n'a besoin de mots, ni même de regards, pour communiquer.

— Cessez, Monsieur ! Cessez ou vous me fâche-riez ! dit-elle sur un ton si peu fâché qu'elle s'en aperçut elle-même, et n'étant point chattemitesse, s'en mit à rire comme une nonnette. Et m'ayant donné une petite tape sur la tête, laissa retomber sa main comme par mégarde sur les boucles de mes cheveux et l'y abandonna, comme oubliée, tandis que je continuais à baiser ses doigts mais bien moins furieusement que de prime, de peur que le souci de son rang et de sa vertu, alarmant enfin sa pudeur, ne rompît le charme du moment.

— Madame, dis-je, en renouant, pour la distraire d'un retour de vergogne, le fil de notre connivente comédie, me pardonnez-vous enfin mon absence?

— Seulement, Monsieur, dit-elle, si vous l'expliquez.

— Madame, dis-je sans lever la tête afin de non point perdre le poids léger et délicieux de sa main sur mes cheveux, j'ai vaqué aux affaires de mon état.

— Ce qui signifie, dit-elle non sans piquant, que vous fûtes voir votre cousine, la belle drapière de Châteaudun.

— Il le fallait, étant à elle associé. Mais j'y demeurai peu de temps.

— Et à Saint-Denis pour vendre à my Lady Markby vos satins et velours, laquelle vous logea.

— Ce fut un effet de sa bonté.

— De ses bontés?

— Madame, j'ai dit « bonté ».

— Hé, Monsieur! Touchant une dame que le roi appelle « la fournaise », sait-on où finit sa bonté et où ses bontés commencent?

— Madame, c'est un joli mot: pourrais-je le répéter au roi?

— Quoi? Vous osez l'appeler le roi? Et non plus Navarre?

— Madame, il s'est converti.

— Et vous le voyez! Vous avez le front de le voir! C'est trahison!

— Cette trahison m'a permis, pendant le siège, de vous envitailler.

— Est-ce donc à lui que je dois ces sacs de blé qui encombrent ma cour?

— Non, Madame, c'est un présent de moi.

— De vous? Croyez-vous, Monsieur, que toute impécunieuse que je sois, mes intendants prenant prétexte de la guerre pour ne me plus payer mes revenus, je vais accepter un présent aussi considérable d'un grand maraud de maître drapier?

Ce disant, elle corrigea ces paroles d'une petite mignonnerie de la main dans mes cheveux, si rapide et si légère que je doutais après coup l'avoir ressentie, alors même que sur l'instant, cette caresse me donna de la nuque à l'orteil un délicieux frisson.

— Madame, dis-je, je vous supplie d'accepter ce blé comme le modeste présent du plus humble et du plus adorant de vos serviteurs.

— Monsieur, « adorant » est de trop. Et le présent n'est point modeste, par ces temps renchéris. Allons, Monsieur, c'est assez, relevez-vous. Et asseyez-vous là sur ce tabouret, à mes pieds, comme il convient à votre « humilité », laquelle je décrois tout à plein : votre œil la dément sans cesse. D'où vient ce blé ?

— De ma terre.

— Quoi ? Vous possédez une terre ? Et vous n'en avez pas pris le nom ?

— Je n'en ai pas vu le profit.

— Le profit ! Ne savons-nous pas qu'une terre aujourd'hui est une savonnette à vilain par quoi les marauds fortunés se décrassent de leur roture...

— Ma roture me convient.

— Comme votre humilité, sans doute, et tout humble et roturier que vous soyez, Maître Coulondre, vous voilà tourné royaliste !

— Madame, ce n'est pas moi qui ai tourné royaliste, c'est le peuple ! Vous savez comme moi qu'on a dû lui interdire en Paris, maugré la trêve, de se rendre en masse à Saint-Denis pour voir le roi à messe et l'acclamer. *Vox populi, vox dei.*

— Que veut dire ce charabia ?

— La voix du peuple, c'est la voix de Dieu.

— La Dieu merci, j'espère bien que non ! dit Mme de Nemours en se levant. Et se mettant à marcher qui-cy qui-là dans son salon, ce que je ne lui avais jamais vu faire jusque-là, elle reprit :

— Mais il faut le dire à la parfin, Monsieur, puisque c'est vrai. La conversion du roi fera la ruine de ma famille.

— Madame, vous-même dites, de présent, le roi.

— Eh bien, ne l'est-il pas ? Et ne l'est-il pas mieux

que ce béjaune de petit Guise dont le légat et le duc de Feria veulent faire un roi? Comme dit ma fille Montpensier : le beau roi que voilà!

— Madame, c'est votre petit-fils dont vous parlez.

— Petit-fils ou non, poursuivit Mme de Nemours avec passion, ma bru, Mme de Mayenne, a raison quand elle dit de lui que c'est un morveux auquel il faudrait bailler les verges! Savez-vous que quand il couche chez sa tante Montpensier, il chie dans les lits de ses filles d'honneur? A son âge! Ha! le beau roi, vraiment! Sans armée! Sans pécune! Et sans nez!

— Comment, Madame, sans nez?

— Monsieur, appellerez-vous nez ce petitime appendice qui en tient lieu chez mon petit chieur de petit-fils?

— A vrai dire, Madame, n'ayant vu le petit prince de Joinville qu'une seule fois dans ma vie, je suis bien excusable de ne point me ramentevoir son nez.

— Mais Monsieur, c'est qu'il n'y a *rien* à se ramentevoir! je ne sais même pas comment le prince de Joinville se mouche tant le mouchoir a peu de prise. Et si Mme de Mayenne est bien justifiée à l'appeler « morveux », la morve ne pouvant passer par d'aussi petits trous...

— Madame, dis-je, étonné de voir la duchesse en ces transports, elle que j'avais connue jusque-là si retenue, c'est là une façon de dire.

— Point du tout. C'est la vérité vraie. Et cuidez-vous que la France mérite que monte sur le trône ce nez ridiculissime? D'autant que si le proverbe dit vrai que par le nez on connaît la verge, on peut douter que le prince puisse jamais nous bailler un dauphin!

— Ha! Madame! dis-je, mi-riant, mi-béant de cette gaillardie, après tout c'est un grand honneur pour votre famille qu'un de ses princes soit élu roi par les Etats Généraux.

— Mais pas n'importe quel prince! s'écria Mme de Nemours, très à la fureur. La Dieu merci, il en est d'un peu plus ragoûtants dans ma famille que mon fol de petit-fils!

— Etes-vous apensée à votre fils Mayenne ? dis-je non sans quelque malice.

— Mon fils Mayenne ! Mais il est marié ! Et croyez bien qu'il en est au désespoir, ne pouvant, comme le prince de Joinville, épouser l'infante espagnole.

— Mais, Madame, le fils du duc de Mayenne, lui, est célibataire !

— Pouah ! dit-elle, il n'a pas vingt ans et déjà de la bedondaine comme son père ! Monsieur, poursuivit-elle avec un petit brillement irrité de l'œil, faites-vous exprès à la parfin, de ne pas mentionner mon fils Nemours ?

— Madame, dis-je en la contr'envisageant de mon air le plus innocent, personne n'admire plus que moi le duc de Nemours et sa belle défense de Paris pendant le siège. Hélas ! Il est à Lyon et, d'après ce que j'ai ouï, il ne s'y conduit pas trop sagement, s'étant mis à dos tous les principaux de la ville.

— Voilà tout juste ce que c'est de ne pas écouter sa mère ! dit Mme de Nemours avec une naïveté qui me toucha. Quand Nemours était gouverneur de Paris, je ne manquais pas de lui conseiller tous les égards du monde envers ces Messieurs de la Cour ! Monsieur mon fils, lui disais-je, prenez garde à toujours respecter ces maroufles du Parlement et leur fausse noblesse de cloche ! Sans cela, ils vous feront des traverses à l'infini et à moins de les tuer tous, ce qui serait peu chrétien, vous n'en viendrez mie à bout. Mais que faire de présent ? Voilà mon Nemours à Lyon, loin de sa mère, oubliant ses conseils et il se conduit comme fol ! Vous verrez, Monsieur, il va ruiner et Lyon et lui-même ! Ha ! mes fils ! Mes fils ! s'écria-t-elle, les larmes jaillissant tout soudain de ses yeux, et coulant sur sa belle face, ils nous perdront tous à la parfin, moi, ma famille et ma postérité !

— Madame, dis-je, je ne vois pas que les choses aillent si mal pour vous. Après tout le roi, comme nul n'ignore, ne demande qu'à traiter avec votre fils Mayenne !

— Mais Monsieur, j'y pousse Mayenne de toutes

mes forces, et aussi souvent que je le vois! Le malheur, c'est qu'il ne m'écoute pas! Pour la seule raison qu'il est en grande jaleuseté de son frère Nemours, lequel il croit que je préfère à lui. Ce qui est faux et archifaux, dit-elle avec une véhémence qui m'eût fait sourire, si j'avais osé. Le roi, poursuivit-elle, je veux dire Navarre, a fait proposer le duché de Bourgogne à Mayenne pour son ralliement. Le duché de Bourgogne n'est pas un petit apanage! Or, savez-vous ce que Mayenne veut et ce que Mayenne demande? Il demande la lieutenance générale du royaume! Autant dire il demande d'être le second du roi pour, dit-il, « récompenser ses services ». Vous avez bien ouï! Pour récompenser ses services, lesquels services, ô comble de folie, ont consisté à faire la guerre à Navarre, avant et après la mort d'Henri Troisième.

— Cependant, Madame, la paix se fera tout de même : le peuple la veut.

— Mais je la veux aussi et à ces conditions que voilà, je l'ai dit tout net au roi : la Bourgogne à Mayenne et la main de Madame à Nemours.

— Quoi, dis-je, contrefeignant la stupeur, vous ai-je bien ouïe, Madame? Vous allâtes voir le roi en Saint-Denis? Vous, de votre personne?

— Hé! Monsieur le faux drapier! dit-elle en frappant du pied, ne faites donc pas tant le roide et le chattemite avec moi; vous savez bien que depuis la messe du roi, la partie est quasi perdue pour nous, qu'il nous faut composer, et que pour ce qui est d'aller voir le roi, nous y allons tous l'un après l'autre. Ma bru de Guise a fait tout le chemin jusqu'à Dreux, qu'il assiégeait pour l'aller courtisaner. Imaginez-vous cela? Pendant qu'il assiège la Ligue, Mme de Guise le caresse! Et ce faisant, poursuivit-elle en pâlissant de fureur, pousse subrepticement son morveux sans nez dans le lit de Madame.

— Et le mariage espagnol?

— Mais elle n'y croit pas, encore qu'elle y a tant travaillé. Et qui serait d'ailleurs assez sot pour y croire? Pas M. d'Elbœuf, qui est allé voir le roi jouer à la paume en Saint-Denis, au milieu des harangères et commères de Paris, lesquelles s'esbouffaient à rire en disant : « Ce roi-là est bien plus beau que notre petit roi de Paris ! Il a le nez bien plus long ! » Là-dessus, le roi aperçoit d'Elbœuf, interrompt la partie, s'enferme avec lui deux heures avec un flacon de vin, et voilà notre Elbœuf rallié !

Disant cela, Mme de Nemours se jeta sur son cancan et versa des pleurs à nouveau.

— Madame, dis-je en m'asseyant derechef sur le petit tabouret car je m'étais, par respect, levé tandis qu'elle déambulait. Le roi est magnanime et personne de votre illustre famille n'a à redouter ses rigueurs. Il pardonnera à tous, même à votre fille Montpensier qui l'a pourtant fait tant brocarder par les prêchaillons à sa solde.

— Ha ! ma fille Montpensier ! dit Mme de Nemours en levant au ciel ses belles mains. Que voilà encore une brouillonne ! Et qui commence à beaucoup trembler dans son vertugadin, et n'ose même plus envoyer ses billets venimeux à ses soutanes. Et savez-vous qui a pris le relais ? Le légat du pape ! Et savez-vous qui inspire le texte ? Le duc de Feria ! Voilà dans quelles mains est tombé le pouvoir en Paris : Un Italien et un Espagnol ! Benoîte Vierge, quel abaissement ! Passe encore pour le duc, il est né, mais le légat ! Savez-vous qu'il est le fils d'un marchand de saucissons ? Qu'il ne prend qu'un repas par jour, à quatre heures de l'après-midi, et qu'après cette repue, il se fait sangler comme un mulet pour aider la digestion ! Il est vrai, poursuivit-elle, se ramentevant qu'elle était la petite-fille de Lucrèce Borgia, et son italianeté l'emportant sur son mépris de la roture, que le duc de Feria est sot assez, tandis que le légat est un Italien véritable, tout finesse et astuce. Mais que peut-il ? Rien tant que Philippe II n'aura pas envoyé à Mayenne les quarante mille hommes et le million d'écus qu'il lui a promis et qu'il ne lui enverra jamais, n'ayant pas fiance en Mayenne, lequel n'a pas fiance en lui et ne se soucie guère, en outre, de tirer les marrons du feu pour le petit de Guise. Allons, Monsieur, il faut voir les choses en face : les uns tirant à hue, les autres à dia, et chacun ne pensant qu'à son particulier, nos divisions et nos défiances ont tout perdu !

— Cependant, Madame, dis-je pour la sonder plus avant, j'entends que des ligueux reprennent cœur de ce que le pape a refusé de reconnaître l'abjuration du roi.

— Ha ! le pape ! le pape ! dit la duchesse avec un superbe dédain, croyez-moi Monsieur, un pape ne m'en impose pas le moindre. J'en ai eu un dans ma famille et il ne fut pas des meilleurs [1].

— Toutefois, Madame, le présent pape n'a pas voulu lever l'excommunication du roi.

— Mais il n'a pas osé non plus excommunier les évêques qui l'avaient reçu dans le giron de l'Eglise, ayant garde de ne pas rebuffer l'Eglise de France, d'autant que c'est le roi qui, de présent, nomme les évêques en ce royaume. Et que le pape, s'il s'obstine à le bouder, craindrait de voir surgir un jour une Eglise gallicane qui ne serait plus sa fille aînée. Le pape tremble devant Philippe II, voilà toute l'affaire. Et quand votre Henri sera fort assez pour tenir tête à Philippe, il le reconnaîtra.

— Madame, dis-je avec un salut, votre pénétration m'émerveille ! Qui dit que les femmes n'ont pas la tête politique ?

— Des sots, Monsieur, qui n'ont même pas de tête ! Gouverner une famille, comme je tâche à faire, ou gouverner l'Etat, c'est tout un. Du moins quand votre famille est haute assez dans l'Etat.

— Peux-je, Madame, en quérant de vous mon congé, vous demander la permission de répéter au roi vos propos ?

— La belle demande ! dit-elle en riant, vous aurais-je tenu ce discours si je ne m'étais apensée qu'il ne lui serait transmis ? Et Monsieur, dit-elle d'un air tout à la fois hautain et mutin, dites au roi

---

1. Les Borgia ont eu, en réalité, deux papes : Calixte III et Alexandre VI.

de vous faire au moins marquis : J'aurais d'ores en avant moins de vergogne à vous laisser lécher mes doigts.

Phrase qu'elle corrigea, avant que de me tendre les dix doigts, par une si gaie étincelle dans son grand œil bleu et un sourire si ravissant qu'elle en fut d'un coup rajeunie de la moitié de son âge, me laissant ébloui tant par le subit refleurissement de sa beauté que lui donnait l'ardent désir de plaire, que par sa sagacité politique ; laquelle toutefois trébuchait sur la seule question où je vois les femmes déraisonner : le mariage dont elles rêvent soit pour elles-mêmes soit pour leurs fils. N'était-il pas en effet évident que Navarre ne donnerait jamais ni à Nemours ni au petit Guise la main de Madame, n'appétant pas à avoir comme beau-frère, et si proche de son trône, un prince de cette turbulente famille.

Le prix du setier de blé ne cessant d'augmenter en Paris, pour ce que les bonnes gens craignaient, la trêve cessant, de voir reprendre et la guerre et le siège, je ne me pressais point de vendre mes grains, d'autant que mes successifs charrois de Saint-Denis à la capitale étaient commandés par les gardes du capitaine Tronson, dont le zèle ligueux s'était prou relâché depuis la conversion du roi. Cependant, vers la mi-décembre tout était parti et faisant mes comptes, je vis que j'avais tiré dix mille écus de ma moisson du Chêne Rogneux, et quatre mille écus de celle de La Surie. Ceux-là, je les remis à mon Miroul qui les alla incontinent porter aux héritiers du vidame en Montfort l'Amaury et pour moi, ayant ouï que le roi avait quelques difficultés à payer ses Suisses, dès que M. de La Surie fut de retour, je courus retrouver Sa Majesté en Saint-Denis où étant introduit par M. de Rosny en sa chambre après son coucher, j'offris de lui prêter l'argent de mes heureux bargouins.

— Ventre Saint-Gris, Barbu ! dit le roi en riant, tu es courtisan peu banal ! Au lieu de tirer de moi des clicailles, tu aspires à m'en prêter ! Es-tu donc si riche ? D'où te viennent ces dix mille écus ?

— De mes blés, Sire, que j'ai pris la peine d'aller vendre en Paris.

— Bon sang huguenot ne saurait mentir ! dit le roi en jetant à Rosny un regard pétillant. Cependant, le Barbu a mieux barguigné que vous, Rosny. Vous n'avez tiré que trois mille écus de vos blés.

— Lesquels toutefois, Sire, je suis prêt à vous prêter aussi, dit Rosny qui n'entendait pas être dépassé par quiconque en libéralités.

— Mes gardes sont payés, dit le roi, M. d'O a trouvé les pécunes. Toutefois, j'accepte vos écus, mes amis. Ils me font grand besoin pour une mission que je compte confier au Barbu.

— Et pourquoi pas à moi, Sire ? dit Rosny d'un air mal'engroin assez.

— Pour ce qu'elle est secrète, dit le roi sans se piquer le moindre, et que tu ne pourrais, mon Rosny, apparaître en ville ligueuse sans te faire dépêcher, tant ton bel et renfrogné visage est connu en ce royaume.

— Une ville ligueuse, Sire ?

— Meaux. Tu n'ignores pas que Vitry la tient au nom de la Ligue avec cent cinquante cavaliers.

— Bah ! Une compagnie ! dit Rosny avec une moue.

— Une fort bonne compagnie, dit le roi. Un fort bon capitaine. Et des murs excellents : pour les réduire, il faudrait un mois. Et sans être assuré du succès. Ce qui serait grande pitié, car Meaux est une riche ville, à une journée de galop de la capitale. En outre, elle commande la vallée de la rivière de Marne, et couvre Paris à l'est.

— Sire, dis-je, cette compagnie a-t-elle été confiée à Vitry par Mayenne ?

— Non point, elle est à Vitry, et à lui seul. Raison pour quoi il vaut mieux la gagner que la rompre.

— La gagner, Sire ? dit Rosny.

— Qui gagne Vitry, gagne sa compagnie, et qui gagne Vitry et sa compagnie, gagne Meaux. Et qui gagne Vitry et Meaux peut aussi, par aventure, gagner Orléans, où commande M. de La Châtre, lequel est fort des amis de M. de Vitry. Or, j'ai intercepté une lettre dudit Vitry à Mayenne en laquelle il se plaint et récrimine de ce que la Ligue lui doit vingt-sept mille écus pour l'entretainement de sa compagnie ès Meaux, où elle loge dans des hostelleries; qu'il n'a pas reçu de ladite Ligue le moindre sol; qu'il est las de servir Mayenne à ses dépens et débours; et de plus, qu'il s'en fait scrupule, la conversion du roi changeant prou la physionomie des choses.

— Le bon apôtre! dit Rosny. Si Mayenne lui envoyait ses vingt-sept mille écus, il rengainerait ses scrupules.

— Et cuidez-vous, dit Henri en riant, que Mayenne dégainera cette somme?

Il allait parler plus outre, quand on toqua à son huis d'une certaine guise que bien je connaissais et qui fit se dresser le valet comme diable en boîte et courre à la porte, ce qu'oyant et voyant le roi, il se mit sur son séant et quasiment dressant l'oreille comme chien à l'arrêt, nous dit, l'œil brillant et la voix brève, de nous ensauver par la petite porte dérobée à la dextre de son lit, mais, quant à moi, de le revenir visiter le lendemain soir, qu'il me donnerait ses instructions; lesquelles, en effet, il me bailla non point le lendemain, mais le surlendemain et lesquelles je ne vais pas répéter ici, puisque le lecteur en verra plus loin les effets.

Cependant à la queue de cet entretien, je contai au roi ma râtelée sur les propos que Mme de Nemours m'avait tenus, lesquels il ouït mi-sérieux mi-riant et dit à la parfin :

— Ma bonne cousine de Nemours n'est point sotte, et si elle pleure, c'est que les affaires de sa famille vont mal et que les miennes avancent. Ma conversion, Barbu, a retiré à mes ennemis le manteau de la religion. Les voilà nus! Et que voit-on?

Des ambitieux qui n'ont point la violente amour que je porte à mes sujets et ne pensent qu'à leur particulier. Raison pour quoi l'opinion incline de plus en plus à moi.

— Mais, Sire, Philippe II ?

— Ha, Philippe II ! dit le roi, c'est la grosse affaire, en effet ! Cependant, il en est de sa diplomatie comme des vaisseaux de l'Invincible Armada : elle est lente, lourde et maladroite. Raison pour quoi les vaisseaux vifs et légers de Drake en ont eu raison (je parle de l'Armada). Dans le cas présent, Philippe n'eût jamais dû faire élire par les Etats le petit Guise, mais le fils de Mayenne. Comment peut-il espérer que Mayenne s'arrache de son lit, secoue sa bedondaine et tire l'épée, s'il n'est pas au moins le père du roi de France et le beau-père de l'Infante ? Barbu, poursuivit-il en attachant sur moi son œil fin, ramentois bien que lorsque tu seras admis en présence de Vitry, et bec à bec avec lui, tu dois lever le masque, cesser d'être le maître drapier Coulondre et te donner pour ce que tu es : le marquis de Siorac.

— Mais, Sire, dis-je béant, je ne suis pas marquis.

— Comment, Barbu ? dit le roi en haussant le sourcil à sa façon gaussante et goguelue, oses-tu bien contredire ton roi ? Tu es marquis ! Tu l'as été à la minute où, te nommant ainsi, je t'ai conféré ce titre. Les lettres suivront.

— Ha ! Sire !

— Ois-moi bien. *Primo :* c'est bien le moins, Barbu, que je puisse faire en récompense de tes services. *Secundo :* Vitry étant lui-même marquis, il ne voudra pas traiter avec plus petit sire que lui. *Tertio :* je suis bien aise d'aiser la conscience de ma bonne cousine de Nemours la prochaine fois que tu lui mangeras les mains...

Le lendemain, j'envoyai un petit *vas-y-dire* à Quéribus, pour lui mander que, devant sous peu départir à Saint-Denis, et ne pouvant le visiter pour les raisons qu'il savait, je lui saurais gré de me venir voir chez my Lady Markby. Deux heures plus tard, le temps j'imagine que mon Quéribus passa à sa toilette, il advint, en effet, suivi de cinq à six de ses gens, car il eût cru déchoir, comme Rosny, si on l'avait vu déambuler dans les rues sans une conséquente escorte, superbement attifuré et emperlé, le cheveu testonné en bouclettes, les joues pimplochées, la taille cambrée, le geste vif, le marcher dansant et paraissant, à quarante ans, dix ans de moins. Las! C'était autrement qu'il avait vieilli, étant si dévotieusement attaché au faste, aux modes et au langage du roi précédent qu'il paraissait en être le dernier muguet et mordre mal aux manières simples et plus expéditives du nouveau règne.

— Monsieur mon frère, lui dis-je, vous fûtes lié assez, je crois, au marquis de Vitry, avant qu'il quittât le service du roi à l'avènement d'ycelui pour rejoindre la Ligue. Qu'en êtes-vous apensé?

— C'est un soldat, dit Quéribus avec le parler négligent et le zézaiement qui étaient de bon ton sous Henri Troisième. Et tous ces soldats, mon Pierre, sont façonnés sur le même modèle. Voyez M. de Vic. Vitry lui ressemble. Sauf qu'il est moins jaseur et se rince moins la bouche de ses propres louanges.

— Il lui ressemble?

— Oui-da, par les conduites et les déportements. L'un et l'autre avec le même franc-parler de soldat et les mêmes manières abruptes, ce qui est face et façade: car ils sont, en fait, très renardiers, très ménageurs de chèvre et de chou, et très bons courtisans, affichant sans cesse une fidélité sans faille au roi.

— Que Vitry toutefois a quitté pour Mayenne au moment de son avènement. Est-il donc si dévot catholique?

— Mais point du tout. Il est de ces hommes qui, croyant fort tièdement, et aimant peu les prêtres, redoutent cependant l'Eglise. Il a pu penser aussi à ce moment-là que la chèvre Mayenne allait manger le chou Navarre.

A quoi mon beau muguet de Cour rit en cambrant la taille et en mettant sa main devant sa bouche, comme faisait le défunt roi.

— Qu'entendez-vous par ses manières abruptes ?

— Il fait tout à la soldate. Quand Vénus l'aiguillonne, il empoigne la première fille d'auberge qui lui tombe sous la main, la jette sur une table, la coquelique comme un lansquenet, et lui lance trois sols pour son salaire.

— Trois sols ? Ce n'est guère libéral.

— Il ne l'est point. Il a l'œil à ses écus.

— Est-il très avant dans la Ligue ?

— Mais point du tout. Il hait les *Seize* et un jour que Mayenne leur faisait mauvais visage, à cause de l'exécution du président Brisson, il dit tout haut au duc et devant les *Seize* : « Tudieu ! Monsieur, vous n'avez qu'à dire le mot. Je vous les rends tous pendus avant ce soir ! Fût-ce même de mes propres mains ! »

— Est-il marié ?

— Oui-da. Et il aime son épouse, encore qu'il la trompât avec La Raverie.

— La Raverie ? dis-je en contrefeignant l'ignorance.

— Quoi ! dit Quéribus, sa voix s'élevant dans les notes aiguës à la façon des muguets, vous n'avez jamais ouï parler de La Raverie ? En ma conscience, il en faudrait mourir ! reprit-il en employant cette expression qu'Henri Troisième, quand il n'était que duc d'Anjou, avait mise à la mode, comme le lecteur, se peut, s'en ramentoit. La Raverie, mon frère, est une garce dont la cuisse est légère et la beauté, sublime.

— Elle n'a pas dû épargner les pécunes de Vitry.

— Tout le rebours ! Elle l'aimait, étant raffolée des soudards. Monsieur mon frère, dit-il avec un connivent sourire, il me semble que je commence à apercevoir à quoi tendent vos questions. Je vais donc incontinent les fourrer dans la gibecière de mes oublis et du même pas prendre congé de vous. Je me trouve d'avoir, poursuivit-il (en me parlant à l'oreille sans nécessité aucune, pour ce que nous étions dans ma chambre), un rendez-vous pour le dîner avec une dame de bon lieu qui me poursuit de ses attentions, étant de moi follement entichée...

Dès que mon Quéribus fut départi, de son pas dansant, si brillant en son beau plumage, sa grise et lourde escorte à la queue, je courus le hasard de me rendre au marché dans l'espoir de voir La Goulue, sachant qu'elle allait régulièrement à la moutarde, du moins quand La Raverie s'encontrait en Saint-Denis, ayant une maison aussi en Paris et séjournant qui-cy qui-là. Le hasard me sourit pour ce qu'après une heure à me trantoler dans les alentours, j'aperçus la mignote et l'accostai à la sournoise.

— Ha! Ma grosse mouche! dit-elle, que me viens-tu encore bourdonner à l'oreille? Et que veux-tu savoir?

— Tout sur Vitry, dis-je, *sotto voce*.

— Ha! dit-elle, depuis qu'il s'en est allé à Meaux, Madame est inconsolable! Il était si divertissant!

— Vramy? dis-je. Du bec ou du vit?

— Des deux. Je me ramentois qu'un jour en Paris, le perroquet de Madame demeurant coi, Vitry lui demanda s'il parlait.

— Oui-da, opina ma maîtresse, mais il faut lui montrer pécunes.

— Quoi, dit Vitry, cela est-il possible?

Et tirant un écu de ses chausses, il le tint entre le pouce et l'index devant le perroquet, lequel, en effet, se mit aussitôt à jaser.

— Mordieu, Madame! dit Vitry en riant comme fol, je crois, moi, que ce sont les prêchaillons de Paris qui lui ont appris ces bonnes manières. Car il fait tout comme eux. Il baille, dès qu'il voit clicailles.

Je la poussai plus outre, mais elle ne savait rien de plus sur l'homme que des secrets de coite que je fourrais incontinent, comme dirait mon Quéribus, « dans la gibecière de mes oublis ». Cependant, je ne m'en revenais pas bredouille de ma quête, la gausserie du marquis sur le perroquet de Madame ne montrant pas une excessive amour ni pour les enflammées soutanes ni pour celle ou celui qui stipendiait leurs prêches. Tant est que de tels propos me paraissant sentir plus son « politique » que son ligueux, je commençai à bien augurer du succès de ma mission.

Le diabolique de l'écriture, c'est qu'elle peut courre la poste plus vite que pigeon, et combien qu'il y ait une bonne journée de cheval de Saint-Denis à Meaux, transporter le lecteur d'une ville à l'autre en un battement de cil, tant est qu'à peine a-t-il vu s'éloigner la petite et rondie silhouette de La Goulue sur la place du marché que le voilà jà en la maison de ville de Meaux dedans les appartements du gouverneur et parlant comme moi à sa puissante, piaffante et paonnante personne.

— Le marquis de Siorac ? dit Vitry en m'espinchant, fort sourcillant, de la tête à l'orteil. Ce qui fait que je l'envisageai moi-même sans humilité aucune, et sans être ni content ni mécontent de ce que je voyais, tant l'homme était fidèle à ce qu'avait si bien décrit Quéribus.

Le prélat est réputé suave, le soldat, abrupt et le marchand, enveloppant. Se peut qu'il y ait des prélats abrupts, comme l'était feu le cardinal de Guise, à qui toutefois sa rugosité a fort mal réussi, mais je n'ai jamais vu de soldat suave, et Vitry ne faisait pas exception. On l'eût dit taillé à coups de serpe et à la volée dans le bois le plus dur, l'épaule carrée, la musculature sèche, la mâchoire mal équarrie, le sourcil épais, l'œil noir, un nez dont Mme de Nemours eût apprécié les dimensions, lequel était pointé sur moi comme un canon.

— Le marquis de Siorac ? reprit M. de Vitry avec quelque chose de si menaçant, dans l'œil, le menton et le nez qu'on eût dit qu'il allait me donner l'assaut, j'ai aperçu une ou deux fois à la Cour d'Henri Troisième un petit chevalier de Siorac, qui faisait quelque peu le médecin, mais le marquis de Siorac, je n'ai pas l'heur de connaître.

— Ce petit chevalier, c'était moi, dis-je sans battre un cil. Le défunt roi m'a fait baron et Henri Quatrième marquis.

— Honore-t-il donc à ce point la médecine ? dit Vitry en levant un noir sourcil.

— Nenni, Monsieur, dis-je d'un air à ne pas me laisser morguer, j'ai rendu quelques services à Leurs Majestés, d'aucuns en la déguisure où vous me voyez ce jour.

— Pour moi, dit Vitry en redressant sa taille et en carrant les épaules, je n'ai jamais fait que le soldat.

— Qui l'ignore? dis-je avec un salut. Le monde entier connaît la vaillance de M. de Vitry, laquelle j'ai moi-même quelque titre à pouvoir apprécier, ayant combattu sous M. de Rosny à la bataille d'Ivry.

— Ha! dit Vitry, auquel ce nom d'Ivry faisait mal aux oreilles, la Ligue y ayant été, comme on l'a vu, cruellement défaite. L'affaire fut chaude, ajouta-t-il avec le regret évident de ne s'être pas encontré du côté des vainqueurs.

— Chaude, dis-je et combien que l'issue en fût heureuse pour le roi, déplorable aussi. Quant à moi, je donnerais tous les lauriers que j'y ai gagnés pour ne pas avoir vu des Français se battre contre d'autres Français, au très grand profit de l'étranger.

— Ha! Siorac! dit Vitry, sur lequel mes « lauriers » d'Ivry faisaient plus d'impression que mes mérites de médecin, vous touchez là un point sensible. En Paris, l'arrogance de l'Espagnol m'était insufférable.

— Et elle n'a d'égale, dis-je, que celle qu'on voit à ce ramassis de vaunéants crottés qu'on appelle les *Seize*.

— Ceux-là, il les faudrait pendre tous! dit Vitry en sourcillant.

— Et, dis-je, que penser des torrents d'injures que les prêchaillons déversent sur le roi!

— Moyennant clicailles, dit Vitry d'un ton encoléré. C'est bien là le pis! Ha! croyez-moi Siorac! s'écria-t-il avec amertume, dans le parti de la Ligue, les doublons espagnols ne courent pas si épais qu'on l'a dit! Et ne vont pas en tous les cas à ceux qui se battent, mais à quelques marauds qui brouillonnent dans une ville contre le roi ou à quelques prédicateurs qui connaissent mieux l'art de l'invective que le latin.

— Il se pourrait, dis-je, que vous ayez raison, car j'ai ouï dire que M. de Mayenne avait reçu quarante mille écus du duc de Feria pour renvoyer M. de Belin hors de son gouvernorat de Paris. Ce que, de reste, il n'a pas encore réussi à faire, le Parlement tenant fort pour Belin.

— Tudieu! Quarante mille écus! s'écria Vitry en serrant les poings, et pour faire quoi?

— Rien, dis-je. Vous savez comme moi, Vitry, que le duc de Mayenne, depuis la bataille d'Ivry s'apparesse au lit et s'acagnarde à table, sans tirer l'épée ni branler un orteil, sauf pour traiter à'steure avec l'Espagnol, à'steure avec le roi.

— Quoi! Il a pris langue avec le roi? s'écria Vitry.

— C'est qu'avec la conversion du roi, marquis, tout a changé. Le vent tourne et Mayenne sait le humer mieux que personne. Et, ajoutai-je avec un insinuant regard, *avant* personne.

— Tudieu! s'écria Vitry.

— Et, dis-je, quand Mayenne se sera accommodé au roi, les bons gentilshommes qui l'auront servi à leurs dépens et débours, seront gros Jean comme devant.

— Je n'en crois pas mes oreilles! Ce gros pourceau barguigne avec le roi!

— Et le bargouin n'est pas petit! Le roi a offert à Mayenne le duché de Bourgogne et quatre cent mille écus.

— Quatre cent mille écus! s'écria Vitry, tout à plein hors de lui, je me serais contenté du dixième!

Parole imprudente, certes, pour ce que le roi m'ayant donné comme instruction de traiter avec Vitry à cinquante mille écus, je décidai incontinent en mon for d'en rabattre dix mille.

— Justement, dis-je en lui lançant un regard des plus profonds, et m'accoisai.

— Marquis, dit Vitry après un moment de silence, plaise à vous de passer avec moi en ce petit cabinet. Nous y serons plus à l'aise pour continuer.

Je le suivis dans ledit cabinet où, ayant de prime clos l'huis d'un verrou, il m'invita à prendre place sur une des deux chaires à bras qui étaient là et que séparait une petite table sur laquelle se dressait un bougeoir qu'il alluma, combien qu'on fût en plein jour, n'y ayant pas de fenêtre en ce lieu confiné. Et c'est là, lecteur, que se débattit le sort de Vitry, de sa compagnie, de la ville de Meaux et de la vallée de la Marne.

— Vitry, dis-je, vous avez quitté le roi à son avènement par un scrupule de conscience qui grandement vous honore. Cependant, le roi s'étant fait catholique, il m'apparaît que ledit scrupule devrait être levé et que rien ne s'oppose plus à ce que vous reveniez à lui.

— Las! Ce n'est point si simple! dit Vitry en fermant l'œil à demi, comme d'aucuns faucons avant qu'on les lâche : je me suis engagé avec le duc de Mayenne et j'ai fait le serment devant le Parlement de Paris de lui garder Meaux. Je ne peux donc me rallier au roi sans ternir mon honneur.

Ho! que nenni! m'apensai-je en grinçant des dents en mon for. Voilà ce qu'il en est de ce rude et franc soldat : Il ne veut point ternir son honneur! Il entend simplement nous le vendre.

— Marquis, dis-je, si un larron vous donne à garder le bien d'autrui et que son légitime possesseur vient à vous le réclamer, l'honneur ne vous commande-t-il pas de le rendre à ce dernier? Et d'autant que le roi est disposé, pour vous rallier à lui, à vous faire de grands avantages.

— Lesquels? dit Vitry, ses deux yeux réduits à deux fentes évoquant ces meurtrières horizontales derrière lesquelles on dispose des couleuvrines pour battre les abords d'un château.

— Je m'en vais vous les exposer, marquis, dis-je, voyant que ce gros chat retroussait jà sa moustache devant la bolée de lait que je lui allais tendre. Toutefois, ajoutai-je, je dois vous dire que, touchant votre personne il y a deux partis à la Cour : les uns conseillant au roi de mettre le siège devant Meaux comme il a fait devant Dreux, et de réduire la ville et ses défenseurs à quia. Les autres, dont je suis, considérant vos talents, votre vaillance et votre fidélité au défunt roi, avisent Sa Majesté de vous gagner par la douceur.

— Voyons donc ce miel! dit Vitry qui avait quelque peu cillé quand j'avais fait allusion à la prise de Dreux, laquelle était tombée cinq mois auparavant après quinze jours d'assaut, et sans que Mayenne bougeât la moitié d'une fesse pour la secourir.

— Le roi, dis-je, vous rendrait votre charge de capitaine des gardes, laquelle vous soutîntes avec tant de bonheur sous Henri Troisième. En second lieu, il vous baillerait quarante mille écus pour compenser vos dépens et débours dans l'entretainement de votre compagnie depuis que vous avez quitté son service.

— C'est peu, dit Vitry.

— Mais c'est plus que Mayenne vous a jamais donné.

— Cela n'est que trop vrai, hélas! dit Vitry. Le chiche-face! L'argent entre plus facilement dans ses chausses qu'il n'en ressort!

— En troisième lieu, le roi vous donnerait le gouvernorat soit de Meaux, si les habitants veulent encore de vous, soit d'une autre ville de même conséquence.

— Quant à ces quarante mille écus, ce n'est pas prou, dit Vitry pointant en avant son grand nez. Encore faudrait-il les toucher. Je ne mange pas mon rôt à la fumée, marquis, et il me faut viandes plus substantifiques qu'une promesse.

— Je vous les garantis, Monsieur, dis-je, sur mon honneur. Treize mille écus vous seront versés par moi sur l'instant. Vous aurez le reste, dès que vous vous serez publiquement donné au roi.

— C'est à considérer, dit Vitry en se levant.

— Mais pas plus longtemps que demain, dis-je, pour ce que je dépars à la pique du jour pour Saint-Denis.

— Marquis, dit Vitry en se levant, faites-moi la grâce de partager ma repue de vesprées. Madame mon épouse sera ravie de vous connaître.

— Mais point dans cette déguisure, dis-je, non sans quelque vergogne.

— Ha bah ! Je vous prêterai un de mes pour-points ! dit Vitry qui aimait faire le bon compagnon, dès lors que ses intérêts n'étaient plus en jeu.

Son pourpoint, de fait, m'allait passablement, combien qu'un peu large au bedon et m'ôtant l'odieuse montre-horloge que je portais en sautoir pour faire le bourgeois, et désaplatissant mon che-veu, mais sans rogner, hélas, ma barbe, derrière laquelle j'augurais que j'aurais encore à me cacher en mes missions, je fis tolérable figure à ce repas, où Mme de Vitry — laquelle était fort jeune, fort petite et fort jolie — me posa sur la Cour des questions infi-nies. Et moi, entendant bien qu'elle brûlait d'y retourner, n'aspirant, comme il est naturel à cet âge verdoyant, qu'à voir et être vue, je lui répondis fort complaisamment, et de façon à l'allécher plus outre. Tandis que je parlais, je vis bien à certains regards qu'il fichait sur elle combien Vitry se trouvait raffolé de cette petite personne, et soupçonnant que ce genre d'homme, si abrupt et si tempétueux, était de ceux qui se laissent le mieux mener par le bout de leur grand nez par leur petit bout de femme, je gageai que l'influence de la dame, se conjuguant avec les grands avantages qu'on lui avait faits, ne laisserait pas d'amarrer cette chaloupe perdue à notre bord.

Et en effet, avant l'aube, mon roi eut « ville gagnée », comme eût dit Pissebœuf, Vitry me venant désommeiller pour me dire à la soldate, la voix rude et le geste tranchant, que puisque le roi s'était converti, et lui faisait des promesses dont je m'étais porté garant, l'honneur lui commandait et de se rendre à lui, et de lui redonner Meaux. Que pour celle-ci il y avait pourtant quelque difficulté ; pour ce que le parti ligueux céans, quoique affaibli, restait fort assez pour lui faire des brouilleries, s'il déclarait tout de gob qu'il baillait la cité au roi. Que donc il fallait y aller à la prudence et sur la pointe des pieds, et que m'ayant trouvé fort avisé en cette négociation, il requérait mes conseils, touchant la manière de s'y prendre pour que la ville coulât du côté du roi aussi doucement que le lait hors d'une jatte.

Je musai là-dessus quelque temps et à la parfin, mettant nos deux têtes ensemble, nous façonnâmes un plan qui nous parut mettre toutes les chances de notre côté.

Vitry m'ayant caché dans un petit cabinet, lequel donnait sur un escalier dérobé, rassembla à dix heures dans la maison de ville les principaux parmi les habitants et leur dit :

— Messieurs, je vous parlerai sans éloquence et sans feintise mais en tirant tout dret de l'épaule, comme un soldat. Je suis sorti du service du roi à cause qu'il était huguenot, mais maintenant qu'il s'est fait catholique, mon intention est d'y rentrer. Je sais bien qu'il en est qui clament que sa conversion n'est pas sincère. Je ne suis pas instruit assez pour en disputer. J'observe seulement que Mgr l'archevêque de Bourges a reçu l'abjuration du roi. C'est donc qu'il la croit vraie. Et pour moi, marquis de Vitry, je ne me crois ni plus savant ni plus catholique que le Primat des Gaules. Messieurs les magistrats, officiers et bourgeois de la ville de Meaux, vous me rendrez ce témoignage que je vous ai toujours traités avec la plus grande considération, sans jamais fourrer mon nez, si grand soit-il, dans vos affaires, considérant que je n'étais là que pour vous rendre service et non point pour vous commander. Aussi je ne vous dirai point : rendez Meaux au roi, encore que je sache que vous y auriez de grands avantages.

— Lesquels ? cria un échevin, ce cri étant incontinent repris par d'autres.

— J'ai là un papier, dit Vitry en le sortant de ses chausses, où le roi les a fait mettre tout du long par l'un de ses secrétaires, mais, Messieurs, pardonnez-moi, ajouta-t-il habilement, je suis sur le départir pour aller rejoindre le roi en Saint-Denis avec ma compagnie et étant quelque peu pressé par le temps, je n'ai pas l'intention de le lire...

A ce point, il fut interrompu par des cris confus, les uns s'indignant qu'il s'en allât et laissât la ville sans défense, et les autres l'adjurant, au nom de Dieu, de lire son papier, ceux-ci devenant à la fin si nombreux et si stridents, qu'on n'oyait plus que leurs voix.

— Messieurs! Messieurs! dit Vitry avec une bonhomie admirablement jouée. Je vois bien qu'il faut que je vous contente, et que je vous lise à la parfin ces promesses du roi touchant votre bonne ville de Meaux. Ce que je ferai incontinent si vous êtes assez bons pour faire silence.

— Comment savons-nous que ce billet vient bien du roi de Navarre? cria un ligueux.

— Monsieur, cria Vitry, je passerai mon épée à travers le corps du premier qui osera dire que je suis un menteur!

A quoi il y eut des rires et des huées à l'adresse de l'archiligueux, lequel, la crête fort rabattue et sentant bien que le vent allait dangereusement à son encontre, s'escargota.

— Le roi, reprit Vitry quand le silence se fit, promet devant Dieu qu'il pardonnera à tous, y compris aux ligueurs, qu'il maintiendra les manants et habitants de la cité dans leurs anciens privilèges et religion; Qu'il donnera à Meaux tel gouverneur qu'elle choisira; Qu'il exemptera la ville de Meaux des tailles pendant dix ans. Et enfin qu'il anoblira le corps de ville [1].

Ayant lu, Vitry remit le papier dans ses chausses et observant que l'assemblée des principaux se figeait dans un profond silence, n'en croyant pas ses oreilles de conditions si douces, il reprit, très à la soldate:

— Messieurs, je vous laisse à délibérer le parti que vous tiendrez pour le meilleur. Voici les clés de ville que vous m'avez confiées. Faites-en un bon et digne usage.

Là-dessus, l'un de ses capitaines lui ayant mis

1. La municipalité. (Note de l'auteur.)

l'écharpe blanche du roi, il salua l'assemblée et sortit à grands pas, sans que les principaux de la ville songeassent à le retenir, tant ils étaient éberlués. Mais un grand bruit de sabots de chevaux s'étant fait ouïr dans la rue, ils coururent aux fenêtres (comme je le vis en entrebâillant la porte de mon cabinet) et j'entendis bien que notre plan se poursuivait sans heurts, quand je les ouïs s'exclamer d'un ton plaintif et gémissant que le gouverneur était départi avec toute sa compagnie et que Meaux sans sa garnison s'encontrait quasi nue et démantelée. Suivit un débat, où tout ce qu'il y avait de ligueux parmi les principaux se tenait si coi et quiet qu'on pouvait se demander comment il avait pu se faire que Meaux eût jamais préféré Mayenne à Navarre. Car de tous côtés des voix véhémentes se levaient pour dire que Meaux sans M. de Vitry se trouvant aussi exposée à la pillerie qu'un verger sans clôture, mieux valait se donner tout de gob au roi et tirer de lui les immenses commodités dont il avait assorti ce don, que de se faire forcer par lui comme garce sur un talus et y perdre vie et honneur. Que, de reste, maintenant que le roi avait abjuré dans les mains du Primat des Gaules, ce ne serait plus combattre pour la religion que de l'affronter, mais bien plutôt conniver et donner la main aux conjurations de l'Espagnol, lesquelles ne tendaient qu'à diviser les Français pour les placer sous son joug.

Oyant bien à quoi tendait cette éloquence nouveau-née, à laquelle tous en ce prétoire appétaient à donner le sein, je quittai mon poste, et descendant à pas de loup l'escalier dérobé, je courus retrouver Mme de Vitry qui, ses paquets déjà chargés en son carrosse, m'attendait.

— Madame, dis-je haletant, c'est à vous de jouer votre rollet en cette affaire. Et de le jouer bien.

A quoi elle se leva, jeta sur ses charmantes épaules un mantelet fourré (ce jour de décembre étant froidureux assez) et apparaissant sur le parvis de la maison de ville, en descendit les degrés fort majestueusement, toute petite qu'elle fût, et mit assez de temps pour monter en son carrosse pour que le peuple se pressant autour de lui de tous côtés, et le bruit venant aux principaux que la marquise quittait aussi la ville, ils se ruassent hors, et à elle coururent.

— Hé quoi? dit-elle, mettant sa mignonne petite tête à la portière du carrosse, avez-vous fait déplaisir à mon mari qu'il vous abandonne, lui qui vous aimait tant?

— Hé Madame! dit l'un des principaux, point du tout! M. de Vitry va se donner au roi et ayant délibéré, nous avons décidé unanimement d'en faire autant, et de le rappeler à nous pour qu'il nous baille l'écharpe blanche à nous aussi, et nous gouverne comme devant. Aussi, Madame, nous vous prions et demandons de le rattraper et de lui dire de revenir.

A quoi la petite marquise, faisant une mine rebelute, se refusa d'abord d'une façon des plus acaprissates, et jusqu'à se faire supplier par ces bonnes gens, les mains jointes et les larmes aux yeux. Mais à la parfin, contrefeignant que son cœur fût touché par leurs prières, elle y consentit, fit signe au cocher de fouetter ses chevaux, rattrapa Vitry qui l'attendait dans un bois à deux lieues de là et revint avec lui dedans la ville, souriant à la portière du carrosse et Vitry lui-même, fort épanoui sur son beau cheval blanc, ayant mis en poche, outre le commandement de Meaux, qui lui demeurait, le capitanat des gardes de Sa Majesté et quarante mille écus.

Combien que le ralliement de Vitry ne fût pas le premier après la conversion du roi, Bois-Rosé ayant dès l'automne livré Fécamp et Lillebonne à Sa Majesté, et Balagny en novembre lui ayant rendu Cambrai et le Cambrésis — ce fut celui qui retentit le plus en Paris tant à cause que Meaux était si proche de la capitale que parce que Vitry était fort connu des Parisiens ayant été, avec d'Aumale, un des plus vaillants défenseurs de leurs murs pendant le siège.

Son retour au roi retentit davantage encore dans l'opinion quand on connut *urbi et orbi* les grands avantages qu'en sa bénignité naturelle et habile clémence, le roi avait faits à Vitry et à Meaux pour qu'ils revinssent dans son giron. Cette clémence chez un prince guerrier et victorieux parut exemplaire. Ces avantages aussi. Et la première aussi bien que les seconds encouragèrent fort les ligueux tiédissants à rejoindre le parti du roi. En janvier, le Parlement d'Aix — autrefois si zélé pour Mayenne — reconnut Henri IV. En février, M. de La Châtre lui livra le Berry et l'Orléanais. Peu de jours après, Lyon, dégoûtée de M. de Nemours, l'embastilla et se donna au souverain.

— *Mi fili*, me dit Fogacer tandis que je prenais chez lui ma repue avec M. de La Surie (que le roi venait de faire écuyer), Jeannette versant à flots dans nos gobelets le bon vin de messe de Mgr Du Perron, toi qui colles à l'action, décolle-toi un petit pour un temps et envisage de plus haut et plus loin, je te prie, la comédie des hommes. Laquelle n'est jamais si divertissante que dans les allées du pouvoir. Il fut un temps, si tu t'en ramentois, où la bougrerie d'Henri Troisième excusait toutes les trahisons. Il fut un temps, plus proche, où l'hérésie de Navarre justifiait toutes les défections. Et ce jour d'hui, observe, de grâce, observe, *mi fili*, comment la conversion du même Navarre couvre les ralliements les plus intéressés.

— Je ne me plains pas de cela, dis-je sans lui révéler que j'avais travaillé au plus éclatant d'entre eux : j'en savoure les effets sans trop questionner les causes. Mais Révérend Docteur Médecin Fogacer, vous qui, veillant chaque jour au bon exercice des intestins de Mgr Du Perron, êtes désormais quasiment d'Eglise, *quid* du sacre du roi ?

— Ha ! dit Fogacer, il fut décidé de longue date en principe, mais il se heurta dans la pratique à trois difficultés. La première étant que Reims s'encontrant ès mains des ligueux, on ne savait où placer ledit sacre jusqu'à ce que Mgr Du Perron suggérât qu'on le célébrât en Notre-Dame de Chartres, sanctuaire vénéré vers lequel les Parisiens sont accoutumés d'aller pèleriner à pied, quand ni Notre-Dame de Paris ni Notre-Dame de Lorette n'ont jugé bon d'exaucer leurs prières. Mais surgit alors une fort grande querelle, car l'évêque de Chartres voulait faire la cérémonie de sa personne, pour ce qu'il était l'évêque du lieu et que la juridiction lui appartenait en propre en son église. A telle enseigne qu'il n'y avait que le pape, ou son légat, à qui il eût dû y céder le pas. Mais d'un autre côtel, l'archevêque de Bourges appétait bien naturellement à célébrer la cérémonie, arguant qu'il était, lui, archevêque, en outre, Primat des Gaules, au surplus Grand Aumônier de France, et qu'enfin, il avait reçu l'abjuration du roi. L'évêque de Chartres n'abaissant pas sa crosse devant celle de l'archevêque, la querelle s'envenima, et de terrestre qu'elle était de prime, monta quasiment jusqu'au ciel, l'évêque menaçant d'excommunier quiconque aurait le front de s'introduire dans son église pour conduire le sacre à sa place.

— Ventre Saint-Antoine! dis-je en riant, l'évêque de Chartres excommuniant le Primat des Gaules!

— Voilà qui eût été gaulois! dit M. de La Surie.

— Et qui ne se fit pas, dit Fogacer, le roi ayant demandé à Mgr Du Perron de trancher.

— Trancha-t-il?

— C'eût été mal connaître ce fin renard. Il prétendit que, l'affaire étant politique, il fallait en saisir le conseil du roi. Mais en catimini, il avisa Henri de donner raison au prélat de Chartres, car c'eût été prendre très à rebrousse-poil tous les évêques de France — y compris ceux qu'on avait déjà ralliés — que de remettre en question leurs droits dans leurs diocèses et églises.

— Je gage, dis-je, que l'archevêque en pleura.

— Je gage, dit La Surie, qu'il reçut comme Vitry quelques petits avantages pour curer sa navrure.

— Gagez, gagez, mes amis, dit Fogacer avec son lent et sinueux sourire. Pour moi qui suis d'Eglise, et quasi dans les secrets du ciel, je n'en dirai ni mot ni miette. Mais je peux jaser, en revanche, de la troisième difficulté du sacre.

— Et quelle fut-elle ?

— Le chrême.

— Le chrême ? Qu'est-cela ?

— O *mi fili !* comme on voit bien que vous n'êtes qu'un huguenot, fraîchement repeint aux couleurs papistes ! Le chrême est une huile sainte, miraculeusement apportée du ciel et qu'on garde à Reims pour en oindre les rois, lors de leur sacre. Or, Reims est aux ligueux. Pas de Reims, pas de chrême ! Et sans chrême, comment donner audit sacre le lustre nécessaire ?

— Des trois difficultés, celle-ci est la crème, dit M. de La Surie.

— Mais, dit Fogacer, elle fut, elle aussi, résolue. Comment imaginer en effet, que le chrême de Reims fût le seul dont pût s'enorgueillir la chrétienté ?

— Quoi ? dis-je, il y en a donc un autre ?

— Assurément. Innumérables sont les ressources de notre Sainte Eglise ! Oyez ! Cent douze ans avant la conversion de Clovis, saint Martin se trouvant ce jour-là rêveux et songeard, tomba au bas d'un escalier et en fut tant meurtri qu'on le croyait perdu. Mais pendant la nuit, un ange, descendu du ciel le vint oindre et frotter d'une huile miraculée, tant est que le lendemain, saint Martin se leva de son lit, frais comme un gardon et bondissant comme une carpe.

— Révérend Docteur, dit M. de La Surie, vos images ne s'accommodent point entre elles. Il se peut qu'une carpe soit tant fraîche qu'un gardon, mais un gardon ne saute pas comme une carpe.

A quoi l'on rit.

— Fogacer, dis-je, ne me dites pas qu'on a conservé cette huile ?

— Si fait ! A l'église de Noirmoutiers, près de Tours, où elle est fort vénérée par les fidèles, et d'où on l'alla quérir en pompe pour l'emmener à Chartres où, sous bonne garde, elle attend le roi.

Ayant dit, Fogacer nous envisagea tour à tour de son œil noisette, ses sourcils noirs comme dessinés au pinceau se relevant vers les tempes et l'air fort jubilant de nous conter ses histoires d'Eglise. J'observais à cette occasion combien mon ex-régent d'Ecole de médecine était demeuré fidèle à l'enseignement dont il m'avait nourri. Car tous ses arguments allaient toujours par trois, semblables par là aux syllogismes d'Aristote, comme s'il y eût dans ce chiffre trois une vertu magique et qu'on ne sût pas bien parler si l'on ne marchait pas sur trois pattes. Moi-même, infecté par cette scolastique, dès que je veux démontrer ou persuader, je m'aperçois que j'aligne trois raisons, trois exemples ou trois faits. Deux me paraîtraient maigres, et quatre, bedondainants.

— Monsieur le Marquis, me dit M. de La Surie, dès que nous fûmes de retour au logis de my Lady Markby, et en ma chambre retirés, je vous sais un gré infini de m'appeler *coram populo* [1] Monsieur de La Surie, et de ramentevoir aux gens qui m'ont connu quand j'étais Miroul, que de présent je possède une terre et que le roi m'a fait écuyer. Mais, plaise à vous, Monsieur, de m'appeler Miroul, quand nous sommes seuls et de me permettre de vous appeler Moussu comme devant.

— Ha! mon Miroul, dis-je mi-riant, mi-touché, je l'eusse fait jà, si je n'avais craint de te piquer. Mais quant à Moussu, cela sent par trop son valet périgordin. Dis-moi Pierre, ou mon Pierre, comme ceux de ma famille.

— Ha! Monsieur, le peux-je? dis-il, sa voix s'étranglant dans sa gargamel.

— Certes! Et ramentois, je te prie, que tu es gentilhomme et que tu as gagné ta noblesse comme moi, dans les périls et par l'épée.

— Mon Pierre, dit-il, que j'ai rêvé de vous pouvoir adresser ainsi, ayant nourri souvent le songe d'être pour vous, à la parfin, ce que M. de Sauveterre était au baron de Mespech.

1. Devant tous.

— Ha! mon Miroul! dis-je, la larme au bord du cil, et lui donnant tout de gob une forte brassée, voilà qui est bien dit. Va donc pour Sauveterre, sauf toutefois, que tu ne peux, toi, me bailler leçons, la Dieu merci, courant le cotillon comme fol!

— Bah, tel maître, tel valet!

— Ou tel valet, tel maître, Miroul! En mon logis de la rue des Filles-Dieu, qui se dévergognait? Et qui même allait s'inquiétant de ma continence? Mais, mon Miroul, ne parlons plus de maître ni de valet. Si comme mon père et Sauveterre en la légion de Normandie, je ne peux m'afférer à toi, pour la raison que nous avons l'un et l'autre femme et enfants, et terres séparées, du moins, soyons frères par le bon du cœur.

— Mon Pierre, dit Miroul, lequel dès qu'il se sentait proche des larmes, était accoutumé à jeter le manteau de Noé sur son émeuvement, il faudrait pour clore cet entretien une citation latine. Vous vient-elle à l'esprit?

— Point du tout.

— Mais à moi non plus! dit Miroul en riant.

Le roi fut sacré le 27 février à Chartres avec un luxe de cérémonies qui offusqua M. de Rosny, lequel, en vrai huguenot, y vit, comme il le dit à moi-même, des « badineries ». Mais, pour une fois, je ne donnai pas raison à ce grand esprit. Comme Jeanne d'Arc l'avait si bien compris pour Charles VII, quand un roi, dépossédé de la moitié de son royaume, se voit contraint de le reconquérir, les fastes de son sacre sont un acte de grande conséquence. Il affirme devant ses peuples sa légitimité, étant plus fort d'ores en avant du caractère sacré que lui ont conféré l'Eglise, ses rites séculaires et le chrême miraculé.

CHAPITRE XIII

Le 8 mars, le roi, revenu de Chartres, me fit dire d'aller le voir à son coucher, Sa Majesté disposant, après qu'il eut souhaité la bonne nuit à ses gentilshommes et avant qu'il reçût la visite que l'on sait, d'une heure ou deux pour traiter de ses plus secrètes entreprises.

— Barbu, dit-il, le duc de Feria a imposé le renvoi de M. de Belin, juste au moment où celui-ci allait nous livrer en catimini une des portes de la capitale. Le crime de Belin est d'avoir dit « qu'il était Français naturel et ne serait jamais Espagnol ». Propos que n'a pu souffrir le duc de Feria qui est l'idiot le plus solennel de la péninsule ibérique. En bref, Mayenne, à l'instigation de Feria et du légat, a remplacé Belin par Brissac, lequel a la réputation d'être un archiligueux. Toutefois Mayenne lui-même vient de quitter Paris en emportant ses meubles et ses tableaux, ce qui ne montre pas en l'avenir de la Ligue en Paris une fiance adamantine. En bref, Barbu, connais-tu Brissac et est-il bien l'archiligueux que l'on dit ?

— Sire, dis-je, Brissac est en mon opinion plus guisard que ligueux. Bien je me ramentois qu'il n'a rejoint Guise que par pique contre le défunt roi, lequel avait dit de lui, Brissac ne s'étant pas bien comporté en de certains combats terrestres et maritimes : « Brissac n'est bon ni sur terre ni sur mer. » Raison pour quoi, lors des barricades qui chassèrent Henri Troisième de Paris, Brissac, qui en fut le héros, dit : « Sa Majesté qui ne me trouve bon ni sur terre ni sur mer, voudra bien me concéder que j'ai trouvé enfin mon élément : Je suis bon sur le pavé. »

— Voilà, dit Henri, qui montre tout à la fois beaucoup de ressentiment et beaucoup d'esprit. On dit Brissac bas de poil.

— Se peut, Sire, que la vaillance ne soit pas son fort. En revanche, il est très renardier, chattemite en diable et sait admirablement contrefeindre le naïf et le sot. Il passe pour l'outil des jésuites, mais pour moi, il n'aspire qu'à son particulier, et n'est l'outil que de lui-même et de son ambition.

— Et sur quoi, Barbu, fondes-tu les traits de ce brillant portrait ?

— Sur les particulières circonstances de mon encontre avec lui.

— Il te connaît?

— Lui non. Moi si. Dois-je en dire ma râtelée?

— Oui, si tu es bref, dit le roi en jetant un coup d'œil à la porte dont le toquement allait sonner le glas de notre entretien.

— Voici. Le défunt roi enfui de Paris au moment des barricades, Brissac alla trouver my Lord Stafford pour tâcher de le persuader de rester dedans la capitale, et non pas suivre Sa Majesté à Chartres, comme son devoir d'ambassadeur de la reine Elizabeth le lui commandait.

— Comment sais-tu cela, Barbu?

— J'étais là, Sire, j'ai tout ouï.

— Où, là? Dans les salons de l'ambassadeur?

— Non, Sire, je me trouvais dans un cabinet attenant, caché sous le vertugadin de my Lady Markby.

— Ventre Saint-Gris, Barbu! dit le roi en riant à gueule bec, tu as une sorte de talent pour t'accommoder partout. Que répondit Stafford à la requête de Brissac?

— Un formidable non, Sire. My Lord Stafford entendit fort bien que demeurer dans Paris, c'était reconnaître Guise. Les prières et les menaces voilées de Brissac n'y firent rien. Il fut inébranlable. Oyant quoi, de menaçant qu'il était, Brissac redevint suave, et bon ménager de chèvre et de chou, il escorta lui-même my Lord Stafford et les siens hors Paris.

— Et qu'augures-tu qu'il fera en Paris, maintenant qu'il est gouverneur?

— J'augure que, Mayenne parti, Brissac humera le vent et qu'il préférera aux chemins pleins d'épines des *Seize* et de la Ligue un chemin où se voient des roses.

— Il faudrait donc, Barbu, que tu voies et connives à ce que ces roses et lui se rencontrent.

— Moi, Sire?

— Oui-da!

— En Paris?

— Oui-da!

— Sur l'heure?

— Oui-da!

— Et de quoi, Sire, seront faites les roses?

— C'est un secret d'Etat, Barbu, dont seul M. de Saint-Luc est de présent détenteur.

— Ha! Sire, dis-je avec un sourire qui passait à peine l'enclos de mes dents, si vous me permettez un peu de groigne à la Rosny, je vous dirai : pourquoi Saint-Luc? Et pourquoi pas moi?

— Pour la raison, Barbu, que Saint-Luc, tout archimignon qu'il fût du défunt roi, épousa Jeanne de Cossé, sœur de Brissac, lequel Brissac est à lui très affectionné et, quoique de sa nature plus prudent que serpent, a toute fiance en son beau-frère.

— Sire, si M. de Saint-Luc s'introduit en Paris, je n'y suis guère utile!

— La trêve ayant cessé, Saint-Luc, Barbu, ne pourra montrer la moitié d'une fesse en Paris sans se faire assassiner. Mais toi, Barbu, tu le peux et, sans être fouillé, passer la porte Saint-Denis, grâce à ton compère menuisier. Tu porteras donc à Brissac une lettre de Saint-Luc lui donnant rendez-vous hors les murs et un passeport de moi. Le prétexte de cette rencontre en sera un héritage à partager entre Mme de Saint-Luc et son frère Brissac.

— J'entends bien, Sire, dis-je, Saint-Luc est le rosier, Brissac est l'amateur de jardins et moi le jardinier qui doit l'inciter à venir céans contempler les promesses des roses.

— Mais, Barbu?...

— Sire, je n'ai pas dit « mais ».

— Mais tu l'as pensé. Mets-le donc sur ta langue, dit Henri qui, à l'occasion ne détestait pas non plus les *giochi*.

— Sire, il me semble que ma mission auprès de l'amateur des jardins serait plus sûre de ne pas faillir si je pouvais l'appâter en lui décrivant au moins une de ces roses. Tant est que son appétit ne pourrait que croître de connaître les autres.

— La raison même. Approche donc.

Toutefois à peine le roi eut-il eu le temps de me souffler ladite description, laquelle ne fut pas sans m'ébahir, qu'on toqua à l'huis à plusieurs petits coups répétés en manière de tambourinade que le roi parut ouïr comme la musique des sphères, le valet courant la porte déclore, et moi-même disparaissant par la porte dérobée.

J'entrai le jeudi 10 mars en Paris avec M. de La Surie et mes gens vers les six heures de l'après-midi, sous le prétexte d'y porter un chargement de satin et de velours. Mais encore que le « capitaine » Tronson prît d'ordinaire la garde de la porte Saint-Denis le jeudi, ce soir-là il n'y était pas, et je fus fouillé par un lieutenant zélé de cap à pié, lequel ne trouva rien, à cause que j'avais cousu la lettre de Saint-Luc et le passeport du roi à l'intérieur de mes gants que le sottard me fit ôter, mais ne visita pas. A mon sentiment, je n'eusse pas dû courir ce hasard, mais envoyer en avant M. de La Surie qui, du haut des remparts, m'eût fait signe de franchir la porte, ou de ne la point franchir, selon qu'elle était, ou non, gardée par Tronson.

J'allai sans tant languir voir ledit Tronson dès le lendemain pour quérir de lui s'il me pouvait ménager une entrevue bec à bec avec M. de Brissac, ayant des nouvelles pour lui de M. de Saint-Luc touchant un héritage.

— Rien ne me sera plus facile, dit Tronson, les *Seize* ont l'oreille de M. de Brissac et combien que je ne sois plus tout à fait des *Seize*, il me suffira d'un billet d'eux pour que Brissac vous reçoive.

— Et quand cela sera ?

— Dès demain, sur le coup de midi et il ne vous en coûtera que dix écus.

— Capitaine, dis-je en riant, vous arrive-t-il de jamais bailler service *gratis pro Deo* ?

— Compère, fit Tronson gravement, n'étant pas sottard, j'ai observé une chose ou deux. Vous allez. Vous venez. Vous vendez du drap. Vous vendez du blé. Vous êtes assidu chez Mme de Nemours. Son fils vous a baillé passeport. Navarre, aussi. Adonc, vous voilà dans nos murs à nouveau et vous ne quérez pas de Mme de Nemours, ce qui serait facile, de vous faire encontrer Brissac. Vous le quérez de moi. J'en conclus que la dame, se peut, vous poserait questions, lesquelles, moi, je ne vous poserai point. Cette discrétion vaut bien dix écus.

— Capitaine, dis-je, votre sagacité m'émerveille. Ouvrez votre escarcelle qu'y trébuchent cinq écus ; le solde vous sera versé à l'entrant du logis de Brissac.

— J'aime ce tintinnabulement, dit Tronson.

Et de vrai, il m'envoya le lendemain, à la pique du jour, un petit *vas-y-dire* pour me mander que Brissac me recevrait à son logis sur le midi et que lui-même aurait l'heur de m'y conduire. Et moi, fort impatient qu'il y eût encore tant de temps entre cet entretien et moi, j'imaginai de le rogner en allant voir mon bon L'Etoile qui, d'entrée, me bailla une forte brassée et me posa des questions à l'infini sur le roi, lesquelles, toutefois, il interrompit (son huis s'étant refermé sur Mme de L'Etoile et deux de ses chambrières qui partaient à la moutarde) afin que de s'inquiéter de Lisette.

— Mais elle va fort bien, dis-je, encore qu'elle vous regrette fort et parle toujours de vous avec l'affection la plus pure.

— Pure, dit L'Etoile, n'est peut-être pas le mot approprié. Il n'empêche que je trouvais la mignonne bien intéressante et qu'il m'arrive même, le croirez-vous, de regretter le siège ! Surtout, ajouta-t-il d'un air vertueux, dès lors que j'eus renvoyé Mme de L'Etoile à notre maison des champs, et n'eus plus à me faire du souci pour elle.

— Qui sait, dis-je en souriant si, la guerre reprenant, le siège ne va pas recommencer.

— Ha ! que nenni ! dit L'Etoile, le fruit est à point. La conversion du roi l'a mûri. Il va d'une minute à l'autre tomber de la branche à la bouche.

— Quoi ! dis-je, même avec, comme gouverneur, un archiligueux comme Brissac ?

— Brissac, s'écria L'Etoile en levant les bras au ciel, est archiligueux comme je suis archevêque ! Non, non, mon bon ami, Brissac est du parti de Brissac, et sait toujours à merveille de quel côté sa tartine est la mieux beurrée.

— Exemple?

— Ils pullulent. En voici un. En décembre 91, Brissac tient Falaise avec de bonnes troupes pour Mayenne. Navarre survient et le somme de capituler.

« — J'ai juré sur mes Pâques, dit dévotieusement Brissac, de ne capituler jamais. »

« Là-dessus Navarre amène son canon, Brissac prend langue avec les assaillants, et moyennant la vie sauve, livre la ville qui est pillée.

— Serait-il bas de poil?

— Je dirais qu'il n'entend pas mettre sa vie et son avenir au hasard, quand il peut s'en tirer autrement. L'affaire de Falaise n'empêcha pas d'ailleurs Mayenne, quatre ans plus tard, de le nommer maréchal de France.

— Et il tient à ce titre?

— Enormément. Et d'autant plus qu'il n'a jamais combattu.

— Est-il bien vu des *Seize*?

— Fort bien. Ils lui savent gré de ce qu'il a reproché à Mayenne d'avoir exécuté les assassins du président Brisson. Il est vrai que Brissac ne fit ce reproche à Mayenne qu'après leur exécution, étant bien assuré alors de ne pas être écouté.

— Le chattemite! Comment est-il considéré par le Parlement?

— Fort bien! Il assure tous les jours ces messieurs que, lui gouverneur, ils n'auront à redouter des *Seize* ni arrestations ni assassinations.

— C'est donc, mon cher L'Etoile, un parfait Janus.

— Sauf, dit L'Etoile, qu'il n'a pas que deux faces, comme Janus. Il en a au moins trois ou quatre.

— Je regrette cependant Belin, dis-je. Belin aurait livré la ville au roi.

— Que non pas, Monsieur mon ami, dit L'Etoile. Belin l'eût voulu, mais n'eût pu l'accomplir. Pauvre Belin! Il n'avait qu'une langue dans sa bouche. Il ne savait ni mentir ni contrefeindre. Il disait : « Je suis un Français naturel, je ne serai jamais espagnol. » Si

Brissac ouvrait Paris à Navarre, la veille il dirait au duc de Feria : « Monsieur le Duc, comptez-moi, je vous prie, parmi les plus fidèles serviteurs de Sa Majesté très catholique. »

— Et croyez-vous que Brissac livrera Paris au roi ?

— Mon cher et immutable ami, dit Pierre de L'Etoile, *sotto voce* en m'envisageant œil à œil, n'est-ce pas pour cela que vous êtes céans ?

A quoi je fus béant qu'il eût interprété si bien et si vite le flot de mes questions. Et comme je me levai, ayant jeté un œil sur ma montre-horloge qui pendait autour de mon cou, il ajouta :

— Ne redoutez point ma langue. La persécution des *Seize* m'a appris, et la prudence, et le silence. Et mon Pierre, une chose encore, reprit-il d'un air quelque peu vergogné. Seriez-vous offensé si, en votre absence j'allais rendre visite à votre logis de la rue des Filles-Dieu ?

— Mais pas le moindrement du monde, dis-je avec un sourire : toutes les filles des Filles-Dieu ne sont pas qu'à Dieu...

Quittant L'Etoile, j'allai prendre Tronson en son atelier et laissant ma monture à M. de La Surie pour qu'il la ramenât chez moi, en même temps que la sienne, j'allai à pied avec lui jusqu'au logis de M. de Brissac.

— L'huis du gouverneur, me dit-il, en me posant son énorme main sur le bras, est celui que vous voyez à trois toises de là peint en vert foncé avec un heurtoir en bronze doré, en forme de marmouset. Pardonnez-moi, compère, vous y toquerez seul. Je n'entends pas vous accompagner, ne désirant pas être vu plus outre en cette affaire. Comme disait mon défunt père : « Mon fils, ne mets jamais ton doigt dans un pot, si tu ne sais pas ce qui s'y mijote. » Tirez par là, compère, dans cette encoignure. Mon gros corps vous faisant écran, vos écus pourront glisser plus commodément de votre escarcelle à la mienne. Ne parlez point, dit-il en baissant la voix, des *quinze plus un* à qui vous savez. Je ne suis point passé par eux. Depuis que le sol glisse sous leurs bottes, ces guillaumes soupçonnent jusqu'à l'air qu'ils respirent, et s'étranglent à la seule vue d'une corde. Mais je connais un des secrétaires du marmouset que voilà, étant en bargouin avec lui.

— Tiens donc! dis-je à mi-voix, avec lui aussi? Compère, vous serez un jour le marchand le plus étoffé de Paris.

— Vramy, je n'en prends guère le chemin, dit Tronson en hochant ses puissantes épaules et contrefeignant un air triste et marmiteux. La paix nous pend au nez, compère, et avec la paix, le cercueil perd les trois quarts de sa pratique. Adieu, ne toquez que je ne sois départi.

Sachant que M. de Brissac avait été nourri aux mamelles des jésuites, je ne m'attendais assurément pas à ce que le marmouset de son heurtoir affectât les formes de Vénus. Je ne fus donc pas déçu de sentir sous mes doigts le buste d'une sainte au chef auréolé. Je dis le buste, l'artiste ayant jugé le reste fort peu utile à une femme aussi chaste, laquelle, à la regarder de plus près, me parut à ses voiles devoir être sainte Geneviève, sous la protection de qui le gouverneur de Paris s'était bien naturellement placé. Pour moi qui, en tant qu'huguenot mal repeint, comme disait Fogacer, envisage toujours avec malaise les idoles papistes, je me demandais comment les visiteurs ligueux de Brissac pouvaient avoir le cœur assez sacrilégieux pour empoigner la pauvre sainte et heurter impiteusement son dos contre le dur chêne de l'huis. Ce que je fis, néanmoins.

J'ai déjà décrit en ces Mémoires M. de Brissac dans son être physique, mais comme il se peut que ma belle lectrice ne se ramentoive pas le portrait que j'en fis, je veux rappeler céans qu'il eût été fort bel homme, pour peu qu'il eût pu présenter toujours son profil droit à l'œil de son visiteur, ayant belle mâchoire, beau nez, front harmonieux, celui-ci surmonté d'une épaisse et ondulante chevelure où le poivre le disputait encore au sel, sauf sur les tempes, lequel sel n'était d'ailleurs ni jaune ni gris, mais d'une belle couleur argentée. Pour son malheur, de face, les choses se gâtaient prou, car son œil senestre tombait quelque peu sur la joue, cette chute entraînant une divergence des prunelles qui, à l'envisager, vous donnait quelque mésaise, laquelle augmentait, dès qu'il parlait, pour ce que sa lèvre supérieure se relevait du même côté gauche en se tordant quelque peu sur soi. Moue qui, ajoutée à son habitude de rejeter sa tête en arrière, et à sa voix nasale et traînante, lui donnait un air dédaigneux qui jurait avec sa courtoisie, laquelle était exacte, pointilleuse et même par instants, excessive.

— Ha! maître drapier! dit-il en venant à moi les deux mains tendues et un air quelque peu sottard épandu sur ses traits, que je suis aise de vous connaître et de vous recevoir céans! Prenez place, je vous prie! Je n'ignore pas en quelle estime vous tient ma bonne amie, la duchesse de Nemours, et je serais ravi de vous pouvoir aider, si faire se peut, de toute l'étendue de mon pouvoir.

Je répondis à ces politesses par des compliments dont la prodigalité convenait à l'humilité de mon état, bien convaincu en mon for que Mme de Nemours, qui était fort discrète, ne lui avait jamais parlé de moi ; et qu'il savait en outre que je ne pourrais m'en assurer auprès d'elle, puisque le fait que je n'étais pas passé par elle pour me faire recevoir de lui prouvait que je la voulais garder dans l'ignorance de notre entretien. Si donc il avait fait allusion à mes relations avec Mme de Nemours, c'était sans doute pour me faire entendre qu'il n'ignorait pas que je l'avais envitaillée pendant le siège de la part du roi et qu'il ne pouvait guère douter, par conséquent, que ce fût un message de Sa Majesté que je lui venais porter.

— Monsieur le Comte, dis-je, avant que de revenir en Paris, j'ai rencontré hier en Saint-Denis de certaines personnes très affectionnées à vous qui s'inquiètent de votre avenir, craignant que votre bien ne soit menacé, au cas où vous ne prendriez pas le chemin de votre intérêt.

— Monsieur, dit Brissac en ouvrant tout grands ses yeux louches, desquels il avait en un battement de cil banni toute expression, ce propos que vous avez l'obligeance de me répéter est véritablement du grec pour moi. Et je vous saurais le plus grand gré de le préciser.

— Mon propos, Monsieur le Comte, ne s'éclaire que par une lettre de M. de Saint-Luc que je suis chargé de vous remettre.

— Chargé par qui ? Par lui ? dit Brissac qui, le temps d'un éclair, n'eut plus l'air ni si sot ni si endormi.

— Nenni, Monsieur le Comte, mais par une personne haut placée dans l'Etat que je ne puis nommer, mais qui porte le plus grand intérêt à ses affaires particulières comme aux vôtres.

— Si vous ne la pouvez nommer, je ne la saurais connaître, dit Brissac, en m'envisageant d'un air naïf, bonasse et peu entendu. Et ne la connaissant pas, je ne peux être que touché de son intérêt. Je dois avouer, Monsieur, dit-il avec un soupir, et en laissant errer dans la pièce un regard inane, que vos propos dépassent mon esprit. Peux-je vous prier, dit-il du même air simplet et débonnaire, de me remettre la lettre de M. de Saint-Luc ?

— La voici, Monsieur le Comte, dis-je en la tirant de mon pourpoint.

Et M. de Brissac, rompant le cachet et dépliant la missive, se mit à lire. Ce qui engagea si profondément son attention qu'il en oublia d'ordonner ses traits comme il faisait si bien lorsqu'il parlait. Tant est qu'au lieu de porter cet air de gros chien pataud et balourd dont il accompagnait ses propos, son expression s'apparenta tout soudain à celle du plus rusé renard.

— Monsieur, dit-il en mettant la lettre en poche et en m'envisageant de ses beaux yeux louches, vides à nouveau de toute étincelle de vie, je dois confesser que je n'entends goutte à cette missive. Mon bien-aimé beau-frère M. de Saint-Luc me parle d'un héri-tage et me prie que pour cette raison je l'aille voir en

Saint-Denis. Mais comment y pourrais-je entrer, la guerre ayant repris entre Navarre et la Sainte Ligue ?

Lequel mot il prononça avec onction.

— Mais, dis-je, ladite guerre est sans activité aucune autour de la capitale, et j'ai ici un passeport à votre nom signé du roi de Navarre qui assurerait votre sauvegarde, dès que vous aurez quitté nos murs. Ce disant, je tirai ledit passeport de mon pourpoint et le lui tendis, lequel il lut très attentivement, mais au lieu de l'empocher, comme il avait fait pour la lettre, il le tint entre le pouce et l'index de sa main dextre, ladite main reposant sur son genou.

— Je dois dire, dit-il au bout d'un moment, que je suis tout à plein abasourdi par ces incompréhensibles nouvelles. Le roi de Navarre m'envoie un passeport ! Et M. de Saint-Luc me mande de le venir voir en Saint-Denis pour débattre d'un héritage où il y va de mon plus puissant intérêt. Benoîte Vierge ! J'en suis tout confondu ! De quel héritage peut-il bien s'agir ?

Il me parut là pousser très loin la feintise et la stupidité, même s'il tâchait, par cette comédie, de m'inciter à me découvrir davantage. Ce que je fis en prenant soin toutefois d'user du langage enveloppé qui était le sien.

— Monsieur le Comte, dis-je, je ne saurais le dire au juste, n'ayant pas lu la lettre de M. de Saint-Luc et ne connaissant pas vos affaires particulières. Toutefois, il me semble qu'il y a héritage. Il se peut que nous héritions des biens de ce monde selon les lois du sang. Il se peut, parlant d'une façon plus générale, que nous tenions nos biens de nos actes et de nos bonnes qualités. A cet égard, il me semble que vos talents militaires qui n'avaient pas été bien reconnus par le précédent règne, l'ont été tout à plein par M. le duc de Mayenne puisqu'il vous a nommé maréchal de France. Cependant, cet honneur est d'autant plus précaire que M. de Mayenne n'est pas le roi de France et n'avait pas le pouvoir de le décerner. Au rebours, on peut espérer que la personne qui protège M. de Saint-Luc et qui s'intéresse aussi à vous, puisqu'il vous a fait parvenir cette lettre par mon truchement, pourrait reconnaître assez vos mérites pour vous confirmer ledit honneur, dès lors qu'elle serait en position de le faire. Ce serait là, de reste, le premier, mais non le dernier des *grands avantages* que M. de Saint-Luc aurait à vous proposer et dans le détail desquels il est seul autorisé à entrer.

M. de Brissac ouït ce discours avec un petit brillement de l'œil qui laissa place à la placidité la plus niaise, dès que je l'eus achevé.

— Monsieur, dit-il, j'avoue que me voilà gros Jean comme devant et que ma lanterne n'est pas plus éclairée. J'entends bien, poursuivit-il en jetant un œil étonné sur le passeport qu'il tenait sur son genou, que je pourrais pénétrer en Saint-Denis et en ressortir librement. Mais pourrais-je en conscience saillir de Paris pour aller visiter M. de Saint-Luc ? Je ne le crois. Mon confesseur, qui est un révérend père jésuite, très savant, et qui a sur toutes choses des lumières que je suis bien loin de posséder, tient la conversion du roi de Navarre pour nulle et son sacre pour une palinodie. Tant est que le roi de Navarre est hérétique et relaps comme devant et tous ceux qui le servent et l'approchent sont *ipso facto* excommuniés. Je craindrais fort, ajouta-t-il l'œil baissé, et le ton dévotieux, de courir cet horrible hasard, préférant le salut de mon âme à tous les biens de ce monde. Il est vrai que je pourrais, pour cette visite demander une dispense au légat du pape en Paris, mais je suis assuré qu'il ne saurait me l'accorder et que ma démarche même ne pourrait que nourrir des suspicions injustifiées quant à mon inébranlable loyauté touchant l'Eglise et la Sainte Ligue.

M'ayant opposé ce non si ferme avec une élégance de langage qui démentait l'air simplet avec lequel il l'avait prononcé, M. de Brissac fit une chose apparemment bien étrange et qui me donna fort à penser. Au lieu que de me rendre le passeport du roi, qui eût dû lui paraître dès lors inutile, il le serra dans son pourpoint.

Belle lectrice dont j'aime à imaginer que les lèvres traduisent toujours fidèlement le cœur, je crains qu'en lisant les lignes qui précèdent, vous ne vous soyez pas formé une opinion trop bonne du comte de Brissac, le trouvant défiant, cauteleux, renardier, dissimulé et maugré ses belles paroles, l'œil très attaché à son particulier. Et assurément, si un tel homme devait tâcher de conquérir vos affections par les douces apparences et par le miel dont il n'est pas chiche, je ne saurais trop vous mettre en garde contre le pied fourchu que cachent ses bottes espagnoles. Mais la Dieu merci, il ne s'agit pas de votre tendre personne, mais des affaires de l'Etat, lesquelles en ont vu d'autres.

Si vous voulez bien admettre que les voies du Seigneur sont impénétrables, vous voudrez bien me concéder aussi que les outils dont il use pour parvenir à ses fins, peuvent parfois n'être pas toujours ragoûtants. Le roi Louis XI fut assurément le plus grand dupeur de la Création et cependant, nous nous accordons tous à louer, ce jour d'hui, les bons effets politiques de cet exécrable défaut. S'agissant du royaume et du roi, j'ose quérir de vous la même indulgence pour le comte de Brissac. Là où Belin avait échoué en raison de ses vertus, Brissac réussit par ses vices, et réussit sans dol ni dommage, et sans que le sang fût versé. Ce n'est pas un mince mérite. Et si vous voulez bien imaginer, belle lectrice, la somme émerveillable de prudence, d'artifice et de ruse qu'il lui fallut pour tromper les prêchaillons, les *Seize*, le duc de Feria et le légat du pape, toutes gens habiles, vigilantes et fort suspicionneuses, vous voudrez bien accorder à la parfin qu'il fallait bien un Brissac pour surjésuiter les jésuites.

J'ai su plus tard que le comte, en sa serpentine prudence, s'était posé des questions sur ma visite, sur mon rollet, sur l'authenticité de la lettre de M. de Saint-Luc et sur les intentions du roi, se demandant même si Sa Majesté ne voulait pas l'entraîner hors les murs pour le capturer. Raison pour quoi il me répondit par ce tant abrupt nenni en m'opposant son inébranlable fidélité à la Ligue et en m'arrosant d'eau bénite. En réalité, il n'attendait que de se faire confirmer par ses propres agents que M. de Saint-Luc désirait en toute bonne foi le voir pour courre l'encontrer.

Ce qu'il fit le 14 mars à trois heures de l'après-midi, saillant de Paris à cheval par la porte Saint-Denis, suivi de trois avocats qui montaient des courtauds. Ceux-ci, j'entends les avocats, arrivés au rendez-vous, se mirent en conférence avec les représentants de M. de Saint-Luc sur le sujet de ce prétendu héritage, tandis que celui-ci prenait Brissac à part et lui confirmait la promesse que je lui avais faite sur son maréchalat, lui offrant par ailleurs de la part du roi des avantages en clicailles dont personne ne sut rien, sinon qu'ils étaient, comparés à ceux qu'on avait faits à M. de Vitry, ce qu'est la taille de Paris à l'importance de Meaux.

Je sus cela par Rosny mais, lecteur, pour savoir la suite, il fallut que le furet passât des mains de Rosny en Saint-Denis à celles, en Paris, de Pierre de L'Etoile, lequel fut véritablement en la capitale, en ces jours tracasseux, mes yeux et mes oreilles.

— Mon Pierre, me dit-il, me visitant en mon logis des Filles-Dieu comme il aimait faire au moins une fois le jour, sans m'avertir, et que je fusse ou non chez moi, Brissac se doutait bien que son absence de trois heures hors les murs de la capitale allait mettre puce au poitrail des ligueux. Aussi, dès qu'il eut remis sabot et pied sur le pavé de Paris, notre Brissac courut chez le légat et là, s'abîmant à ses genoux et versant des torrents de larmes, il lui demanda très humblement pardon du grand péché qu'il avait commis en communiquant avec un suppôt d'hérétique. Ce qu'il avait fait, dit-il, non sans avoir été affreusement tourmenté en sa conscience et seulement parce qu'il y allait de tout son bien. Le légat, touché de ses pleurs et de sa repentance, lui bailla incontinent l'absolution et encontrant le duc de Feria à sa repue du soir (vous n'ignorez pas que le légat ne mange qu'une fois le jour et qu'il se fait ensuite sangler comme un mulet...).

Lisette, entrant à ce moment dans la salle portant sur un plateau un flacon et trois gobelets, L'Etoile s'interrompit, l'œil fiché sur la mignote et suivit tous ses mouvements (lesquels, à dire le vrai, tandis qu'elle nous servait le vin, me parurent ronds et gracieux) mais sans que la garcelette levât une seule fois son bel œil sur L'Etoile, encore qu'elle portât au coin des lèvres un sourire connivent.

— Que disais-je ? dit L'Etoile, dès que Lisette eut assombri la pièce en la quittant.

— Quand vous le laissâtes en plan, dis-je, le légat était à sa repue du soir avec le duc de Feria.

— Auquel il fit de grands éloges de Brissac, louant hautement sa dévotion et son humilité. « Oui-da, lui répondit le duc de Feria, c'est un fort bon homme que M. de Brissac et à l'Eglise très docile. Je l'ai toujours connu comme tel. Pour lui faire faire tout ce qu'on veut, il n'est que d'employer son confesseur jésuite, lequel a plus d'autorité sur lui qu'une mère sur son nouveau-né. — C'est donc, dit le légat avec un sourire, que le comte n'a, se peut, jamais dépassé tout à plein ses maillots et enfances. — Vramy, je le crois ainsi, dit le duc de Feria, et pour vous montrer quel grand homme d'affaires c'est que le comte de Brissac, je vous dirai qu'un jour où l'on tenait conseil en mon logis, au lieu que de prêter l'oreille à ce qu'on débattait, il s'amusait à attraper des mouches contre la muraille. » A quoi le prélat et le duc, à ce qu'on me dit, rirent comme fols.

— Si Brissac attrape les mouches, quant à eux, ils les gobent, dit M. de La Surie.

— Bien prononcé, Monsieur l'écuyer, dit L'Etoile, sachant bien le plaisir toujours neuf qu'il donnait à Miroul en l'appelant ainsi.

— Mon cher L'Etoile, dis-je en jetant un coup d'œil à ma montre-horloge, finissez sans hâte votre vin et soyez, je vous prie, le maître en mon logis dans les heures qui vont suivre. M. de La Surie et moi-même avons pris jour avec Tronson et ne le pouvons faillir.

Je trouvai le « capitaine » Tronson debout au centre de son atelier, ses bras énormes croisés sur sa bedondaine, surveillant d'un œil aigu ses compagnons, lesquels me parurent fort décrus en nombre.

— Compère, me dit-il, plaise à vous d'être tous deux avec moi ce lundi de garde à la porte de Saint-Denis, et d'apporter un flacon ou deux afin d'égayer notre nuit et non pas de sombrer dans la malenconie, quoique j'y sois par trop enclin, ayant dû désoccuper la moitié de mes gens, faute de chalands.

— La moitié? dis-je.

— Vous m'avez ouï. La paix, compère, la paix! Voilà ce qu'on gagne avec la paix! Les vieilles gens ont toutes rejoint le Seigneur Dieu pendant le siège, qui de famine, qui de fièvre chaude. La dernière grande bataille qu'on ait vue est celle où d'Aumale s'est fait dépêcher en Saint-Denis et il y a belle paye de cela, et ce jour d'hui que voit-on? N'étaient les femmes en couches et les enfantelets, il n'y aurait plus qu'à mettre la clé sous la porte. Encore est-ce petite pratique que celle-là. Tel mari qui sur son testament a couché qu'il veut être enterré en chêne enterre sa femme en sapin, et si je l'en blâme, me dit que c'est là sa troisième ou quatrième épouse et qu'il ne se veut point ruiné pour des garces tant délicates qu'elles décèdent au troisième enfant. Et qu'y redire? C'est raison. Quant à la picorée, où est la belle pillerie que d'Aumale et les *Seize* nous avaient promise sur les maisons des *politiques*? Ha bah! Les *politiques*! Qui oserait y toucher ce jour? Jeudi, compère, je fus à la procession de la châsse sainte Geneviève pour ce que le bruit ayant couru que les processionnaires seraient armés, j'avais l'espoir que quelques bonnes arquebusades me fourniraient en pratique, *E que pasó?* [1] comme dit Feria. Une

1. Et que s'est-il passé? (Esp.)

femme y mourut dans l'église, étouffée par la presse. Autant dire rien. Et pourquoi ? Pour ce que sur les deux mille hommes armés qui étaient là, il n'y en avait pas trois cents qui fussent des *Seize*, lesquels ne pipaient mot, même quand un des hommes qui portaient la châsse pria tout haut Madame sainte Geneviève qu'elle lui fît la grâce, avant qu'il mourût, de voir pendre les *Seize*. Un an plus tôt, on l'aurait dagué ! Compère, le roi sera céans dans la semaine, je vous le gage à cinq écus. Et ledit roi, par malheur, étant si clément qu'il ne pendra personne, pas même les *Seize*, je n'aurai même pas le plaisir d'habiller en sapin mes vieux compagnons ligueux...

Ainsi flottait mon gros menuisier parisien au gré des tempêtes, mais sans jamais sombrer, étant peu constant en son credo, si tant est qu'il en eût jamais. En revanche, nos prêchaillons, l'escarcelle tintinna-bulante des doublons espagnols, continuaient à prê-cher, comme si de rien n'était, l'Evangile selon le légat, et Boucher que j'allais ouïr le 20, fidèle à son plus féroce lui-même, appelait au meurtre sans mâcheller ses mots, et le sang lui dégoulinant quasi-ment des babines, louait Jacques Clément d'avoir occis le feu roi, « acte si beau et si généreux qu'on eût dû l'anoblir, lui et toute sa race » ; exploit qu'on ne pouvait comparer qu'à la sublime meurtrerie d'Holopherne par Judith ; et qu'il fallait maintenant répéter en débarrassant le peuple, par le couteau, de l'hérétique et relaps roi de Navarre, ce bouc puant, fils d'une mère putain ; que ce serait là, à y bien pen-ser, une œuvre très sainte, très héroïque et très louable ; qu'il s'étonnait qu'il n'y eût pas parmi ses fidèles d'homme assez haut de poil pour imiter Bar-rère, lequel l'avait attenté, par malheur sans succès, un mois après la sacrilégieuse conversion du Béar-nais ; qu'il nous fallait au plus tôt un nouveau Bar-rère et que lui, Boucher, curé de cette paroisse, pourrait assurer à ce héros qu'il irait après sa mort tout dret au Paradis et serait assis au plus proche de Dieu et de sa gloire...

Le lundi 21, M. de La Surie et moi-même, allâmes

prendre la garde de nuit à la porte Saint-Denis avec mon compère menuisier, lequel, ayant bu quasi seul un des trois flacons que nous avions apportés, nous régala d'un autre échantillon de l'éloquence tronsonnienne, dès que je lui demandai pourquoi on avait dégabionné la porte que nous gardions, si bien qu'il n'y avait plus que le bois de l'huis entre le roi et nous [1].

— C'est M. de Brissac qui me l'a fait faire, dit-il en s'essuyant la bouche d'un revers de sa grosse main. « Capitaine, me dit-il, ce matin vous me ferez dégabionner la porte Saint-Denis sans tant languir. C'est là, ajouta-t-il, un ordre qui ne souffre pas délai, la raison en étant que je veux faire terrasser ladite porte pour plus de sûreté. » Oui-da, m'apensai-je, mais entre le moment où l'on dégabionne et le moment où l'on terrasse avec pierres et mortier, il s'écoule un temps où la porte se peut déclore, et se déclore pour qui ? Là-dessus, je veux envisager mon Brissac œil à œil et ne le peux, vu qu'il louche, tant est que je ne sais lequel des yeux regarder : le ligueux ou le royaliste ? M'est avis, compère, que si Brissac s'amuse, comme on dit, à prendre les mouches en séance du conseil, la plus grosse mouche qu'il attrape, c'est Feria. D'autant que, dégabionnant la porte Saint-Denis, j'apprends que mon compère Maurin dégabionne, sur l'ordre de Brissac, la porte Neuve. Tiens donc, m'apensai-je, le poil dressé et la moustache en alerte, la porte Neuve ! Ha Ha !

— Et pourquoi cette alerte ? dis-je.

— Mon ami, dit Tronson sur un ton immensément paonnant, votre vin n'est des pires, mais on voit bien que vous n'avez pas vu le jour sur le pavé de Paris. La porte Neuve, poursuivit-il, est celle qui est au bout du jardin des Tuileries. Adonc, la plus proche du Louvre.

---

1. Les gabions étaient des hottes que l'on remplissait de terre et de pierres et que l'on entassait les unes sur les autres pour condamner une porte de ville. (Note de l'auteur.)

— Je sais cela, dis-je, contrefeignant d'être piqué.

— Mais ce que vous ne savez pas, poursuivit Tronson, c'est que lorsque notre attrapeur de mouches dressa si dextrement les barricades en Paris pour le compte du défunt duc de Guise, le défunt roi s'enfuit de Paris par la porte Neuve, celle-ci étant, comme j'ai dit, la plus proche de son Louvre.

— Je sais cela aussi, dis-je, et n'en ai pas pour autant le poil dressé.

— Alors, compère, c'est que le vin dont, pourtant, vous ne buvez que peu, vous aura dérangé les mérangeoises. Holà! ce flacon, de grâce! vous me faites tant jaser que je sèche de la gargamel.

M. de La Surie lui tendit alors le flacon et il but.

— Compère, reprit-il, plus piaffant que jamais, ne serait-il pas piquant que la porte Neuve étant dégabionnée, se pût déclore et qu'Henri Quatrième entrât nuitamment en Paris par la même porte que prit Henri Troisième pour fuir hors de sa capitale?

— Et qui, dis-je, entrerait par la porte Saint-Denis? Puisque la voilà elle aussi dégabionnée?

— Je ne sais, dit Tronson, un des vaillants du roi : M. de Vic, M. de Vitry, M. de Biron, M. d'O...

— Et que feriez-vous alors?

— J'y ai songé, dit Tronson d'un air grave. Mon père, poursuivit-il en s'essuyant la bouche, disait : « Fils, ne mets pas un doigt dans un pot, si tu ne sais quoi s'y mijote. »

— Conseil, dis-je, que je vous ai jà ouï citer.

— Je le cite, et le citerai encore, pour ce qu'il est sage. D'un autre côtel, le mijot fini et le couvercle ôté, il faut bien se résoudre à y mettre le doigt, vramy?

— Vramy.

— Or, mon père disait encore : « Fils, prends garde de ne pas ramer à contre-courant : ta barque n'irait pas loin! » Et ne serait-ce pas pitié, Maître Coulondre, que moi, Français naturel, et de plus, Parisien de Paris, je me fasse étriper pour le duc de Feria?

— Il ne faut pas confondre, dit M. de La Surie, les ceux qui font les cercueils et les ceux qui se font occire.

— Miroul, dit Tronson, tu parles d'or.

— Adonc, dis-je, compère, si la porte Saint-Denis se déclôt cette nuit, vous ne prendrez pas les armes !

— Je les prendrai, dit Tronson, mais je prendrai aussi l'écharpe blanche. M'en blâmez-vous ?

— Point du tout.

— Si le roi se convertit à ma religion, reprit Tronson avec un certain air de pompe, ne peux-je, moi, de ligueux que j'étais, me convertir au roi ? De compère à compère, qu'en êtes-vous apensé ?

— C'est raison, dis-je, et quant à moi, poursuivis-je, je ferai tout comme mon capitaine.

— Moi aussi, dit M. de La Surie.

— Voilà qui est chié chanté, dit Tronson. Compère, trinquons, puisque l'accord est fait.

Ce vineux entretien se passait dans le petit châtelet d'entrée bâti au-dessus de la porte Saint-Denis, lequel ouvre sur les douves par une meurtrière longue et étroite, et de l'autre, côté ville, sur la grand'rue Saint-Denis par une fenêtre grandette assez et dont je reparlerai, pour ce que le lendemain, elle joua un rollet que je trouve digne de figurer dans les annales de ce royaume.

Hors une forte odeur de sueur, d'urine, de cuir et de graisse d'arme, il n'y avait rien dans ce corps de garde qu'un râtelier pour reposer les mousquets, une méchante table, quatre escabelles et pas d'autre lumière que la lanterne sourde que Tronson avait apportée. On y accédait (on y accède toujours) par un petit viret fort étroit, lequel se continue jusqu'aux remparts où deux sentinelles veillaient, l'une dans une poivrière et l'autre faisant les cent pas. C'est celle-là qui, en descendant en toute hâteté le viret, nous vint dire qu'il y avait des gens qui s'avançaient à lui sur le chemin de ronde et qu'à leur voix, il s'apensait qu'ils étaient de la garnison espagnole.

On se saisit de nos armes, et laissant passer Tronson devant nous, lequel soufflait fort à gravir les degrés, la lanterne à la main, on gagna le rempart, où l'on se trouva nez à nez avec M. de Brissac et deux capitaines espagnols suivis d'une demi douzaine de soldats wallons.

— C'est toi, Tronson? dit Brissac de sa voix nasale et traînante.

— C'est moi, Monsieur le Comte, dit Tronson qui, dévoilant sa lanterne sourde, éclaira son visage.

— Eclaire ceux-là aussi, dit Brissac, en désignant La Surie et moi-même.

Ce que Tronson faisant, quand le faisceau de la lumière atteignit ma face, Brissac ne battit pas un cil et dit :

— Sont-ils sûrs, Tronson?

— Comme moi-même.

— Faites bonne garde, soldats, poursuivit Brissac, le duc de Feria a eu vent d'une entreprise du Béarnais, cette nuit contre Paris. Raison pour quoi ces capitaines et moi faisons une ronde.

— Tout est calme, Monsieur le Comte.

— Comme vous pouvez le voir, Capitaine, dit Brissac, nos soldats sont vigilants.

— Je le vois, dit le capitaine espagnol d'une voix roide.

— Tous ces bruits de remuement et de trahison saillent de cervelles échauffées par la peur, reprit Brissac. Et il ajouta en espagnol :

— *Son palabras de mujeres*.

— *Quizas* [1], dit le capitaine.

— Tronson, dit Brissac, tu recevras sur les quatre heures du matin le renfort de M. l'échevin Langlois et de ses hommes. Tu lui obéiras en tout comme à moi-même.

— Si ferai-je, Monsieur le Comte.

Et pour autant que je pusse le voir à la lueur de la lanterne sourde, l'œil senestre de Brissac, celui qui tombait quelque peu sur la joue, battit du cil tandis qu'il envisageait Tronson.

---

1. — Ce sont contes de bonnes femmes.
   — Peut-être.

— *Vámos* [1], dit Brissac.

Et flanqué de ses deux capitaines espagnols, qui paraissaient quasiment le tenir prisonnier, Brissac s'éloigna sur le rempart, suivi des soldats wallons.

— Des Wallons! dit Tronson, quand on fut redescendu dans le corps de garde, voilà bien Philippe II et la tyrannie espagnole! Il occupe les Flandres, et il en tire des soldats wallons. Il occupe Naples, et il en tire des soldats napolitains. Et s'il occupait Paris, de par l'infante et le petit Guise, il en tirerait des soldats français pour occuper un autre royaume. A Dieu ne plaise! Je préfère mon établi! Holà Miroul! Le flacon!

— La nuit est jeune, dit M. de La Surie et si vous tétez encore, Maître Tronson, ce petit téton sera bientôt tari.

— Paix, méchante langue! dit Tronson, pétrissons-le, reprit-il en allongeant le bras pour l'empoigner de son énorme main et que je boive à la santé de Brissac, le plus fin goupil de la Création. Je n'ai pas eu besoin de voir son battement de cil pour entendre sa connivence. Tudieu! Il n'avait pas soulevé le pied que je lui voyais la semelle.

— Expression, Maître Tronson, que vous tenez sans doute de votre père? dit M. de La Surie.

— Assurément.

— Et qu'entend-on par là?

— Que Brissac n'avait pas ouvert la bouche que jà je l'avais deviné.

— D'autant, dis-je, que l'échevin Langlois est un *politique* notoire, et que Brissac nous a commandé de lui obéir.

— Oui-da! dit Tronson en tétant.

Lequel Langlois apparut au bas de la grand'rue Saint-Denis, un peu avant quatre heures, comme je vis à ma montre-horloge, portant l'écharpe blanche et suivi d'une vingtaine d'hommes qui la portaient aussi et parmi lesquels je reconnus, béant, Pierre de L'Etoile, armé en guerre et la face fort résolue. Cor-

1. — Allons.

nedebœuf! je n'eusse pas cru le grand audiencier si vaillant que de payer de sa personne le moment venu. Car, enfin, il n'y avait pas « ville gagnée », la garnison espagnole — Wallons, Castillans et Napolitains — étant forte de quatre mille soldats.

Je secouai Tronson qui s'était ensommeillé, étant las de ses tétées, et il descendit sa grosse masse trébuchante jusqu'au bas du viret, manquant se rompre le col une ou deux fois.

— Tronson, dit Langlois qui me parut être un petit homme sec et décisoire, êtes-vous des nôtres ?

— Du bon du cœur, dit Tronson.

— Et ceux-là ?

— Ceux-là aussi.

— Et vos gens ?

— Mes gens feront ce que je dirai, poursuivit Tronson en retrouvant quelque peu sa piaffe.

— Alors, dites-leur de déverrouiller la porte, de la déclore et d'abaisser le pont-levis.

— Qui me commande cela ? dit Tronson, comme effrayé.

— Moi, Langlois ; L'Huillier, prévôt des marchands et Brissac, gouverneur de Paris. Cela vous suffit-il ? Ou dois-je vous rendre tout de gob pendu, ou prisonnier ?

— Monsieur l'échevin, dit Tronson avec un rot, je connais mes maîtres et je leur obéis.

Ayant dit, il tira de ses chausses une grosse clé, sans laquelle nous aurions été bien en peine, en effet, de déverrouiller la massive porte de chêne, étant réduits alors à la faire sauter au pétard, ce qui eût attiré sur nous la garnison espagnole. Brandissant ladite clé, mon Tronson se dirigea en se dandinant comme un dindon vers l'huis, et encore que nous fussions tous plus accoisés que carpe en rivière, le silence me parut, pour ainsi parler, s'épaissir, quand nous ouïmes le grincement, allègre à faire peur, du pêne se dégageant de sa gâche.

— Les gonds de la porte, dit Langlois, sont-ils huilés ?

— Oui-da, dit Tronson, d'ordre de M. de Brissac.

— Et les chaînes du pont-levis?

— Aussi.

— Allons, dit Langlois.

La nuit eût été claire sans un brouillard qui venait à nous par nappes et nuages à ras de terre et par moments se résolvait en une petite pluie fine qui vous mouillait la face sans la cingler du tout. Je n'ai, à ce jour, qu'à fermer l'œil et en moi rentrer pour retrouver sur la mienne cette étrange sensation et aussi l'impression d'attente et d'anxiété que donnait cette trentaine d'hommes en armes de toutes conditions : ouvriers mécaniques, artisans, marchands ou bourgeois étoffés comme L'Etoile, tous silencieux et fort résolus à mourir pour bouter l'Espagnol hors les murs et y admettre leur roi.

Mus par des mains que je ne voyais pas, les deux battants de l'huis se rabattirent en un parfait silence. Au bout de ses chaînes, avec lenteur déroulées, le pont s'abaissa sur les douves sans noise aucune et Paris s'ouvrit dans la nuit au roi comme une femme qui s'offre.

Dans les minutes qui suivirent, deux groupes portant l'écharpe blanche et comptant environ chacun une vingtaine d'hommes armés nous vinrent rejoindre, tant est que nous faisions tous ensemble une bonne soixantaine et tous bien décidés.

— Tronson, dit Langlois de son ton sec et décisoire, baille ta lanterne à ce compagnon qui porte une montre-horloge en sautoir et dis-lui de venir à moi. Dès que j'eus la lanterne en main, j'obéis et Langlois me toisant, me dit :

— Comment te nomme-t-on, compère ?

— Coulondre, maître drapier de Châteaudun. Je loge rue des Filles-Dieu dans la paroisse du même nom.

— Quelle heure portes-tu ?

— Quatre heures, dis-je, ayant fait tomber un rayon de ma lanterne sur ma montre-horloge.

A peine disais-je, que quatre grands coups sonnèrent à l'église des Filles-Dieu.

— Allons, dit Langlois, et il s'engagea d'un pas

saccadé et rapide sur le petit pont-levis, tandis que je marchais à son côté, faisant un pas là où il en faisait deux et tâchant d'éclairer son chemin, ce qui était malaisé, par ce qu'on n'y voyait pas à deux toises. Non que la nuit fût noire, mais comme j'ai dit jà, des paquets de brouillard blanc à ras de terre nous bouchaient la vue à l'alentour, tant est qu'on voyait à peine à dextre et à senestre les bords du chemin empierré qui menait à Saint-Denis et que j'avais emprunté, comme le lecteur s'en ramentoit, dans la nuit glaciale où le chevalier d'Aumale avait encontré sa mort.

— Bride un peu, dit Langlois en me mettant la main sur le bras.

Je m'arrêtai, levant haut la lanterne et tous deux écarquillant l'œil, immobiles et cois, nous tendîmes l'oreille, la face mouillée par la bruine, sans rien voir devant nous que cette laine blanchâtre, et chacun sans ouïr d'autre noise que le toquement de son cœur.

— Ils devraient être là, dit Langlois.

— Mais la brume les aura, se peut, délayés.

— Attendons, dit-il.

Et combien que ladite attente, j'en suis bien assuré, ne dura pas plus d'une minute, elle me parut éternelle. A la fin, il me sembla que dans le blanc du brouillard, un halo plus blanc apparaissait, lequel, à ficher l'œil sur lui, devint plus brillant et plus dansant, et tout soudain s'arrêta.

— Qui vive? dit une voix étouffée.

— Vivent le roi et la paix! dit Langlois à mi-voix, ce qui était, j'imagine, le mot de passe des écharpes blanches cette nuit-là.

Le halo se remit en branle et devint torche qui éclaira tout soudain le grand nez et la forte mâchoire de M. de Vitry et dut m'éclairer aussi, pour ce que Vitry s'exclama d'une voix dont il s'efforçait d'assourdir les sonorités puissantes :

— Mordieu! Marquis de Siorac! C'est toi? Tu es donc dans tous les coups? reprit-il en me baillant une brassée rapide.

— Moi, et Monsieur l'échevin Langlois.

— Monsieur le Capitaine des Gardes, dit Langlois, je suis votre serviteur.

— Allons, Monsieur l'échevin, point de cérémonie, dit Vitry.

Et bon compagnon qu'il voulait être, et très ménager aussi du corps de ville, il nous prit chacun par un bras et nous entraîna à grands pas vers le pont-levis. Jetant un regard derrière moi, je vis des torches qui-cy qui-là et devinai plutôt que je vis, une longue colonne en marche.

— D'où vient, dis-je à voix basse, qu'on n'oit pas le bruit des pas sur les pierres du chemin ?

— Ils ont des chiffons aux pieds, dit Vitry, et pour les torches, on vient à peine de les allumer.

Passé la porte Saint-Denis et tandis que la colonne s'écoulait dans la ville, quelques soldats du duc de Feria, bien reconnaissables aux salades à l'espagnole qui recouvraient leur chef, sortirent, les armes à la main, de leur poste, l'air passablement effaré.

— Marquis, dit Vitry, qui sont ces gens-là ?

— Des soldats napolitains de Feria.

— Napolitains, cria Vitry en italien, rentrez chez vous et demeurez cois ! Nous ne faisons pas la guerre à vous !

Les Napolitains se le tinrent pour dit et sans qu'une seule arquebusade fût tirée de part et d'autre, se retirèrent en leur chacunière.

— Compère, dit Tronson en me mettant son énorme main sur le bras, la lanterne sourde n'appartient pas à la paroisse. Elle est à moi.

— La voici.

— J'ai ouï, reprit Tronson à mon oreille, M. de Vitry vous appeler marquis. Est-ce là votre véritable nom ?

— Ce n'est pas mon nom. C'est mon titre. Je suis le marquis de Siorac.

— Tudieu ! dit Tronson, je l'avais deviné ! Vous n'aviez pas soulevé le pied que je vous avais vu la semelle.

— Et aviez-vous deviné aussi que Miroul était M. de La Surie, écuyer ?

— Tout du même, dit Tronson.

— Il n'y a pas pires vantards que ces Parisiens, dit La Surie en oc.

— Siorac, me dit Vitry, tandis que la colonne s'avançait dans la grand'rue Saint-Denis derrière nous, dites-moi ce que me veut cette estafette. Outre qu'il a perdu vent et haleine à courir, il est gascon et ne parle que d'oc.

— Mais je parle aussi français, dit l'estafette, lequel avait le cheveu aussi rouge que fleur de géranium : c'est tant je suis heureux que j'ai parlé d'oc.

— Tudieu, qui ne le serait ? dit Vitry.

— *Diga me*, dis-je à l'estafette, lequel, ne sachant s'il devait parler d'oc à moi, ou français à M. de Vitry, restait bouche bée.

— Je gage que c'est bonne nouvelle, dit La Surie.

— Oui-da ! dit l'estafette, retrouvant sa voix. M. de Saint-Luc avec sa colonne est entré par la porte Neuve, que lui avait ouverte son beau-frère M. de Brissac, et vous attend devant le grand Châtelet. M. d'O est entré par la même porte et a gagné la porte Saint-Honoré que lui a livrée un échevin.

— L'échevin Neret, dit le petit Langlois qui ne voulait pas que les mérites du corps de ville fussent oubliés dans cette affaire. Monsieur le Marquis, ajouta-t-il à mon oreille, je vous dois quelques excuses pour vous avoir traité si cavalièrement, devant que je connusse votre qualité.

— Monsieur l'échevin, dis-je, nous sommes amis d'ores en avant, vous et moi. Comment pourrais-je oublier jamais que j'ai vécu avec vous ce moment où Vitry a sailli du brouillard, venant à nous, la torche l'éclairant ?

On pressa quelque peu le pas sans encontrer la moindre encombre ni résistance, les Parisiens commençant à ouvrir leurs verrières et acclamant Vitry que les prêchaillons avaient pourtant traîné dans la boue depuis la reddition de Meaux.

Il tombait une petite bruine et la pique du jour était grisâtre. Au grand Châtelet, on trouva Saint-Luc et le comte de Brissac bras dessus bras dessous, devisant gaîment et l'ex-mignon Saint-Luc dont le cheveu était resté blond (l'art, se peut, s'ajoutant à la nature), s'écria, dès qu'il vit M. de Vitry :

— Sans coup férir ?

— Sauf de la voix, dit Vitry, laquelle a suffi pour disperser quelques Napolitains de Feria à la porte Saint-Denis.

— Des ligueux céans m'ont voulu faire une braverie, dit Saint-Luc avec le zézaiement du règne précédent. J'en ai tué deux, le reste s'est rendu.

— Ce reste, vous l'avez pendu, j'espère ? dit Vitry, pointant son grand nez en avant.

— Que nenni ! Le roi ne le veut ! Lisez plutôt ce billet qu'il fait distribuer au peuple.

Lecteur, j'ai conservé un exemplaire de ces billets qui se donnaient de main en main en Paris en cette aube et les jours suivants. Le voici :

De par le roi, Sa Majesté, désirant de réunir tous ses sujets et les faire vivre en bonne amitié et concorde, notamment les bourgeois et habitants de sa bonne ville de Paris, veut et entend que toute chose passée et advenue depuis les troubles, soit oubliée. Défend à ses procureurs, substituts et officiers d'en faire aucune recherche à l'encontre d'aucune personne que ce soit, même de ceux qu'on appelle vulgairement les Seize, *promettant Sa dite Majesté en foi et parole de roi, vivre et mourir en la religion catholique, apostolique et romaine et de conserver tous ses dits sujets et bourgeois en leurs biens, privilèges, états, dignités, offices et bénéfices. Donné à Senlis le vingtième mars de 1594 et de notre règne le cinquième.*

Henri.

— Etrange style, dit Vitry. Que veut dire le cinquième ?

— Le cinquième an, dit Brissac, dont je ne sais pourquoi en cette aube grise, l'œil senestre me parut moins bas sur la joue et la loucherie, moins forte.

— Tudieu, cela est vrai ! s'écria Vitry de sa voix sonore, cinq ans ! cinq ans que le roi règne et sans sa

608

capitale! ajouta-t-il, oubliant qu'il avait été un de ceux qui lui en avaient interdit l'accès.

— Il faut bien avouer, dit le blond Saint-Luc avec son charmant zézaiement, que cette Paris est une grande coquette. Elle a fait attendre le roi cinq ans au pied de ses murs avant que de se donner à lui.

— Mais de présent, elle va l'aimer, dit Langlois.

A cet instant, une estafette nous vint dire que le roi, étant entré dedans Paris, par la porte Neuve, avait rejoint M. d'O à la porte Saint-Honoré, le prévôt des marchands L'Huillier devant lui remettre là les clés de la ville. Oyant quoi, Saint-Luc et Vitry, laissant leur commandement de leur colonne à leurs lieutenants, décidèrent tout de gob de s'y rendre, imités incontinent par Brissac, Langlois, La Surie et moi-même. En chemin, Saint-Luc, me désignant, dit à Brissac de sa voix sotte et gentille :

— Monsieur mon frère, ne vous fiez pas à l'habit. Le bourgeois que vous voyez là est le marquis de Siorac.

— Mais je le connais bien, dit Brissac avec un souris.

Il n'en dit pas plus, étant homme de peu de mots, sauf quand sa langue était occupée à bâtir de fausses apparences pour dérober ses intentions.

Le cœur me battit quand je vis le roi sur son cheval blanc, en cuirasse mais tête nue, l'œil vif et la lèvre enjouée, le poil grisonnant jà sur les tempes et ne paraissant pas sentir la petite bruine qui lui tombait sus. A côté de lui, sur un beau genet d'Espagne se tenait M. d'O que je n'aimais guère, ne lui reconnaissant qu'une seule vertu : la fidélité.

— Sire, je suis à vos pieds, dit Brissac en baisant la main du roi.

— Je vous salue, monsieur le Maréchal de France, dit Henri, confirmant Brissac, selon la promesse que je lui avais faite en son nom, dans la dignité que le comte avait gagnée en se rebellant contre lui.

S'avança alors le prévôt des marchands L'Huillier qui me ramentut mon cher L'Etoile par l'espèce de dignité amère et d'honnêteté outragée qui se lisaient sur ses traits. Il était vêtu de ses robes d'apparat et portait de ses deux mains un carreau de velours rouge.

— Sire, dit-il, plaise à Votre Majesté de recevoir les clés de votre bonne ville de Paris qui se remet, ce jour, entre vos mains, en toute obéissance et soumission.

A cela Brissac, ès qualité de gouverneur en Paris, crut bon, lui qui parlait si peu, d'ajouter deux mots, qui hélas pour lui, furent deux mots de trop :

— Il faut rendre à César ce qui appartient à César, dit-il de sa voix nasale et traînante.

— Il faut le lui rendre, mais non le lui vendre, dit L'Huillier en lui jetant un regard indigné.

Phrase qui amena qui-cy qui-là quelques sourires, nul n'ignorant que Brissac avait touché des sommes énormes pour la reddition de Paris.

— Ne dirait-on pas que ce L'Huillier est tout vinaigre ? dit La Surie à mon oreille.

Cependant, le roi contrefeignant de n'avoir pas ouï la remarque du prévôt des marchands, lui fit un gracieux merci pour les clés de Paris, promettant d'en user dignement et pour le plus grand bien des bourgeois et habitants de la bonne ville. Puis il envoya un officier dire à l'archidiacre qu'il voulait tout de gob ouïr la messe à Notre-Dame, et dépêcha M. de Saint-Paul au duc de Feria pour lui mander d'avoir à quitter Paris avec sa garnison, ses armes et ses bagues sur le coup de trois heures par la porte Saint-Denis et qu'il lui baillerait un sauf-conduit et une escorte pour le raccompagner à sa frontière des Flandres.

Ayant fait, il m'avisa, parlant à M. de Saint-Luc, et m'ayant fait signe de venir à son étrier, il me dit :

— Barbu, va prévenir mes bonnes cousines les princesses lorraines que je les viendrai visiter sur le coup de six heures en l'hôtel de Montpensier.

Et tout soudain, prenant un air songeard et rêveux, lui qui l'était si peu, il se tourna vers son chancelier et lui dit, l'œil comme ébloui :

— Monsieur le Chancelier, dois-je croire à votre avis que je sois bien là où je suis ?

— Sire, dit le chancelier, je crois que vous n'en doutez pas.

— Je ne sais, dit Henri, car tant plus j'y pense et tant plus je m'en étonne.

Ayant dit, il se mit en route, suivi de ses seigneurs et de sa garde, et fort lentement, par la grand'rue Saint-Honoré pour ce que les Parisiens, ayant sailli de leur logis pour le voir, il se trouva pressé d'une grande multitude de peuple, d'aucuns même approchant de lui jusqu'à l'étrier, baisant ses pieds et son cheval et criant :

— Vive le roi ! Vive la paix ! Vive la liberté ! et autres acclamations joyeuses, ces bonnes gens riant, pleurant, dansant, s'entrebaisant, tandis que la même petite pluie fine tombait du même brouillard de ciel qui de blanc était devenu sale, tant est que jamais jour plus grisâtre fut salué de plus de liesse.

Comme pour ajouter à la noise et vacarme des vivats, toutes les cloches des églises de Paris se mirent à sonner ensemble, ce qui, à vue de nez, paraissait bien surprenant, les curés de ces églises étant pour la plupart ligueux. Mais il est à croire que d'aucuns de leurs paroissiens trouvant l'occasion bonne de secouer leur domination tatillonne, leur avaient forcé la main.

L'allégresse de la commune devint délirante, quand il fut clair pour elle, ce cortège tournant à droite par le pont Notre-Dame, que le roi se rendait à la cathédrale pour y ouïr la messe. Je crus n'avoir rien ouï jusque-là, tant la clameur du peuple devint assourdissante. Si bien que le roi voyant les vivats redoubler, dit tout haut :

— Je vois bien que ce pauvre peuple a été tyrannisé.

Arrivé devant le parvis, le roi ayant mis pied à terre se trouva tant pressé par la foule qu'il fut littéralement soulevé par elle. Ce que observant ses capitaines des gardes, ils le voulurent dégager. Mais le roi les en empêcha :

— Laissez ! Laissez ! dit-il. J'entends bien qu'ils sont affamés de voir un roi.

Pour moi, n'entendant pas *aller à contrainte*, comme nous disions sous Henri Troisième, du moins plus qu'il n'était nécessaire, je laissai le cortège sur le parvis, M. de La Surie ne me quittant pas d'une botte, et me glissai non sans peine hors la presse frénétique, désirant rentrer en ma chacunière pour faire quelque toilette avant que de me présenter sous ma vraie face et vêture aux princesses lorraines.

Je ne trouvai point Pissebœuf et Poussevent au logis, Doña Clara n'ayant pu les retenir de se joindre aux curieux, mais Héloïse et Lisette n'avaient point osé passer outre à ses défenses, craignant, comme dit Héloïse, d'être pastissées par d'aucuns vaunéants qui se glissent toujours dans les multitudes pour couper les bourses ou mignonner les garcelettes, ou pis encore. Tant est que M. de La Surie et moi, éprouvant, après nous être baignés ès foule, le besoin de nous baigner tout court, nous eûmes au moins deux chambrières pour remplir les cuves et nous récurer, ce qui ne se fit pas sans rires ni jaseries et me ramentut le temps où Barberine nous lavait, Samson et moi, devant un grand feu flambant à Mespech.

— Vramy, Monsieur mon maître ! dit Héloïse, le roi est un bon roi, car passant en la grand'rue Saint-Honoré et voyant un soldat entrer dans une boulangerie, pour y prendre de force un pain, il en fut si encoléré qu'il courut à lui et le voulut tuer.

— Il ne put courre à lui, dit La Surie, il était à cheval.

— Comment sais-tu cela, Héloïse ? dis-je. Tu n'as pas quitté le logis.

— C'est notre bonne voisine qui nous l'a conté.

— On dit aussi, poursuivit Lisette qui voulait en conter à son tour sa râtelée, qu'à la hauteur des Innocents, un guillaume, à la fenêtre de la maison qui fait le coin, fixa très insolemment le roi, bec cousu et le chapeau sur le chef ; que d'aucuns le voulurent châtier tout de gob, mais que le roi défendit de le molester, disant en riant que si le quidam trouvait là son plaisir, il ne lui voulait pas ôter.

— Miroul, dis-je en oc, tu verras qu'avant la fin du jour, on aura prêté cent paroles au roi qu'il n'a jamais rêvé de dire.

— Et se peut, cent miracles, dit La Surie en riant.

— Monsieur mon maître, dit Lisette avec une petite moue, vous me fâchez! Vous vous gaussez de nous avec Miroul en votre provinciale parladure.

— Nenni, nenni, mes mignonnes! Héloïse, va tirer de dessous mon lit un coffre dont tu trouveras la clé dans mes chausses et étale sur la coite la vêture que tu y trouveras.

— C'est que j'eusse voulu vous essuyer, dit Héloïse. Vous avez la peau si douce.

— Moussu, dit La Surie en oc, vous êtes cruel avec cette *drola*. Rien que de penser à vous, elle s'escambille.

A quoi nous rîmes.

— La peste soit de cet embrenné jargon! dit Héloïse, son œil noircissant en son ire. Monsieur, ne pouvez-vous pas parler comme un bon chrétien?

Et elle s'en alla dans un virevoltement furieux de son vertugadin.

— Mon Pierre, dit La Surie, vous voilà excommunié pour hérésie de langage! Héloïse va remplacer le légat, lequel va sur Paris secouer la poussière de ses souliers papistes.

— L'as-tu ouï dire?

— Oui-da! et que le roi lui avait dépêché M. de Saint-Paul pour le supplier de rester, mais qu'il avait noulu.

Lisette m'ayant essuyé, je tirai vers ma chambre où je trouvai Héloïse caressant, toute apazimée, mon pourpoint de satin bleu orné de perles.

— Monsieur mon maître, dit-elle, vous ne le pouvez nier davantage de présent. Doña Clara avait raison. Vous êtes gentilhomme, et duc, à en juger par la vêture.

— Descends un peu, Lisette : je ne suis que marquis.

— Jésus, quelle pitié et dommage! dit-elle, que vous n'ayez voulu de moi! J'eusse pu m'en paonner, ma vie durant.

— Tu as eu Miroul, lequel est écuyer.

— Ho ! ce n'est point si bravet ! Monsieur le Marquis, peux-je vous rabattre la barbe ? Et désaplatir le cheveu, maintenant que vous n'êtes plus marchand ?

— Le saurais-tu faire ?

— Je fus estuvière ès étuves.

— Tiens donc ! comme Alizon !

— Mais je ne vendais pas, moi, mon devant, dit Héloïse. Combien que je ne lui reproche point, vu qu'il lui fallait nourrir son petit.

A la parfin, quand Héloïse m'eut la barbe réduite à un seyant collier, fait bouffer le cheveu et vêtu de cap à pié en mon beau pourpoint de Cour, elle me dit :

— Monsieur le Marquis, maintenant que vous n'êtes plus marchand, il vous faut pulvériser de parfum.

— Point n'en ai.

— Que si, vous en avez !

— Ha ! friponne ! Tu as fouillé mes bagues !

— J'ai même usé de votre beau parfum, dit-elle quand et quand, en m'envisageant avec une impertinence si tantalisante que l'appétit me vint tout soudain, étant seul avec elle, de la prendre dans mes bras et de la jeter sur ma coite. Ce que je ne fis point. Mais qu'elle lut dans mes yeux, et qui la rendit fiérote.

— Adonc, vilaine ! dis-je, pulvérise !

Elle y alla à la truelle, ce qui déplut fort à Doña Clara, laquelle je trouvai, quand je sortis, très peu loin de mon huis, mal'engroin et la mine hautaine.

— Pouah ! dit-elle, vous puez ! Que fâcheuse, cette coutume de Cour ! Faut-il qu'un gentilhomme s'empuantisse comme ribaude en bordeau ?

— Mon Dieu, Madame, moi qui m'apensais que vous m'alliez trouver beau !

— Ne vous en flattez point ! Vous ne l'êtes point ! Le bleu ne vous sied pas du tout ! Où courez-vous ?

— A la porte Saint-Denis par où vos compatriotes doivent passer pour vider les lieux.

— Mais, dit-elle, c'est à peine si je vous ai vu !

— Me voir, Madame? Me sentir, peut-être?

Et je m'en fus, M. de La Surie, resplendissant en velours marron, courant quasi à mes côtés.

— Mon Pierre, dit-il, n'êtes-vous pas un peu picanier avec Doña Clara?

— Lequel pique l'autre?

— Mon Pierre, pourquoi court-on?

— Ha! Miroul! Je veux voir la face du duc de Feria quand il quittera Paris.

Et je la vis, lecteur, car à peine étais-je parvenu à la porte Saint-Denis que j'encontrai M. de Rosny qui, les larmes lui jaillissant de l'œil, me dit :

— Ha! mon ami! Je ne puis croire que nous soyons céans! Je peux mourir! J'ai vu le roi restauré en sa capitale!

Après quoi, me donnant une forte brassée, lui qui mettait tant de distance entre les autres et soi (sauf s'agissant des dames), il reprit :

— Venez! Venez! Le plus beau du spectacle sera à la fenêtre du châtelet d'entrée qui surmonte la porte, laquelle, comme vous voyez, a d'excellentes vues sur la grand'rue Saint-Denis. Il ne s'agit que de trouver le viret qui y mène.

— Fiez-vous à moi, dis-je, je connais ce corps de garde. Je viens d'y passer la nuit.

Nous y trouvâmes le roi déjà installé sur une escabelle devant ladite fenêtre qu'on lui avait déclose, Vitry lui ayant envoyé mot que les Espagnols s'ébranlaient déjà en bon ordre, les curieux étant contenus sur la grand'rue Saint-Denis par un double cordon de ses gardes et la presse se trouvant telle que toutes les fenêtres étant archigarnies, on voyait d'aucuns guillaumes sur les toits, attachés par des cordes aux cheminées, attendant, patients et vaillants sous la pluie qui tombait à flots.

Le petit corps de garde était plein de seigneurs chamarrés, mais M. de Rosny ne supportant pas de ne point être au premier rang, comme il convenait à ses mérites, joua des coudes hardiment, et moi-même dans son sillage, et La Surie aussi, tant est que nous nous encontrâmes juste derrière le roi, et nous baissant, la fenêtre étant basse, nous pûmes voir les premiers soldats napolitains de Feria s'avancer quatre par quatre. La foule que contenait à peine la garde de Vitry leur criant que c'était le roi de France qui les envisageait de la fenêtre du châtelet d'entrée, ils ôtèrent leur chapeau, file après file, à l'aplomb de ladite fenêtre et au moment de passer dessous, pour franchir la porte, inclinèrent profondément la tête.

Sa Majesté répondait, à ce que j'observais, avec de petits gestes de la main, et salua courtoisement les chefs de compagnies. Après les Napolitains défilèrent les Castillans, roides et rogues. Ils ne firent au roi que de chiches petits saluts qui irritèrent la foule, laquelle leur cria qu'ils faisaient bien de s'en aller, la pluie battante qui les perçait jusqu'aux os montrant bien que le ciel était en courroux contre eux. Ces cris, cependant, cessèrent quand apparut, monté sur un double genet, le duc de Feria, lequel levant la tête et apercevant le roi à la fenêtre, se découvrit et le salua, mais gravement et maigrement, à l'espagnole. Le roi lui répondit en imitant son salut (ce qui fit rire) et en criant d'une voix forte :

— Monsieur le Duc, recommandez-moi à votre maître, mais n'y revenez plus !

Phrase qui fut aussitôt répétée de bouche en bouche avec quelques déformations, et courut ainsi jusqu'à l'autre bout de Paris, étant mâchellée et remâchellée par tous comme un des fruits les plus savoureux de cette journée.

Ce duc de Feria que le roi appelait, parmi ses intimes, « le solennel idiot », avait le visage tant long que son cheval et, à ce que je vis, des yeux noirs assez beaux, mais qui n'exprimaient rien, en plus d'une moue hautaine figée sur ses lèvres.

Après lui vinrent les compagnies wallonnes contre qui personne n'avait de haine, tant est que le spectacle aurait pu perdre de son intérêt si, à la queue des Wallons, et précédant l'attirail de garces et de vilaines que les soldats traînent d'ordinaire après eux, n'était apparu un cortège de quarante à cinquante, qui moines qui prêchaillons, lesquels n'ayant pas fiance en la clémence du roi — jugeant de lui à l'aune de leur propre férocité — fuyaient Paris dans les bagages de leurs maîtres espagnols. La foule leur chanta pouilles, les nuées grandissant tout soudain jusqu'au ciel quand parmi eux on découvrit Boucher, dont les prédications avaient fait trembler tout Paris, et se peut, inspiré l'exécution du président Brisson.

— Ha! Boucher! criaient les moins méchants, tu fuis la corde ou tu suis les doublons?

J'eus le plus grand mal à me démêler de la presse et n'y serais pas, se peut, parvenu, sans La Surie qui, grand trantoleur et museur, connaissait Paris et ses petites rues mieux que personne, si bien que je parvins à l'hôtel de Montpensier sur le coup de cinq heures et venant de la part du roi, fus aussitôt introduit auprès de la Boiteuse, laquelle, échevelée, dépoitraillée, le rouge mal mis, l'œil en furie, marchait qui-cy qui-là en se rongeant les poings, ayant jà déchiqueté des dents deux ou trois mouchoirs que je vis joncher le parquet.

— Que me veut le roi? hurla-t-elle. Jouir de mon pâtiment? m'exiler? m'embastiller? me mettre la tête sur le billot comme la pauvre Mary Stuart? Ha! ciel, je n'y survivrai pas! Franz, je te l'ordonne, prends ce poignard que voilà et m'en donne tout de gob dans le sein!

Je n'ose pas affirmer que cet ordre, qui me parut de pure rhétorique, déplut tant à Franz que sa muette mine avait l'air de le dire, mais comme il ne branlait ni ne parlait, je pris le relais aussitôt :

— Madame, dis-je, il n'est pas nécessaire d'en venir à de si dures extrémités. Le roi vient céans pour vous pardonner et s'accommoder à vous. Vous eût-il d'ailleurs, envitaillée pendant le siège, s'il avait nourri contre vous tant d'animosité? N'êtes-vous pas sa parente? N'est-il pas l'homme le plus bénin du monde? A-t-il fait périr la reine Margot qui avait attenté de l'empoisonner?

Je la convainquis, je crois, mais tenant à sa haine qui lui avait fourni tant d'années une raison de vivre, et ne pouvant plus laisser couler cette lave furieuse du côté du roi, puisqu'il lui pardonnait, elle la détourna sur Brissac et s'écria, l'œil enflammé :

— Ha ! Ce Brissac ! Que ne l'ai-je, céans, sous mes ongles ! Je lui ferais sauter ses yeux louches ! Ha ! le méchant ! Ha ! le traître ! Livrer Paris que mon frère Mayenne lui avait donné à garde ! Trahir mon frère Mayenne qui l'avait nommé maréchal ! Ha ! Oui-da ! Le beau maréchal que nous avons là ! Le dernier au combat ! Le premier à trahir ! Tudieu, je le savais depuis longtemps bas de poil ! Mais, en plus, félon ! Qui l'eût pensé ?

J'interrompis ce torrent de feu en lui demandant mon congé et je courus chez Mme de Nemours, mais sans demander à la voir, laissant message à son majordome que le roi voulait la voir sur les six heures chez sa fille Montpensier et dépêchant M. de La Surie porter le même message à Mme de Guise, je retournai à l'hôtel de Montpensier, mais m'en tins distant assez pour ne me montrer point, si bien que je vis arriver M. de La Surie, puis Mme de Guise, en son carrosse, puis Mme de Nemours en le sien, et enfin Sa Majesté, que j'abordais aussitôt pour lui dire à l'oreille comment la Montpensier avait pris la chose. Ce dont il ne fit que rire et me commanda de le suivre chez la Boiteuse ainsi que M. de La Surie, lequel rougit de bonheur de ce que le roi se ramentut son nom.

Les trois princesses l'attendaient mais, à ce que je vis, plongées dans des états d'esprit fort différents, deux d'entre elles rêvant pour leur fils mariage et la troisième ne rêvant à rien qu'à remâcher son amertume, laquelle elle tâchait de dissimuler.

Le roi leur ayant à toutes baisé la main avec tous les compliments dont il n'était jamais chiche avec les dames, s'assit à leur prière sur un cancan et dit :

— Mes bonnes cousines, je n'ai pas à vous présenter le marquis de Siorac, lequel vous avez connu sous la vêture du marchand drapier Coulondre quand il vous envitaillait pour moi sous le siège.

— Je l'avais reconnu, dit Mme de Nemours avec un sourire charmant.

— Moi aussi, dit Mme de Guise.

— Moi non, dit la Montpensier avec une moue.

— Madame, dis-je, c'est que j'étais à vos yeux transparent, quand j'étais marchand drapier.

A quoi le roi voulut bien rire, présenta M. de La Surie, et reprit l'air enjoué et le sourire aux lèvres :

— Mes bonnes cousines, n'êtes-vous pas étonnées de me voir en Paris ?

— Si fait ! dit la Montpensier en tordant quelque peu la bouche.

— Et plus encore de ce qu'on n'ait ni volé, ni pillé, ni pendu personne, reprit le roi. Et pas même ceux qui l'avaient si bien mérité.

A cela Mme de Nemours et Mme de Guise ne répondirent que par des sourires, mais la Montpensier qui se sentait quelque peu visée, non point tant par la corde que, se peut, par le billot, fit derechef sa moue, tant est que le roi se tournant vers elle, lui dit :

— Eh bien, que dites-vous de cela, ma cousine ?

— Sire, dit-elle, je n'en peux dire autre chose, sinon que vous êtes un grand roi, très bénin, très clément et très généreux.

— Ha ! ma cousine ! dit le roi en souriant, je ne peux croire que vous disiez ici toute votre pensée. Une chose sais-je bien, c'est que vous voulez du mal à M. de Brissac.

— Moi, Sire ? dit la Montpensier en appuyant la main sur son cœur innocent. Et pourquoi lui voudrais-je du mal ?

— Si fait ! si fait ! dit le roi en riant, mais sans aigreur aucune et sur le ton de la picanerie plutôt que du reproche. Vous lui gardez mauvaise dent de ce qu'il a fait. Je le sais ! Eh bien, ma cousine, un jour que vous n'aurez que faire, faites votre paix, je vous prie, avec M. de Brissac.

— Sire, dit la Montpensier, ma paix avec lui est faite, puisque vous m'en priez.

— Sire, dit Mme de Nemours qui jugeait le moment venu de répondre à la bénignité du roi, et se peut aussi, de lui faire quelque peu la cour, je n'ai qu'un seul regret, c'est que mon fils Mayenne n'ait pas lui-même abaissé le pont-levis pour vous bailler l'entrant.

— Ha! ma belle cousine! dit le roi avec un sourire, plût à Dieu qu'il l'eût fait! Mais mon cousin Mayenne se lève toujours trop tard. Il m'eût fait trop attendre... Je ne fusse pas arrivé en Paris si matin.

— Sire, répondit alors Mme de Nemours, croyez-moi, je vous prie, si je vous dis que j'ai employé de très grands efforts pour amener mes enfants à s'accommoder à vous.

— Ma cousine, dit le roi avec bonté, je vous crois. De reste, je le sais: M. de Siorac me l'a dit. Mais combien que vos enfants soient un peu lents à profiter de mes bonnes dispositions, rien n'est perdu. Il est encore temps, s'ils le veulent.

Trouvant que l'entretien tournait un peu trop au grave, le roi se tourna vers la Montpensier et lui demanda des confitures.

— Ha Sire! dit-elle, vous vous gaussez de moi! Vous pensez sans doute que nous n'en avons plus!

— Mais que nenni! dit-il avec enjouement, j'ai faim, tout simplement. Ma repue de midi est loin.

Se faisant alors apporter un pot d'abricots par Franz, la Montpensier l'ouvrit et plongeant un cuiller, en voulut faire l'essai.

— Ma bonne cousine, dit le roi en se levant de son cancan et en lui arrêtant la main, vous n'y pensez pas!

— Comment? dit la Montpensier, n'en ai-je pas fait assez pour vous être suspecte?

— Mais pas le moins du monde, ma bonne cousine.

— Ha! dit la Montpensier, je me rends enfin! On ne peut que vous aimer!

Ayant dû me retirer en même temps que Sa Majesté de l'hôtel de Montpensier, je retournai le lendemain voir Mme de Nemours en sa demeure et ne fus reçu d'elle qu'après qu'elle m'eut fait attendre une grosse heure. Quand enfin je fus en sa présence introduit, ce fut en son salon, non en son petit cabinet, et elle était vêtue de cap à pié, et non point en ses flottantes robes de nuit en lesquelles à cette heure matinale, je l'avais vue plus d'une fois.

— Marquis, me dit-elle, après que je lui eus baisé la main, mais sans oser me mettre à son genou comme à mon accoutumée, je vous dois quelques excuses de vous avoir fait languir si longtemps, mais je ne pouvais vous admettre à ma toilette, ni descendre avec le marquis de Siorac aux mêmes libertés que j'accordais au maître drapier Coulondre, celles-ci ne tirant pas à conséquence, vu l'humilité de son état.

— Alors, Madame, dis-je, je me dois plaindre d'être marquis, puisque mon rang me prive des familiarités et des bontés que votre Grâce avait pour le maître drapier.

Elle sourit alors, puis avec une gravité à laquelle elle mêla une bonne grâce des plus charmantes, elle reprit :

— Monsieur, mes bontés vous demeurent acquises, même si je dois mettre d'ores en avant quelque distance entre vous et moi, votre rang me contraignant, par la male heure, à me ramentevoir le mien.

Ayant dit, elle me questionna sur ma famille et, férue qu'elle était de noblesse, parut contente d'apprendre, et que mon père avait été fait baron par Henri II, pour avoir fort vaillamment servi à Calais sous son premier mari [1], et que ma mère était née Caumont, grande famille périgordine dont l'ancienneté parut, à ses yeux, compenser le démérite d'avoir adhéré à la Réforme. Il est vrai que la duchesse nourrissait des sentiments très tièdes, et pour l'Eglise, et pour la Papauté, et pour la Ligue.

De ma famille, Mme de Nemours passa tout naturellement à la sienne, et se lamenta une fois encore sur les folies de ses fils, ni Mayenne ni Nemours ne voulant ouïr ses conseils, ni faire leur paix avec le roi, pendant qu'il était temps encore.

1. François de Guise.

— Brissac, dit-elle, tout grand coquin qu'il est, a eu raison. Le roi s'étant converti et le peuple ne voulant plus que lui, il n'y avait plus qu'à tirer l'échelle. Ma fille Montpensier est folle à prendre de l'ellébore. Elle a de prime crié qu'elle se voulait daguer, puis qu'elle voulait daguer Brissac. Et m'est avis qu'elle va brouillonner sous ce règne, comme elle fit sous le règne précédent.

— Vous n'êtes donc pas apensée, Madame, que Madame votre fille est sincère, quand elle dit se rendre au roi et le vouloir aimer?

— Marquis, dit Mme de Nemours avec quelque hauteur, êtes-vous céans mon serviteur ou celui du roi? Et me sondez-vous pour lui?

— Ha! Madame! m'écriai-je, me jetant à ses genoux avec un élan que je ne pus cette fois, réprimer, me soupçonnez-vous de vous espionner? Me tenez-vous pour si peu dévoué à votre personne? Et croyez-vous que je pourrais découvrir à Sa Majesté une seule parole de vous, dès lors que vous m'auriez défendu de la lui répéter?

— Nenni, Monsieur, dit-elle, s'apazimant tout soudain et posant une main sur mes cheveux, laquelle toutefois retirant aussitôt, et me priant de me relever, elle reprit:

— J'ai parlé trop vite. Dans la réalité des choses, je n'ai pas conçu de vous ce soupçon. Je ne vois nulle contradiction entre votre loyauté au roi et votre fidélité à moi, pour ce qu'il est de ma plus ferme intention d'être désormais la plus dévouée et affectionnée sujette de Sa Majesté. Mais pour ma folle de fille, je dis non, mille fois non! Elle est ligueuse comme on respire. Son cœur dément son bec: elle ne se rend point au roi et la Ligue pas davantage.

— Mais Madame, la Ligue est vaincue...

— Ha! Marquis! Ne vous flattez pas de cet espoir! La Ligue n'est point vaincue. La Ligue est faite de cette sorte de gens implacables et zélés qui ne désarment mie. Soyez-en bien assuré: vous orrez encore parler d'elle, pour la raison qu'elle est tout juste comme la fameuse hydre de Lerne : coupez-lui une tête, il lui en surgit une.

— Deux, Madame.

— Comment cela ? Deux ?

— Coupez-lui une tête, il lui en revient deux. C'est la légende véritable.

— Marquis, dit Mme de Nemours en riant comme nonnette, osez-vous bien me contredire ?

— Madame, dis-je en riant à mon tour, j'en suis au désespoir ! Mais il le faut ! A en juger par tout le feu que l'hydre a craché sur le royaume avec une seule de ses gueules depuis cinquante ans, que sera-ce s'il lui en repousse deux à chaque fois qu'elle en perd une ?

GLOSSAIRE
DES MOTS ANCIENS OU OCCITANS
UTILISÉS DANS CE ROMAN

A

acagnarder (s') : paresser.
acaprissat (oc) : têtu (chèvre).
accoiser (s') : se taire (voir *coi*).
accommoder : mal traiter, ou bien traiter, selon le contexte.
accommoder à (s') : s'entendre avec.
affiquet : parure.
affronter : tenir tête, braver.
agrader (oc) : faire plaisir.
aigremoine : plante de la famille des rosacées, que l'on rencontre à l'orée des bois, et qui était utilisée pour guérir l'ulcère de la cornée.
alberguière : aubergiste.
alloure (oc) : allure.
algarde : attaque, mauvais tour.
alpargate (oc) : espadrille.
amalir (s') (oc) : faire le méchant.
amour (une) : amour. Féminin au XVIe siècle.
anusim (les) (hébr.) : les convertis de force.
apaqueter : mettre en paquet.
apazimer (oc) : apaiser.
apostume : abcès.
apparesser (s') : paresser.
appéter : désirer.
appétit (à) : désir, besoin de (ex. appétit à vomir).
arder : brûler de ses rayons (le soleil).
assouager : calmer.
aspé (e) : renforcé (en parlant d'une porte).
à'steure, à s'teure : tantôt... tantôt.
atendrézi (oc) : attendri.

attentement (de meurtrerie) : tentative (de meurtre).
aucuns (d') : certains.
avette : abeille.
aviat (oc) : vite.

B

bachelette : jeune fille.
bagasse (oc) : putain.
bagues : bagages (vies et bagues sauves).
se bander : s'unir (en parlant des ouvriers) contre les patrons. Voir *tric*.
banque rompue : banqueroute.
baragouiner : parler d'une façon barbare et incorrecte. Selon Littré et Hatzfeld, le mot daterait de la Révolution française, les prisonniers bretons de la chouannerie réclamant sans cesse du pain, *bara*, et du vin, *gwin*. Je suis bien confus d'avoir à apporter le démenti à d'aussi savants linguistes, mais le mot baragouin est *antérieur* à la Révolution, et se rencontre dans de nombreux textes du XVIᵉ siècle (Montaigne : « *Ce livre est bâti d'un espagnol baragouiné* »).
barguigner : trafiquer, marchander (qui a survécu dans l'anglais *bargain*). *Barguin* ou *bargouin* : marché.
bas de poil : couard.
bastidou (oc) : petit manoir.
batellerie : imposture, charlatanerie.
bec jaune : jeunet (par comparaison avec un jeune oiseau, dont le bec est encore jaune). Plus tard : béjaune. *Bec* : bouche (voir gueule). *Prendre par le bec* : moucher quelqu'un qui a proféré une sottise ou une parole imprudente.
bénignité : bonté.
bestiole : peut désigner un chien aussi bien qu'un insecte.
billes vezées : billevesées.
biscotter : peloter.
blèze : bégayant.
de blic et de bloc : de bric et de broc.
bonnetade : salut.
bordailla (oc) : désordre.
bordeau : bordel.
bougre : homosexuel.
bourguignotte : casque de guerre.
branler : ce mot, qui s'est depuis spécialisé, désignait alors toute espèce de mouvement.
brassée : accolade.

braverie (faire une) : défier, provoquer.

braveté (oc) : bonté.

brides (à brides avalées) : nous dirions : à bride abattue. Le cavalier « abat » la bride (les rênes) pour laisser galoper à fond le cheval.

buffe : coup, soufflet (français moderne : baffe).

C

caillette : voir *sotte*.

caïman : de « *quémant* » : mendiant devenu voleur de grand chemin.

calel (oc) : petit récipient de cuivre contenant de l'huile et une mèche.

caque : petit baril.

caquetade : bavardage.

carreau : coussin.

cas : sexe féminin.

casse-gueule : amuse-gueule.

catarrhe : rhume.

céans : ici.

chabrol : rasade de vin versée dans le reste de la soupe et bue à même l'écuelle.

chacun en sa chacunière : chacun en sa maison.

chaffourrer : barbouiller.

chair, charnier, charnure : chair, au XVI\ :sup:`e` siècle, désigne la viande. Les « *viandes* » désignent les mets. *Charnier* : pièce d'une maison où l'on gardait la « chair salée ». *Charnure* : les contours d'un corps de femme.

chamaillis : combat, le plus souvent avec les armes.

chanlatte : échelle grossièrement faite.

chattemite : hypocrite.

chatterie, chatonie : friponnerie.

chaude (à la) : dans le feu de l'action.

chiche-face : avare (voir *pleure-pain*).

chicheté : avarice.

chié chanté (c'est) : c'est réussi ou c'est bien dit.

circonder : entourer.

clabauder : bavarder. *Clabauderie* : bavardage.

de clic et de clac : complètement.

clicailles : argent.

coi : silencieux (*s'accoiser* : se taire).

col : cou.

colloquer : conférer, donner (colloquer en mariage).

colombin(e) : blanc, pur, innocent.

combe : vallée étroite entre deux collines. « *Par pechs et combes* » : par monts et vaux.

combien que : bien que.

commodité : agrément. Faujanet (sur le mariage) : « La commodité est bien courte et le souci bien long ».

compain : camarade (celui avec qui on partage le pain).

conséquence (de grande ou de petite) : importance (de grande ou de petite importance).

constant : vrai.

coquardeau : sot, vaniteux.

coquarts : coquins.

coquefredouille : voir *sotte*.

coqueliquer : faire l'amour.

corps de ville : la municipalité.

en correr (oc) : en courant.

cotel (oc) : couteau.

côtel : côté (d'un autre *côtel*).

courtaud : petit cheval de chétive apparence.

courre : courir.

cramer : brûler (ex : putain cramante).

cuider : croire.

D

dam, dol : dommage.

déconforter : désoler.

déconnu : inconnu.

déduit : jeu amoureux.

dégonder : déboîter.

délayer : retarder.

demoiselle : une demoiselle est une femme noble, et ce titre se donne aussi bien aux femmes mariées qu'à celles qui ne le sont pas.

dépêcher : tuer.

dépit (substantif pris adjectivement) : courroucé.

déporter (se), *déportement* : se comporter, comportement.

dépriser, déprisement, dépris : mépriser, mépris.

dérober : enlever sa robe à.

désoccupé : sans travail.

dévergogné : sans pudeur.

diagnostique : l'usage, au xviᵉ siècle, était de l'employer au féminin.

domestique (le) : l'ensemble des domestiques, hommes et femmes. S'agissant d'un prince, le « domestique » peut inclure les gentilshommes.

628

doutance : doute.

driller : briller.

drola ou drolette (oc) : fille.

drolasse : mauvaise fille (oc).

drole (oc) (sans accent circonflexe, comme Jean-Charles a bien voulu me le rappeler) : garçon.

drolissou (oc) : gamin.

E

embéguinée : voir *sotte*.

embufer (oc) : contrarier, braver.

emburlucoquer : embrouiller (emburlucoquer une embûche).

émerveillable : admirable.

émeuvement : agitation, émoi.

emmistoyer (s') (marrane) : faire l'amour avec.

émotion (une émotion populaire) : émeute. On dit aussi un « tumulte ».

esbouffer (s') à rire : éclater de rire.

escalabrous (oc) : emporté.

escambiller (s') (oc) : ouvrir voluptueusement les jambes.

escopeterie : coups d'arquebuse tirés en même temps.

escouillé (oc) : châtré.

escumer (s') (oc) : transpirer.

espincher (oc) : lorgner.

estéquit (oc) : malingre.

esteuf : balle ou jeu de paume.

estranciner : s'éloigner de.

estrapade : supplice qui se donnait pour fin la dislocation des épaules.

étoffé (des bourgeois étoffés) : riche.

évangiles : le mot s'emploie au féminin. Ex. : « leurs belles évangiles » (François de Guise).

évicter : faire sortir.

F

fallace : tromperie.

fault (ne vous) : ne vous fait défaut.

fendant (l'air assez) : fier.

fétot (oc) : espiègle.

fiance : confiance.

fils, « Il n'y avait fils de bonne mère qui n'en voulû tâter » :

Il n'y avait personne qui... (la connotation favorable s'étant perdue).

folieuse : prostituée.

for (en son) : en lui-même.

forcer : violer ; *forcement :* viol.

fortune (la fortune de France) : le sort ou le destin de la France.

friandise (par) : par avidité. Ce mot est aujourd'hui passé du mangeur au mangé, le mangeur gardant « friand ».

frisquette : vive.

front (à... de) : en face de.

G

galapian (oc) : gamin.

galimafrée : ragoût.

gambette : jambe.

garce : fille (sans connotation défavorable).

gargamel (le ou la) : gorge.

gausser (se) : plaisanter, avec une nuance de moquerie (d'où gausserie).

un gautier, un guillaume : un homme.

geler le bec : clouer le bec.

gens mécaniques : ouvriers.

godrons : gros plis ronds empesés d'une fraise. Il y avait fraise et fraise, et celles des huguenots étaient austèrement et chichement plissées à petits plis.

goguelu(e) : plaisant, gaillard.

gouge : prostituée.

gripperie : avarice.

grouette : terrain caillouteux.

gueule, rire à gueule bec : rire à gorge déployée. *Baiser à gueule bec :* embrasser à bouche que veux-tu. *Etre bien fendu de la gueule :* avoir la langue bien pendue.

guilleri : verge.

H

haquenée : monture particulièrement facile qu'on peut monter en amazone.

harenguier : marchand de poissons.

hart : la corde du gibet.

haut à la main : impétueux.

heur (l') : le bonheur.

hucher : hurler (Colette emploie plusieurs fois le mot dans ses « *Claudine* »).
hurlade : hurlement.

I

immutable : fidèle, immuable.
incontinent : immédiatement.
intempérie : maladie.
ire : colère.
irréfragable : qu'on ne peut pas briser.

J

jaser : parler, bavarder.

L

labour, labourer : travail, travailler.
lachère : qui donne beaucoup de lait.
lancegaye : lance petite et fine.
langue (bien jouer du plat de la) : avoir le verbe facile.
lauze : pierre taillée plate dont on fait des toitures en Périgord et dans les provinces voisines.
lécher le morveau (péjoratif) : baiser les lèvres.
lecture : le cours d'un professeur.
léthal : mortel.
loche : branlant.
louba (oc) : louve.
loudière : putain (de *loud :* matelas).

M

maloneste (oc) : mal élevé.
marmiteux : triste.
maroufle, maraud : personne mal apprise.
mazelier, mazelerie : boucher, boucherie.
membrature : membres et muscles.
ménage : la direction et gestion (d'une maison, d'un domaine). L'anglais use encore de ce mot dans son sens français ancien *management.*
ménine (oc) : vieille femme.

mentulle : verge.

mérangeoises : méninges (?).

merveilleux, merveilleusement : extraordinaire. La connotation n'est pas nécessairement favorable. Ex. : « L'Eglise romaine est merveilleusement corrompue d'infinis abus » (La Boétie).

meshui : aujourd'hui.

mie : pas du tout.

mignarder : voir *mignonner*.

mignonner : caresser.

mignote : jeune fille (ou mignotte).

milliase : millier (dans un sens péjoratif : un milliasse d'injures).

miserere : appendicite.

mitouard : hypocrite.

montoir (mettre au) : saillir ou faire saillir.

morguer : le prendre de haut avec.

morion : casque de guerre.

moussu (oc) : monsieur.

muguet : galant, jeune homme à la mode.

mugueter : faire la cour.

musarde : flâneuse, rêveuse.

N

navrer : blesser.

navrement, navrure : blessure.

nephliseth (hébr.) : verge.

niquedouille : voir *sotte*.

O

occire : tuer.

ococouler (s') (oc) : se blottir.

oncques : jamais.

orde : sale.

oreilles étourdies (à) : à tue-tête.

osculation : baiser.

oublieux : marchand de gaufres.

outrecuidé : qui s'en croit trop.

P

paillarder : faire l'amour (probablement de « paille », par allusion aux amours rustiques).

paillardise : lubricité.

paonner (se) : se pavaner.

Paris : le nom est féminin au XVIe siècle.

parladure (oc) : jargon.

parpal (oc) : sein.

pasquil : épigramme, pamphlet.

pastisser (oc) : peloter.

pastourelle : bergère.

pâtiment : souffrance.

patota (oc) : poupée (Espoumel dit : *peteta*).

paume : jeu de balle qui se jouait d'abord à mains nues mais qui, au XVIe siècle, incluait déjà l'usage du filet et de la raquette (ronde ou carrée).

pauvre (mon) : emprunte à *paure* (oc) son sens affectueux.

pech (oc) : colline, le plus souvent colline pierreuse.

pécune : argent.

pécunieux : riche (cf. français moderne : *impécunieux* : pauvre).

pensamor (oc) : pensée amoureuse.

pensement (oc) : pensée (dans le sens de : penser à quelqu'un).

périgordin : employé dans cette chronique de préférence à périgourdin.

peux-je ? : n'avait pas encore été vaincu par *puis-je ?*

piaffe (la) : étalage vaniteux. *Piaffard* : faiseur d'embarras.

picanier (oc) : taquiner, quereller. *Picanierie* : querelle, taquinerie.

picorée : butin.

pile et croix (à) : pile ou face.

pimplader (se) (oc) : se farder.

pimplocher (se) : même sens.

piperie : tromperie.

pique (la pique du jour) : l'aube.

pisser (n'en pas pisser plus roide) : n'y avoir aucun avantage.

pitchoune (oc) : enfant.

pitre (oc) : poitrine.

platissade : coup de plat d'une épée.

plat pays : campagne.

pleure-pain : avare.

plier (oc) : envelopper (la tête pliée : la tête enveloppée).

ploros (oc) : pleurnicheur.

ployable : souple, flexible.

poilon : poêlon.

pointille : affaire de peu d'importance.

pouitrer (oc) : pétrir.

poutoune (oc) : baiser.

prédicament : situation.
prendre sans vert : prendre au dépourvu.
proditoirement : traîtreusement.
prou : beaucoup (peu ou prou).
provende : provision.

Q

quand (quand et quand) : souvent.
quenouillante : qui file la quenouille.
quia (mettre à, réduire à) : détruire, anéantir.
quiet : tranquille (quiétude).
quinaud : penaud.

R

ramentevoir (se) : se rappeler.
raquer (oc) : vomir.
rassotté : sot, gâteux.
râtelée (dire sa) : donner son opinion ou raconter une histoire.
rebelute : à contrecœur.
rebiquer, rebéquer (se) : se rebeller.
rebiscoulé (oc) : rétabli (après une maladie).
rebours : hérissé, revêche.
réganier : repousser.
religionnaires (les) : les réformés.
remochiner (se) (oc) : bouder.
remuements : manœuvres, intrigues.
remparer : fortifier.
reyot, ou *reyet* (oc) : (de *rey,* roi). Petit roi, dans un sens péjoratif. Charles IX, après la Saint-Barthélemy, devint pour les réformés du Midi : « ce petit reyet de merde ».
rhabiller (un abus) : porter remède à un abus.
ribaude : putain.
rober : voler.
robeur : voleur.
rompre : briser (les images et statues catholiques).
rompre les friches : labourer les friches.
rufe (oc) : rude, mal dégrossi.

S

saillie : plaisanterie.
saillir : sortir.
sanguienne : juron (sang de Dieu).

sarre (impératif) : fermez. Ex. : Sarre boutiques !

serrer : garder prisonnier.

sotte : les insultes courantes à l'époque, surtout lorsqu'elles s'adressaient aux femmes, mettaient l'accent sur la niaiserie et l'ignorance plus encore que sur la sottise. Ex. : sotte caillette, sotte embéguinée, niquedouille, coquefredouille, etc.

soulas : contentement.

strident : aiguisé, vorace *(l'appétit le plus strident).*

sueux : suant.

T

tabuster : chahuter.

tant (tant et tant) : tellement.

tantaliser : faire subir le supplice de Tantale.

tas (à) : en grande quantité.

testoner : peigner.

téton : le mot « sein » est rare dans la langue du XVIᵉ siècle, du moins au sens féminin du mot. On dit aussi *tétin*.

tire-laine : larron spécialisé dans le vol des manteaux.

tirer (vers, en) : aller dans la direction de.

tortognoner : biaiser, hésiter.

touchant : en ce qui concerne.

toussir : tousser.

tout à plat (refuser) : refuser catégoriquement.

tout à plein : complètement.

tout à trac : tout à fait.

tout de gob : tout de go.

trait (de risée) : plaisanterie.

trantoler (se) (oc) : flâner.

travaillé (de) : subir ou souffrir (la guerre dont la France était durement travaillée).

trestous : tous.

tric : l'arrêt de travail concerté (puni alors des plus lourdes peines).

truchement : interprète.

tympaniser : assourdir de ses cris, et aussi mettre en tutelle (au son du tambour : *tympane*).

de tric et de trac : complètement.

U

ugonau (oc) : huguenot.

usance : usage.

V

vanterie : vantardise.
vauderoute (mettre à) : mettre en déroute.
vaunéant : vaurien.
ventrouiller (se) : se vautrer.
viandes (les) : voir *chair.*
vif : vivant.
vilité : mode de vie bas et vil (ribaude vivant en vilité).
vit : verge.
volerie : chasse fauconnière.

Du même auteur :

ROMANS

Week-end à Zuydcoote, NRF, Prix Goncourt, 1949.
La Mort est mon métier, NRF, 1952.
L'Île, NRF, 1962.
Un animal doué de raison, NRF, 1967.
Derrière la vitre, NRF, 1970.
Malvil, NRF, 1972.
Les Hommes protégés, NRF, 1974.
Madrapour, Le Seuil, 1976.

FORTUNE DE FRANCE
(aux Éditions de Fallois)

Tome I : *Fortune de France* (1977),
En nos vertes années (1979).
Tome II : *Paris ma bonne ville* (1980),
Le Prince que voilà (1982).
Tome III : *La Violente Amour* (1983),
La Pique du jour (1985).
Tome IV : *La Volte des Vertugadins* (1991),
L'Enfant-Roi (1993).
Les Roses de la Vie (1995).
Le Lys et la pourpre (1997).

Le Propre de l'Homme, Éditions de Fallois, 1989.
Le Jour ne se lève pas pour nous,
Éditions de Fallois, 1990.
L'Idole, Éditions de Fallois, 1994.

HISTOIRE CONTEMPORAINE

Moncada, premier combat de Fidel Castro, Laffont,
1965, épuisé.
Ahmed Ben Bella, NRF, 1985.

THÉÂTRE

Tome I : *Sisiphe et la mort, Flamineo,
Les Sonderling*, NRF, 1950.
Tome II : *Nouveau Sisiphe, Justice à Miramar,
L'Assemblée des femmes*, NRF, 1957.

Tome III : *Le Mort et le Vif* suivi de
Nanterre la Folie (adaptation de Sylvie Gravagna),
Éditions de Fallois, 1992.
Pièces Pies et Impies, Éditions de Fallois, 1996.

ESSAIS

Oscar Wilde ou la « destinée » de l'homosexuel,
NRF, 1955.
Oscar Wilde, 1984, Éditions de Fallois, 1995.

TRADUCTIONS

JOHN WEBSTER, *Le Démon blanc*, Aubier, 1945.
ERSKINE CALDWELL, *Les Voies du Seigneur*,
NRF, 1950.
JONATHAN SWIFT, *Voyages de Gulliver
(Lilliput, Brobdingnag, Houyhnhnms)*,
ERF, 1956-1960.

EN COLLABORATION AVEC MAGALI MERLE

ERNESTO « CHE » GUEVARA, *Souvenirs de la Guerre
révolutionnaire*, Maspero, 1967.
RALPH ELLISON, *Homme invisible*, Grasset, 1969.
P. COLLIER et D. HOROWITZ, *Les Rockefeller*,
Le Seuil, 1976.

Composition réalisée par EURONUMÉRIQUE

Imprimé en France sur Presse Offset par

BRODARD & TAUPIN

GROUPE CPI

La Flèche (Sarthe).
N° d'imprimeur : 23681 – Dépôt légal Éditeur 46768-04/2004
Édition 09
LIBRAIRIE GÉNÉRALE FRANÇAISE - 43, quai de Grenelle - 75015 Paris.
ISBN : 2 - 253 - 13612 - 3